MATISSE
PICASSO

MATISSE PICASSO

Elizabeth Cowling Anne Baldassari John Elderfield

John Golding Isabelle Monod-Fontaine Kirk Varnedoe

Tate Publishing

**Réunion des musées nationaux/Centre national d'Art
et de Culture Georges Pompidou/Musée national d'art moderne**

The Museum of Modern Art

Exposition organisée par
la Réunion des musées nationaux/musée Picasso et le Centre national d'Art
et de Culture Georges-Pompidou/Musée national d'art moderne, Paris
Tate, Londres
The Museum of Modern Art, New York

présentée à
Londres, Tate Modern, du 11 mai au 18 août 2002

Paris, Galeries nationales du Grand Palais, du 17 septembre 2002 au 6 janvier 2003

New York, The Museum of Modern Art, du 13 février au 19 mai 2003

À Paris,
L'exposition est réalisée grâce au soutien de LVMH/Moët Hennessy.Louis Vuitton et de Christian Dior.

Sa réalisation est coordonnée à la Réunion des musées nationaux par Vincent David,
chef de projets d'exposition, et Francine Robinson, coordinatrice du mouvement des œuvres.
Les commissaires de l'exposition sont assistés par Vérane Tasseau.

La scénographie et la signalétique sont conçues par Jean-François Bodin et Marc Vallet, agence Bodin
et associés, Béatrice Bodin et Yan Stive, FBI, et réalisées avec le concours des équipes techniques
des Galeries nationales du Grand Palais.

Couverture :

1re page :
Matisse, *Nu bleu I*, 1952, gouache sur papier découpé et collé sur papier marouflé sur toile, Fondation Beyeler,
Riehen/Bâle

Picasso, *L'Acrobate*, 1930, huile sur toile, musée Picasso, Paris

4e page :
Matisse, *Vénus*, 1952, gouache sur papier découpé et collé sur papier marouflé sur toile, The National Gallery of Art,
Alisa Mellon Bruce Fund 1973, Washington

Picasso, *L'Acrobate bleu*, 1929, fusain et huile sur toile, musée Picasso, Paris

Frontispice :
L'appartement de Leo et Gertrude Stein, 27, rue de Fleurus, Paris, vers 1907
(à gauche, *Nu aux mains jointes* [1907] par Picasso ; en haut, *Portrait de Gertrude Stein* [1905-1906] par Picasso ;
au centre, *La Femme au chapeau* [1905] par Matisse ; à droite, *Les Oliviers* [1906] par Matisse)

ISBN : 2-7118-4551-6

Commissariat

Commissariat de l'exposition aux Galeries nationales du Grand Palais, Paris

Anne Baldassari
Conservatrice au musée Picasso, Paris

Isabelle Monod-Fontaine
Directrice adjointe du Musée national d'art moderne, Paris

Commissariat à la Tate Modern, Londres

Elizabeth Cowling
Senior Lecturer, Department of Fine Art, University of Edinburgh

John Golding
Peintre et historien de l'art

Commissariat au Museum of Modern Art, New York

John Elderfield
Chief Curator at Large, The Museum of Modern Art, New York

Kirk Varnedoe
Professeur d'histoire de l'art, School of Historical Studies, Institute
of Advanced Study, Princeton ; anciennement Chief Curator of Painting
and Sculpture, The Museum of Modern Art, New York

Administrateur des Galeries nationales du Grand Palais
David Guillet

Remerciements aux prêteurs

Nous voulons saluer, en tout premier lieu, le rôle moteur joué par MM. Claude Duthuit et Claude Ruiz-Picasso, représentants des successions Matisse et Picasso, et les remercier chaleureusement pour l'exceptionnel et très généreux soutien qu'ils nous ont apporté dès la naissance de ce projet et tout au long de sa réalisation. Que soient également vivement remerciés les membres des familles Matisse et Picasso qui ont contribué par leurs prêts importants au succès de cette exposition. Sans leur aide et leurs amicaux encouragements, celle-ci n'aurait pu avoir lieu.

Nous voulons dire aussi notre très profonde gratitude aux prêteurs privés, ceux qui ont souhaité rester anonymes comme ceux mentionnés ici, dont la générosité nous a permis de rassembler dans l'exposition les principaux chefs-d'œuvre des deux artistes. Nous les remercions de la grande confiance qu'ils nous ont ainsi témoignée :
Prof. Dr. Heinz Berggruen, Paris
Ernst Beyeler, Fondation Beyeler, Riehen/Bâle
Carol A. Cowan, Toronto
Klaus et Erika Hegewisch, Hambourg
Jan et Marie-Anne Krugier-Poniatowski, Genève
Galerie Krugier & Ditesheim, Genève
Manuel Lopez-Bolinches (courtesy), Valence (Espagne)
Pierre et Maria Gaetana Matisse Foundation, New York
Marina Ruiz-Picasso, Paris

Enfin, l'exposition a bénéficié de prêts exceptionnels de grandes collections publiques d'Europe et des États-Unis.

Nous tenons à remercier tout particulièrement les présidents et directeurs de ces institutions pour leur engagement décisif et l'important concours qu'ils nous ont apporté :

Allemagne
Berlin
Prof. Dr. Peter-Klaus Schuster
Staatliche Museen zu Berlin, Nationalgalerie.
Sammlung Berggruen
Düsseldorf
Prof. Dr. Armin Zweite
Kunstsammlung Nordrhein-Westfalen

Danemark
Copenhague
Allis Helleland
Statens Museum for Kunst

Espagne
Barcelone
Maria-Teresa Ocaña
Museu Picasso
Madrid
Juan Bonet
Museo nacional Centro de Arte Reina Sofia

États-Unis
Baltimore
Dr Doreen Bolger
Baltimore Museum of Art
Buffalo
Douglas G. Schultz
Albright-Knox Art Gallery
Chicago
James N. Wood
Art Institute of Chicago

Préface du mécène

Matisse et Picasso furent les deux maîtres qui changèrent le plus profondément les destinées de l'art du XXe siècle. La réalisation d'une grande exposition rapprochant leurs œuvres se justifie donc pleinement.

En réunissant un ensemble incomparable de chefs-d'œuvre, présenté cet automne à Paris dans les Galeries nationales du Grand Palais, les deux commissaires français, Isabelle Monod-Fontaine et Anne Baldassari et leurs équipes, renouent un dialogue essentiel et secret, qui constitue l'une des « sources du XXe siècle ».

Fidèle partenaire de la Réunion des musées nationaux depuis plus de dix ans, LVMH/Moët Hennessy. Louis Vuitton a tenu, avec la Maison Christian Dior, à permettre la réalisation à Paris d'une manifestation qui sûrement fera date. L'inépuisable capacité d'invention et d'innovation de Matisse comme de Picasso, la quête du bonheur de l'un, par l'éclat de la couleur et la pureté du dessin, l'acharnement de l'autre à défaire et à refaire inlassablement les formes du monde, sont évidemment d'admirables modèles pour un groupe comme le nôtre, dont les créateurs et l'ensemble des collaborateurs sont profondément attachés à défendre et illustrer les valeurs de créativité et de qualité propres à la tradition des arts français.

Comme il l'a fait pour les expositions qu'il a soutenues précédemment (*Poussin* en 1994, *Cézanne* en 1995, *Picasso et le portrait* en 1996, *Georges de La Tour* en 1997, *Chardin* en 1999, *Méditerranée* en 2000, *Jean Dubuffet* en 2001), LVMH a également tenu à mettre en œuvre autour de celles-ci, des actions destinées à former et à sensibiliser le public des enfants entre six et onze ans — avec les classes Découverte et Pédagogie — et les étudiants français et étrangers des écoles d'art — avec la neuvième édition du Prix LVMH des Jeunes Créateurs.

En outre, LVMH est heureux d'avoir pu contribuer largement à la réalisation par la France du site scientifique internet que la Réunion des musées nationaux a développé à partir de l'ensemble des documents disponibles sur les relations ayant existé entre les deux maîtres. Il s'agit là d'une grande « première » qui montre tout ce que ce nouveau media peut et pourra apporter dans le domaine de la diffusion de la connaissance et de l'histoire de l'art auprès des chercheurs, des étudiants mais aussi du grand public.

Je me réjouis profondément que cette exposition, qui était attendue depuis si longtemps et qui marquera nos mémoires, ait pu se réaliser à Paris grâce à notre concours et qu'elle ait été si brillamment menée à bien par une équipe internationale où la partie française a joué un rôle déterminant. Le très grand succès que l'exposition a obtenu à Londres, et qu'elle obtiendra à Paris cet automne avant New York au printemps 2003, est enfin le symbole même de l'universalité de l'art et des émotions qu'il suscite, tout comme Dior et l'ensemble de nos Maisons ont su être reconnus partout dans le monde comme les acteurs d'un art de vivre aujourd'hui universellement apprécié.

BERNARD ARNAULT
Président de LVMH/Moët Hennessy. Louis Vuitton

Préface

« On vient d'avoir l'idée la plus rare et la plus imprévue, celle de réunir dans une même exposition les deux maîtres les plus fameux et qui représentent les deux grandes tendances opposées de l'art contemporain. On a deviné qu'il s'agit d'Henri Matisse et de Pablo Picasso. » Ces lignes enthousiastes sont dues au poète et critique d'art Guillaume Apollinaire qui, en 1918, écrit un bref communiqué de presse annonçant le vernissage à la galerie Paul Guillaume de la première exposition commune jamais consacrée aux deux artistes. Il pourrait se féliciter aujourd'hui avec nous de l'exposition Matisse-Picasso qui ouvre ses portes aux Galeries nationales du Grand Palais à Paris, réunissant à nouveau les deux artistes sources de l'art moderne.

La réalisation de cette exposition exceptionnelle est le résultat d'une collaboration exemplaire entre les institutions muséales françaises – Centre Georges Pompidou-Musée national d'art moderne et musée Picasso à Paris, coordonnés par la Réunion des musées nationaux – et leurs homologues anglais et américain de la Tate Gallery of Modern Art à Londres et du Museum of Modern Art à New York.

La France s'est engagée dans ce projet avec une détermination d'autant plus forte qu'elle a voulu, à l'occasion de cette exposition croisée, donner toute la mesure de l'importance tenue par Matisse et Picasso dans notre histoire artistique et culturelle. Premier prêteur de l'exposition avec une quarantaine d'œuvres à Londres et New York et une soixantaine d'œuvres à Paris, nos musées et leurs équipes se sont mobilisés avec un zèle et une rigueur pour lesquels je voudrais ici chaleureusement saluer les chefs d'établissement – Bruno Racine, nouveau président du Centre Georges Pompidou, Alfred Pacquement, directeur du Musée national d'art moderne, Gérard Régnier, directeur du musée Picasso, et Francine Mariani-Ducray, présidente de la Réunion des musées nationaux –, ainsi que les commissaires de la manifestation, Anne Baldassari et Isabelle Monod-Fontaine.

J'ajoute que sans le soutien et l'amitié des familles Matisse et Picasso, depuis toujours liées par une véritable « fraternité artistique », ce projet n'aurait su trouver son plein succès. Je veux leur dire ma profonde gratitude.

Elle va aussi, naturellement, au groupe LVMH, qui, à l'initiative de son président Bernard Arnault, a apporté à cette manifestation un mécénat d'une exceptionnelle générosité, contribuant tant à l'organisation de l'exposition qu'à la réalisation d'un important site web de recherche consacré à Matisse et Picasso.

En me réjouissant que l'événement ait su fédérer les énergies, les ressources, les talents de tant d'acteurs éminents, je laisserai volontiers Apollinaire conclure, avec ces mots : « Ce sera là une exposition sensationnelle et une date dans l'histoire artistique de notre temps… »

JEAN-JACQUES AILLAGON
Ministre de la Culture et de la Communication

Avant-Propos

Nous avons eu un réel plaisir à collaborer à cette exposition historique consacrée aux rapports entre Henri Matisse et Pablo Picasso et sommes très heureux qu'elle puisse être vue à Londres, Paris et New York. Grâce à l'esprit de collaboration qui a été le nôtre dès la mise en œuvre de ce projet, nous avons pu rassembler de nombreux chefs-d'œuvre des deux artistes provenant des principales collections privées et publiques européennes et américaines. S'y ajoute un ensemble exceptionnel d'œuvres appartenant à nos propres collections : celles du musée Picasso, du Centre national d'Art et de Culture Georges Pompidou/Musée national d'art moderne, du Museum of Modern Art et de la Tate.

L'exposition Matisse-Picasso veut explorer le dialogue créatif qui s'est développé entre les deux artistes tout au long de leur parcours artistique. La nature de ce rapport fascina très tôt leurs contemporains et fut l'objet de constats et de réévaluations critiques. Ainsi, dès 1918, leur exposition commune à la galerie Paul Guillaume, à Paris, dont le catalogue fut préfacé par Guillaume Apollinaire, constitue le premier acte public d'une polarité Matisse-Picasso dans l'histoire de l'art moderne.

L'exposition débute en 1906, peu après la rencontre des deux peintres et retrace l'histoire de leurs échanges durant près d'un demi-siècle. À travers trente-quatre sections rassemblant thématiquement des paires ou des groupes d'œuvres, ce parcours, globalement chronologique, se conclut sur l'émouvant dialogue imaginaire que Picasso poursuit, après la mort de Matisse en 1954, avec l'œuvre de ce dernier. Sans prétendre à l'exhaustivité, ce principe d'exposition veut souligner les aspects majeurs de l'œuvre de Matisse et de Picasso, tout en révélant les aspects les plus inédits de leurs interactions artistiques.

Le projet de l'exposition fut conçu à l'origine par Elizabeth Cowling et John Golding pour la Tate Modern, avant de devenir le projet commun de grande ampleur qui nous réunit aujourd'hui. Chacune des institutions coorganisatrices désigna dès l'origine deux commissaires pour la représenter. Ainsi, les œuvres rassemblées dans cette exposition ont été sélectionnées en commun par une équipe internationale de six commissaires : Elizabeth Cowling et John Golding pour Londres, Anne Baldassari et Isabelle Monod-Fontaine pour Paris, John Elderfield et Kirk Varnedoe pour New York. Nous leur sommes profondément reconnaissants de l'enthousiasme, de l'obstination et du temps qu'ils ont consacrés à ce projet pour choisir les œuvres, les localiser et en négocier les prêts. Nous voulons aussi remercier chacun d'eux pour les essais éclairants qu'ils ont écrits pour ce catalogue, explicitant les raisons des regroupements spécifiques d'œuvres de Matisse et Picasso, et les situant à chaque étape dans le contexte général de leur œuvre respectif. Une substantielle chronologie croisée des deux artistes vient compléter ces essais et réunit des informations et des documents essentiels et en grande partie inédits provenant principalement des fonds des archives personnelles de Matisse et Picasso.

Nous sommes particulièrement reconnaissants envers les membres des familles Matisse et Picasso de la grande générosité avec laquelle ils ont collaboré à cette exposition. Nous tenons à saluer tout spécialement Claude Duthuit et Claude Ruiz-Picasso qui les représentent. Dès la naissance de ce

projet, leur engagement à nos côtés et leur soutien nous ont encouragés à mener à bien la réalisation de l'exposition que nous avons voulue belle, stimulante et innovante.

Nous avons également bénéficié d'un très favorable accueil des grandes institutions muséales et collections particulières. C'est avec générosité et désintéressement qu'ils nous ont consenti le prêt d'œuvre d'une exceptionnelle importance. Néanmoins, en raison d'impossibilités circonstancielles, certaines œuvres ne pourront être présentées à toutes les étapes de l'exposition. Ce constat est particulièrement vrai pour des œuvres sur papier, mais dans ses grandes lignes, le corpus de l'exposition restera inchangé à Londres, Paris et New York.

Notre dette envers les prêteurs est immense. Nous espérons qu'au vu du résultat, ils trouveront justifiée la confiance qu'ils nous ont accordée. À tous, nous voulons dire notre profonde gratitude.

Nous voulons également remercier les personnels de la Tate Modern, de la Réunion des musées nationaux, du musée Picasso, du Centre national d'Art et de Culture Georges Pompidou/Musée national d'art moderne et du Museum of Modern Art, dont les efforts concertés autour des commissaires ont contribué à la réalisation de l'exposition. Le projet a été dirigé par trois équipes travaillant en collaboration: Ruth Rattenbury pour la Tate Modern à Londres, assistée par Sophie Clark; Bénédicte Boissonnas pour la Réunion des musées nationaux à Paris, assistée par Vincent David, Francine Robinson et Vérane Tasseau, également désignés pour représenter le musée Picasso et le Centre national d'Art et de Culture Georges Pompidou/Musée national d'art moderne ; Jennifer Russell pour le Museum of Modern Art à New York, assistée par Maria DeMarco Beardsley et Claudia Schmuckli. Nous avons grandement bénéficié du dévouement de chacun.

Cet impressionnant catalogue, magnifiquement illustré, a été conçu par Steven Schoenfelder à New York. L'édition anglaise a été publiée en Angleterre sous la direction de Sarah Derry. L'édition française, dont le contenu diffère en partie, a été assurée à la Réunion des musées nationaux par Sophie Laporte et Bernadette Caille, éditrices, avec le concours de Jean-Yves Cousseau pour l'adaptation graphique et de Bernard Lagacé pour la conception de la couverture. Nos remerciements vont à toutes ces personnes ainsi qu'à leurs assistants.

Comme à l'accoutumée, la grande générosité de nos mécènes et des membres de nos comités de parrainage a permis la réalisation matérielle de cette exposition exceptionnelle. Ernst & Young l'a très généreusement soutenue à la Tate Modern à Londres. À Paris, aux Galeries nationales du Grand Palais, elle a été réalisée grâce au soutien de LVMH/Moët Hennessy. Louis Vuitton et de Christian Dior. Le Museum of Modern Art a bénéficié de la grande générosité de Merrill Lynch, qui a parrainé l'exposition et la publication du catalogue à New York. Nous exprimons à chacun notre profonde gratitude.

Glenn Lowry
Directeur du Museum
of Modern Art, New York

Francine Mariani-Ducray
Directrice des Musées de France,
Président de la Réunion
des musées nationaux, Paris

Bruno Racine
Président du Centre national d'Art
et de Culture Georges Pompidou,
Paris

Nicholas Serota
Directeur de la Tate,
Londres

Remerciements des commissaires

La réalisation d'une exposition d'une importance scientifique et artistique telle que celle consacrée aujourd'hui à Matisse et Picasso dépend du concours d'un grand nombre de personnes et d'institutions. Nous voulons dire notre profonde gratitude à tous ceux qui sont mentionnés ici pour nous avoir dispensé leur généreux appui.

Le dialogue créatif entre Matisse et Picasso, qui forme l'axe de notre démonstration, n'aurait pu être évoqué sans le conseil et la collaboration des familles des deux artistes. Dès l'origine, les contacts établis avec leurs représentants, Claude Duthuit et Claude Ruiz-Picasso, dont la réaction enthousiaste nous a grandement encouragés, ont garanti notre démarche. Leur indéfectible soutien nous a permis de mener dans les conditions les meilleures durant ces quatre dernières années notre travail de sélection, de localisation et d'emprunt des œuvres qui est à la base de l'exposition. Nous leur en sommes profondément reconnaissants.
Chacun des membres des familles Matisse et Picasso a de plus très généreusement contribué à la réalisation du projet. Nous voudrions saluer dans la famille Matisse, Barbara et Claude Duthuit, Jacqueline Matisse-Monnier, Gérard Matisse, Paul Matisse, Pierre-Noël Matisse et Georges Matisse. L'intérêt témoigné à ce projet par la regrettée Maria Gaetana Matisse a été d'un apport décisif pour l'exposition et nous voulons ici rendre hommage à son très amical soutien.
Dans la famille Picasso, nous tenons à saluer pour leur grande générosité, Marina Picasso, Paloma Ruiz-Picasso, Maya Widmaïer-Picasso, Bernard Ruiz-Picasso, Claude Ruiz-Picasso, ainsi que Françoise Gilot, Christine Picasso, Catherine Hutin-Blay, Diana Widmaïer-Picasso et Olivier Widmaïer-Picasso.

Notre entreprise a bénéficié de la très généreuse et décisive contribution des musées, fondations et collections particulières qui ont consenti le prêt d'œuvres d'une exceptionnelle importance artistique. Nous voulons dire toute notre gratitude aux collectionneurs particuliers, ainsi qu'aux directeurs, administrateurs et conservateurs de ces institutions pour la confiance qu'ils ont bien voulu nous manifester.

L'amitié et le soutien d'un très important cercle d'amateurs, d'experts et d'historiens d'art nous ont permis de travailler avec succès à la réunion de ce remarquable ensemble d'œuvres de Matisse et de Picasso et de rassembler dans son catalogue une documentation en grande partie inédite. Nous voulons les en remercier très chaleureusement :
William Acquavella, Dawn Ades, Isabelle Alonso, Jean-Pierre Angremy, Irina Antonova, Brigitte Baer, Laure Beaumont-Maillet, John Berggruen, Olivier Berggruen, Marie-Laure Bernadac, Irène Bizot, Bruno Blasselle, Yve-Alain Bois, Doreen Bolger, Richard Brettell, Francis Briest, Janet Briner, Doris Brynner, Wendy Bryson, François Bujon de l'Estang, Laurent Burin des Roziers, Richard Calvocoressi, Kimberley Camp, Sara Campbell, Alessandra Carnielli, Camilla Cazalet, Éric de Chassey, Jean-Paul Claverie, Ivan Conquéré de Monbrison, Judith Cousins (†), Pierre Daix, Anne

d'Harnoncourt, Gilbert de Botton (†), Janet de Botton, Marie-Noëlle Delorme, Giuseppe Donegà, Roland Doschka, Sasha Dugdale, Anne Duruflé, Bernd Dütting, Teri Edelstein, Barbara Epstein, Hélène Fauré, Évelyne Ferlay, Jay Fisher, Michael FitzGerald, Jack Flam, Dominique Fourcade, Hunan Freimanova, Jay Gates, Sherri Geldin, Thomas Gibson, Françoise Gilot, Christopher Green, Wanda de Guébriant, Agnes Gund, Colette Haufrecht, Allis Helleland, Alan Hobart, Cornelia Homburg, David Jaffé, Philip et Helen Jessup, Paul et Ellen Josefowitz, Stella Kattan, Richard Kendall, James et Clare Kirkman, Albert Kostenevich, Kyriakos Koutsomallis, Marie-Josée Kravis, Diana Kunkel, Rémi Labrusse, Jeremy Lang, Quentin Laurens, Emma Laurent, Françoise Lemelle, William S. Lieberman, Robert R. Littman, Manuel Lopez Bolinches, Daniella Luxembourg, Édouard Malingue, James Mayor, Marilyn McCully, Marta-Volga de Minteguiaga, Kasper Monran, Helly Nahmad, David Nash, Christine Nelson, Lars Nittve, Martine Offroy, Manuela Padouan, Josep Palau I. Fabre, Robert Parks, Antony Penrose, Meg J. Perlman, Maître Nicolas Pierard, Christine Pinault, Mikhail Piotrovsky, Joachim Pissarro, Laurence Pontalier, Sandra Poole, Marla Prather, Noëlle Prejger, Michael Raeburn, Eliza Rathbone, Peter Read, John Richardson, Elizabeth Rohatyn, Élaine Rosenberg, Pierre Rosenberg, Robert Rosenblum, Jacob Rothschild, William Rubin, Angelica Zander Rudenstine, John Russell, Sophie Scheidecker, Angela Schneider, Pierre Schneider, Daniel Schulman, Édouard Sebline, Robert B. Silvers, Ann Simpson, Hilary et John Spurling, Leo Steinberg, Dennis Stevenson, Michel Strauss, Charles F. Stuckey, Jaume Sunyer, Michael Taylor, Jennifer Tonkovich, Olga Uhrova, Brian Urquhart, Gertje Utley, Sylvie Vautier, Nicholas Watkins, Sarah Whitfield, Patricia Willis.

Les directeurs des quatre musées que nous représentons ont été tout au long de la conduite de ce projet de très actifs soutiens : Alfred Pacquement et son prédécesseur Werner Spies, Musée national d'art moderne/Centre de création industrielle, Paris, Gérard Régnier, musée Picasso, Paris, Glenn Lowry, The Museum of Modern Art, New York, et Nicholas Serota, Tate, Londres. Nous avons souvent bénéficié de leurs avis et de leur compétence. Qu'ils soient chaleureusement remerciés de leur pleine et constante coopération.

À Londres, Paris et New York, les équipes de nos musées et institutions se sont investies avec professionnalisme et dévouement pour assurer la réalisation de l'exposition et de son catalogue. Pour tous, ce fut un travail long, complexe et exigeant, et nous leur en sommes extrêmement reconnaissants. Nous voudrions tout particulièrement remercier les personnes suivantes :

À Londres

Dennis Ahern, Holly Allen, Elisabeth Andersson, Nicola Bion, Simon Bolitho, Jane Burton, Sophie Clark, Celia Clear, Catherine Clement, Phil Coles, Abbie Coppard, Deborah Denner, Sarah Derry, John Duffet, Stephen Dunn, Suzanne Freeman, Matthew Gale, Colin Grant, Penny Hamilton, Tim Holton, John Johnson, Sioban Ketelaar, Ann Katrin Köster, Catherine Macduff, Odile

Matteoda-Witte, Jerry Mawdsley, Elizabeth McDonald, Stephen Mellor, Philip Miles, John Miller, Phil Monk, Nick Morse, Lynn Murfitt, Lars Nittve, Ruth Rattenbury, Katherine Rose, Mary Scott, Julie Simek, Patricia Smithen, Gill Smithson, Gabriella Svenningsen, Nadine Thompson, Sheena Wagstaff, Dave Willett, Calvin Winner.

À Paris

Agnès de la Beaumelle, François Belfort, Jean-Pierre Biron, Laurence Camous, Catherine Duruel, Emmanuel Fessy, Jacques Hourrière, Claude Laugier, Brigitte Léal, Nathalie Leleu, Olga Makhroff, Bruno Maquart, Christiane Rojouan, Martine Silie, Brigitte Vincens, Anne-Marie Zuchelli.
Véronique Balu, Claire Bergeaud, Franck Besson, Hubert Boisselier, Jean-Pierre Chauvet, Chérifa Chelbi, Patrick Destin, Fabien Docaigne, Dominique Dupuis-Labbé, Marie-Christine Enschaïen, Thomas Eschbach, Pierrot Eugène, Sylvie Fresnault, Vidal Garrido, Laurence Madeline, Paule Mazouet, Yann Pelé de St-Maurice, Mélanie Petetin, Jean-René Quentric, Dominique Rossi, Hélène Seckel-Klein, Jeanne-Yvette Sudour, Marie-Liesse Sztuka, Vérane Tasseau, Patrice Triboux.
Juliette Armand, Hélène Bartissol, Thomas Bijon, Béatrice de Boisséson, Bénédicte Boissonnas, Bernadette Caille, Palmiro Carta, Sandrine Cournier, Évelyne David, Vincent David, Pascale Desriac, Philippe Durey, Fabien Escalona, Béatrice Foulon, Anne Giani, Laurent Gourdien, Martine Guichard, David Guillet, Sybille Heftler, Sophie Laporte, Marie-José Lecœur, Jean Naudin, Laetitia Noppe, Alain Madeleine-Perdrillat, Michel Richard, Francine Robinson, Gilles Romillat, Cécile Vignot.
Sylvie Bellu, Béatrice Bodin, Jean-François Bodin, Georges Collins, Jean-Yves Cousseau, Béatrice Hatala, Bernard Lagacé, Hélène Lebreton, Brice Matthieussent, Didier Pemerle, Yan Stive, Marc Vallet.

À New York

Esperanza Altamar, Anny Aviram, Ramona Bannayan, Jamie Bennett, Karl Buchberg, Daniela Carboneri, Mikki Carpenter, James Coddington, Kathy Curry, Sharon Dec, Maria DeMarco-Beardsley, Gary Garrels, Maria del Carmen González, James Gundell, Madeleine Hensler, Ruth Kaplan, Katherine Krupp, Kynaston Mcshine, Michael Maegraith, Michael Margitich, K Mita, Kim Mitchell, Jerome Neuner, Pete Omlor, Susan Palamara, Avril Peck, Peter Perez, Elizabeth Peterson, Diana Pulling, Ed Pusz, Jennifer Roberts, Cora Rosevear, Susanna Rubin, Jennifer Russell, Claudia Schmuckli, Deborah Schwartz, Ethel Shein, Rebecca Stokes, Deborah Wye.

Anne Baldassari
Conservatrice au musée Picasso, Paris

Elizabeth Cowling
Senior Lecturer, Department of Fine Art, University of Edinburgh

John Elderfield
Chief Curator at Large, The Museum of Modern Art, New York

Isabelle Monod-Fontaine
Directrice adjointe du Musée national d'art moderne, Paris

John Golding
Peintre et historien de l'art

Kirk Varnedoe
Professeur d'histoire de l'art, School of Historical Studies, Institute of Advanced Study, Princeton ; anciennement Chief Curator of Painting and Sculpture, The Museum of Modern Art, New York

Sommaire

Note de l'éditeur :

Les œuvres reproduites dans ce catalogue sont celles présentées à Paris,
aux Galeries nationales du Grand Palais, à l'exception des planches 7 et 72,
et au moment où nous mettons sous presse de la planche 97.

Les titres des chapitres ont été rédigés par les commissaires français de l'exposition.
Ils n'engagent en rien les auteurs anglais et américains.

Introduction

John Golding

« Il faudrait pouvoir mettre côte à côte tout ce que Matisse et moi avons fait en ce temps-là. Jamais personne n'a si bien regardé la peinture de Matisse que moi. Et lui, la mienne [1]… »

PICASSO, DANS SA VIEILLESSE

Cette exposition nous raconte l'une des histoires les plus fascinantes et les plus instructives de toute l'histoire de l'art.
Ce fut en mars 1906 que les trois membres de la famille Stein, qui habitaient alors Paris, emmenèrent Matisse dans l'atelier de Picasso, sans doute pour voir le portrait de Gertrude Stein auquel Picasso travaillait alors [2]. Contrairement à l'affirmation ultérieure de Gertrude, selon laquelle « avant ce temps, Matisse n'eut jamais entendu parler de Picasso, et que Picasso n'eut jamais rencontré Matisse [3] », chacun des deux hommes connaissait déjà le travail de l'autre et peut-être s'étaient-ils même déjà rencontrés. On pouvait voir des tableaux des deux artistes à la galerie de Berthe Weill, ainsi qu'à celle, plus prestigieuse, d'Ambroise Vollard. Mais, pour Picasso, la rencontre essentielle fut associée à sa visite au Salon des indépendants de 1906, qui ouvrit le 20 mars. Matisse y était représenté par une seule œuvre, *Le Bonheur de vivre* (fig. 2). Simultanément, la galerie Druet organisa une substantielle exposition personnelle du travail de Matisse. Se trouvait ainsi confirmée la position de Matisse en tant que « chef d'école » du mouvement fauve, qui représentait les tentatives

les plus audacieuses de la jeune peinture française. *Le Bonheur de vivre* devait se réverbérer dans l'imagination de Picasso toute sa vie durant. Picasso, de douze années plus jeune que Matisse, se trouvait alors dans une position très différente. En Espagne, on le tenait pour un enfant prodige. Depuis son installation à Paris en 1904, il avait étonnamment vite attiré l'attention de critiques, d'écrivains et de quelques marchands, mais la plupart de ses amis les plus proches étaient comme lui des Espagnols expatriés ; il parlait encore un français approximatif. Les personnalités des deux hommes étaient diamétralement opposées. « Matisse… n'avait pas les idées de Picasso. "Pôle Nord" et "Pôle Sud", disait-il en parlant d'eux deux [4] ». Même si au cours des années précédentes, Matisse avait éprouvé des doutes et des difficultés de nombreux ordres, à l'époque de sa rencontre avec Picasso, il avait acquis une présence indéniable et, du moins superficiellement, une grande assurance. Les Stein, par exemple, le considéraient comme érudit, affable, mais légèrement lointain ; il était toujours impeccablement habillé. L'image de Matisse en tant qu'adversaire de la bohème s'attacherait à lui durant le restant de ses jours. Matisse avait étudié le droit et son évolution ultérieure de peintre fut

Fig. 1
David Douglas Duncan
Pablo Picasso et Jacqueline Roque
devant trois tableaux de Matisse, *Portrait de Marguerite*, *Nature morte à la corbeille d'oranges* et *Jeune Fille assise, robe persane*
Vauvenargues, printemps 1959

Fig. 2
Henri Matisse
Le Bonheur de vivre, 1905-1906
Huile sur toile, 174 x 238
The Barnes Foundation, Merion Station, Pennsylvanie

Fig. 3
Pablo Picasso
Les Demoiselles d'Avignon, 1907
Huile sur toile, 243,9 x 233,7
The Museum of Modern Art, New York, legs de Lillie P. Bliss

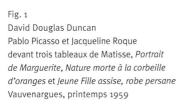

envisagée avec lucidité, voire soigneusement calculée – il campa habilement son personnage. La carrière de Picasso évoquait déjà le passage d'un météore. Le charme de Matisse, lorsqu'il voulait se donner la peine de le manifester, était formidable mais cultivé. Le charisme de Picasso fut, dès le début, magique et naturel. Il était capable de méchanceté, voire de cruauté, mais son magnétisme était tel que ceux-là mêmes qu'il avait froissés ou blessés étaient presque toujours irrésistiblement attirés de nouveau par lui. Il exerçait une fascination élémentaire. Comme la nature elle-même, il était imprévisible et il ignorait toutes les conventions : c'était un bohémien né.

Au début, les deux hommes se défièrent l'un de l'autre. Mais aussi, chacun sembla reconnaître d'instinct que l'autre allait être son seul vrai rival. Gertrude Stein devait écrire : « Ils devinrent amis, mais ils furent aussi ennemis [5] », pourtant ce n'était pas entièrement vrai ; comme si souvent dans ses écrits, Stein cède trop aisément à l'aphorisme frappant ou à la phrase à l'emporte-pièce. Plus tard, les deux artistes devaient évoquer leurs premières rencontres avec une certaine nostalgie. Au cours de ses dernières années, Matisse se souvint de cette époque comme marquée par une grande générosité intellectuelle [6] : « Nos disputes étaient amicales [7]. » Ils se mirent à se rencontrer régulièrement. Chacun rendait souvent visite à l'atelier de l'autre, sans doute dans un esprit de compétition, mais aussi poussé par une curiosité intense. Le samedi, ils se retrouvaient aux « soirées » des Stein, rue de Fleurus, Matisse civil et prolixe, mais toujours judicieux, Picasso silencieux et bouillonnant. En 1907, ils échangèrent des tableaux, chacun choisissant avec soin une œuvre qui soulignait leurs différences de tempéraments (cat. 3-4). Au moment de leur rencontre, l'art de Matisse était en avance sur celui de Picasso, non pas en terme de qualité, mais par son audace et sa liberté de coloriste. Picasso était parfaitement au courant des développements du post-impressionnisme français, lesquels s'étaient déjà frayé un chemin dans son art. Les travaux les plus récents de Picasso, que Matisse découvrit, montraient d'un autre côté qu'il s'identifiait à un passé classique archaïque et qu'il explorait les berceaux de la culture méditerranéenne. Quant à Matisse, pour *Le Bonheur de vivre*, il avait puisé dans un ensemble de sources de la Renaissance

et de la post-Renaissance, tout en synthétisant les réussites de ses mentors post-impressionnistes. Mais malgré son intérêt précoce pour la peinture hollandaise et le trecento italien, Matisse demeurait un artiste dans la tradition française classique. Le travail de Picasso, à l'inverse et à l'époque de leur rencontre, commençait déjà à manifester ce sentiment d'atavisme universel qui devait marquer une si grande part de sa production ultérieure. Début 1906, Picasso avait réalisé divers croquis et études de jeunes gens nus et de chevaux, qui suggèrent qu'il se préparait à se lancer dans un projet vaste et ambitieux. Il renonça bientôt à cette tentative, peut-être parce qu'il sentit que, s'il devait répondre au *Bonheur de vivre*, ce serait d'une manière plus radicale. À l'automne de cette même année, son travail traversa une crise. Devant, par exemple, *Deux Nus* (cat. 91), peint à la fin de 1906, on pressent une explosion imminente dans l'aspect massif et exagéré des personnages. Elle se produisit au printemps 1907 quand il commença à travailler à la grande toile qui allait devenir *Les Demoiselles d'Avignon* (fig. 3). Si *Le Bonheur de vivre* constitue l'un des repères de l'histoire de l'art, *Les Demoiselles* est l'une de ces rares œuvres d'art individuelles qui en modifia le cours même. Cette œuvre demeure le tableau le plus significatif du XXe siècle. Matisse n'aima pas *Les Demoiselles d'Avignon* et en fut même choqué, une réaction partagée par quasiment tous les spectateurs lors de leur première confrontation avec le tableau [8]. Et cela malgré le fait que son propre *Nu bleu*, montré au Salon des indépendants du printemps 1907, avait laissé sa marque sur le tableau de Picasso. Matisse avait déblayé le chemin pour Picasso à d'autres égards. Picasso était depuis longtemps conscient de l'art de Cézanne, mais par son propre exemple, Matisse avait prouvé à Picasso que le travail de Cézanne pouvait aboutir à des conclusions nouvelles et révolutionnaires. Ensuite, peu de temps après leur rencontre, Matisse avait montré à Picasso un exemple d'art tribal, qu'il collectionnait depuis une date récente – un prélude à la révélation vécue par Picasso lorsqu'il se rendit au musée du Trocadéro alors qu'il travaillait aux *Demoiselles d'Avignon*. Malgré son admiration pour les propriétés formelles de « l'art nègre », celui-ci influença relativement peu l'aspect de l'art de Matisse, même si l'on peut ressentir sa présence éloignée dans certaines œuvres comme *Portrait de madame Matisse* de 1913 (cat. 47).

Fig. 4
Figure reliquaire provenant de Kota, Gabon, début du XXe siècle
Bois, cuivre et laiton, 67 x 30,5
Musée des Arts d'Afrique et d'Océanie, Paris

Fig. 5
Masque Grebo, Côte d'Ivoire, XIXe siècle
Bois peint et fibres, 64 x 25,5 x 16
Musée Picasso, Paris, ancienne collection de Picasso

Fig. 6
Giotto
Le Sacrifice de Joachim, vers 1304-1305
Chapelle Scrovegni, Padoue

Matisse était un collectionneur avisé d'art tribal. Picasso, qui s'intéressait tout autant aux principes qui le sous-tendaient qu'à cet art proprement dit, avait tendance à se saisir de tout ce qu'il rencontrait. On pourrait même dire que certains des exemples plus bruts, plus authentiquement primitifs, d'art tribal qu'il possédait contribuèrent à forger le préjugé anti-esthétique de bon nombre de ses œuvres, un préjugé que Matisse ne partageait absolument pas. Cézanne et l'art tribal devaient ainsi constituer les deux influences majeures qui s'exercèrent sur *Les Demoiselles d'Avignon*. Malgré tout, Matisse reconnut que ce tableau représentait pour lui une menace qu'il ne pouvait ignorer. Matisse réagit en 1908 avec *Baigneuses à la tortue* (cat. 7), une toile aux dimensions comparables, tout imprégnée d'une gravité qui était nouvelle dans son art. Durant l'été 1907, Matisse avait effectué un voyage en Italie pour la première fois de sa vie et son contact avec l'art italien des XIVe et XVe siècles – l'œuvre d'artistes que l'on qualifiait toujours de « primitifs italiens » –, et surtout avec l'art de la fresque, lui montra comment il pouvait adapter son propre art pour l'inscrire au sein d'une tradition de la peinture occidentale. Ainsi allait-il être en mesure de soutenir ou de répondre au défi du prétendu primitivisme de l'œuvre de Picasso, qui constituait le prélude à l'émergence du cubisme. Dans la grande toile de Matisse, les influences de Giotto et de Cézanne sont toutes deux évidentes. Picasso admira *Baigneuses à la tortue*[9] et devait à son tour y réagir par une série de trois compositions avec figures – la plus célèbre étant *Trois Femmes*, achevée durant l'hiver 1908-1909 et aujourd'hui au musée de l'Ermitage, à Saint-Pétersbourg ; ces compositions, comme les natures mortes qui les accompagnent,

constituent l'antichambre de son propre cubisme authentique. De manière assez typique, il se lança dans l'aventure du cubisme main dans la main avec un artiste qu'il considérait moins comme un rival que comme un collaborateur utile : Georges Braque. En 1909, le cubisme avait clairement énoncé ses prémices. Le congé donné à la perspective de l'unique point de vue de la tradition occidentale permettait maintenant à Picasso de prendre entièrement possession de ses sujets, et d'une manière nouvelle, en les considérant sous tous les angles. L'année suivante, le cubisme entra dans sa période cristalline ou « hermétique », qui ne devait durer que deux années. Il produisit des œuvres d'une beauté fascinante mais énigmatique. Au moins initialement, Matisse n'aima guère les premières manifestations du cubisme. Il aurait trouvé le cubisme analytique trop austère, trop cérébral. Cela est peut-être en partie dû au fait que, dans leur quête de réinvention du vocabulaire de la peinture, Picasso et Braque avaient été temporairement contraints de supprimer la couleur que Matisse considérait désormais comme son véhicule de prédilection. Nous sommes ici en face d'un paradoxe. À mesure que les cubistes mettaient au point de nouvelles techniques, de nouvelles procédures de composition, ils étaient parfois impitoyablement emportés par leurs découvertes, leurs improvisations. De nombreux tableaux cubistes furent commencés comme des aventures picturales dont la destination ultime n'était pas reconnue avant qu'ils n'aient été achevés. Ni Picasso ni Braque ne s'intéressaient à l'abstraction en tant que telle, pourtant, durant l'été 1910, Picasso se mit à rechercher de nouveaux modes de description de formes volumétriques. Cette démarche le conduisit à dissoudre ses sujets dans des complexités de semi-transparences, à faire interagir les plans, jusqu'à parvenir au seuil de l'abstraction (cat. 55). Il fit alors demi-tour ; mais Matisse, à qui l'abstraction radicale semblait tout aussi rébarbative, ne put que voir d'un mauvais œil l'approche de ce seuil. « Picasso brise les formes ; moi, j'en suis le serviteur[10] », dit-il plus tard. Le cubisme de Picasso et de Braque impliquait la réinvention du vocabulaire de la peinture (et subséquemment de la sculpture), afin de créer un art qui s'inscrive dans le cadre de la représentation, tout en échappant au naturalisme. Ce point est confirmé par l'ensemble de leur production ultérieure. L'art de Matisse, durant sa vie entière, fut teinté de naturalisme. Pour lui, l'art « consiste en une

méditation d'après la nature, en l'expression d'un rêve toujours inspiré par la réalité [11] ». Matisse, dans ses célèbres « Notes d'un peintre » de 1908, écrit : « Pour moi, tout est dans la conception. Il est donc nécessaire d'avoir, dès le début, une vision nette de l'ensemble [12]. » Les visées intellectuelles du cubisme étaient plus vastes que celles de l'art de Matisse : par exemple, la substitution du vide au solide, ou l'introduction de l'illusionnisme dans un art dont les prémices avaient défié la validité. Malgré la splendeur visuelle immédiate de tant d'œuvres de Matisse, en dernière analyse, son approche est plus réfléchie, plus intellectuellement calculée, que celle de Picasso. Néanmoins et de manière paradoxale, durant toute sa vie, Matisse prêcha la doctrine de l'intuition ; Bergson fut sans doute le seul philosophe qu'il lut en profondeur. Pourtant, en regardant son travail et en essayant de retrouver ses processus de création, on a souvent le sentiment qu'il cherchait des effets de spontanéité plutôt que la spontanéité elle-même. À l'inverse, bon nombre des innovations de Picasso durant ses années cubistes d'avant-guerre furent d'abord explorées sous forme de dessins expérimentaux et, dans cette mesure, certaines de ses toiles étaient déjà achevées avant même d'être commencées. À leur tour, les propres œuvres créées sur papier par Matisse sont souvent d'une nature authentiquement exploratoire. Si Matisse accepta néanmoins certains éléments du cubisme analytique (cat. 56), ce fut à la seconde phase – dite synthétique – qu'il se sentit contraint de réagir. Son affrontement avec cette phase du cubisme fut précédé et, en un sens, préparé par son identification croissante à l'art islamique, identification confirmée par sa visite à Munich en 1910, où il avait pu admirer un échantillon, historiquement important, de la splendeur visuelle de l'Islam. « Les miniatures persanes, dit-il, par leurs accessoires […] suggèrent un espace plus grand, un véritable espace plastique. Cela m'aida à sortir de la peinture d'intimité [13]. » Ensuite, sa reconnaissance des procédures de composition du cubisme eut le même effet. L'appréhension de l'art islamique par Matisse devait avoir une signification comparable, pour toute sa production ultérieure, à l'identification instinctive de Picasso avec les principes visuels de l'art tribal et les forces vives sous-jacentes, pour la sienne. L'art islamique parlait à Matisse à plusieurs niveaux. Il était séduit par sa richesse colorée et son grand charme décoratif. Matisse utilisa souvent le terme

de « décoratif » dans le domaine artistique et, au fil des ans, il accorda à ce terme toute une série d'inflexions différentes. Mais fondamentalement, à ses yeux, le décoratif en vint à signifier une allégeance à la totalité de la surface peinte et à l'aura globale, spirituelle et émotionnelle, qui s'en dégageait. De ce point de vue, sa conception contraste fortement avec celle de Picasso qui était surtout un fabricant d'images, des images qui sont souvent fortement centrales. Les espaces ou les zones situés autour de ces images, ses sujets, étant en général pour lui d'un intérêt pictural moindre, présentent souvent une qualité légèrement négligée ou « inachevée ». Matisse est donc l'un des très rares artistes occidentaux qui ont réussi à investir le motif, d'habitude associé à la surface, de propriétés spatiales. Les conventions spatiales de l'art islamique (qui avaient quelques points communs avec celles du quattrocento italien) permettaient à ses praticiens de fournir de très riches informations spatiales, souvent précisément par l'emploi de motifs différenciés et de dispositifs décoratifs. Ainsi, dans un format réduit à quelques centimètres carrés, une miniature persane peut évoquer l'espace d'un vaste intérieur, de pièces supérieures ou inférieures, de l'escalier qui les relie, des balcons et des jardins situés au-delà. Plus tard

dans sa carrière, quand de temps à autre, l'espace pictural devient une préoccupation plus essentielle chez Picasso, comme par exemple dans les tableaux d'atelier du milieu des années cinquante (cat. 137), on sent souvent très fortement l'influence de Matisse.

L'intérêt de Matisse pour le cubisme trouva un nouvel élan dans les contacts qu'il eut pendant l'été 1914 à Collioure avec Juan Gris, le troisième et le plus jeune des initiateurs majeurs du cubisme. Gris avait commencé sa carrière de peintre sous les auspices de Picasso et ce fut son *Hommage*

Fig. 7
Anonyme
Yusuf admis en présence de Zulaynka pour la première fois, 1750
The British Museum, Londres

Fig. 8
Henri Matisse
La Famille du peintre, 1911
Huile sur toile, 143 x 194
Musée national de l'Ermitage,
Saint-Pétersbourg

à Picasso de 1912 (un portrait cubiste de son compatriote espagnol) qui attira pour la première fois l'attention du public sur lui. Dans les œuvres de Gris, les grilles flexibles du cubisme analytique s'organisaient de manière plus rigoureuse en dispositifs de composition qui s'étendaient en dehors des limites de la toile. Cette fidélité à la totalité de la surface peinte, Matisse l'aurait respectée. Il vit aussi que, comme dans le cas des miniatures persanes, on pouvait considérer les zones picturales créées par ces grilles comme des cellules spatiales à enrichir par la couleur et le motif. Manifestement, Matisse était aussi attiré par Gris à cause de la rigueur du travail et de l'esprit du jeune homme, et à Collioure, ils discutèrent sans fin de théorie picturale [14] ; les premières déclarations de Picasso sur l'art tendaient à être de nature anarchiste et abrupte. Certains signes prouvent que les rapports entre Matisse et Picasso s'étaient récemment dégradés [15]. Mais des relations amicales se rétablirent bientôt : en 1913, par exemple, ils montaient à cheval ensemble. Sans aucun doute, dans les années situées entre 1914 et 1917, lorsque Matisse se convainquit que son art ne pouvait ignorer plus longtemps les réussites du cubisme, ce fut avec Picasso qu'il se sentit lui-même en dialogue et en confrontation.

La seconde phase ou phase synthétique du cubisme fut initiée par l'invention du papier collé, un dispositif inspiré, du moins en partie, par le désir des cubistes de réintroduire la couleur dans leurs tableaux. Grâce à cette technique nouvelle, la couleur renforce la présence des objets, du sujet, tout en restant indépendante de ceux-ci, non conditionnée par les contours des choses [16]. Pour prendre un exemple simple : un morceau de papier vert, découpé de manière irrégulière, est collé sur un fond, puis on y trace le contour d'une bouteille. Le vert est implicitement attiré dans la représentation ou la substance de la bouteille. Il demeure néanmoins un élément plat, coloré et indépendant. Maintenant, plutôt que d'analyser et de fragmenter leurs sujets ainsi que l'espace situé autour d'eux, les cubistes les construisaient avec des éléments autonomes mais interactifs, avec des morceaux de papier découpés et collés ou avec des formes plates de couleur non modulée qui en dérivaient. Ce faisant, ils inventaient des procédures de composition entièrement nouvelles. Parce que la couleur était désormais directement impliquée, Matisse ne pouvait les ignorer. La couleur plate, sans modulations, introduite originellement dans le cubisme par l'emploi de papier découpé et collé, trouve néanmoins un écho dans l'art de Matisse. Il devait parler de travailler « selon les méthodes de la construction moderne [17] ».

À partir du fauvisme, Matisse avait orchestré et unifié ses tableaux par la couleur, qui pouvait être brisée, mouchetée ou sinon utilisée de manière globale, comme un champ dans lequel introduire d'autres zones colorées. Il comprenait maintenant comment il pouvait construire ses tableaux de manière plus architecturale en termes de zones colorées plates qui s'associeraient sur la surface de la toile, tout en réussissant encore à suggérer un espace naturaliste. L'appropriation par Matisse de certains aspects du cubisme lui permit de produire une série de chefs-d'œuvre, à l'organisation de surface plus rigoureuse que tout ce qu'il avait exécuté jusqu'alors (cat. 62-63, 67). Ces œuvres comptent parmi les tableaux les plus rigoureusement plats que Matisse ait jamais produits. Et pourtant, ils sont tout imprégnés de sensations spatiales parfaitement visibles. Les ambiguïtés et les tensions spatiales volontaires, créées par les rapports de couleurs dans le cubisme synthétique de Picasso (cat. 52, 60) et qui le ravissaient, étaient étrangères aux préoccupations de Matisse. Et si, dans les tableaux de Matisse liés au cubisme, la couleur semble à première vue appliquée de manière plate et unie, elle est toujours subtilement infléchie, souvent en permettant à des traces de fond blanc de briller à travers elle. Seul un coloriste possédant le génie de Matisse pouvait aboutir à un tel équilibre entre la couleur qui adhère strictement à la surface picturale et qui peut néanmoins suggérer au spectateur un espace naturaliste, cet espace dont nous faisons tous l'expérience dans notre quotidien. Il est significatif, qu'à une seule exception près [18], les réactions les plus évidentes de Matisse aux procédures de composition du cubisme aient

impliqué une échelle monumentale. La plupart des tableaux cubistes de Picasso exécutés entre 1909 et 1914 sont de taille moyenne. Un format plus vaste devait bientôt l'intéresser de nouveau, de manière spectaculaire dans son *Arlequin* de 1915 (cat. 59) et, surtout, dans *Homme accoudé sur une table* (collection particulière), son dernier chef-d'œuvre cubiste vraiment expérimental. Au cours des années qui suivirent, et en réaction aux réussites de Matisse, son cubisme devient simplifié, plus immédiatement accessible, voire parfois quelque peu théâtral dans ses effets (cat. 64, 66).

Au moment de l'entrée en guerre de la France, pour beaucoup, Matisse et Picasso étaient sans conteste les deux plus grands peintres vivants [19]. Ils étaient représentés en tant que tels dans la collection moscovite de Sergei Chtchoukine, peut-être la plus belle dans son genre. Là, les deux hommes émergeaient comme les authentiques héritiers révolutionnaires des artistes post-impressionnistes français dont Chtchoukine possédait les œuvres. Malgré l'altération du contexte artistique parisien durant les deux premières années de la guerre, Matisse et Picasso réussirent à se rencontrer assez souvent. Les deux artistes exposaient fréquemment et chacun suivait avec attention l'évolution de l'autre. Tous deux participèrent au Salon d'Antin en juillet 1916, l'un des événements culturels les plus significatifs de la guerre (des manifestations littéraires et musicales accompagnaient l'exposition [20]). Ce fut là que *Les Demoiselles d'Avignon* fut montré publiquement pour la première fois. Matisse venait de terminer une œuvre clef de ce qu'on pourrait appeler sa période « héroïque » – *Les Marocains*, de 1915-1916 (cat. 63) – et il luttait toujours pour achever ses compositions « à la manière moderne » – le magnifique *Femmes à la rivière* (fig. 13), commencé en 1909-1910, retravaillé entre le printemps et le début de l'automne 1913, enfin terminé sans doute peu de temps après la fermeture du Salon d'Antin.

Les styles de vie des deux peintres, ainsi que leurs productions devaient néanmoins diverger de manière abrupte. Déjà au cours des années 1914-1915, alors même que Matisse commençait à prendre la mesure des réussites cubistes avec des résultats si spectaculaires, l'œuvre de Picasso se mit à manifester une certaine agitation stylistique. Pendant l'été et l'automne 1914, il exécuta quelques dessins naturalistes, minutieux, en guise de prélude

à une série de portraits ingresques au trait, certains exécutés à partir de photographies.

À la fin de l'année 1915, il fit la connaissance de deux célébrités qui l'introduisirent dans un univers jusque-là inconnu de lui : Jean Cocteau, puis, beaucoup plus important pour l'évolution immédiate de son art, Serge Diaghilev. À l'automne 1916, il accepta de coopérer avec eux et le compositeur Erik Satie pour le ballet *Parade*. Les préparatifs l'amenèrent à Rome et agrandirent encore le cercle des nouveaux venus dans son existence. Lesquels le mirent bientôt en contact avec « le beau monde ». Fin 1918, il épousa la ballerine Olga Khoklova, la fille d'un officier de l'armée russe, et s'installa à une adresse très chic de la rue La Boétie. Olga avait des ambitions sociales qui, inévitablement, concernaient aussi Picasso. Au cours de l'année 1917 déjà, l'art de Matisse avait commencé de manifester un retour à une conception plus naturaliste, moins volontairement moderniste. À la fin de l'année, il s'installa à Nice. Toute sa vie désormais, il devait habiter Nice ou son voisinage pendant la plus grande partie de l'année. Les œuvres les plus caractéristiques de sa première période niçoise sont de taille modeste et montrent des intérieurs, souvent avec des jeunes femmes anonymes, posant parfois devant des paravents à motifs, baignées dans une douce et pure lumière filtrant à travers des persiennes à demi closes ou des fenêtres à rideaux. Le nouveau naturalisme de Matisse était, en un sens, la contrepartie de la tendance, dominante au début des années vingt, qui prônait le néoclassicisme et était en grande partie initiée par Picasso lui-même. Pourtant, Matisse et Picasso n'avaient jamais été aussi éloignés l'un de l'autre depuis l'époque où, malgré leur rivalité, ils avaient reconnu leur importance mutuelle pour la première fois. Les œuvres caractéristiques de la manière néoclassique de Picasso, ses grands nus, ses tableaux avec personnages, de plus en plus pessimistes, monumentaux et distordus de manière troublante, ou encore ses deux œuvres clefs, violentes et féroces, de 1925 – *La Danse* (cat. 73) et *Le Baiser* (fig. 10) –, confortèrent Matisse dans sa résistance au cubisme analytique. Ce n'est que dans certaines sculptures de Matisse que l'on trouvera parfois quelques analogies avec la massivité et le poids du nouveau style néoclassique des figures de Picasso (cat. 92-93). Et même dans *La Danse*, un tournant dans la carrière de Picasso, on sent que celui-ci est

Fig. 10
Pablo Picasso
Le Baiser, 1925
Huile sur toile, 130 x 97,7
Musée Picasso, Paris

Fig. 11
Pablo Picasso
Femme allongée et guitariste, 1914
Dessin au stylo, 20 x 29,8
Musée Picasso, Paris

encore hanté par les souvenirs des premières œuvres de Matisse [21]. Au cours de l'été 1926, Matisse écrivit une lettre à sa fille : « Je n'ai pas vu Picasso depuis des années. Je ne tiens pas à revoir Picasso, qui est un bandit embusqué [22]. »
Ici, presque certainement, Matisse désapprouve non seulement le travail récent de Picasso, mais aussi le style de vie de son rival. Lui-même avait désormais travaillé pour Diaghilev mais, contrairement à Picasso (aussi temporairement que ce fût), il ne se laissa pas influencer par l'éclat séducteur de la vie des gens de théâtre.
La réception du *Chant du rossignol*, dont la première eut lieu à l'Opéra de Paris en février 1920, ne fut guère favorable, même si les critiques s'adressaient plus à la musique (d'Igor Stravinsky) et à la chorégraphie (de Léonide Massine) qu'aux décors et aux costumes.
Contrairement à Picasso, toujours curieux de la diversité des comportements humains, Matisse ne se sentait pas stimulé par la collaboration, pas plus qu'il ne fut jamais un adepte du tourisme social ou artistique. L'œil de Matisse était sélectif. Celui de Picasso pouvait s'attarder longuement sur tout ce qui l'attirait. Au cours de ses huit ou neuf premières années à Nice, Matisse habita des logements confortables mais modestes dans des hôtels ou des appartements de location. Il passait le plus clair de l'été dans la maison et l'atelier d'Issy-les-Moulineaux, tout près de Paris, et travaillait parfois à Paris. Il ne menait pas une existence entièrement recluse ; il voyageait et fréquentait d'autres peintres. Plusieurs fois, il rendit visite à Renoir, également révéré par Picasso. Mais il était surtout attiré par Bonnard, dont Picasso n'aimait pas l'œuvre. Malgré tout, Matisse se repliait de plus en plus sur lui-même pour s'absorber dans son propre processus de travail. Déjà en 1919, Matisse avait fait prendre des photographies de ses œuvres en cours, afin d'enregistrer le fonctionnement de son propre esprit, les mouvements de ses mains. Même si la création de Picasso était ponctuée par des chefs-d'œuvre majeurs, il travaillait de plus en plus en séries, son esprit vif-argent substituant une image à une autre. Matisse, quant à lui, taillait et élaguait. À un niveau esthétique plus profond, ce fut l'*ethos* surréaliste, de plus en plus en vogue dans la vie culturelle parisienne au fil des années vingt, qui sépara radicalement Matisse et Picasso. En 1914, Picasso avait produit une centaine de dessins aux connotations fortement protosurréalistes, dans

lesquels le langage de signes linéaires et réducteurs, élaboré durant ses années cubistes, servait des effets différents : par exemple, la double courbe cubiste omniprésente pouvait signifier une tête vue de deux angles différents ; elle pouvait aussi représenter le contour d'une guitare ou suggérer un corps féminin. Le caractère interchangeable de l'imagerie, surtout dans les parties du visage ou du corps, fut un élément qui devait ravir les surréalistes. Picasso ne devint jamais un vrai surréaliste, essentiellement parce qu'il était incapable d'aborder le monde extérieur « avec les yeux fermés », pour reprendre une expression d'André Breton, – le mode de perception idéal de la réalité selon les surréalistes. Il allait néanmoins devenir, comme Giorgio De Chirico et Marcel Duchamp, l'une des trois influences majeures du surréalisme visuel. Dans la seconde moitié des années vingt, Picasso élabora un nouvel idiome biomorphique souple et délié. Et ce fut le principe ou le concept du biomorphisme qui, pour la première fois, devait apporter une cohésion visuelle à un grand nombre de tableaux surréalistes, restés jusque-là stylistiquement très disjonctifs.
Le style biomorphique des personnages de Picasso entrait en résonance avec l'enthousiasme nouveau manifesté par les surréalistes pour diverses formes d'art « primitif » ou tribal : l'art océanien, la peinture pariétale néolithique, les hiéroglyphes de l'île de Pâques, pour ne citer que quelques exemples. Le biomorphisme était étroitement lié à l'érotisme, l'une des préoccupations premières des surréalistes. Et personne, à l'exception de Miró, dont l'usage du biomorphisme était capricieux, voire brutal, ne l'exploitait avec des effets érotiques aussi puissants que Picasso lui-même. Les surréalistes, du moins initialement, admirèrent Picasso plus que tout autre artiste et le courtisèrent presque comme un dieu. Le chef du mouvement, André Breton, devait écrire : « Nous le revendiquons hautement pour un des nôtres [...]. Le surréalisme, s'il tient à s'assigner une ligne de conduite, n'a qu'à en passer par où Picasso en a passé et en passera encore [23]. » Picasso exposa avec les surréalistes et ses œuvres reçurent une place de choix dans les publications officielles du mouvement, tout particulièrement dans le numéro de *La Révolution surréaliste* de juillet 1925 [24]. Dans sa jeunesse, Breton avait été un fervent admirateur de Matisse. Il voyait maintenant avec dégoût et même un certain mépris les dernières

productions de l'artiste, qui lui semblait être un parangon du conservatisme bourgeois [25].

La position critique désormais occupée par Matisse était ambiguë. D'un côté, on le considérait comme un maître qui avait été assimilé à une tradition française reconnaissable – il fut le seul peintre du XXe siècle à figurer dans une importante exposition organisée en 1919 à New York, qui incluait des œuvres de Courbet, Manet, Renoir et Cézanne. De l'autre, on le définissait comme un innovateur jadis audacieux qui était maintenant à bout de forces – en 1919, dans son compte rendu d'une exposition des dessins de Matisse, Jean Cocteau écrivait déjà : « Voici le fauve ensoleillé devenu un petit chat de Bonnard [26]. » Matisse ne cite jamais le surréalisme dans ses écrits publiés, mais un homme de son tempérament a sûrement jugé répugnant l'esthétique de ce mouvement. Il détesta certainement une telle obsession pour tous les phénomènes érotiques. Pour lui, la beauté se trouvait dans la sérénité et non dans l'inquiétant ou le « convulsif ».

Durant la première période niçoise de Matisse, subtilement et parfois imperceptiblement, un nouveau thème, qui avait précédemment figuré dans son œuvre, imprègne peu à peu son art. De plus en plus souvent, les jeunes femmes anonymes qui accompagnent ses intérieurs arborent les attributs des odalisques orientales. Vêtues, partiellement vêtues ou nues, elles adoptent des attitudes languides et portent souvent des vêtements orientaux. Même les tableaux décrivant des femmes aux tenues contemporaines dégagent un parfum d'exotisme. Certaines parmi les premières œuvres niçoises sont nettement naturalistes, notamment les paysages. Mais les intérieurs ne sont pas aussi simples qu'on pourrait le croire à première vue, car le motif est souvent utilisé de manière disjonctive, contre toute perspective classique, pour accorder au tableau un aspect flottant, souvent légèrement rêveur ou exotique. Le harem a envahi l'intérieur bourgeois français. L'odalisque devait constituer une partie importante du répertoire de Matisse pour le restant de ses jours. De nouveau, elle le situait dans une tradition française du XIXe siècle. Les noms de Delacroix et d'Ingres viennent à l'esprit parmi maints autres. Ce fut à travers l'odalisque que Picasso envahit bientôt le territoire de Matisse et justifia en partie les accusations de banditisme dont il était l'objet.

Les nus et les demi-nus de Matisse sont voluptueux, mais rarement sensuels ; leur érotisme est toujours filtré, voilé. Ils séduisent le spectateur à travers l'art, visuellement mais rarement physiquement, même si certains dessins de Matisse dégagent une impression de séduction plus nettement physique. Les nus féminins de Picasso de la fin des années vingt sont chargés d'une sexualité puissante et manifeste, qui n'est pas une invite, mais bien plutôt une menace de dévoration. Lui-même se qualifiait d'artiste autobiographique et son art nous parle maintenant, sur un mode indirect, de la détérioration de sa vie privée avec sa femme Olga et de la menace qu'il sent peser sur sa créativité elle-même. Presque à aucun moment de sa carrière, Matisse nous donne davantage qu'un aperçu sur sa vie privée et sur la façon dont elle modifie peut-être son art. Certes, il nous invite dans ses ateliers et ses appartements – même si, à partir de sa première période niçoise, ces deux espaces deviennent de plus en plus interchangeables [27] –, mais sur ses plaisirs ou sur ses problèmes personnels, il ne nous dit rien. Les avouer, raisonnait-il sans doute, serait revenu à détruire la pureté de son art. Il serait peut-être juste de dire que pour Picasso, tous les aspects de l'existence étaient disponibles pour être au service de son art, tandis que pour Matisse, l'art était une sublimation de la vie, voire parfois un substitut de la vie.

De nombreux nus de Picasso de la seconde moitié des années vingt ressemblent à des défis brutaux lancés aux odalisques de Matisse. En un sens, ce sont des anti-odalisques (cat. 102, fig. 54). Alors, en 1932, avec ses allusions manifestes à une nouvelle muse qui était entrée dans sa vie plusieurs années auparavant – Marie-Thérèse Walter –, son art aborda une phase nouvelle. Les séries consacrées à Marie-Thérèse sont les tableaux les plus luxuriants qu'il exécuta et la richesse de leur palette n'a que peu d'équivalents dans la production de l'artiste. Son emploi de la couleur ne devait jamais égaler celui de Matisse en termes de subtilité ou de nuance. Des années plus tard, il dirait à Matisse : « Moi j'ai le dessin et je cherche la couleur. Vous avez la couleur et vous cherchez le dessin [28]. » Dans certains tableaux de Boisgeloup, la couleur est explosive, frisant parfois l'excès, soulignant ainsi le penchant espagnol de Picasso pour les extrêmes. Pourtant, sur d'autres toiles, la dette envers Matisse est évidente, ainsi que des critiques contemporains l'ont observé [29].

Telles sont ses vraies réponses aux odalisques matissiennes et sa réaction à la rétrospective majeure de Matisse, présentée à la galerie Georges Petit durant l'été 1931. Un an plus tôt, en 1930, la galerie Pierre avait organisé une exposition des sculptures de Matisse, et cette découverte aussi affecta profondément Picasso. Il venait d'acheter le château de Boisgeloup, près de Gisors, à une soixantaine de kilomètres de Paris, en partie au moins pour y entreposer ses œuvres. Après avoir pris possession des lieux, il transforma l'étable en atelier de sculpture et entra dans une phase d'intense activité sculpturale.

Malgré l'importance de la rétrospective Matisse en 1931, le choix des œuvres montrées s'était fait un peu au hasard, avec une insistance sur la première période niçoise, quand Matisse produisait certaines des œuvres les moins évidemment innovantes de toute sa carrière. Du point de vue critique, cette exposition ne fut pas un succès. Un an plus tard exactement, en 1932, la même galerie accorda à Picasso une rétrospective encore plus impressionnante. Ayant observé le manque de rigueur dans l'accrochage de son rival, Picasso choisit et installa ses œuvres lui-même (ce fut la dernière fois qu'il s'en chargea). Le résultat avait davantage de poids et représentait de manière plus fidèle son travail. Mais de nouveau, l'accueil critique fut mitigé. Picasso continuait d'étonner par son infinie variété mais, à cause de cette diversité même, beaucoup le considéraient avec méfiance ; tel un léopard qui changerait très souvent la disposition de ses taches, il apparaissait comme un artiste trop éclectique, voire trop intellectuel [30]. Même si les textes innombrables écrits sur ces deux artistes tendaient à les opposer [31], de manière assez intéressante, certains critiques mettaient désormais l'accent sur la versatilité de Matisse [32]. De fait, ainsi qu'il a déjà été suggéré, Picasso était fondamentalement un artiste instinctif et impulsif, tandis que l'approche apparemment hédoniste et dénuée de tout effort de Matisse était plus réfléchie. Mais le fait est que la célébrité des deux artistes était maintenant devenue si écrasante qu'un retournement de la critique devenait inévitable. Les réactions négatives à leurs travaux récents doivent, peut-être inconsciemment, les avoir invités à se rapprocher.

En un sens, leur célébrité même créait entre eux des liens nouveaux.

Au cours des années 1929-1930, la production de Matisse, en termes de peinture de chevalet, déclina de manière radicale, peut-être en partie parce qu'il comprit que la critique s'était temporairement retournée contre lui. Il retrouva le modernisme dans ses peintures murales pour Barnes, dans ses nombreuses œuvres graphiques et surtout, comme on l'a suggéré, dans ses illustrations pour les *Poésies* de Mallarmé [33]. Ces œuvres furent en partie exécutées pour rivaliser avec celles de Picasso destinées aux *Métamorphoses* d'Ovide, elles-mêmes passablement matissiennes dans la pureté réductrice de la ligne. *Les Métamorphoses* d'Ovide furent publiées en 1931, les *Poésies* de Stéphane Mallarmé un an plus tard. Si en France, Matisse ne bénéficiait toujours pas de la reconnaissance officielle digne de sa position réelle, son statut à l'étranger, et surtout aux États-Unis, était beaucoup mieux assuré. Son exposition de 1931 à New York avait été un grand succès et, en sa qualité de juré cette même année pour le prix Carnegie, il avait joué un rôle essentiel pour accorder cette récompense à Picasso. En Amérique, il rendit visite à l'un des plus célèbres parmi ses mécènes, Albert Barnes, à Merion, à quelques kilomètres de Philadelphie. Là, il vit bon nombre de ses premiers chefs-d'œuvre, dont *Le Bonheur de vivre*. Cette découverte lui redonna sans aucun doute courage et ce fut à cette occasion que naquit et prit forme l'idée des peintures murales pour Barnes. Matisse travailla presque exclusivement à ce projet du début 1931 jusqu'à mai 1933. Ces peintures murales (il en existe trois ensembles ou variantes) représentent un nouveau sommet dans

sa production artistique et renvoient aux années héroïques de son modernisme. Du point de vue de la composition, elles présentent des analogies avec *Femmes à la rivière*, tableau achevé en 1916, alors que Matisse digérait les procédures de composition du cubisme, avant de les transformer à ses propres fins. Le fond abstrait de la composition des peintures murales exécutées pour Barnes, dans lequel les danseuses s'insèrent et se fondent, fut créé par de très longs ajustements de papiers découpés et collés, un procédé qui, selon le seul témoignage de l'analyse visuelle, fut probablement utilisé pour la première fois dans la grande peinture de Chicago, *Papier découpé*. Cette variante absolument personnelle, élaborée par Matisse à partir du « papier collé » originel du cubisme, devait ensuite avoir une importance cruciale dans de nombreuses œuvres de l'artiste. En 1933, ayant installé ses peintures murales à la Fondation Barnes, Matisse partit se reposer dans une station italienne (Abano-Bagni). De là, il revint à Padoue, pour regarder une fois encore les Giotto qu'il avait déjà vus en 1907, alors qu'il affrontait pour la première fois les défis de Picasso. On a le sentiment qu'il revisite alors son propre passé révolutionnaire. En septembre, de retour à Nice, il se remet à peindre. Une fois encore, ses toiles deviennent plus denses, plus monumentales. Elles montrent une connaissance des réussites récentes de Picasso et de la dette de ce dernier envers lui-même (fig. 59). En 1935, Picasso, à son tour, cesse de peindre pendant assez longtemps et entame, en guise de compensation, une période de production poétique torrentielle d'orientation surréaliste. Au printemps 1936, les deux artistes exposent leurs travaux récents à la galerie de Paul Rosenberg. L'année suivante – 1937 – a été considérée comme une année d'intense compétition [34]. Presque toutes les œuvres créées par Picasso immédiatement avant la Seconde Guerre mondiale demeurent violentes et troublées. Néanmoins, dans des moments de calme, ainsi dans les derniers tableaux de Marie-Thérèse (elle apparaît le plus souvent costumée plutôt que nue), ou dans les premiers portraits majestueux de Dora Maar, Picasso dessine selon un mode pictural très proche de Matisse, dans une humeur beaucoup plus détendue, presque fraternelle. Quant à Matisse, il traversa alors une crise personnelle ; il était sur le point de se séparer de son épouse, qui l'avait

accompagné depuis maintes années. De cette crise, son œuvre ne nous dit rien.

Mai 1940 vit la dernière rencontre entre Matisse et Picasso pour presque cinq ans. Leurs rapports s'étaient maintenant stabilisés dans une amitié plus profonde, plus vraie [35]. Ils étaient liés par la reconnaissance du génie de l'autre, mais aussi, et peut-être à un niveau plus profond, chacun voyait-il dans l'autre un artiste qui repoussait les frontières de la tradition, même s'ils se considéraient tous deux comme des modernistes. Située sur le plan de la rivalité, de l'émulation, leur relation était d'une tout autre nature que celle qui unissait Matisse à ses plus jeunes collaborateurs, Derain et Vlaminck, alors que le fauvisme naissant bénéficiait de leurs échanges. De même qu'elle différait de celle, plus profonde encore, qui liait Picasso et Braque travaillant de concert à l'invention du cubisme. Indirectement, la guerre elle-même contribua à cimenter cette proximité. La France était le pays d'adoption de Picasso, qui demeurait espagnol jusqu'au tréfonds de son être. Et pour lui, Matisse incarnait maintenant la culture française. Depuis un certain temps, il l'associait à Delacroix, qu'il vénérait de plus en plus. De même, lorsqu'on mentionnait le nom de Baudelaire en sa présence, Picasso orientait aussitôt la conversation vers Matisse [36]. En novembre 1940, Matisse écrivit à son fils Pierre avec une évidente fierté : « Pablo ne souhaite pas quitter la France à tout prix, cela me fait plaisir. » Dans une autre lettre de juin 1942, Matisse s'emporte contre les ennemis de la peinture de Picasso : « Ce malheureux paye au prix fort ce qu'il a d'exceptionnel. Il vit dignement à Paris, il n'a aucun désir de vendre, il ne demande rien. Il a pris sur lui la dignité de collègues qui y ont renoncé de manière inconcevable [37]. » En décembre 1940, Matisse avait demandé à Picasso d'examiner les tableaux qu'il avait laissés en dépôt dans les coffres de la Banque de France, et Picasso l'avait fait.

Durant les années de guerre, chacun des deux hommes eut peu d'occasions de voir les productions récentes de l'autre. Matisse avait dû subir une grave opération chirurgicale en 1941, et il peignit peu jusqu'à la fin de la guerre, vivant à la place un extraordinaire développement de ses talents de dessinateur. Sa série de dessins intitulée *Thèmes et variations* devait ensuite influencer Picasso. Mais chacun de ces deux associés – car c'était bien là ce qu'ils étaient maintenant devenus – avait besoin de sentir la présence de l'autre. Ils échangèrent

Fig. 14
Pablo Picasso
La Joie de vivre (Antipolis), 1946
Huile sur fibrociment, 120 x 250
Musée Picasso, Antibes

des œuvres. Dans les années qui suivirent le succès critique et la réussite financière, les deux artistes rassemblèrent des collections relativement modestes mais significatives des œuvres d'autres artistes, surtout de leurs prédécesseurs immédiats et mentors. Ils possédaient des œuvres de Courbet, Renoir et Cézanne. Picasso aimait les agencer, de temps à autre, dans son espace privé. Matisse avait commencé à se débarrasser de sa propre collection, ressentant le besoin de vivre entièrement à l'intérieur de sa propre vision [38]. Mais il conserva auprès de lui, toujours dans son champ visuel, le sévère *Portrait de Dora Maar* que lui envoya Picasso en juin 1942. En novembre 1941, Picasso acquit l'une des plus belles de toutes les natures mortes de Matisse, *Nature morte à la corbeille d'oranges* de 1912 (cat. 40). Ce tableau allait devenir l'un de ses biens les plus précieux. Un temps, il fut exposé bien en évidence dans l'atelier du rez-de-chaussée, plein de sculptures, du 7, rue des Grands-Augustins, inondant de lumière et de couleurs l'immense espace quelque peu austère. D'autres échanges entre les deux artistes eurent lieu. Pendant l'Occupation, Picasso avait reçu l'interdiction d'exposer, mais il bénéficia d'une salle entière réservée à ses œuvres, lors du Salon de la Libération qui eut lieu à l'automne 1944. À la grande fierté de Matisse, près de ses propres œuvres fut placée la *Nature morte à la corbeille d'oranges*, le plus beau de tous les Matisse que possédait Picasso.

Les deux hommes portaient maintenant des noms célèbres et étaient considérés, en France, comme des trésors nationaux. Matisse reçut enfin la reconnaissance officielle dont on l'avait privé depuis trop longtemps : en 1945, l'État français acquit six tableaux significatifs pour le Musée national d'art moderne, allant de l'œuvre cardinale de 1907, *Le Luxe I* (cat. 6), jusqu'à la toile relativement récente intitulée *Nature morte au magnolia* (cat. 135). En 1947, Picasso fit don de dix tableaux au même musée, y compris l'une de ses toiles les plus importantes des années de guerre,

L'Aubade de 1942 (cat. 132). Picasso jouissait désormais d'une célébrité internationale plus grande que n'importe quel artiste de son vivant. À l'occasion des expositions parallèles organisées au Victoria and Albert Museum de Londres, pendant l'hiver 1946-1947 – le rapprochement officiel le plus symbolique de ces deux artistes depuis leur exposition commune à la galerie Paul Guillaume –, Matisse, de manière caractéristique, avait d'emblée fait cette remarque : « C'est comme si j'allais cohabiter avec un épileptique [39]. » Après avoir pris connaissance des comptes rendus de la presse, il se plaignit, de manière tout aussi caractéristique, tristement et avec regret, du fait que c'était Picasso qui essuyait les attaques les plus vives – il aurait préféré partager plus équitablement l'opprobre [40], ainsi que les actuels combats du modernisme.

Après 1946, alors que Picasso commençait à passer de plus en plus de temps dans le sud, les rapports entre les deux artistes entrèrent dans leur phase finale. Françoise Gilot, la nouvelle compagne de Picasso, se souvient qu'ils rendaient visite à Matisse environ tous les quinze jours. Les deux hommes continuaient à marmonner l'un contre l'autre et les propos étaient souvent désobligeants. Le 19 mars 1946, Matisse écrivit à son fils Pierre : « J'ai vu arriver Picasso il y a trois ou quatre jours avec une très jolie jeune fille. Il a été chaleureux en diable. Il devait revenir me raconter des tas de choses. Il n'est pas revenu, il avait vu ce qu'il voulait : mes papiers découpés, mes tableaux nouveaux, la porte… Ça va fermenter dans son esprit à son profit. Il n'en demande pas d'avantage. Picasso n'est pas droit. Tout le monde le sait depuis quarante ans [41]. » Picasso qui, de son propre aveu, était un grand voleur artistique, s'amusait clairement à taquiner Matisse et à se montrer digne de l'image de « bandit » que ce dernier avait de lui. Matisse, de son côté, et malgré toutes ses critiques, attendait impatiemment les visites de Picasso et sentait de toute évidence qu'un intervalle de « trois ou quatre

jours » était trop long. La vitalité et le charisme uniques de Picasso, sans oublier son sens de l'humour, lui donnaient sans doute l'impression de rajeunir. En 1952, juste après la consécration de la chapelle de Vence, le poète André Verdet rencontra Picasso par hasard : « La veille j'avais vu Matisse. Je dis à Picasso : "Matisse m'a confié hier que ta sincérité était totale même lorsque tu t'amuses à des diableries" [42]. » Quant à Picasso, il se sentait de plus en plus rasséréné par la sérénité de Matisse, plus grande que jamais depuis que ce dernier avait frôlé la mort. C'était devenu un facteur stabilisant dans la propre existence de Picasso. Il apportait ou il envoyait à Matisse des échantillons de ses travaux récents, afin que son rival les étudie et les commente [43].

En avril 1948, Matisse, bien qu'il eût désormais du mal à voyager, accomplit le bref trajet jusqu'à Antibes pour voir les œuvres dont Picasso avait rempli le palais Grimaldi [44]. Il fit quelques dessins à partir des travaux exposés par Picasso (même s'ils étaient loin d'être les meilleurs de ce dernier), essayant d'apprendre grâce à eux et choisissant des œuvres qui étaient très éloignées de sa propre sensibilité. Il revint même pour y accorder un second regard. Le plus grand panneau de Picasso au palais Grimaldi, La Joie de vivre (Antipolis) (fig.14) de 1946, est un tribut évident à la grande toile de Matisse qui porte le même titre, exécutée quarante ans plus tôt et qui résonnait toujours dans l'esprit de Picasso. À cette époque, Matisse était entièrement concentré sur son projet de la chapelle de Vence. De manière prévisible, Picasso s'en prit à lui à cause de son implication dans un édifice religieux [45]. Pourtant, il fit connaître à Matisse les poteries de Vallauris, ainsi que l'entreprise qui devait exécuter les céramiques destinées à la chapelle. On peut sentir l'influence de Picasso dans le Chemin de croix [46] (1950), l'une des rares reconnaissances involontaires, par Matisse, de l'existence de la douleur et de la souffrance, de l'élément tragique de l'existence, des qualités qui se trouvent au cœur d'un grand nombre d'œuvres de l'Espagnol.

Toujours animé par l'esprit de compétition, et avant l'inauguration de la chapelle de Vence, Picasso annonça la création de son propre « Temple de Paix » séculier à Vallauris. Chacun des deux hommes était devenu pour l'autre le point fixe le plus important de sa propre vie artistique. Picasso déclara : « Au fond, il n'y a que Matisse [47]. » Et Matisse : « [...] Il y a une seule personne qui ait le droit de me critiquer : c'est Picasso [48]. » Lorsque Matisse mourut, le 3 novembre 1954, la première pensée de sa fille fut d'annoncer la nouvelle à Picasso, lequel refusa de venir au téléphone ou de prononcer le moindre commentaire. Il n'assista pas à l'enterrement. Comme tant d'Espagnols, il était obsédé par l'idée de la mort, et la terreur qu'elle lui inspirait était légendaire. Il sentit peut-être qu'avec la disparition de Matisse, c'était une partie de lui-même qui lui était arrachée.

Alors, presque aussitôt, Picasso entama ses variations sur Les Femmes d'Alger de Delacroix (cat. 157, fig. 69-70). « Matisse en mourant m'a légué ses odalisques [49] », dit-il simplement. Le thème de l'artiste et de son modèle était apparu très tôt dans l'art de Matisse et il refit surface lors de sa première période niçoise. Les deux artistes s'y intéressèrent pendant les années vingt et il devint pour eux un motif iconographique obsessionnel dans leur production graphique des années trente. Dans les dernières œuvres de Picasso, il refait surface afin de rendre un hommage indirect à son vieux rival. Après la mort de Matisse, les chemins suivis par les deux hommes se croisèrent une nouvelle fois. Les grandes découpes bleues de Matisse, ses papiers découpés de 1952, sont en un sens des sculptures de remplacement, des sculptures en papier, le seul médium qu'il avait désormais la force de manipuler (cat. 153, fig. 66). Les sculptures en métal plié de Picasso firent leur apparition en 1954, l'année de la mort de Matisse, et elles sont une réaction, au moins en partie, aux découpages auxquels il avait vu Matisse travailler à Vence, puis à l'hôtel Regina de Cimiez. Bon nombre des dernières sculptures de Picasso furent précédées non seulement par des dessins, mais aussi par des maquettes en papier découpé et plié. Certaines des sculptures en métal plié sont rehaussées de couleur mais, comme celles qui sont tout simplement peintes en blanc (cat. 150, 156), elles évoquent une variation sur les découpages bleus de Matisse, une variation qui aspire à la condition de la peinture.

On a attribué une citation à la fois à Matisse et à Picasso, car tous deux ont très bien pu prononcer ces mots : « Nous devons parler l'un à l'autre autant que possible. Quand l'un de nous deux mourra, il y aura des choses que l'autre ne pourra plus jamais dire à personne [50]. » Ce dialogue est le sujet même de la présente exposition.

(TRADUIT DE L'ANGLAIS PAR BRICE MATTHIEUSSENT)

Fig. 15
Henri Cartier-Bresson
Matisse observant un vase en céramique de Picasso chez l'éditeur E. Tériade, à Saint-Jean-Cap-Ferrat, juin 1951
Henri Cartier-Bresson/Magnum Photos

« Pôle Nord - Pôle Sud »

> « Matisse, beaucoup plus âgé, sérieux, circonspect, n'avait pas les idées de Picasso. "Pôle Nord" et "Pôle Sud", disait-il en parlant d'eux deux. »
>
> (Propos d'Henri Matisse, dans Fernande Olivier, *Picasso et ses amis*, Paris, Stock, 1933, p. 103.)

Au printemps 1906, lorsqu'ils se rencontrèrent pour la première fois, Matisse avait trente-sept ans ; il venait de connaître des succès de scandale au Salon de printemps et, de l'avis général, il était « le roi des Fauves ». Picasso, âgé de vingt-cinq ans, était son précoce cadet et son travail conservait quelques résidus de sentimentalité symboliste. Ils consacrèrent cet été-là à des explorations parallèles, à des métissages possibles entre une imagerie de la jeunesse, réfléchissant l'énergie jaillissante du siècle nouveau, et un « primitivisme » enraciné dans l'art archaïque, rudimentaire ou non occidental. À partir des prémisses de cette conjonction, Picasso (à Gósol, dans les Pyrénées espagnoles) peignit une succession régulière d'éphèbes musclés, au regard inexpressif et écarquillé, et aux traits schématiques qui annonçaient son nouvel intérêt pour la sculpture ibérique la plus ancienne. Durant ces mêmes mois, Matisse (travaillant à Collioure, sur la côte méditerranéenne, non loin de Perpignan) s'essaya à des simplifications disparates dont le primitivisme allait d'un exotisme soigné et décoratif (*Le Jeune Marin II*) jusqu'aux « naïvetés » enfantines de délicates aquarelles [1] (*Oignons roses*). Ce contraste exacerbe le stade d'évolution de chaque artiste : Picasso cherchait un mode nouveau, direct et impétueux, selon une ligne relativement droite et avec des ruptures stylistiques majeures se produisant dans des tableaux uniques et essentiels (*Portrait de Gertrude Stein* en 1906, *Les Demoiselles d'Avignon* en 1907 ; fig. 3) ; à l'inverse, Matisse, plus inquiet et angoissé, travaillait presque simultanément avec plusieurs manières différentes, quand il n'essayait pas des approches variées du même motif.

Leurs autoportraits de cet automne-là contrastaient de façon appropriée. Avec une palette blanchie aux teintes de ciment et de mastic, celui de Picasso reprend les leçons de l'archaïsme ibérique pour pratiquer de brutales réductions caricaturales. Une tête ovoïde au crâne juvénile et rasé se tient en équilibre, du menton à la clavicule, sur un torse massif, taillé à coups de serpe. Son regard vague, semblable à celui d'un masque – dénué de toute suggestion d'introspection en miroir – se situe aux antipodes de la vulnérabilité complaisante de poète triste dans laquelle Picasso s'était enveloppé quelques années plus tôt. Matisse, au contraire, ne se présenta jamais de manière plus intime qu'ici. Durant toute sa carrière, il se montre invariablement au travail, d'habitude avec le modèle, souvent en faisant du miroir un dispositif de mise à distance. Ici, pour une fois, il est désarmé, débarrassé non seulement de ses attributs d'artiste, des habituels veston et cravate du professeur, mais même de ses lunettes, comme pour insister sur son regard perçant. La tête domine l'espace, planant (à l'inverse du corps sculptural de Picasso) au-dessus d'épaules affaissées, vêtues d'un tricot de marin au col échancré – le genre de vêtement qui, ironiquement, allait presque devenir un peu plus tard l'uniforme de Picasso. Cette tenue relie Matisse à son propre *Jeune Marin*, mais l'ensemble du tableau dégage une impression de virilité bourrue et rustique, à mille lieues du faune androgyne incarné par ce garçon.

Les deux tableaux proposent des rapports paradoxaux entre la tête et le corps. Le regard lointain de Picasso a toute la fixité de celui d'un voyant, alors que son corps en sarrau ainsi que son avant-bras et son poignet à la Popeye signalent un travailleur manuel (une identification typique qui évoque à la fois l'être surnaturel et l'enracinement terrestre, le chaman *bricoleur*). Par contraste, le tricot de marin choisi par Matisse évoque le voyage et le plein air, alors que l'expression sobre et barbue renvoie au philosophe rompu aux exercices de l'esprit, en une *invitation au voyage* appropriée pour l'architecte des empyrées où les intellectuels trouvent une consolation à leur labeur. Le regard de Matisse semble mi-circonspect, mi-provocant, et les critiques y ont vu à la fois l'arrogance et la tragédie [2]. L'agression, s'il s'agit bien de cela, doit plus aux moyens picturaux qu'à l'expression faciale : on a évoqué la hachette et le ciseau pour décrire la dureté volontaire et la force sculpturale avec lesquelles ces traits sont taillés [3]. Une analogie plus proche (en contraste avec l'œuf lisse, à la Brancusi, du crâne de Picasso) serait le modelage grossier à la truelle utilisé précédemment par Matisse dans ses sculptures en terre, afin de traduire la touche de Cézanne dans le métier de Rodin. Vers 1906, Matisse et Picasso étaient très au fait du travail de Cézanne, mais à des niveaux différents. Pour le moment, Picasso rendait encore hommage en empruntant des motifs : le *Portrait de l'artiste à la palette* de Cézanne (1890) est de toute évidence le modèle qu'il utilisa ici, mais seule la forme de la palette elle-même annonce, timidement, l'impression d'ordre anguleux qu'il commencera bientôt à trouver si révélatrice du travail du vieux maître. (La blondeur globale, sable et ocre brun, de cet *Autoportrait*, comme dans ce tableau tout aussi cézanien qu'est *Le Meneur de cheval*, peint un an plus tôt, demeure davantage redevable à Puvis de Chavannes qu'à la lumière de Cézanne.) Une plus longue méditation permettait à Matisse d'avoir déjà intégré davantage en profondeur la couleur et la facture de Cézanne dans sa propre manière. Avec pour résultat dans cet *Autoportrait* une palette relativement plus sombre et une densité volumétrique ombreuse, entièrement différentes de l'atmosphère rosée et aérienne des *Oignons roses*, un tableau peint quelques semaines plus tôt – et également vendu à l'automne, avec cet *Autoportrait*, à Sarah et Michael Stein.

La vente de ces deux Matisse a peut-être joué le rôle de catalyseur pour un troisième terme manquant dans cette comparaison. Chaque artiste créa son *Autoportrait* de 1906 sans la moindre référence apparente au travail de l'autre. Mais un an plus tard, quand Picasso peignit son *Autoportrait* férocement « africanisé », aujourd'hui à Prague, il adopta un format « tête et épaules » qui semblait adressé directement et comme un défi à ce tableau de Matisse, qu'il avait sans aucun doute étudié chez les Stein au cours des mois précédents. Car durant cette période, les deux artistes se seraient vus fréquemment, Matisse introduisant Picasso à la sculpture africaine selon certains témoignages, et selon d'autres, Picasso écoutant sans broncher et avec une patience résignée les fréquents exposés de Matisse sur la théorie des couleurs et d'autres sujets. Mais à l'automne 1907, les positions respectives des deux artistes s'étaient modifiées. Comme de nombreux autres peintres parisiens, Matisse avait découvert dans l'atelier de Picasso la toile charnière peinte par son cadet durant l'été, *Les Demoiselles d'Avignon*, et avait été choqué par elle ; il était conscient du fait que Picasso constituait rapidement un groupe de disciples désireux de lui donner le rôle de nouveau chef de l'avant-garde parisienne. C'est dans ce contexte de rivalité exacerbée que les deux artistes tombèrent d'accord pour échanger un tableau à la fin de l'automne.

Nous n'avons aucune idée du protocole de cette démarche – s'ils choisirent ou s'ils se bornèrent à recevoir, qui fit le premier pas, ou encore quels paramètres conventionnels ont peut-être limité les possibilités de choix –, mais nous savons que Matisse rapporta chez lui le *Cruche, bol et citron* récemment peint par Picasso, lequel acquit *Portrait de Marguerite*, le portrait de sa fille aînée par Matisse, un tableau également peint durant l'automne. Le Picasso montre une palette stridente et une violence de trait qui caractérisent la « sauvagerie » de son travail immédiatement après *Les*

Demoiselles d'Avignon, tandis que le Matisse est une des tentatives les plus radicales de cet artiste pour s'approcher de l'art des enfants, par son rendu linéaire élémentaire et l'ingénuité du tracé des lettres dans la partie supérieure de la toile. Le compte rendu classique de cet échange est le texte malicieux écrit par Gertrude Stein en 1933. Selon elle, si chaque homme feignit de choisir la toile qui l'intéressait le plus, en fait, « Matisse et Picasso choisirent l'un et l'autre la toile de l'autre qui, sans aucun doute, était la plus faible de toute leur production. Plus tard, chacun d'eux s'en servit comme d'un exemple pour démontrer la médiocrité de l'autre. Évidemment les deux toiles ne révélaient guère les qualités profondes des deux peintres [4] ». Pareil cynisme répercute peut-être des discussions d'atelier des deux côtés – Stein poursuit en affirmant que, durant cette période, « l'hostilité entre Picassoïstes et Matissistes s'envenima » –, mais la réalité était sans aucun doute plus complexe. Manifestement, aucun des deux tableaux échangés ne perd son temps à essayer de paraître agréable ou raffiné ; chacun, au contraire, insiste sur sa crudité – et y réussit, bien que de manières différentes. S'ils furent choisis par leurs destinataires, ce fut sans doute précisément pour cette raison.

Compte tenu de ce que nous savons de Picasso, plusieurs motivations contradictoires le poussèrent sans doute à choisir le *Portrait de Marguerite*. En portant son choix sur un tableau qui témoignait d'une expérimentation extrême, il a peut-être cru déconcerter Matisse – qui aurait très bien pu s'agacer de voir cette toile unique représenter son art dans l'atelier de Picasso. En fait, nous savons que les partisans de Picasso aimaient bien se moquer du *Portrait de Marguerite* en groupe (l'utilisant même comme cible dans un jeu de fausses fléchettes [5]). Picasso pouvait toujours se référer à ce petit visage « naïf » pour ridiculiser Matisse devant autrui, ou à l'inverse montrer – en vertu de la disposition « latérale » du nez – que Matisse faisait exactement la même chose que lui. Mais en même temps, il comprit sans doute que le *Portrait de Marguerite* incarnait un élément central des réussites singulières de Matisse. En 1962, Picasso dit de ce tableau : « Je pensais alors que c'était un tableau clé et je le pense encore [6] » – une remarque à double tranchant qui nous permet seulement de conclure qu'à ses yeux, il contenait l'essence de l'esthétique de son rival, pour le meilleur comme pour le pire. En revanche, nous n'avons aucune raison de douter du témoignage de Françoise Gilot, selon laquelle Picasso admirait la spontanéité, le courage et la candeur de ce tableau, dont il regretta que ses amis aient pu autrefois se moquer avec sa complicité [7].

Si le Matisse de Picasso était aplati, lisse, simplifié et, ainsi, volontairement « innocent » et bénin, le Picasso de Matisse était tout le contraire : une image brute, agitée, aux contrastes stridents, aux angles carambolés, un espace grouillant de superpositions désaccordées. Jusqu'à cette date, Matisse avait plus fréquemment travaillé la nature morte que Picasso, souvent avec une simple vaisselle, si bien que le tumulte cacophonique du plateau de table de *Cruche, bol et citron* contrastait violemment avec la grâce et l'harmonie qu'il avait toujours recherchées en ce domaine. Sans trop exagérer – selon la même démarche adoptée par Picasso lorsqu'il montrait le nez du *Portrait de Marguerite* –, Matisse a peut-être vu, dans les renvois du concave et du convexe (le citron et le bol ouvert), dans les tensions générales entre les structures plates, rythmiques, des lignes et les résidus de modelé ou de profondeur perspective, un écho du dialogue entre forme sculpturale et motif décoratif qui informait son propre art. Mais plus probablement, il vit dans cette table grossièrement aplanie, dans sa combinaison « sauvage » de brio, de maladresse agressive et d'absence de peur, comme Picasso dans le *Portrait de Marguerite*, une espèce particulière d'audace qui, pour le meilleur comme pour le pire, lui était foncièrement étrangère et qui définissait bien la force de son rival. Examinant les fruits de cet échange durant de longues années et souvent en privé, chacun pouvait à chaque fois se réconforter à la pensée qu'il ne ferait jamais une chose pareille, et en même temps s'en tenir rigueur.

HENRI MATISSE
2 *Autoportrait*, 1906
Huile sur toile, 55 x 46
Statens Museum for Kunst, Copenhague,
Johannes Rump Collection

35

HENRI MATISSE
3 *Portrait de Marguerite*, 1906-1907
Huile sur toile, 65 x 54
Musée Picasso, Paris

PABLO PICASSO

4 *Cruche, bol et citron*, 1907
Huile sur bois, 62 x 48
Fondation Beyeler, Riehen/Bâle

37

2   Figures du mythe

D'échelle grandiose, mais extrêmement sommaires ; volontairement « primitifs », mais dépendants de la tradition classique ; retrouvant l'ambiance du mythe, mais sans le moindre contenu explicite : les similarités entre *Le Meneur de cheval*, achevé au printemps 1906, et *Le Luxe I*, peint à Collioure au début de l'été suivant, sont telles qu'elles poussent à une comparaison directe. Il s'agit d'ailleurs d'une comparaison que tous les familiers de Gertrude et de Leo Stein étaient bien placés pour faire car, durant plusieurs années, seul un jet de pierre séparait ces deux toiles à Paris – *Le Meneur de cheval*, dans l'appartement des Stein du 27, rue de Fleurus [1], et *Le Luxe I*, tout près de là, au 56 de la rue Madame, où habitaient leur frère Michael et sa femme Sarah [2].

Le Meneur de cheval témoigne de cette période critique où Picasso luttait avec ténacité pour débarrasser sa peinture de toute trace du charme et de la sentimentalité romantiques des scènes de saltimbanques de 1905 et pour lui donner la puissance et la gravité hiératiques de la sculpture antique du Louvre où, selon Ardengo Soffici, « il marchait inlassablement tel un chien de chasse en quête de gibier [3] ». Hormis la zone, très travaillée, de la tête du garçon, ce tableau fournit tous les signes d'une exécution rapide et spontanée avec une peinture liquide et d'amples gestes du pinceau, mais les nombreuses œuvres préparatoires ou associées sur papier portent la trace de l'hésitation et du combat. En fait, l'artiste pensa d'abord représenter une scène de cirque, avec une jeune écuyère montant à cru un cheval blanc et un garçon aux vêtements collants saluant les applaudissements du public. Après qu'il eut banni la jeune fille, Picasso envisagea d'inclure le garçon (maintenant nu) et son cheval au centre d'une scène semblable à une frise, décrivant un groupe de jeunes gens abreuvant leurs chevaux dans un bassin, au milieu d'un paysage de collines. Mais cette composition ambitieuse ne se matérialisa jamais sur la toile, sans doute parce que Picasso la sentit trop proche de scènes similaires peintes par Puvis de Chavannes et Gauguin, et trop animée ou anecdotique [4]. En se fixant sur le motif archétypal de l'homme et de la bête, en réduisant le paysage à la simple suggestion d'un désert primitif et en choisissant une palette sévère de gris bleu et de marron rosé, il accentua les références à l'art antique – les cavaliers de la frise du Parthénon, les *kouroi* archaïques, les surfaces usées de la pierre, de la terre cuite et de la fresque. Ces références sont en fait si présentes qu'elles oblitèrent la dette envers le tableau de Cézanne, aux couleurs somptueuses, mais à la manière brute et maladroite, représentant un baigneur marchant vers le spectateur, un tableau que Picasso admira dans la galerie d'Ambroise Vollard [5].

Par sa recherche d'atavisme et d'une austère qualité sculpturale, Picasso se plaça aux antipodes de la couleur prismatique et frémissante du traitement impressionniste et de l'imagerie issue de la vie contemporaine, qui caractérisent les tableaux soumis par Matisse au Salon d'automne de 1905 – surtout le flamboyant *Femme au chapeau* (fig. 34), qui fut acheté par Leo Stein en dépit du feu roulant des critiques hostiles publiées par la presse. Bien qu'occupé par le portrait de Gertrude Stein pendant l'hiver 1905-1906 (cat. 50), Picasso entendit évidemment parler du *Bonheur de vivre* (fig. 2), la grande toile à laquelle travaillait alors Matisse. Son abandon de la scène pastorale aux nombreux personnages de *L'Abreuvoir* et son choix décisif d'une palette limitée, sombre, tonale, ont peut-être été motivés, du moins en partie, par le désir de creuser une plus grande distance entre lui-même et le « roi des Fauves », qui faisait alors la une des journaux.

En tout état de cause, *Le Meneur de cheval* a sans doute frappé ses contemporains comme étant un tableau anti-fauve : l'unique et étonnante tache de rouge brillant placée entre le museau et le cou du cheval est un simple rappel de ce qui a été rejeté.

La quête du « naïf » et du « primitif » constituait la préoccupation majeure de l'avant-garde parisienne de l'époque, et Matisse lui-même semble avoir ressenti que *Le Bonheur de vivre* contenait trop d'incidents, dépendait trop d'une imagerie familière de l'Âge d'or, offrait un aspect théâtral trop semblable à des tableaux célèbres de grands maîtres classiques français. Dans *Le Luxe I*, il explora le même thème, mais selon une échelle agrandie et une manière moins illustrative, synthétisant en trois personnages seulement une diversité de poses fortement contrastées (debout et face au spectateur, courbé en deux et de profil, courant et vu de trois quarts) et simplifiant le fond en grandes bandes grossièrement peintes avec les nuances contrastées de l'arc-en-ciel. Ce processus de réduction et d'abstraction, également repérable dans *Nu bleu, Souvenir de Biskra*, légèrement antérieur (cat. 15), fait écho à la stratégie de Picasso tendant à la simplification de l'iconographie du *Meneur de cheval* ; malgré d'évidentes différences d'approche, c'est aussi le signe de préoccupations communes aux deux artistes.

Montré au Salon d'automne de 1907 sous la forme d'une esquisse, *Le Luxe I* fut précédé par un carton à échelle un, au dessin plus raffiné et naturaliste, et suivi par la version définitive plus schématique, peinte de manière plate et au dessin plus ferme [6] – une méthode de travail systématique qui trahit la formation classique de Matisse et sa connaissance des maîtres de la Renaissance. En effet, si le personnage accroupi est l'image en miroir de sa contrepartie féminine dans la partie gauche de *Le Bonheur de vivre*, le nu debout et le personnage portant des fleurs semblent venir de Vénus et de l'Hora dans *La Naissance de Vénus* de Botticelli – une anticipation du voyage imminent de Matisse en Italie, de juillet à août 1907 [7]. Son intérêt pour les premiers peintres de la Renaissance italienne allait de pair avec une profonde attirance pour les estampes japonaises, et il existe des similarités de composition, de dessin et de tonalité entre *Le Luxe I* et *Visiteurs à Enoshima* de Kiyonaga [8]. Picasso, quant à lui, n'appréciait guère la stylisation décorative des estampes japonaises, parce qu'elle entrait en conflit avec sa conception naturellement sculpturale de la forme et avec sa préférence pour les compositions classiques et centrales – c'est là une différence majeure entre ses goûts et ceux de Matisse en matière d'art, une divergence aussi dans leurs conceptions de la structure globale [9]. Ainsi, bien que ces deux tableaux instaurent un dialogue avec d'autres œuvres d'art, les interlocuteurs des deux peintres sont différents.

La combinaison harmonieuse du jeune athlète, du beau coursier et du paysage nu suggère un mythe de la nature ou un conte de fées où l'homme et la bête se matérialisent par miracle, mais *Le Meneur de cheval* résiste à toute lecture réductrice. *Le Luxe I* est tout aussi ambigu, malgré cette conviction que la baigneuse debout fait l'objet d'un culte auquel les deux autres rendent hommage, et que Matisse pensait au mythe de la naissance de Vénus. Mais tandis que le tableau de Picasso évoque la terre, la densité, la tactilité et la sécheresse, *Le Luxe I* est si éthéré, évanescent et visionnaire, que toute la richesse luxuriante de ses harmonies colorées se révèle seulement lorsqu'on le regarde de près. Les verts, les bleus et les aigue-marine chatoyants transforment le personnage accroupi aux cheveux dorés en sirène ou en nymphe aquatique, et la serviette située aux pieds de la baigneuse debout en un bouillonnant cours d'eau miraculeux. Contrairement à l'univers éteint, clos, du *Meneur de cheval*, peint sur un fond sombre, nous découvrons un monde iridescent où les corps angéliques diffusent une lumière blonde et frémissent dans la lueur rose des ombres.

En comparaison de la stupéfiante liberté que s'autorisa Matisse en brossant la couleur et le dessin, et en redessinant les contours des personnages disgracieux du *Luxe I*, *Le Meneur de cheval* paraît presque académique dans son rendu de l'anatomie : rien n'y égale les « déformations » et le « dessin presque caricatural », qui choquèrent les premiers critiques des tableaux de Matisse et firent que l'un d'eux au moins parla de « mépris haineux », ou les incohérences flagrantes de composition, qui poussèrent un autre à se lamenter sur « cette maladie de l'inachevé [10] ». Pourtant, ce rapport s'inversa radicalement quand, ce même automne, Picasso montra *Les Demoiselles d'Avignon* (fig. 3) aux visiteurs horrifiés de son atelier, parmi lesquels figurait Matisse. Dans *Baigneuses à la tortue* (cat. 7), qui provient en droite ligne du *Luxe I*, le rêve captivant de sensualité et d'innocence enfantines ne semble plus tenable.

E. C.

PABLO PICASSO
5 *Le Meneur de cheval*, 1906
Huile sur toile, 220 x 130
The Museum of Modern Art, New York,
The William S. Paley Collection

HENRI MATISSE
6 *Le Luxe I*, 1907
Huile sur toile, 210 x 138
Centre Georges Pompidou, Paris,
Musée national d'art moderne/
Centre de création industrielle,
achat à l'artiste en 1945

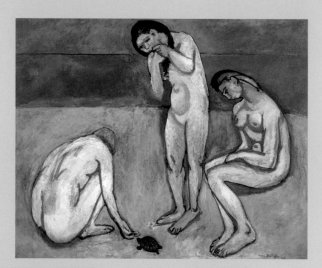

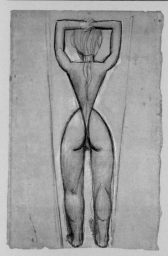

3   Cosmogonies

« C'était un temps d'acquisitions nouvelles. Fauvisme, l'exaltation de la couleur ; précision du dessin due au cubisme ; visites au Louvre et influences exotiques par le canal du musée ethnographique de l'ancien Trocadéro, sont autant de choses qui ont modelé le paysage dans lequel nous vivions, où nous voyagions, et dont nous sommes tous issus [1] », dira Matisse de ces années 1906-1908 durant lesquelles s'inventèrent à plusieurs mains les principes de l'art moderne. À l'automne 1906, la découverte d'une statuette Vili, « une petite tête nègre, sculptée sur bois [2] », sert de déclencheur à la phase inaugurale du dialogue entre Matisse et Picasso. Témoin d'un univers formel exogène à la culture occidentale, la sculpture tribale trouve d'emblée dans leur œuvre un champ d'application plastique inédit [3]. Simultanément, Picasso recourt à des cartes postales représentant des femmes africaines d'origine Bambara, Malinké ou Bobo, pour travailler notamment aux *Deux Nus* (cat. 91) comme à ses premières études pour *Les Demoiselles d'Avignon* [4]. Ainsi, les deux grands dessins préparatoires, *Nu de dos aux bras levés* (cat. 12) et *Nu de face aux bras levés* (cat. 13), combineraient la référence aux modèles indigènes porteuses de calebasses et les modalités de stylisation synthétique de la statuaire primitive. Picasso emploie, comme un répertoire de vocables, les poses déclinées par la séquence des cartes postales et agrège par fragments ces corps scarifiés à demi dévêtus dans des montages composites engendrant des créatures protéiformes. La frontalité de la mise en scène photographique, l'extrapolation chromatique qui interprète librement le noir et blanc des clichés, s'ajoutent à cet étrange marcottage pour construire les figures de ces toiles « abominables », selon Gelett Burgess qui note en mai 1908 : « Vous lui demandez s'il se sert de modèles et il tourne vers vous un regard qui danse. "Où les trouverais-je ?" sourit à pleines dents Picasso, en clignant vers ses ogresses bleu outremer [5]. » De même, à l'hiver 1907-1908, Matisse, familier de l'usage de sources photographiques, recourt pour exécuter sa sculpture *Deux Négresses* (cat. 11) à un cliché représentant deux jeunes filles Targui nues et enlacées [6]. Il s'appuie sur la bidimensionnalité de cette image pour déduire les virtualités physiques et symboliques de ces corps. Le dispositif spéculaire des deux femmes, semblant exposer simultanément la face et le dos d'un même sujet, induit une réversibilité circulaire du regard qui préfigure le principe de la sculpture. Ces recherches d'analyse plan par plan de la forme semblent une étape indispensable au creusement, à l'évidement du volume, que Matisse et Picasso tenteront en 1909 avec *La Serpentine* (cat. 19) et *Tête de Fernande* (cat. 122), où ils affirment leur volonté de réaliser pour le premier, « une sculpture transparente », pour le second, « une sculpture ouverte ». De semblables convergences peuvent s'observer entre la toile *Nu assis* (cat. 9) de Picasso et la sculpture *Figure décorative* (cat. 10) de Matisse. Le *Nu assis*, par ses brutaux effets de raccourcis opère une réduction dimensionnelle qui enregistrerait les effets d'écrasement perceptif d'un relevé photographique. Dans le *Nu bleu, Souvenir de Biskra* (cat. 15) de Matisse, qui en est exactement contemporain, le cliché d'une femme allongée sur la maigre plate-bande d'un jardin de banlieue, se retrouve à la fois littéralement restitué et sublimé en une vision ironiquement exotique sur fond de cactées. Avec leur « coloris cruel [7] », leur tracé elliptique, leur indéfinition sexuelle, ces tableaux constituent des transgressions sans précédent de l'esthétique, voire de l'éthique, de la représentation du corps féminin. Par l'arabesque sinueuse qui tord le nu latéralement, *Figure décorative* expérimente dans

les trois dimensions les implications de ce que Matisse appelait « une perspective de sentiment [8] », donnant la primauté au rapport fusionnel entre l'œil et le modèle. Il n'est pas étonnant qu'en ces années pionnières, Matisse et Picasso aient voulu anticiper et mesurer les effets de leurs nouveaux « moyens » plastiques en interrogeant la machine à voir de la photographie. Loin d'être simplement conjoncturelle, cette réflexion procédurale a sans doute fait l'objet d'un véritable débat entre les deux artistes et répondu à une même fascination devant de tels sujets. « La humanité féminine la femme d'Afrique [9] », ces mots notés par Picasso au printemps 1909, en référence directe à l'album photographique utilisé par Matisse pour ses *Deux Négresses*, placent autrement ces modèles africains au centre de leur intérêt commun [10]. Leurs gestes et postures, leurs regards qui s'absentent, outrepassent les conventions de pose des académies de peinture comme les consignes du photographe colonial. « Au-delà de l'exotisme [11] », ils manifestent une altérité qui est à la fois physique, sensuelle, sociale. Ces clichés s'imposeraient pour Matisse et Picasso à la fois, en tant qu'*images* montrant tout l'artifice de leur mise en scène et en tant qu'*indices* d'une présence première à laquelle ils auraient accès comme à une « scène primitive » de la représentation. Ailleurs, dans l'*étrangeté* de leurs corps marqués de toute une écriture de signes, ces femmes incarneraient une filiation trans-historique. Médiatrices, elles sont pourtant *là*, contemporaines des deux artistes qui les contemplent. Leur mode d'existence visuelle, par son ambiguïté même d'images réelles et fantasmées, rencontrerait l'ambition de Matisse et Picasso à opérer une re-fondation de la peinture, non seulement dans ses moyens, mais dans sa fonction, son essence. Ainsi, images et fétiches contribueraient ensemble à focaliser l'approche fragmentaire, désordonnée et sensible, que l'un et l'autre auraient développée alors à l'égard des cultures premières. En reconnaissant non seulement des qualités esthétiques mais aussi des pouvoirs « magiques » aux masques et fétiches, Picasso, comme il le dira à André Malraux, veut assigner à l'œuvre un rôle « d'intercesseur » et accomplit avec les *Demoiselles d'Avignon* sa première peinture d'« exorcisme [12] ».

« Il y a toujours un premier jour et c'est celui qui vaut le mieux qu'on se souvienne. Quel jour ! Picasso, qui ne devait pas dire un mot, recevait ou, plus exactement, acceptait que l'on soit si nombreux chez lui. Il y avait là Max Jacob, Guillaume Apollinaire, Vlaminck, Matisse ; il y avait Georges Braque encore fauve. Matisse et Vlaminck figuraient deux aînés... Matisse n'a jamais abordé ses cadets, fussent-ils ses cadets immédiats, qu'avec infiniment d'inquiétude [13]. » Le soutien inconditionnel de la « bande à Picasso » manifesté à Matisse par l'entremise d'Apollinaire, seul alors à défendre son grand panneau *Le Luxe I* exposé au Salon d'automne [14], constitue probablement la raison de ce dîner offert par Picasso au Bateau-Lavoir. À n'en pas douter, il se tint sous le regard impudique des *Demoiselles d'Avignon* qui occupaient l'atelier avec quelques autres « ogresses » dont les *Trois Femmes* dans leur premier état « africain », géométrique et violemment hachuré. « Contre le mur il y avait un énorme tableau, une étrange masse de lumière et de couleurs sombres, c'est du moins tout ce que je peux dire d'un groupe, un énorme groupe, à côté duquel se trouvait un autre tableau rouge-brun, trois femmes carrées et figées en de grands gestes, plutôt effrayantes elles aussi », rapporte Gertrude Stein, faisant part de sa perplexité : « Je ne peux dire que je comprenais, mais je sentais dans cette atmosphère quelque chose de douloureux et de beau, quelque chose de dominateur et de prisonnier [15]. » On peut imaginer le choc ressenti par Matisse en découvrant ces toiles qui dépassaient en format comme en radicalité formelle ce qu'il avait pu lui-même expérimenter autour du *Luxe I*, de la *Femme au madras rouge* ou de *La Coiffure*. Si *Les Demoiselles d'Avignon* provoquaient la consternation générale – « Des peintres amis s'écartaient de lui [...]. Un peu délaissé, Picasso se retrouva dans la société des augures africains [...] et brossa plusieurs nus redoutables, grimaçants et parfaitement dignes d'être exécrés [16] » –, les *Trois Femmes* semblèrent

constituer pour le groupe d'artistes rassemblés ce soir-là un véritable défi. Est-ce l'« inquiétude »

qui l'envahit alors qui conduira Matisse à peindre en miroir ses *Baigneuses à la tortue* [17] ? Est-ce l'incompréhension suscitée par *Les Demoiselles d'Avignon* qui convainquit Picasso de reprendre une année durant ses *Trois Femmes* [18] ? Cet hiver 1907-1908 vit en tout cas s'engager entre Matisse et Picasso, relayé par Braque et Derain, une compétition sans précédent sur le sujet de trois nus féminins. Ainsi, Matisse avec les *Baigneuses à la tortue*, Derain avec *La Toilette* [19] et Braque avec *Femmes* [20] interprétèrent à leur tour le sujet académique des trois Grâces, si brutalement revisité par Picasso, pour lui donner chacun une réponse, « les pinceaux à la main ». Les trois tableaux étaient prêts pour le Salon des indépendants du printemps 1908 où Derain et Braque exposèrent effectivement. Matisse, sans doute pour ne pas compromettre la vente en cours des *Baigneuses à la tortue*, n'y participa pas pour la première fois depuis six ans. Mais, on peut aussi penser qu'il souhaitait ainsi se soustraire au jugement de Picasso, dont l'influence se faisait alors croissante. Ainsi, Gertrude Stein relate comment le ralliement des fauves à Picasso fut le principal débat du Salon : « Nous regardâmes, mais nous ne vîmes que deux grands tableaux qui paraissaient semblables, mais pas absolument semblables. "L'un est un Braque, l'autre est un Derain", expliqua Gertrude Stein. C'étaient d'étranges tableaux, représentant des êtres étranges, anguleux et rigides, l'un, si je me rappelle bien, une sorte d'homme ou de femme, l'autre trois femmes. [...] La première fois, pourrait-on dire, qu'il [Picasso] exposa, ce fut le jour où Derain et Braque, entièrement sous l'influence de ses dernières œuvres, exposèrent leurs toiles au salon [21]. »

L'intérêt que ces quatre peintres fondateurs de l'art moderne manifestent ainsi à traiter de concert un tel sujet mythologique pourrait surprendre. Mais la rétrospective Cézanne du dernier Salon d'automne avait donné au thème une nouvelle actualité ; y figurait notamment le petit tableau *Trois Baigneuses*, acquis par Matisse dès 1899, qui participe directement de la reformulation contemporaine de ce motif. Les Charites, dont les Grâces (« *Gratiae* ») est le nom latin, sont pour l'Antiquité grecque des divinités de la première génération qui symbolisent la Beauté. Originairement puissances de la végétation, elles répandent la joie dans le cœur des dieux, des hommes comme dans la nature et sont associées à la création artistique à travers les cultes d'Apollon, de Vénus ou de Dionysos. Représentées nues, elles se tiennent par les épaules, deux d'entre elles regardant dans une même direction, tandis que la troisième se détourne. Ainsi placées, leurs trois corps forment l'épicentre d'un anneau allant s'évasant selon la dynamique spiralée initiée par ces regards et qui ouvre sur l'infini. À la Renaissance, *Le Printemps* et *La Naissance de Vénus* de Botticelli témoignent de la résurgence du thème. Or, on sait que Matisse, durant son voyage italien de l'été précédent, étudie précisément ces œuvres et qu'elles influencent la conception du *Luxe I*. Mais peut-être faut-il considérer le mythe des trois Grâces dans ses analogies avec ceux des dryades et des nymphes pour comprendre ce qui meut alors à sa suite fauves et protocubistes. L'entrelacement de ces mythes voisins nous permet en effet de reconstruire avec assez de fidélité le cadre iconographique des œuvres conçues par Matisse et Picasso, et dont les *Trois Femmes*, les *Baigneuses à la tortue* et *La Dryade* constituent la chaîne des variations. À travers la figuration d'un imaginaire gréco-romain peuplé de créatures élémentaires et primitives, de divinités de la fécondité chevillées à la Nature, les deux artistes sembleraient tenter d'extrapoler les mystères et potentialités de la statuaire africaine, et d'en appréhender, depuis l'intérieur de leur propre culture, les ressorts symboliques et formels. Accusés de se livrer à des déformations outrancières de la figure humaine, d'être des aventuriers de la « laideur [22] », Matisse et Picasso choisissent justement l'antique représentation des trois Grâces, pour définir et incarner leur conception de la Beauté [23].

Dans *Trois Femmes*, Picasso peint des corps, respectivement accroupi, agenouillé et debout, imbriqués les uns dans les autres et qui tressent un vortex de formes à la géométrie sommaire. Bien que rendue plus compacte par la collure ainsi opérée entre les figures, cette composition pyramidale

n'est pas sans évoquer les relations qu'entretiennent entre elles les trois femmes au centre des *Demoiselles d'Avignon*, et se laisse de même découvrir à travers deux pans coupés obliques. Identique aussi, la palme effilée qui vient percer par le bas la pyramide des corps en son milieu, ainsi que le faisait la nature morte aux pastèques dans *Les Demoiselles*. On voudrait signaler ici que, dans la série des carnets associés à la conception des *Demoiselles* puis des *Trois Femmes*, se dessine progressivement un espace constructif littéralement déduit de la description du thorax puis du ventre d'un nu assis, debout et finalement basculé vers l'arrière, jambes ouvertes [24]. Cet espace anthropomorphique, fondant une sorte de *schéma corporel* du tableau, est souvent noté par Picasso au moyen d'une simple croix oblique qui partitionne l'espace de la peinture en quatre triangles. Il semblerait que l'artiste poursuive dans ces études une graphie élémentaire tant du sexe de la femme que de son *giron* dans ses connotations maternelles et matricielles [25]. Ainsi modélisé, le tableau deviendrait une surface signifiante où chaque notation outrepasserait sa nature pictographique pour prendre une valeur topologique, toponymique sur un échiquier encodé. Au moyen de ce parangonnage, le tableau se ferait deux fois, à travers le signe d'un sexe en gésine et à travers le motif d'une théorie de femmes dressées, pour dire l'avènement de la peinture. Si ce projet crypto-pictural semble bien être au cœur de « l'exorcisme » des *Demoiselles d'Avignon*, il y serait en partie brouillé par la surabondance des références iconographiques et biographiques activées par sa mise en œuvre. Avec les *Trois Femmes*, le modèle cézannien des *Trois Baigneuses* comme celui des trois Grâces antiques réinvestissent le champ physique du tableau pour le lester de toute sa résonance symbolique. La structure ternaire rejoue plus dialectiquement alors avec la règle des postures et des regards inhérents à la représentation du mythe. Selon cette règle, de même que leurs regards divergent, l'une des trois femmes doit se montrer de dos et les deux autres nous faire face. Pour Sénèque, cette disposition permettrait de dépasser le simple cercle de la ronde pour instaurer à sa place un groupe antithétique : la figure qui se détourne serait celle d'Amour saisi dans son geste d'acceptation de l'offrande divine, tandis que Beauté et Volupté nous faisant face en seraient les récompenses [26]. Servius voit dans le geste d'Amour, le signe de la Grâce « qui sort », se tournant vers l'au-delà [27]. Étrangement, le commentaire mythographique évoquerait un débat virtuel entre Matisse et Picasso opposant les vertus de la ronde des nymphes, tournoyant au centre du *Bonheur de vivre*, à celles du mur frontal des *Demoiselles*, nous prenant dans les rets de leurs fixes regards. Ainsi, la *Demoiselle* accroupie de dos – « qui sort » – se tord la tête de la main pour nous rappeler que son geste aventureux vers les terres inconnues de la peinture lui confère désormais la distinction d'appartenir aux chimères et divinités d'une Olympe barbare dont elle arbore le terrible masque. Dans *Trois Femmes*, le nu accroupi à droite se vrille comme un ressort dans un même geste ambivalent. Si les trois nus s'enferment dans un songe aveugle, la tension de leurs regards retournés vers l'intérieur fait battre le tableau comme un tambour.

La version illustrée par Matisse, le plus enclin à « faire l'image », renvoie au mythe de Dryopé, compagne des nymphes des arbres, les Hamadryades, tel que le relatent les *Métamorphoses* d'Antoninus Liberalis : « Apollon la vit au milieu de leur chœur et désira s'unir à elle. Il commença donc par se transformer en tortue ; Dryopé s'en amusa avec les nymphes comme d'un jouet et la mit dans son sein. Alors Apollon changea encore d'aspect, et de tortue il devint serpent. Frappées d'effroi, les nymphes abandonnèrent Dryopé. Apollon s'unit alors à elle [28]... » Dans son évocation de la légende, Matisse, à l'instar des *Trois Femmes*, opte pour trois nus, tour à tour accroupi, assis, debout. Mais, s'il adopte les dimensions exactes du tableau de Picasso, en utilisant son châssis horizontalement, il substitue le format *paysage* au format *figure*, vertical. L'espace s'épanche et veut évoquer les confins aquatiques où les vies premières apparurent. Ainsi, la composition centrifuge des *Baigneuses à la tortue* repousse les nus à la périphérie autour d'un centre vide, dans une

stratégie d'occupation de l'espace résolument allégorique. Objet de la métamorphose d'Apollon, la tortue participe également au cycle apollinien par la lyre divine tirée de sa carapace et qui initie à l'invention de la musique. Dans les mythologies orientales, la tortue incarne la sphère des éléments contraires de la terre et des cieux. Matisse condenserait ainsi les qualités plurielles de ce symbole pour inscrire la musique au centre de la danse et préfigurer thématiquement ses grands panneaux décoratifs des années 1909-1910. L'orbe que décrit, dans les *Baigneuses à la tortue*, la ronde des corps féminins charge émotionnellement le *punctum* rouge de l'animal d'un incommensurable désir, d'une frayeur inconnue. Et celle qui ose aller vers lui, se détourne de nous comme le veut le mythe des trois Grâces, afin que l'histoire s'accomplisse dans le surgissement symbolique du serpent. Matisse interrompt la scène en cet instant, laissant planer le silence précurseur à la révélation de la connaissance [29]. Le bas-relief *Dos* (cat. 92-93) qu'il réalise parallèlement, représentant une femme nue s'enfonçant dans l'argile, offre une description littérale particulièrement dramatique de la Grâce prométhéenne s'avançant à la découverte de l'inconnu. La vacuité de l'espace génésique des *Baigneuses à la tortue* s'oppose à la compacité architectonique des *Trois Femmes*. Picasso s'y réfère, lui, à l'univers des cristaux, grottes et rhizomes des nymphes forestières. Le chaos qui s'ébranle et s'ordonne sous nos yeux nous rappelle que ces créatures sont bien les sœurs des Titans et incarnent des mutations souterraines, minérales, sourdes et ombellifères. La couleur contribue aussi à la séparation des mondes dimensionnels instaurés par chacun des artistes. Fondée dans les *Trois Femmes* sur le contraste des complémentaires manifesté par un brutal rouge-vert, renforçant encore l'option tellurique du tableau, elle déteint dans les *Baigneuses à la tortue* en un dégradé tonal violet-bleu-jaune qui instaure le ciel et la terre comme des miroirs jumeaux. Avec les *Trois Femmes* et les *Baigneuses à la tortue*, à travers les figures du mythe, Matisse et Picasso poseraient l'équation de la création picturale comme celle d'un accouplement métamorphique. Picasso, nous tournant le dos, irait se poster là où Courbet avait peint *L'Origine du monde* et tatouerait le signe de ce sexe ouvert et fécond à la surface du tableau. Matisse, par un recul focal, nous en raconterait le rituel, usant du détour de la langue évasive et frémissante du conte. Ce conte commencerait ainsi : « C'était un temps de cosmogonies artistiques [30]… »

A. B.

Henri Matisse

7 *Baigneuses à la tortue*, 1908

Huile sur toile, 179 x 220

The St Louis Art Museum, don de M. et Mme Joseph Pulitzer, Jr

PABLO PICASSO

8 *Trois Femmes*, 1908

Huile sur toile, 220 x 180

Musée national de l'Ermitage, Saint-Pétersbourg

51

PABLO PICASSO

9 *Nu assis (Étude pour les « Demoiselles d'Avignon »)*, 1907
Huile sur toile, 121 x 93,5
Musée Picasso, Paris

Henri Matisse

10 *Figure décorative*, 1908

Bronze, 73 x 51,4 x 31,1

Hirshhorn Museum and Sculpture Garden, Smithsonian Institution,

don de Joseph H. Hirshhorn, 1966

HENRI MATISSE
11 *Deux Négresses*, 1907
Bronze, 49,5 x 28 x 20
Centre Georges Pompidou, Paris, Musée national d'art
moderne/Centre de création industrielle, dation en 1991

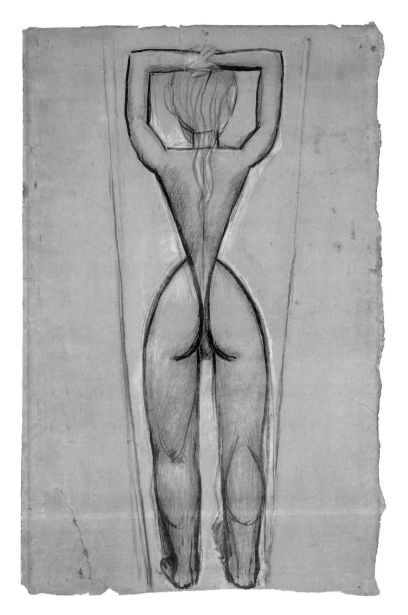

PABLO PICASSO

12 *Nu de dos aux bras levés (Étude pour les « Demoiselles d'Avignon »)*, 1907
Fusain, gouache et craie blanche sur papier marouflé sur toile, 134 x 86
Musée Picasso, Paris

PABLO PICASSO

13 *Nu de face aux bras levés (Étude pour les « Demoiselles d'Avignon »)*, 1907
Gouache, fusain et mine de plomb sur papier marouflé sur toile, 131 x 79,5
Musée Picasso, Paris

4 « Ogresses bleu outremer »

> « Vous lui demandez s'il se sert de modèles et il tourne vers vous un regard qui danse. "Où les trouverais-je ?" sourit à pleines dents Picasso, en clignant vers ses ogresses bleu outremer. »
>
> (Propos de Pablo Picasso, dans Gelett Burgess, « The Wild Men of Paris », *The Architectural Record*, 1910, p. 408.)

Ces femmes sont *laides*. Anatomiquement bizarres et grossièrement rendues, elles incarnent des agressions jumelles et volontaires, dirigées contre les canons tant de l'art que de l'apparence féminine – des agressions rendues encore plus évidentes par la conservation ironique, voire sardonique, voulue par l'artiste, des poses stéréotypées de l'exhibition séduisante. Les notions d'artifice et d'authenticité, de tradition et de vérité sont les enjeux évidents de ces sept œuvres, et le corps féminin, offert pour plaire, est le lieu où ces questions artistiques croisent des problèmes parallèles liés à la libido.

Pour de nombreux artistes modernes, le nu était une catégorie fossilisée de l'idéalisation. Rodin avait tenté de le réactualiser, en saisissant le mouvement libéré, et les futuristes allaient bientôt revendiquer son élimination pure et simple. Mais dans ce dialogue en sept parties, qui s'étend entre 1907 et 1909, Matisse et Picasso acceptèrent comme points de départ, à la fois le caractère artificiel de la catégorie du nu et la réalité de la pose du modèle comme une donnée ne devant pas être déguisée. Seuls le *Nu bleu, Souvenir de Biskra* (cat. 15) de Matisse et la *Baigneuse* (cat. 20) de 1909 de Picasso, avec leurs décors plats de scène théâtrale, tentent de suggérer un univers situé au-delà de l'atelier et de ses accessoires hétérogènes. À l'intérieur de ces paramètres, les deux artistes luttèrent non seulement contre les défis que chacun lançait à l'autre, mais avec une constellation d'enjeux partagés : l'héritage de Cézanne, surtout dans ses dernières *Baigneuses* ; la question du « primitivisme » ; sans oublier le dialogue entre la sculpture et la peinture.

Le point de départ est la création simultanée, par Matisse, de *Nu couché (Aurore)* et de *Nu bleu, Souvenir de Biskra*, au cours des premiers mois de l'année 1907. Dans la sculpture, Matisse entreprit de modeler une figure à l'attitude allongée, avec un bras levé, quasiment similaire à celle qu'il avait précédemment tentée deux ans plus tôt avec une statuette plus petite, *Nu à la chemise* – une pose souvent citée comme dérivant d'un marbre classique et familier, *Ariane endormie* [1]. Alors qu'il travaillait à cette nouvelle version à Banyuls, dans le sud de la France, il partageait un dialogue presque constant avec le sculpteur Aristide Maillol, qui vivait tout près [2]. Ce contact était révélateur car, depuis quelques années, la sculpture de Maillol s'écartait de la puissante suprématie de Rodin pour affirmer un changement notable dans la physiologie et la psychologie du nu. S'inspirant des Tahitiennes fortement charpentées des tableaux de Gauguin, et gardant en mémoire tant le physique massif des paysannes locales qui posaient pour lui, qu'une conception générale de l'héritage gréco-romain du bassin méditerranéen, Maillol avait façonné un type féminin à la solide ossature et à la *gravitas* presque somnolente – une intériorité placide et passive qui servait d'antidote aux femmes minces et pleines d'appétit sexuel qui peuplaient l'œuvre de Rodin et le symbolisme en général. Avec leurs épaules carrées et leur taille impressionnante, les premières figures féminines de Maillol exprimaient une force imperturbable qui, au moins une fois

– dans son *Action enchaînée* de 1906 –, bascula vers une impression explicitement masculine de puissance musculaire. Un type physique pareillement râblé apparaît dans le travail de Picasso en 1906, et de manière très saisissante dans *Deux Nus* (cat. 91). Mais il n'existe pas d'exemple plus criant de cette nouvelle stature impressionnante, et de la masculinisation qui va de pair, que dans le *Nu couché (Aurore)* de Matisse et la toile qu'il engendra [3].

Dans le modelage de la sculpture, Matisse regarda, au-delà des volumes lisses et arrondis de Maillol, vers les physiques noueux, musclés, presque virils et les poses allongées des personnages féminins créés par Michel-Ange pour les tombeaux des Médicis (le sous-titre *Aurore* souligne le lien direct avec *L'Aube* de Michel-Ange). Le cadre étroit de la base, à la lisière entièrement occupée et débordée par la main droite, contribue à souligner la force avec laquelle ce corps torsadé lutte contre l'ostensible délassement de la pose, surtout dans les élans verticaux majeurs du coude et de la hanche. À partir de ce qui ressemble de prime abord à un repos langoureux, la figure de Matisse génère un puissant mouvement visible sous presque tous les angles, tandis que le spectateur tourne autour d'elle, en suivant l'entrelacs sinueux d'une arabesque qui gouverne ses élans rythmés et ses contre-élans.

Lorsque la première sculpture en argile de *Nu couché* fut accidentellement brisée, Matisse se mit aussitôt à peindre le *Nu bleu*, pour réagir à cet accident [4]. Mais malgré le parallélisme de la pose, *Nu couché*, avec son visage incliné vers le sol et placé dans l'ombre sous une chevelure à la Maillol, semble beaucoup plus intérieur que son homologue peint. La moitié supérieure du corps s'incurve pour faire face à la moitié inférieure, d'une manière qui transforme la taille en un simple vestige et qui rompt la sculpture en un paysage de formes appariées, en anticipant les formules sculpturales de Henry Moore. Dans la peinture extravertie, à l'inverse, la rotation de la partie supérieure du corps, destinée à offrir une approche frontale, parallèle au plan du tableau, accorde au bas du buste et à la taille une importance majeure d'ample courbe musclée. La torsion inversée du bas du corps laisse la partie inférieure des jambes – épaisses et lourdes dans la sculpture – diminuée et sans conséquences, en comparaison de l'élan maintenant encore plus vertical de la cuisse gauche et de la hanche. La poussée de cette croupe peinte est encore soulignée par la déformation qu'elle laisse apparemment dans le sol derrière elle – comme si un tubercule saillait de manière irrésistible à partir de la terre [5] – et par l'arc violent de la palme située derrière, dont la courbe répète, telle une onde de choc, l'irrésistible poussée de la hanche soulevée et comme enflée. Enflée ou, pourrait-on dire, tumescente, car la verticale osseuse de la cuisse et son sommet bulbeux présentent un aspect phallique qui résume, et transpose à un autre niveau de signification, les qualités masculines de la figure [6].

Plus tard, dans des œuvres comme le buste de *Princesse X* (1915-1916) de Brancusi [7], ou les têtes créées par Picasso à Boisgeloup au début des années trente, l'art moderne devait se familiariser avec l'image de la femme phallique et avec une notion de l'érotisme dans laquelle le stimulus (une femme) serait inclus dans la forme de la réaction (l'excitation masculine). Le surréalisme fournirait aussi un contexte pour ces fantasmes transgressant les genres. Mais en 1907, la masculinisation du nu impliquait une énergie plus brute, surtout par rapport aux formes connues du mélange des genres – en particulier, les androgynes pâles et vulnérables en proie à une lassitude asexuée – que l'on a associées à la décadence fin de siècle. Pour les artistes plus jeunes, à la recherche d'une plus grande honnêteté érotique et d'une expression nouvelle des impératifs de la sexualité, les codes reçus de la séduction féminine – les grandes courbes distendues, les regards voilés, la grâce féline – devenaient d'insupportables faux-semblants qu'il leur fallait insulter. La transgression des conventions relatives aux genres physiques par l'aplanissement des différences et l'injection de testostérone dans ce débat devint l'une des voies royales autorisant l'émergence d'une imagerie sexuelle plus audacieuse.

De ce point de vue, les dernières *Baigneuses* de Cézanne eurent une vertu libératrice, car ces toiles introduisaient dans un motif traditionnel de beauté idéale des anatomies particulières qui ignoraient

les conventions de la grâce et semblaient souvent confondre aussi bien celles des genres [8]. *Nu debout* (cat. 18) de Matisse, achevé à l'époque du *Nu bleu* [9], semble manifester clairement cette influence, par la manière dont Matisse se sentait libre d'accepter, voire d'accentuer, la lourdeur et le manque d'harmonie du corps d'un modèle qu'il avait trouvé dans un banal document photographique [10]. Mais la dense tapisserie des derniers personnages de Cézanne est ici traduite par l'artiste plus jeune en un langage sculptural plus brut et plus raide de contours pesants et de modelage grossier, qui insiste davantage sur une candeur mal dégrossie que sur l'exaltation du mystère. Les sombres contours de *Nu bleu*, bien que beaucoup plus fluides, suivent la même voie dans un esprit similaire – un besoin de « primitivisme » juvénile et simplificateur qui n'avait probablement aucune source spécifique dans l'art primitif.

Le sous-titre *Souvenir de Biskra*, ajouté plus tard, et le décor suggéré de palmes renvoient au récent voyage de Matisse en Afrique du Nord, mais le village en question était une étape fort banale à la lisière du désert et Matisse n'avait apparemment pas été très impressionné par les danseuses qui faisaient partie du folklore touristique de l'endroit [11]. La sexualité explosive de *Nu bleu* est moins liée à la spécificité de cette expérience qu'à l'appropriation agressive de l'exotisme du harem de Delacroix et au vénérable fantasme occidental de l'Afrique du Nord, considérée comme le lieu d'une forte sensualité et d'une lubricité faiblement bridée. En contraste, la force majeure qui motive la *Femme nue aux bras levés* (cat. 17), peinte par Picasso quelques mois plus tard, est non seulement sa compétition avec Matisse, mais aussi son contact direct avec la sculpture subsaharienne et avec une Afrique mentale différente, davantage liée à la terreur qu'à la titillation. Picasso s'était déjà inquiété de Matisse pour réagir violemment au *Bonheur de vivre* (fig. 2), qu'il avait vu à l'automne 1906, quand il fut surpris par l'impact globalement plus « sauvage » du *Nu bleu*, lors du Salon des indépendants au printemps 1907. Cette découverte le poussa sans nul doute à rendre encore plus provocante l'image de prostituées dans un bordel – ce qui devait devenir *Les Demoiselles d'Avignon* (fig. 3) – à laquelle il travaillait. Cette ferveur liée à la compétition contribua à la « révélation » de sa réaction spontanée au pouvoir chargé de vaudou de l'art tribal découvert au palais du Trocadéro, très probablement en juin, et l'aida à trouver l'énergie nécessaire pour retravailler certaines parties des *Demoiselles* [12].

Picasso éliminait le vernis résiduel de grâce confortable (par exemple, l'*Ariane endormie*) dans la pose du corps tordu et du bras levé. Ses prostituées des *Demoiselles* affichaient ostensiblement un étalage de hanches et de seins en une provocation évidente, une sorte de publicité pour le sexe. Leur spécificité se poursuivit dans les nus lourdement hachurés et striés de lignes violentes qui suivirent. Parmi ceux-ci, l'impressionnant *Nu à la draperie* (fig. 20) du musée de l'Ermitage conserve encore, avec ses yeux clos et sa torsion étonnamment semblable à Ingres [13], un air résiduel de pose passive. Mais la *Femme nue aux bras levés* et aux yeux écarquillés montrée ici s'ouvre et s'évase à hauteur de la poitrine et de l'entrejambe dans une attitude de confrontation et un esprit de « sauvagerie » implacable qui – intentionnellement – rend en comparaison le *Nu bleu* simplement massif et robuste. Matisse avait augmenté l'énergie de son personnage par un modelage sculptural plus audacieux et une accentuation de la musculature. Picasso fait en quelque sorte l'inverse, aplatissant les volumes de manière radicale, reproportionnant le corps comme un étrange origami – les coudes beaucoup plus épais que les épaules, les seins et les hanches quasiment inexistants –, qui semble suspendu au masque d'épouvante d'un visage surdimensionné, en forme de mandorle. La houle et l'élan de Matisse sont remplacés par l'entaille et la coupure, dans une orchestration de courbes de faucille et de hachures nerveuses, anguleuses, qui verrouille l'agitation du nu dans un environnement acéré et inhospitalier, et qui dans la foulée inflige une violence mortelle à toute trace résiduelle de sensualité. L'exagération de la pose qui incite à la possession de ce corps se fond au défi parfaitement

étranger du regard de gorgone et à ce spectacle de cimeterres aiguisés interdisant toute approche. Les dettes stylistiques de la *Femme nue aux bras levés* envers la sculpture africaine sont peut-être moindres qu'on ne le pense (superficielles, indirectes ou fragmentaires, ainsi que plusieurs spécialistes l'ont montré [14]), mais le tribalisme fantasmé de la conception – cette fusion de la lubricité primaire et d'une terreur repoussante dans une telle satire horrifiante de la beauté – est d'une authenticité scandaleuse. Au cours des années précédant la Première Guerre mondiale, les simplifications de l'art folklorique et de l'art tribal furent souvent associées à l'imagination d'une vie libidinale libérée, mais aucun mariage du primitivisme et de l'érotisme n'a jamais engendré une poupée maléfique plus agressive, plus sauvagement inassimilable que celle-ci.

Quelle surprise, alors, devant le renversement de situation qui eut lieu en 1909. Le *Nu à l'écharpe blanche* (cat. 16) de Matisse réussit encore à rester dans le champ d'investigation défini par l'artiste deux ans plus tôt, réitérant le motif de la pose du modèle (jusqu'à la spécificité particulièrement forcée du vêtement en forme de feuille de figue) et incluant une référence à une sculpture plus ancienne. (Comme John Elderfield l'a fait remarquer, le bras levé et le genou dressé font écho au marbre antique intitulé *Faune Barberini*, encourageant une fois encore les connotations masculines [15]). Et cette œuvre poursuit aussi bien la traduction de l'influence de Cézanne, bien que maintenant selon un modelage grossier et brouillé de la chair et des contours plus hachés, plus fébriles. Les courbes et les grands traits de ces contours trahissent de manière révélatrice – tout comme la platitude globale de la figure et les espaces très clairement définis entre les jambes et à droite du buste – une attention indéniable portée aux Picasso récents (par exemple, *Femme nue aux bras levés*). Mais les deux autres nus de 1909 que nous avons sous les yeux, l'étrangement petite *Serpentine* de Matisse (cat. 19) et l'étrangement monumentale *Baigneuse* (cat. 20) de Picasso, rejouent certains de ces mêmes problèmes familiers – l'arabesque, la sculpture et la peinture, le naturalisme et la déformation – avec ce qui ressemble à un esprit profondément altéré, moins barbare que maniériste, et selon des attitudes où la confrontation directe a été supplantée par une posture matoise, voire guindée.

Comme le *Nu debout* de 1907, *La Serpentine* trouve aussi son point de départ dans une photographie choisie par Matisse dans un album de nus publiés comme documents destinés aux artistes [16]. (La pose elle-même, ainsi qu'on l'a remarqué, est un écho passablement farceur d'une posture familière d'Hercule âgé dans la sculpture classique – encore un comportement masculin travesti [17].) Mais si Matisse s'était précédemment attardé sur le côté massif du corps en 1907, pour l'accentuer, ici il commença par transférer telle quelle la corpulence du modèle photographié, avant de la modifier radicalement, conservant néanmoins des mollets comiquement rebondis et des pieds à la taille impressionnante, sous des cuisses sévèrement émaciées qui partagent avec les bras et le buste une minceur improbable, similaire et filiforme [18]. Les torsions et les élans volumétriques, qui évoquaient Michel-Ange dans *Nu couché (Aurore)* de 1907, ont été élevés, aérés et sublimés en un dialogue plus fluide de chiffres « 8 » enroulés en boucles ou de signes de l'infini. Et la gravité – si importante dans la puissance de cette pose antérieure, propulsée vers le haut mais rivée au sol – a été reléguée au statut de jouet, reconnue en tant que telle mais sur un mode satirique dans les pieds surdimensionnés et la grande base plate, puis légèrement prise en compte dans l'inclinaison et le contact du petit coude contre la surface du piédestal décentré qui sert de support. Plus légère psychologiquement ainsi que formellement, cette fée n'a plus rien de l'introspection ténébreuse de la figure de 1907. Elle assume les codes banals de la séduction impliqués par sa pose, avec ce geste consciemment attirant de petite fille sexy : le doigt porté à la bouche. L'artiste a résolument conservé ce détail piquant déjà inscrit dans la photo, ainsi que l'abondante chevelure, tout en réduisant à une maigreur adolescente la poitrine et les hanches qui constituaient le point de mire de la pose de 1907.

L'exceptionnelle *Baigneuse* de Picasso, datée de la même année, manifeste quelques parallèles avec cette attitude à la délicatesse imprévue. À des années-lumière de la menace terrible incarnée par *Femme nue aux bras levés* et tout aussi éloignée de la pesanteur préhistorique de certains personnages de 1908 (par exemple, les *Trois Femmes* aujourd'hui au musée de l'Ermitage, à Saint-Pétersbourg ; cat. 8[19]), cette créature à l'élégance improbable, avec sa hanche de marteau-pilon, son ventre en forme de boule de bowling, ses seins minuscules et ses petits bras segmentés d'arthropode, possède, avec ses yeux clos, une sorte d'aplomb comique, et elle est rendue avec une précision et une délicatesse minutieuses qui semblent incompatibles avec la réforme radicale subie par son anatomie. Les stries de scarification qui marquaient les nus africanisants cèdent ici la place à des préoccupations explicitement sculpturales, juste avant que Picasso n'accomplisse son effort le plus concerté – dans *Tête de femme (Fernande)*, 1909 (cat. 122) – pour traduire, dans une forme tridimensionnelle, les préceptes du premier cubisme. Dans ce tableau, ces préoccupations de volume apparaissent localement et directement dans les unités séparées et saillantes – les seins, l'abdomen, la cage thoracique, la hanche, le pubis, les fesses –, assemblées en un physique compact, semblable à une carapace et décidément fort peu sensuel. Mais le besoin pressant d'un rendu d'avantage attentif au volume se manifeste de manière plus innovante et plus spécifique dans la façon dont Picasso allie le profil à des vues de trois quarts avant et de trois quarts arrière, qui nous permettent de percevoir les deux côtés du corps. La posture fondamentale est donnée par la jambe gauche du personnage tournée vers la gauche et parfaitement de profil, au-dessus de laquelle le torse pivote vers nous, montrant le milieu de l'abdomen et le sein droit de profil. Mais vers la droite, le personnage a subi une rotation en sens inverse, si bien qu'il dévoile le milieu de son dos, et la fesse la plus éloignée a pivoté, parallèlement à la plus proche, mais reste cependant plus grosse qu'elle. Juste en dessous du cou, les anomalies sont moins flagrantes, mais tout aussi étranges : l'épaule droite du personnage, disloquée pour atteindre à une pleine frontalité au-dessus d'un sein vu de profil, est visible de derrière sur la partie opposée du corps – avec l'étrange articulation intermédiaire de l'autre épaule, qui évoque un insecte. L'insistance de *La Serpentine* sur la multiplication des boucles destinées à conjurer le volume par des vecteurs tournant en permanence est ici remplacée par une division et un étalage conceptuel du corps, qui amènent le dos vers l'œil du spectateur, et non l'inverse.

Des ouvertures aussi radicales pratiquées dans un volume solide se produisaient d'ordinaire dans le cubisme, en conjonction avec une restructuration, tout aussi active et étroitement associée, de l'espace environnant. (De fait, quasiment la même figure en train de poser allait apparaître un an plus tard dans un autre tableau, confortablement entourée d'un environnement cubiste parfaitement articulé [20].) En imaginant un tel « monstre » soigneusement délimité sur tous ses bords, devant un espace profond de sable, de mer et de ciel, Picasso anticipait sur ses propres œuvres surréalistes des années vingt et trente, où non seulement la fusion des vues frontale et de profil tentée pour la première fois dans cette face de *Baigneuse* divisée par les ombres, mais aussi la vision générale d'anatomies impossibles se dressant tels des monuments sur des plages oniriques, deviendraient essentielles à son imagination [21]. Au milieu des premières années intenses qui marquèrent la confrontation des deux artistes, cette *Baigneuse* nous rappelle aussi avec efficacité qu'à l'intérieur de tout ce que les deux hommes partageaient, Picasso fut, dès le début, plus souvent apte à pousser leurs investigations communes vers des territoires que Matisse évitait d'habitude, où la radicalité artistique débouchait vers le grotesque, l'horrible et l'absurde – et parfois, tout cela en même temps. Durant toute cette série de sept transgressions de la tradition du nu féminin, c'est Matisse qui en définitive semble plus désireux de réformer, de rajeunir et de redonner un nouveau pouvoir à la sensualité en question, alors que Picasso la fait exploser de manière récurrente pour aller au-delà, vers de nouvelles formes dérangeantes, voire misogynes, de l'étrange ou du bizarre.

K. V.   61

HENRI MATISSE
14 *Nu Couché (Aurore)*, 1907
Bronze, 35,5 x 50,5 x 28
Centre Georges Pompidou, Paris, Musée national
d'art moderne/Centre de création industrielle,
don des héritiers d'Alphonse Kann en 1949

HENRI MATISSE
16 *Nu à l'écharpe blanche*, 1909
Huile sur toile, 116 x 89
Statens Museum for Kunst, Copenhague,
Johannes Rump Collection

HENRI MATISSE
18 *Nu debout*, 1907
Huile sur toile, 92,1 x 64,8
Tate, London, achat en 1960

HENRI MATISSE
19 *La Serpentine*, 1909
Bronze, 56,5 x 28 x 19
The Museum of Modern Art, New York,
don d'Abby Aldrich Rockefeller

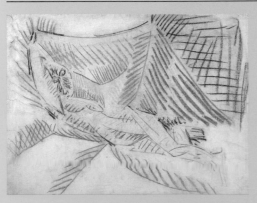

5   La voie primitive

« Matisse fait un dessin, puis il le recopie… Il le recopie cinq fois, dix fois, toujours en épurant son trait… Il est persuadé que le dernier, le plus dépouillé, est le meilleur, le plus pur, le plus définitif ; or le plus souvent c'était le premier… En matière de dessin, rien n'est meilleur que le premier jet [1]. » Picasso, exposant ici ce qui, « en matière de dessin », le séparerait méthodologiquement et phénoménologiquement de Matisse, nous dit sa conception d'un dessin *premier* qui n'exclut pas une insigne exigence : « Il n'y a rien de plus difficile qu'un trait [2]. » Chacun des deux artistes rechercherait cependant par le moyen de la *ligne seule* un accès à ce qui induit et meut le procès de travail. Pour assurer ce surgissement du dessin, Picasso le précise, l'artiste doit savoir se plier, soumettre son geste à l'intermittence du conscient et de l'inconscient : « Je pense que l'œuvre d'art est le produit de calculs, mais de calculs souvent inconnus de l'auteur lui-même. […] Ou bien il faut supposer, comme le disait Rimbaud, qu'en nous c'est l'autre qui calcule [3]. » Matisse partagerait ce dédoublement intérieur où c'est l'automatisme graphique qui ouvre à l'introspection créatrice : « J'exécute le dessin presque avec l'irresponsabilité d'un médium ; […] j'y cherche des révélations sur moi-même, je les considère [mes dessins] comme des matérialisations de mon sentiment [4]. » Aussi pourra-t-il dire à l'instar de Picasso : « Le chemin que fait mon crayon sur la feuille de papier a, en partie, quelque chose d'analogue au geste d'un homme qui chercherait, à tâtons, son chemin dans l'obscurité […] Je suis conduit, je ne conduis pas [5]. » Partant de cette même prémisse, Matisse et Picasso s'adonneront, aux différentes étapes de leur œuvre, à des approches explorant systématiquement la question graphique, cette alchimie phénoménale dont Picasso dira : « C'est quelque chose de très grave et de très mystérieux qu'un simple trait puisse représenter un être vivant. Non seulement son image, mais plus encore, ce qu'il est vraiment. Quelle merveille ! N'est-ce pas plus surprenant que toutes les prestidigitations et "coïncidences" du monde [6] ? » Croquis de rue ou de café, une approche sténographique du dessin fut partagée par Matisse et Picasso dans les années 1899-1901, chacun d'entre eux pratiquant, ainsi que le recommandait Delacroix, un dessin sur le vif. Dans cette expérience, l'artiste se contraint à casser l'habitus du dessin académique : « La maîtrise de la main, disait Matisse, je l'ai obligée à oublier les gestes acquis… Vous savez : le coup de crayon [7]… » Le signe graphique advient alors comme l'impact liminaire du rapport entre ce qui est vu et ce qui voit, de l'événement qui lie l'artiste à son sujet. Au cours des années 1905-1908, le travail du dessin prendra cependant une importance nouvelle où, en ces temps de révolution formelle, il ne serait plus simple préparation du tableau, mais deviendrait le laboratoire des mutations du langage pictural. Alors que, pour Picasso, la complexification de la forme impose un nouvel investissement du dessin dans son rôle constructif, la primauté de la couleur qui, chez Matisse, avait conduit à déliter le *contour*, engendre par contrecoup sa nécessaire redéfinition par le dessin. À cet égard, la présence impérieuse de son *Nu assis* (cat. 33) dans l'appartement de Sarah et Michael Stein, en vis-à-vis de sa composition monumentale *Le Luxe I* (cat. 6), constituerait le manifeste poïétique d'un dessin fauve où le tracé synthétique, la polychromie primaire, l'écrasement perspectif, la virulence de l'exécution et son inachèvement délibéré redistribuent l'ensemble des critères esthétiques en vigueur. C'est de l'approfondissement

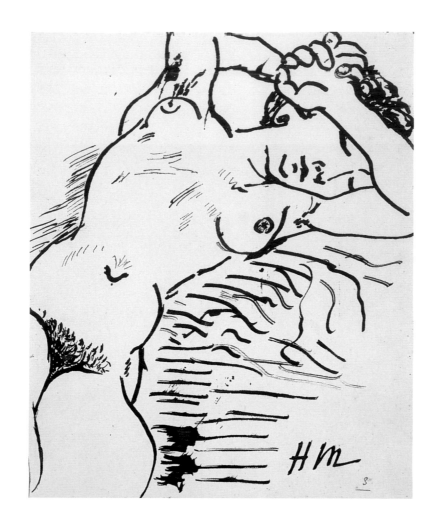

HENRI MATISSE
35 *Nu allongé*, 1906
Encre de Chine, roseau, 27 x 21,5
Pierre and Maria Gaetana Matisse Foundation

HENRI MATISSE
36 *Nu assis*, 1906
Encre de Chine, roseau, 27 x 20,9
The Phillips Collection, Washington, D. C.,
don de Marjorie Phillips, 1984

Pablo Picasso

37 *Études pour « Autoportaits »*, 1906

Mine de plomb, 31,5 x 47,5

Musée Picasso, Paris

Henri Matisse

38 *Portrait de Marguerite*, 1905

Encre sur papier, 39,7 x 52

Carol A. Cowan

81

6   Vanités

Nature morte à la tête de mort est la plus importante parmi les premières natures mortes de Picasso, et aussi la plus frappante. Parce qu'il est de toute évidence un *memento mori* ou une *vanitas*, on a souvent tenté d'associer ce tableau aux décès de proches de l'artiste. On a ainsi suggéré que cette œuvre renvoie au suicide d'un voisin de Picasso dans les ateliers du Bateau-Lavoir, l'artiste allemand drogué Karl-Heinz Wiegels, qui se pendit devant la fenêtre de son atelier, le 1er juin 1908 [1]. Des raisons stylistiques nous portent néanmoins à croire que ce tableau fut probablement peint quelques mois plus tôt. La mort d'Alfred Jarry, le 1er novembre 1907, fut également envisagée comme cause majeure de cette œuvre [2]. Sous ce rapport, il vaut de remarquer que les trois premiers décès sur les quatre qui laissèrent les traces les plus visibles dans l'art de Picasso, ceux de Carles Casagemas, Guillaume Apollinaire et Ramon Pichot (en 1901, 1918 et 1925 respectivement), donnèrent lieu à des compositions avec personnages et non à des natures mortes. Les projets de Picasso relatifs à un mémorial consacré à Apollinaire devaient conditionner sa pensée de la sculpture pendant plus d'une décennie. Néanmoins, le décès en 1942 d'un ami proche avec lequel il avait étroitement collaboré, le sculpteur Julio González, fut commémoré dans deux des plus grandes natures mortes de Picasso du temps de guerre ; celles-ci contenaient cependant des descriptions de crâne de bœuf, et non de crâne humain [3].

Avant 1908, Picasso manifesta relativement peu d'intérêt pour la nature morte, même si, au milieu de la première décennie du siècle, ce genre devenait de plus en plus important pour les artistes soucieux d'expérimentations formelles. Vers l'été 1908, Picasso s'y plongea lui-même, approfondissant ainsi le legs de Cézanne. Au moins deux de ses compositions immédiatement précubistes avec personnages furent transformées en rendus d'objets inanimés. Selon toute vraisemblance, il connaissait les tableaux de Cézanne représentant des crânes et l'on a été jusqu'à dire que ce *memento mori* commémorerait le propre décès de Cézanne en 1906 [4].

La meilleure manière d'aborder *Nature morte à la tête de mort* est peut-être la plus classique, celle qui en fait un pendant aux *Demoiselles d'Avignon* et, simultanément, un adieu aux tableaux d'orientation expressionniste qu'il engendra, ainsi qu'un prélude aux toiles plus objectives, plus formalistes, qui allaient suivre. Des études préliminaires aux *Demoiselles* montrent deux personnages masculins : un marin au centre, parmi les femmes, et à gauche un étudiant en médecine qui semble serrer ce que Picasso identifia comme étant un livre, ou plus probablement un dossier médical, puis un crâne. Dans une étude, il tient ces deux objets. On pourrait expliquer la position adoptée par la « demoiselle » accroupie à droite en suggérant qu'elle attend un examen médical. Durant la première décennie du xxe siècle, les maladies vénériennes et la mort entretenaient d'étroites relations.

Nature morte à la tête de mort est divisé en images qui, à gauche, sont symboliquement masculines et, à droite, féminines. Une pile de livres, ou de livres et de documents, qui constituent un élément traditionnel du thème du *memento mori*, apparaît en bas à gauche. Au-dessus est posée une pipe aux implications phalliques, un instrument pour sonder (peut-être une référence résiduelle à la fonction de l'étudiant en médecine). Le crâne (Picasso fumait la pipe et possédait un crâne) pourrait être indifféremment masculin ou féminin. Mais ainsi que le fait remarquer John Richardson, lorsque Sergei Chtchoukine acheta ce tableau dans la galerie Kahnweiler en 1912, il était intitulé *Tête de mort*

sénile, une référence à Josep Fontdevila, le tenancier nonagénaire (et ancien contrebandier) de l'auberge de Gósol où Picasso avait résidé durant l'été 1906. Il s'était pris d'affection pour Picasso, lequel à son tour s'identifia au personnage. Fontdevila devint aussi, pour Picasso, une métaphore de cette région austère de l'Espagne. Richardson souligne aussi les similarités entre les descriptions du vieillard par Picasso et ses propres derniers autoportraits semblables à des crânes [5]. Au-dessus de la tête se trouve une palette rectangulaire de peintre, au trou transpercé de cinq pinceaux qui symbolisent les doigts de l'artiste. Là encore, on pense aux gravures ouvertement érotiques créées par Picasso dans sa vieillesse, la palette, maintenue en place par le pouce de l'artiste, devenant ainsi une métaphore de la copulation. Derrière la palette, on découvre un paysage imaginaire dérivé des études de branches nues et de feuillages, exécutées durant l'été 1907. À droite du crâne, et en rapport direct avec lui, se trouve le bol ou réceptacle vide au double anneau et, au-dessus de lui, l'image d'un nu féminin, soit encadré soit vu dans un miroir encadré [6]. La mort, la sexualité et la créativité vont main dans la main.

Une confrontation entre *Nature morte à la tête de mort* et *Poissons rouges et sculpture* (fig. 27), exécuté par Matisse quatre ans plus tard, est révélatrice à maints égards. De manière immédiate, elle sert à souligner les différences de tempérament et d'esthétique des deux artistes. Le Picasso est simultanément mélancolique et corrosif, d'une tonalité profondément espagnole. On a remarqué que Picasso évoque souvent la souffrance et l'angoisse par des couleurs criardes, discordantes [7]. Les contours sont nets, aiguisés. Le Matisse, à l'inverse, possède une qualité diffuse, presque subaquatique. Le bleu omniprésent nimbe le tableau d'une atmosphère flottante, globalisante, en partie parce que les objets dépeints ne sont pas posés sur le sol bleu ; bien plutôt, le bleu est peint vers eux en laissant souvent un cerne linéaire blanc de toile vierge à leur point de contact – un dispositif caractéristique de Matisse que Picasso exploitera plus tard. Les contours des objets sont parfois réaffirmés avec douceur par des éléments linéaires plus sombres, souvent curvilignes.

Ces deux tableaux présentent néanmoins beaucoup d'éléments communs. Tous deux évoquent la contemplation – celle de la mort dans un cas, celle d'un phénomène spécifique de la nature dans l'autre –, pour aboutir à un sentiment plus élevé de conscience ou de réalité. Les deux tableaux utilisent l'atelier et ses attributs comme le théâtre de leurs visions respectives. L'inclusion de son propre travail par Picasso ancre les implications les plus larges du sujet dans son propre domaine spécifique. Dans le Matisse, la sculpture située en bas à droite est la version en terre cuite de son *Nu couché (Aurore)* de 1907 (cat. 14), une œuvre très importante à ses yeux. Il l'utilise d'ailleurs de manière répétée dans ses natures mortes et ses intérieurs. Ici, la sculpture fait office d'œuvre d'art inscrite dans le tableau et de simulacre d'une présence humaine. Elle semble flotter vers l'avant à partir du bord de la table sur laquelle elle est posée et elle est métaphoriquement couronnée de fleurs (des capucines). Les plantes et les fleurs étaient des éléments essentiels aux environnements de Matisse. (Picasso, quant à lui, n'aimait pas les fleurs ; lorsque des visiteurs admiratifs lui en offraient, il avait pour habitude de les placer dans des récipients sans eau, en faisant remarquer que, de toute façon, elles allaient bientôt mourir.)

Mais ce sont les poissons rouges qui constituent la clef de la signification de ce tableau de Matisse, d'autant qu'ils devaient devenir temporairement l'emblème de la philosophie de l'artiste. Ils font ici leur première apparition dans son art, pour réapparaître fréquemment au cours des années suivantes. La meilleure interprétation qu'on puisse en donner, c'est peut-être celle d'une extension de l'immersion de Matisse dans le monde islamique. Les poissons rouges, connus depuis longtemps en Extrême-Orient comme des symboles de luxe et de contemplation, avaient été introduits en Europe au XVIIᵉ siècle [9]. *Poissons rouges et sculpture* fut exécuté dans l'atelier d'Issy-les-Moulineaux, après un séjour de deux mois à Tanger ; et en un sens, le Maroc avait été annexé à l'Orient à cause de sa

religion. Les poissons rouges apparaissent dans les tableaux de Matisse datant de sa seconde visite dans ce pays, entre octobre 1912 et février 1913. Dans une œuvre clef, *Café marocain* (musée de l'Ermitage, Saint-Pétersbourg), peinte soit à Tanger soit peu de temps après son retour à Issy, au printemps 1913, les deux Arabes qui occupent le premier plan sont l'un accroupi, l'autre allongé par terre, perdus dans leurs rêveries, devant un bocal contenant des poissons rouges et placé à côté d'un petit vase de fleurs.

Les poissons rouges qui appartenaient à Matisse nageaient dans un vaste bocal cylindrique de laboratoire. Fasciné comme il l'était par la transparence, Matisse tenait à ce que l'eau du bocal fût en permanence d'une limpidité parfaite, une tâche assignée à ses enfants [9]. Pour Matisse, les poissons aux couleurs brillantes, glissant à travers une substance incolore, étaient de toute évidence une source d'étonnement et de fascination. Malgré leur présence physique, ces poissons intervenaient simultanément dans le tableau comme des taches de couleurs éblouissantes et désincarnées. Le peintre Jean Puy, ami de Matisse, devait comparer celui-ci à un poisson rouge regardant le monde [10]. En 1930, à Tahiti, Matisse resta comme ensorcelé pendant de longues heures, en contemplant à travers le fond en verre d'un petit bateau. La transparence, il l'associait à la lumière. Il déclara : « Depuis déjà très longtemps j'ai conscience de m'exprimer par la lumière ou bien dans la lumière, qui me semble comme un bloc de cristal dans lequel se passe quelque chose [11]. »

Il existe très peu de rapports thématiques entre *Nature morte à la tête de mort* et *Nature morte à la corbeille d'oranges*. L'un est tragique, l'autre franchement hédoniste. Le Picasso entra dans la collection de Sergei Chtchoukine en 1912. Le Matisse fit partie d'un ensemble de trois toiles commandées par Ivan Morosov, le seul collectionneur russe rival de Chtchoukine dans le domaine de l'art moderne français [12]. Matisse finit par vendre ce tableau à la galerie Bernheim-Jeune le 27 avril 1912 ; on peut imaginer que Picasso le vit là, avant que l'œuvre ne rejoignît une collection privée allemande, un mois plus tard. À cette époque, les deux artistes comptaient beaucoup sur leurs ventes à la Russie, et le fait que *Nature morte à la corbeille d'oranges* ait été originellement destinée à Moscou a sans doute ajouté un intérêt supplémentaire à cette toile pour Picasso.

Trente ans plus tard, Picasso fit l'acquisition de *Nature morte à la corbeille d'oranges* pour sa propre collection privée [13]. Le tableau rejoignit son local de la rue des Grands-Augustins en novembre 1942 et il demanda à plusieurs de ses amis de venir le voir [14]. Au moment de son décès, Picasso possédait sept tableaux de Matisse : « Je ressens de plus en plus le besoin de vivre avec eux [15] », confia-t-il à un proche. *Nature morte à la corbeille d'oranges* était le plus important d'entre eux et devint peut-être le bien le plus précieux de Picasso. Dans l'atelier de sculpture de la rue des Grands-Augustins, il était accroché de manière bien visible, illuminant un espace vaste et passablement sombre. Plus tard, à Mougins, dans le sud de la France, à « Notre-Dame-de-Vie », la maison préférée de Picasso, le Matisse occupa la place d'honneur dans la salle centrale, où se déroulaient la plupart des activités. Les visiteurs qui ne tombaient pas d'accord sur la grandeur de cette toile recevaient rapidement leur congé [16]. L'acquisition de *Nature morte à la corbeille d'oranges* cimenta encore l'amitié croissante entre les deux hommes. En février 1945, Matisse écrivit à son fils Pierre : « Picasso a acheté une nature morte importante de Tanger qui a appartenu à Madame Sternheim [17]. » La légende veut que, lorsque Matisse apprit que ce tableau était à vendre, il voulût le racheter pour lui-même et qu'en apprenant que Picasso l'avait déjà acquis, il fut tellement ému qu'il fondit en larmes [18].

À Tanger, cette grande toile fut probablement exécutée dans une pièce de la villa Brooks où Matisse avait obtenu la permission de travailler [19]. C'est l'œuvre la plus complexe et la plus achevée parmi toutes celles de la première période marocaine de Matisse. La plupart des tableaux marocains ont une peinture délayée, des effets chatoyants et vaporeux [20]. Ici, les *pentimenti* sont clairement visibles et, de toute évidence, l'artiste a consenti à de nombreux efforts pour la création de cette

PABLO PICASSO
39 *Nature morte à la tête de mort*, 1908
Huile sur toile, 115 x 88 x 3
Musée national de l'Ermitage, Saint-Pétersbourg

HENRI MATISSE
40 *Nature morte à la corbeille d'oranges*, 1912
Huile sur toile, 94 x 83
Musée Picasso, Paris

7

Du paysage

Il ne vous échappera pas que, parmi les trente-quatre séquences de l'exposition, celle-ci est la seule qui soit consacrée au « paysage », dans le sens traditionnel du terme. Presque la seule bouffée d'air du dehors dans le face-à-face obsédant avec la *figure* comme modèle qui est au cœur de l'œuvre de Picasso comme de celle de Matisse.

Davantage que Picasso sans doute, Matisse a sérieusement pratiqué le paysage, cette grande catégorie de la peinture classique — ne serait-ce que pour la subvertir. N'est-ce pas devant (et par) le paysage qu'il développe (avec André Derain en 1905) ce qu'on appellera le fauvisme ? Et le cadrage du paysage par une fenêtre découpée, homothétique au tableau, n'est-il pas à la base de sa vision de l'espace ?

Si Picasso a peint (relativement) moins de paysages, c'est peut-être parce que le seul espace qui l'intéresse vraiment est celui qu'engendre la figure, celui avec lequel elle est en tension et qu'elle seule est finalement en mesure de *qualifier*.

Quoi qu'il en soit, les relations complexes qu'entretiennent les trois paysages confrontés ici, la place qu'ils occupent dans le réseau des œuvres qui leur sont contemporaines, tracent elles-mêmes un espace enchevêtré, un champ traversé d'aimantations contradictoires, le chantier en mouvement des années 1907-1917.

Tel un thème musical, le motif des arbres (des sous-bois) relie visiblement ces trois toiles : un même rythme vertical, celui des troncs plus ou moins parallèles, découpe de bas en haut leur surface. Mais leur association en triptyque doit aussi s'envisager comme le noyau d'une constellation élargie. La confrontation centrale de Matisse et de Picasso, au tournant capital des années 1907-1908, se dédouble nécessairement en plusieurs autres dialogues : celui de Derain et Matisse en 1907, ceux de Derain ou Braque avec Picasso en 1908. Le triptyque se replie encore sur une confrontation de Matisse avec lui-même, à dix ans d'intervalle, avant et après le choc frontal avec « l'invention du cubisme » et l'entrée en force de la cordée Braque-Picasso.

Vue de Collioure a été engagé au début de l'été 1907, à Collioure, où Matisse a vécu de façon prolongée depuis son premier séjour deux ans plus tôt. On peut même soutenir que c'est alors son principal lieu de travail, puisqu'en quatorze mois — de fin juin 1906 à septembre 1907 —, il n'a passé que trois mois à Paris. Pendant l'hiver 1906-1907 et les mois qui suivent, il travaille intensément sur des expériences de mise à distance : mise à distance du modèle vivant, soit par traitement contradictoire – les deux versions du *Jeune Marin* [1], les deux versions de *Portrait de Marguerite* [2] –, soit par recours à la photographie – pour *Nu couché I* (cat. 14), *Deux Négresses* (cat. 11) et *Nu debout* (cat. 18) ; mise à distance de la peinture par la sculpture et réciproquement – *Nu bleu* (cat. 15), entrepris après l'accident survenu sur la sculpture *Nu couché*. *Vue de Collioure* s'inscrit dans ce processus. Son sujet, le village de Collioure et la mer vus d'en haut, à travers les arbres, est littéralement une mise à distance des premiers motifs de l'été 1905 : au ras de la mer et des rochers, le nez sur le port et les barques, ou sur le clocher phare de l'église fortifiée, Matisse et Derain avaient alors travaillé à traduire, quasiment en simultané, leurs sensations colorées à l'aide de taches juxtaposées, gardant toute la vivacité de la touche. Dès ce premier été cependant, Matisse repère un site particulier — deux rideaux d'arbres

PABLO PICASSO
42 *Paysage*, 1908
Huile sur toile, 73 x 60
Collection particulière

HENRI MATISSE
43 *Coup de soleil dans les bois de Trivaux*, 1917
Huile sur toile, 91 x 74
Collection particulière

8

Portraits intérieurs

Ces six formidables créatures féminines, vues de face (mais pas tout à fait en pied : assises ou debout, on ne les voit que jusqu'à mi-jambes), ont toutes été soumises à une radicale opération de géométrisation. Aplaties, réduites à quelques courbes, à quelques couleurs, à quelques ombres, à quelques emboîtements, elles n'en conservent pas moins les traces d'une *ressemblance* (chacune d'entre elles a été inspirée par un modèle et au moins deux ont été conçues comme de véritables portraits), elle-même mise en tension avec une volonté d'abstraction. De cette contradiction fondamentale découlent aussi l'intensité de la présence de chacune de ces effigies, le pouvoir de fascination qui en émane. Comme les six reines d'un jeu de cartes monumental, à l'échelle de la partie qui s'est engagée entre Matisse et Picasso entre 1908 et 1916, et pour chacun d'eux avec « la Peinture [1] », elles sont pourvues d'attributs à la fois spécifiques et interchangeables : éventails, blouse ou ombrelle, chapeaux, mince écharpe ou boa de plumes…

C'est dans leur succession chronologique qu'il faut sans doute les considérer d'abord. Ces peintures sont distribuées entre 1908 et 1916, sur l'amplitude exacte des années cubistes, et leur confrontation met en évidence le décalage des réponses de Matisse (en 1913, 1914, puis 1916) aux propositions d'une brutale audace formulées, chaque année différemment, par Picasso en 1907, puis en 1908 et 1909, par rapport à leur commun héritage cézannien. Le *Portrait de jeune fille* de Picasso (1914) n'étant lui-même, malgré sa perfection virtuose, qu'une riposte ludique au *Portrait de madame Matisse* peint en 1913.

Femme à l'éventail, peinte au printemps 1908 (avant le départ à la Rue-des-Bois), est achetée presque immédiatement par Chtchoukine. Comme si Picasso prenait délibérément le contre-pied du bariolage agressivement plat de certaines toiles de l'année précédente et s'attachait exclusivement dans celle-ci à décrire une figure par des volumes schématiquement taillés, violemment éclairés, en utilisant une gamme colorée restreinte au blanc, au noir, aux ocres. Sans doute inspirée de *Fernande* (voir le dessin du carnet 16 signalé par Pierre Daix, ainsi que la photographie aux rayons X de la toile de l'Ermitage, montrant la première version du visage avec les yeux ouverts, très proche du dessin [2]), la *Femme à l'éventail* est soumise à une implacable géométrisation, organisée par une rigoureuse symétrie. La toile est partagée en deux par la ligne verticale qui va du nez au creux des genoux, distribuant un sein sphérique à droite, le triangle de l'éventail à gauche. La lumière tombe en rideau, accusant le front et l'arête du nez (les yeux restent baissés dans l'ombre, comme dans certaines têtes d'homme dessinées au printemps 1908, voir Daix nos 144 ou 148 [3]), et les deux grands triangles blancs (la robe couvrant les genoux) qui portent toute la composition vers l'avant. C'est à l'évidence avec Cézanne et Braque que Picasso dialogue alors — tandis que Matisse explore dans le *Portrait de Greta Moll*, peint au même moment, une autre forme de stylisation du volume, moins stricte et réinterprétée d'après les maîtres vénitiens [4].

Dans la seconde *Femme à l'éventail* (printemps 1909), Picasso revient sur Cézanne, s'en rapproche encore dirait-on, alors que sa relation avec Braque est en train de s'intensifier et que mûrissent les formulations purement « cubistes » et les cristallisations futures (qui prendront leur première forme déjà épurée jusqu'à la transparence dans les paysages peints pendant l'été 1909 à Horta de Ebro). Construite sur une pulsation d'ombre et de lumière matérialisée dans le motif récurrent du *pli* — plis de l'éventail, plis du jabot blanc, plis de l'ombrelle —, la toile multiplie les références à Cézanne : comme le grand capuchon (?)

qui entoure le visage et semble étrangement contaminé par la forme du tricorne des arlequins (emblème cézannien) peints au même moment (voir Daix n°s 258, 259, 260, 261[5]). Directement achetée par Chtchoukine, comme la précédente, cette toile n'a pas été exposée publiquement auparavant.

Ce n'est pas le cas du *Portrait de madame Matisse*, travaillé pendant tout l'été, achevé à la veille de l'ouverture et seule œuvre exposée par Matisse au Salon d'automne de 1913, qui fit alors sensation. On connaît la réaction dithyrambique d'Apollinaire (dans les articles datés des 14 et 15 novembre 1913[6]), et celle, très positive, encore que plus mesurée, d'André Salmon, pourtant picassien invétéré[7], pour ne prendre que ces deux exemples.

Très semblable à la photographie d'Alvin Langdon Coburn prise en mai 1913[8] dans l'atelier d'Issy-les-Moulineaux où elle pose (en compagnie de Matisse) devant *Femmes à la rivière* en cours, assise sur le même fauteuil de jardin en rotin (était-il ou non peint en vert ?), Amélie Matisse n'est évidemment pas un modèle comme un autre. Pour la première et dernière fois, son portrait est ici celui de la femme du peintre, annoncé, exposé et publié comme tel, pour les amis (Charles Camoin[9]), pour les collectionneurs (Sergei Chtchoukine, qui décide tout de suite d'acheter le tableau[10]), pour les critiques et le public du Salon d'automne dûment avertis qu'il s'agit d'un *portrait*. En émulation avec Cézanne, dont deux au moins des *Portraits de madame Cézanne*[11] sont à la source du tableau de Matisse, mais en opposition aux cubistes et singulièrement à Picasso qui, même continuant à travailler d'après modèle ou compagne, élude alors (en 1913[12]) toute représentation trop précise. Bien que qualifié de « voluptueux » par Apollinaire, le *Portrait de madame Matisse* amorce cependant un durcissement, une insistance nouvelle sur la construction, par lignes et schématisation autant que par le travail de la couleur. On mesure à quel point Matisse se sent, à ce moment précis, questionné par le cubisme et par le système de signes mis au point par Picasso et Braque dès 1910, et sans cesse perfectionné, pour pouvoir prendre dans leur filet la représentation de la figure, comme les objets et les éléments de paysage.

L'historique du grand *Portrait de mademoiselle Yvonne Landsberg*, commencé le 8 juin 1914 et achevé mi-juillet, après plusieurs dessins, cinq gravures et d'innombrables séances de pose, est également bien connu[13]. Comme le *Portrait de madame Matisse*, c'est une œuvre manifeste. Ce que Matisse remet en question à chaque séance, ce n'est pas seulement la surface de son tableau mais la totalité de son rapport au modèle : la tension entre la dépendance par rapport au modèle qui lui demeure indispensable et l'autonomie du « fait pictural[14] » qu'est le tableau. Les « lignes de construction[15] » qu'il a creusées avec le manche de son pinceau dans l'épaisseur de la peinture fraîche, lors de la dernière séance, ne sont pas plus des « lignes qui déconstruisent[16] » — comme on l'a souvent dit, en retournant l'expression de Matisse — qu'une simple armature décorative renforçant après coup la mise en place. Elles visent à donner à l'image la cohérence d'un fait plastique, à doter la figure d'une aura matérialisée — comme les rayons d'une auréole signalent une concentration de sainteté... Ligne pour ligne, signe pour signe, construction pour construction, elles répondent aux fines grilles orthogonales auxquelles sont suspendus des éléments éclatés et dispersés de figures ou de natures mortes dans les toiles du cubisme dit « analytique ». Des courbes en expansion pour faire pièce à l'échiquier cubiste.

Le *Portrait de jeune fille* de Picasso, peint à Avignon en juillet-août 1914, est donc exactement contemporain de celui d'Yvonne Landsberg. Par son format, par son sujet (une femme dans un fauteuil), par plusieurs détails similaires (chapeau, écharpe, boa de plumes) et même par l'utilisation de la couleur (un fond vert saturé), il semble toutefois être le pendant du *Portrait de madame Matisse* et lui donner la réplique. Un allegro en vert vif, pour répondre à une élégie en bleu sombre ? La jeune fille en question serait Eva Gouel, la compagne très aimée de Picasso depuis 1912 : il a écrit son nom sur ses tableaux. C'est une célébration de sa grâce légère — les plumes du boa, les pointillés joyeux comme des confettis —, déployant un véritable feu d'artifice de trouvailles plastiques, d'effets de trompe-l'œil (collages simulés, incrustation du dessin « académique » d'une grappe de raisin dans un compotier) et de fantaisies graphiques.

Quant à l'austère *Italienne*, elle a été posée par Lorette, un modèle professionnel avec lequel Matisse inaugure, à partir de la fin 1916, un système de travail qui va se prolonger à Nice après 1918 avec Antoinette (1918-1919), puis Henriette (1920-1927) et les autres… Il a peint d'après elle une quarantaine de toiles en un peu plus d'un an, amorçant un retour volontariste à la figure et au nu comme motif principal. On connaît par une photographie [17] prise dans l'atelier du quai Saint-Michel, fin 1916 (?), un premier état de *L'Italienne*, donnant une image plus ressemblante et plus « enveloppée » du modèle. Progressivement amaigrie, réduite à une mince silhouette, la figure se construit par retranchements successifs, comme s'il s'agissait d'une sculpture taillée dans la masse. On peut évoquer à ce propos le processus assez semblable qui avait conduit Matisse, à partir de la photographie d'un modèle aux formes généreuses, à produire la filiforme *Serpentine* en 1909. Ou bien comparer l'effacement de l'épaule droite de *L'Italienne* à la brutale désorbitation de *Jeannette V* — sans doute intervenue en 1916 également. Le dépouillement de la couleur dans *L'Italienne* (une gamme « cubiste » de gris et d'ocres) fait d'autre part écho à la désincarnation du modèle. Cette toile, si étrangement comparable à la *Femme au corsage jaune* (fig. 29) de Picasso (le corsage justement, la découpe et la position des bras et des mains, la verticalisation, la minceur), contemporaine des *Demoiselles d'Avignon*, est — presque dix ans après — un ultime manifeste cézannien façon cubiste sur la figure, avant les toutes premières odalisques peintes, d'après la même Lorette, en 1917.

À propos de symétrie et de découpe, revenons sur un problème commun à l'ensemble de ces figures — et aux différentes solutions magistrales inventées par Picasso et Matisse pour traiter la ligne des épaules (compliquée dans au moins quatre cas par l'interférence avec le dossier du fauteuil sur lequel certaines d'entre elles sont assises).

Dans *L'Italienne*, l'amputation de l'épaule droite, remplacée par une nappe de peinture prolongeant le fond jusqu'à l'épanchement noir et rigide de la chevelure, induit une véritable déstabilisation et renforce encore l'impact du visage modelé par la lumière — placé exactement au centre en haut de la toile, il est cerné par deux flots de cheveux qui sont eux-mêmes sur deux plans différents. Le même déséquilibre dynamisant s'inscrit de plusieurs façons dans la première *Femme à l'éventail*, celle de 1908 : d'abord, parce que la robe ou chemise ne découvre qu'un seul sein — cette terrible amazone en possède-t-elle un autre ? Il est permis d'en douter — et, surtout, parce que l'épaule droite est improbablement décalée vers le haut. À partir de là, tout un système d'opposition entre courbes, triangles et angles droits anime puissamment l'espace de la toile : en particulier, la grande courbe dessinée par le bord de la robe, qui forme contrepoint et bascule avec le rectangle du dossier du fauteuil, lui-même encadrant et répétant le double angle droit des épaules.

Alors que le *Portrait de madame Matisse*, celui d'Yvonne Landsberg et le *Portrait de jeune fille* jouent sur des effets plus doux de courbes démultipliées, les épaules du modèle faisant écho aux dossiers arrondis des fauteuils et aux écharpes ou boas qui s'enroulent éventuellement autour d'elle. De même que dans la *Femme à l'éventail* de 1908, les épaules de Mme Matisse, ou plutôt l'épaulement de son élégant tailleur occupe toute la largeur du dossier à claire-voie du fauteuil de rotin. Son bras droit exagérément aminci, presque atrophié, introduit une dissonance. La circulation du ruban ocre qui lui sert d'écharpe allège aussi la construction symétrique. Picasso reprend le motif dans *Portrait de jeune fille* : le boa de plumes évoque tout à la fois la douceur d'une ligne d'épaules et les courbes d'une bergère rococo, une bergère qui n'existe éventuellement que dans l'imagination du spectateur, mais que l'atmosphère bourgeoise de la pièce (cheminée, fruits, papier à fleurs [18], rubans) pourrait induire. Enfin, les lignes incisées en faisceau autour des épaules d'Yvonne Landsberg, en résonance avec les accoudoirs du fauteuil de rotin vert — le même que celui dans lequel a posé Mme Matisse —, sont l'élément le plus important de la toile, celui qui lui confère d'emblée un extraordinaire dynamisme.

On observera encore que la surface, ou la peau colorée, de toutes ces toiles est très travaillée, de manière peut-être à compenser la sensation d'aplatissement donnée par la recherche de géométrisation et à figurer malgré tout une *épaisseur*, soit classiquement par des ombres, soit par des moyens purement graphiques. Dans toutes les recherches contemporaines des *Demoiselles d'Avignon*, Picasso avait recours à la hachure, à des striures parallèles violemment contrastées, qui avaient pour rôle de brutaliser et déréaliser la figure, contribuant à la décrire comme une carte géographique ou un schéma anatomique où ne manqueraient que les légendes.

Alors que dans *Portrait de jeune fille*, c'est par une surabondance de procédés antinomiques, déjà expérimentés ou inventés pour la circonstance, que Picasso marque un peu partout la surface de sa toile et triture l'espace (à l'intérieur et autour de la figure) pour lui donner une consistance à tout moment surprenante. Impossible d'appréhender ce « portrait » dans son ensemble, malgré le vert unifiant. L'œil est sans cesse titillé, désorienté et finalement ravi par tant d'exultante fantaisie. Les découpes pointillées (de rouge et de blanc, de noir et de bleu, de jaune et de noir, de blanc, de bleu et de noir, etc.) modifient le vert du fond pour lui donner tantôt une valeur d'ombre, tantôt une valeur de lumière, ou pour décrire la figure (visage et zone centrale). Mais la surface du tableau est aussi tatouée ici et là de faux papiers collés [19], à motif de rayures (bras droit, ampoule), de faux marbre, de fleurs, de fausses moulures ou galons, par une rangée de petites plumes naïvement alignées, ou encore par un compotier surmonté de sa grappe de raisin soigneusement dessinée en perspective sur une feuille blanche. C'est la juxtaposition de toutes les textures différentes qui composent un univers quotidien, chaque motif étant de plus dédoublé, selon la répartition aléatoire des taches de soleil ou d'ombre (marbre de la cheminée, boa ou compotier, alternativement sombres ou clairs). La figure elle-même, traitée principalement en pointillés qui laissent apparaître le vert du fond [20], participe de cette plasticité, de cette fluidité de l'espace. Elle est d'une certaine manière transparente, peinte comme en surimpression, en pointillés flottant de même que son écharpe en plumes fantomatique à la surface d'un petit monde d'objets dont la matérialité fait moins problème...

Mais pour venir à bout du portrait de sa femme et surtout de l'aventure Yvonne Landsberg, Matisse en passe par une véritable scarification de la peau colorée, déposée séance après séance sur ces toiles. Ces gestes d'incision ou de grattage, qui ont quelque chose de violent et de compulsif [21], forcent le fond à venir affleurer à la surface, ce qui permet au regard de percevoir la superposition des couches (des couleurs) et tout le temps accumulé dans la lente élaboration du tableau. Il faut cependant observer que la pellicule de couleur ainsi attaquée, rayée par le manche du pinceau lors de l'ultime séance, a été elle-même usée d'avance, rongée par des effacements successifs : il semble que Matisse ait repris chaque fois la totalité de la surface du *Portrait de mademoiselle Yvonne Landsberg*, après avoir essuyé, ou gratté, ou effacé les traces de la séance précédente.

Il ne s'agit plus ici de qualifier la forme de ces « lignes de construction » ou de se demander à nouveau à quoi elles riment, mais d'en observer la matérialité : ces zones griffées se prolongent jusque dans l'intérieur de la figure, elles s'étendent sur la presque totalité de son masque — où ne subsistent que des lambeaux d'un blanc livide — et sur des pans entiers de sa robe. Ce sont des zones de non description, un mélange informe et fascinant de hachures incisées et de restes de couleur, qui fait corps pourtant.

Il est étonnant qu'au même moment, en juillet 1914, Matisse et Picasso se soient ainsi tenus sur des positions symétriques, encore qu'inversées : le grattage est le contraire du collage qui a pour fonction de masquer un fond dont il suppose l'existence. Rayures et incisions « ajoutent du retrait [22] » dans le *Portrait de mademoiselle Yvonne Landsberg*, alors que les morceaux de bravoure que sont les faux collages intégrés, et pour cause, au fond vert de *Portrait de jeune fille* « retranchent de l'ajout [23] ».

Les six portraits peuvent aussi se lire comme une variation sur le thème du masque. Matisse et Picasso ont très tôt été fascinés par les ressources formelles de ces objets, comme par leur charge émotionnelle et spirituelle. Entre toutes les parties du corps, la géométrisation (la mécanisation) du visage et des yeux est l'opération la plus significative, voire la plus scandaleuse : voir les réactions d'effroi, y compris celles de ses collègues les plus « avancés », aux *Demoiselles d'Avignon* de Picasso et à leurs regards médusants !

On a pu rapprocher le visage de Mme Matisse de tel masque Punu [24]. Les simplifications des masques Fang (front et nez d'un seul tenant, orbites creusées) ont sans doute influencé la première *Femme à l'éventail* de 1908. Mais qu'elle fasse ou non référence à un type d'objet précis, l'esthétique du masque gouverne aussi les autres figures et leurs faces d'idole aux yeux vides, taillés en amande (deuxième *Femme à l'éventail, Portrait de mademoiselle Yvonne Landsberg, L'Italienne*). Seule Eva, dissimulée dans *Portrait de jeune fille* par un pliage de plans pointillés, n'offre qu'un nez vert et deux fentes presque invisibles — deux minces traits noirs — en guise de regard, de même que dans le chef-d'œuvre de 1913, *Femme en chemise dans un fauteuil* (fig. 32), également inspiré d'Eva, ne subsistaient que deux points à peine perceptibles de part et d'autre du trait figurant le nez. Dans ces deux cas, le masque est réduit à sa plus simple expression...

Les plus prégnants de cette série de visages-masques restent cependant ceux peints en blanc — ou plus exactement gratté jusqu'au blanc, en ce qui concerne le *Portrait de mademoiselle Yvonne Landsberg* —, de Mme Matisse et de la jeune Américaine. Ils sont empreints d'un charme mortifère et cet aspect n'avait pas échappé à André Salmon qui soulignait, dès décembre 1913, à quel point « le visage humain cause une horreur insurmontable à Matisse qui n'en a jamais interprété un seul. Cette fois, sa femme en bleu est masquée d'un masque de bois enduit de chaux et c'est encore une figure de cauchemar, un cauchemar assez harmonieux ». Salmon semble bien faire allusion ici aux masques blancs gabonais recouverts de kaolin (Punu ou Shira Punu), qui ont en effet pour fonction de représenter fantômes ou esprits. Et de fait, le visage d'Amélie et ses cheveux couleur craie, de même que la tonalité générale de l'œuvre, faite de bleus et de verts froids, donnent une impression de mélancolie presque funèbre, comme si cette figure doucement penchée vers le spectateur s'inclinait de très loin, de quelque au-delà peut-être. On rappellera que c'est le dernier tableau véritablement posé — et avec quelle patience [25] — par Amélie pour son mari, à la veille de nombreuses années de maladie et de dépression plus ou moins chronique qui, très progressivement, les éloigneront l'un de l'autre. Comme souvent lorsqu'il s'agit de ses proches, le *Portrait de madame Matisse* en (bienveillant) fantôme ou en Eurydice sur le point de retourner vers les espaces d'en bas paraît prémonitoire.

Paradoxalement, c'est par le truchement du masque, de sa pure convention géométrique, comme de la convention du blanc couleur de mort, que Matisse réussit à susciter intensément une *présence*. Une présence mystérieuse, inoubliable [26], opaque et transparente, chargée des épaisseurs d'un temps proustien, mêlant les feuilletages du passé, du présent, de l'avenir. En ce sens, ce portrait serait à comparer avec le *Portrait de Gertrude Stein* de 1906, où l'intégration magistrale du masque et de la ressemblance à venir est réalisée avec la même autorité. À la différence que le ressort de la nostalgie n'intervenait pas alors dans l'œuvre de Picasso et pas davantage en 1908, 1909 ou 1914. Alors qu'il agit, et avec quelle redoutable efficacité, dans le *Portrait de madame Matisse*.

I. M.-F.

HENRI MATISSE
44 *L'Italienne*, 1916
Huile sur toile, 116,7 x 89,5
The Solomon R. Guggenheim Museum,
New York, échange en 1982

PABLO PICASSO
45 *Femme à l'éventail*, 1908
Huile sur toile, 150 x 100 x 3
Musée national de l'Ermitage, Saint-Pétersbourg

105

PABLO PICASSO
46 *Portrait de jeune fille*, 1914
Huile sur toile, 130 x 96,5
Çentre Georges Pompidou, Paris, Musée national d'art moderne/Centre
de création industrielle, legs de Georges Salles (Paris) en 1967

HENRI MATISSE
47 *Portrait de madame Matisse*, 1913
Huile sur toile, 146 x 97,7 x 3
Musée national de l'Ermitage, Saint-Pétersbourg

HENRI MATISSE

48 *Portrait de mademoiselle Yvonne Landsberg*, 1914
Huile sur toile, 147 x 97
Philadelphia Museum of Art, Philadelphie,
The Louise and Walter Arensberg Collection, 1950

PABLO PICASSO
49 *Femme à l'éventail*, 1909
Huile sur toile, 100 x 81
Musée d'État des Beaux-Arts Pouchkine, Moscou

109

9 « Je ne vous vois plus quand je vous regarde. »

(Propos de Pablo Picasso, dans Gertrude Stein, *Autobiographie d'Alice B. Toklas*, Paris, Gallimard, « L'Imaginaire », 1934, p. 60)

L'histoire du *Portrait de Gertrude Stein*, peint par Picasso, est célèbre [1]. À l'automne 1905, peu après que Leo Stein eut découvert les tableaux de Picasso, il invita ce dernier et sa maîtresse Fernande Olivier à dîner au 27 de la rue de Fleurus, où ils firent la connaissance de la sœur de Leo, l'écrivain Gertrude Stein. Peu après, Picasso lui demanda s'il pouvait peindre son portrait [2] et elle accepta. Ce tableau fut commencé dans l'atelier décrépi de Picasso, au Bateau-Lavoir, tandis que Fernande lisait à voix haute les *Fables* de La Fontaine pour distraire le modèle. (L'un des trois protagonistes pensait-il à Schéhérazade ?) Le tableau fut admiré, mais considéré par Picasso comme inachevé, et les séances de pose se poursuivirent durant plus de trois mois, jusqu'à avoisiner, paraît-il, le nombre de quatre-vingt-dix. L'hiver était presque terminé, rapporte le modèle, quand « un beau jour brusquement, Picasso peignit toute la tête. "Je ne vous vois plus quand je vous regarde", dit-il en colère. Et ainsi, on laissa le portrait comme ça [3] ». Lorsqu'il revint à Paris à l'automne 1906, après avoir appris à Gósol les leçons de la sculpture ibérique archaïque, il repeignit de mémoire le visage effacé. Gertrude Stein fut ravie et, quand d'autres hésitaient, Picasso leur rétorquait : « Tout le monde pense qu'elle n'est pas du tout comme son portrait, mais tant pis, à la fin, elle s'arrangera pour lui ressembler [4]. »

On peut interpréter cette remarque comme voulant dire : « Elle se modèlera sur mon portrait », ou « J'ai peint non pas d'après modèle, mais l'image future, essentielle. » (Matisse dit un jour à quelqu'un dont il peignait le portrait : « Je veux qu'il ressemble à vos ancêtres et à votre descendance [5]. ») Quoi qu'il en soit, un masque remplaça une performance perceptive escamotée.

Un facteur renforça incontestablement la frustration : l'exemple de Matisse. Lorsque Picasso s'assit pour dîner rue de Fleurus, il découvrit aussitôt *La Femme au chapeau* de Matisse, le scandale du Salon d'automne 1905, acquis par les Stein [6]. Il dut ressentir non seulement la couleur mais aussi la dureté du trait de ce tableau comme une réprimande du néoclassicisme sentimental qui caractérisait son travail actuel. Par ailleurs, les libertés absolues que prenait l'artiste avec la représentation lançaient ouvertement un défi à ses propres portraits récents, et ce nouveau portrait, bien que paraissant presque faible par contraste – ce que Picasso ne pût ignorer –, commença sans doute par leur ressembler [7].

Picasso, dont l'enthousiasme pour les tableaux d'Ingres fut renforcé par la rétrospective consacrée à cet artiste au même Salon de 1905, avait fait poser Gertrude Stein pour imiter le grand portrait de Louis-François Bertin, par Ingres, accroché au Louvre [8] (fig. 35). Par ailleurs, il avait entamé une grande composition arcadienne avec personnages à la manière d'Ingres (ou du moins à la manière des hommages ingresques de Degas [9]). Picasso travailla sur ces deux projets pendant l'hiver 1905-1906, avant de concéder une double défaite. Puis, au printemps 1906, Matisse et Picasso se rencontraient enfin [10]. Cette rencontre coïncida avec le Salon des indépendants, où *Le Bonheur de vivre* (fig. 2) de Matisse fit encore plus sensation que précédemment sa *Femme au chapeau* [11]. Et il s'agissait d'une composition arcadienne avec personnages, inspirée d'Ingres. De plus, les gravures sur bois et les lithographies que Matisse exposait simultanément à la galerie Druet étaient de rudes extrapolations anticlassiques à partir d'œuvres d'Ingres, qui faisaient pendant au tableau déjà très radical acheté par les Stein. Picasso dut se sentir éclipsé. Mais pendant qu'il se débattait avec le portrait de

Gertrude Stein, il regardait aussi un portrait de Cézanne représentant son épouse, une œuvre elle aussi achetée récemment par les Stein [12]. Son combat n'impliquait pas seulement Ingres et Matisse ; il consistait, comme l'écrit John Richardson, « à réconcilier Ingres et Cézanne, et à détrôner Matisse [13] ». Il s'agissait en fait d'un combat encore plus large. Le portrait de Gertrude Stein devait trouver sa solution après que Picasso eut assimilé les leçons des sculptures ibériques archaïques en Espagne, durant l'été 1906. Néanmoins, c'est au Louvre, au cours du printemps, que Picasso sembla découvrir ces sculptures et, en particulier, des œuvres déterrées à moins de quatre-vingts kilomètres de son lieu de naissance andalou [14]. Cette expérience d'un art essentiel appartenant à son propre héritage eut sans doute sur lui le même effet que Cézanne ou Ingres sur Matisse.

Le compte rendu, par Gertrude Stein, de la genèse de son propre portrait, qui constitue le fondement de la présente description, a été accepté sans la moindre remise en question, ou presque. Pourtant, il est à peine croyable que Picasso lui ait consacré quatre-vingt-dix séances ; cette durée aurait été exceptionnelle dans sa pratique, et de récentes analyses scientifiques du portrait sont loin de confirmer cette allégation [15]. Qui plus est, même si Picasso a réellement travaillé sur ce tableau durant une période supérieure à trois mois, comme l'affirme Stein, ce laps de temps semble contredire sa déclaration plus précise, selon laquelle il travailla sur cette œuvre à partir de la fin octobre 1905 – peu après leur rencontre –, jusqu'au printemps 1906 – implicitement fin mars 1906 –, lorsque Stein présenta Picasso à Matisse et lui révéla le choc du *Bonheur de vivre*. Cela ferait une période de cinq mois, et l'arithmétique n'y trouve pas son compte [16]. De même que Stein idéalisa la création de son portrait en affirmant que Picasso ne peignait d'habitude pas d'après modèle [17], elle a très bien pu exagérer aussi le nombre des séances de pose et le temps de la création de l'œuvre. Ce faisant, elle se mettait peut-être en position de rivaliser avec le *Portrait d'Ambroise Vollard* de Cézanne (1899) et ses célèbres cent quinze séances de pose – nombre probablement exagéré –, ou le *Portrait de M. Bertin* par Ingres, dont la fastidieuse et peu gratifiante élaboration se trouva soudain résolue en une épiphanie [18].

Ce qui ne veut surtout pas dire que ce portrait fut aisé à peindre. De toute évidence, Picasso se battait contre ses prédécesseurs artistiques. Il y a enfin ce fait que Gertrude Stein était non seulement une lesbienne, mais aux antipodes des prostituées lesbiennes que Picasso connaissait dans le demi-monde et des vampires saphiques de l'art symboliste ; ainsi que Robert Lubar l'a montré avec insistance, elle constituait un sujet impressionnant, hautain, difficile à rendre par la peinture [19]. Tant l'effacement de ses traits, que leur remplacement ultime par ce qui ressemble à un masque, signifie sans l'ombre d'un doute que quelque chose échappait à la représentation de Picasso. Des raisons nombreuses et complexes expliquent qu'il se trouva contraint de suspendre la création de l'œuvre. Rilke écrivit que Balzac « sentait depuis longtemps qu'en peinture un événement énorme peut soudain se produire, que personne ne réussit à maîtriser [20] ». Un concours de circonstances avait engendré un tel événement, provoquant cette question : est-ce un hasard si Picasso décrivit l'écrivain vêtue, non pas de son habituel costume de velours, mais d'une ample robe de chambre, comme l'auteur de la fable du chef-d'œuvre inachevé [21] ?

Avant que ce chef-d'œuvre ne fût entrepris et achevé, Picasso avait peint, à Gósol [22], des portraits mêlant les influences d'Ingres et de Matisse. Puis, après avoir découvert une sculpture du XIIe siècle connue sous le nom de « Vierge de Gósol », il entreprit le portrait de sa maîtresse Fernande, aux traits extrêmement simplifiés et ciselés, exagérant la proéminence de ses longs yeux en amande, aux paupières lourdes. Il réalisa aussi une série de splendides études, tout aussi simplifiées, du tenancier de l'auberge de Gósol, Josep Fontdevila, âgé de quatre-vingt-dix ans, dont l'une figure explicitement un masque. Dans une veine contraire, il explora une large gamme de sujets sexuellement chargés, depuis de jeunes éphèbes jusqu'à des scènes de harem. Ce fut, bien sûr, un masque

dont les traits ont un air de famille avec ceux de Fernande, que Picasso substitua au visage effacé de Gertrude Stein durant l'automne. Puis il se représenta lui-même en peintre à la palette, affublé d'un masque similaire, issu de la même famille [23] (cat. 1).

Plus jamais Picasso ne devait peindre le portrait monumental d'une femme envers laquelle il n'eût pas un attachement romantique. Lubar a suggéré qu'il accorda un masque à son modèle, afin de se protéger contre et de reconnaître sa confrontation avec une sexualité non normative qui engendrait la prise de conscience d'une instabilité liée au genre, et ce jusque dans sa propre image de soi [24]. Réciproquement, bien sûr, ce masque protège le modèle contre le regard du peintre et celui des spectateurs ultérieurs. Une représentation conventionnelle de la concentration créerait une figure trop exposée au désir, même si elle y demeure indifférente, mais un personnage masqué constitue une image d'autosuffisance protégée qui propose peut-être au spectateur de s'identifier avec envie à sa toute-puissance narcissique [25]. Un personnage masqué fournit donc le prétexte idéal pour imaginer une traversée des frontières, tant du genre que de l'âge, semblables à celles qui peuplent l'art de Picasso à l'automne 1906 et, avec elles, des traversées similaires de l'incarnation et de la désincarnation, de la figuration et de la défiguration. Ainsi que l'a remarqué Margaret Werth, cette particularité inscrit son art dans la lignée des identités instables du *Bonheur de vivre* de Matisse [26]. Le portrait de Gertrude Stein participe des modalités des toiles précédentes de Picasso représentant des gens de scène, car ce masque est de toute évidence une couverture, un déguisement dissimulant une réalité interne pour autoriser la projection et le détour d'un désir externe [27]. Mais, ici, l'objet est doté d'un pouvoir supérieur à celui de toutes ses apparitions précédentes dans la production de Picasso. Les masques ultérieurs, objectifiants et non dissimulateurs, devaient aboutir, dans moins d'un an, à l'agression plus que nue des *Demoiselles d'Avignon* (fig. 3).

Une décennie plus tard, Matisse accepta de peindre un portrait d'Auguste Pellerin, industriel et collectionneur connu [28]. Il venait de peindre Michael et Sarah Stein [29], et des souvenirs lui revinrent peut-être en mémoire. Il commença par exécuter un portrait générique et matissien d'un homme d'affaires générique derrière un bureau générique (fig. 36). Le modèle le refusa, disant que c'était trop osé – « trop semblable à un masque » – pour qu'il pût l'accrocher au mur de son bureau [30]. La réaction de Matisse (son poil se hérissant peut-être), lors d'une substitution à retardement – désormais une stratégie familière –, fut de peindre réellement un masque.

Si Gertrude Stein fut pour Picasso une personnalité impressionnante et rébarbative, évoquant chez lui des sentiments mêlés d'instabilité, Auguste Pellerin inquiéta Matisse pour une raison très différente. Dans le second portrait (cat. 51), il évoque une autorité extrêmement paternelle [31]. Comme Picasso, Matisse convoqua le Bertin d'Ingres pour installer une tonalité dominatrice, et avec davantage de justification ; comme Ingres, il cherchait à dépeindre un Bouddha de la bourgeoisie [32]. Mais Matisse convoqua aussi, par le biais d'une photographie célèbre, une image de son père artistique, Cézanne, dont Pellerin collectionnait l'œuvre avec une ferveur extraordinaire, sans précédent [33]. Un détail intéressant : le tableau accroché au mur derrière Pellerin n'est pas un Cézanne, mais un Renoir d'acquisition récente, le somptueux *Portrait de Rapha Maître*, une œuvre s'inspirant du genre de la Parisienne aux vêtements à la mode, peinte environ un an après la naissance de Matisse [34]. Naturellement, elle se trouvait sans doute là, disponible. Mais la suggestion fantomatique de cette image féminine, qui traverse la partie supérieure de l'espace, est encadrée par Matisse comme s'il s'agissait d'une pensée ou d'un souvenir non exprimé lors d'un face-à-face silencieux et glacé entre Pellerin et l'artiste, puis, ultérieurement, avec quiconque regarde ce tableau.

Ce masque ne dissimule pas. Il n'y a rien d'autre là. Mais ce masque n'est pas anonyme. Des variantes du même type – minces comme du papier mâché, aux traits lourdement soulignés, un crâne arrondi aboutissant à des pommettes saillantes et des yeux noirs au regard inexpressif – apparaissent dans

PABLO PICASSO

50 *Portrait de Gertrude Stein*, 1905-1906

Huile sur toile, 100 x 81.3

The Metropolitan Museum of Art, New York, legs de Gertrude Stein, 1946

HENRI MATISSE
51 *Portrait d'Auguste Pellerin (II)*, 1917
Huile sur toile, 150 x 96
Centre Georges Pompidou, Paris, Musée national d'art
moderne/Centre de création industrielle, dation en 1982

10

La sensation et l'idée

« Pour moi, c'est la sensation qui vient en premier, ensuite l'idée. »

(Propos de Henri Matisse, dans Walter Pach, *Queer thing, painting*, Harper and Brothers Publishers, New York, 1938.)

Joueur de cartes est un résumé magistral des dispositifs structuraux du collage cubiste, une imitation habile et convaincante des formes découpées et superposées, des angles obliques, des jonctions abruptes, des textures et motifs variés, du style de dessin schématique typique des papiers collés de Picasso en 1912-1913 (cat. 58). Il anticipe aussi sur des développements ultérieurs, car la nature morte située au centre, qui détourne de manière insistante l'attention du spectateur à l'écart de la tête du joueur de cartes et semble s'imposer vers l'avant du tableau, plan après plan, ressemble à l'esquisse de ces natures mortes que Picasso construisit avec des morceaux de bois peints et de l'étain découpé et plié, au printemps et à l'été 1914 [1]. Dans ce contexte, les lettres « JOU » renvoient peut-être à « jouer », plutôt qu'à l'omniprésent « journal » du cubisme.

Compte tenu de la dévotion de Picasso pour Cézanne, il pensait probablement à la célèbre série des joueurs de cartes peints par Cézanne, au cours des années 1890 : les jambes du personnage central sur la toile monumentale de la Fondation Barnes sont cadrées de manière similaire par les pieds de table ; là, aussi, une pipe en terre est posée à côté de cartes étalées [2]. Néanmoins, la manière dont le joueur de cartes de Picasso fixe le spectateur avec un œil rond et noir, tout en retournant l'as de trèfle, suggère que son jeu est peut-être de nature divinatoire. Dans ce cas, l'avenir s'annonce sans doute bien car, de l'avis général, l'as de trèfle promet « une grande richesse, une belle prospérité et la paix de l'esprit [3] ». (Étant superstitieux, chaque fois que Picasso incluait une seule carte dans ses natures mortes, ainsi qu'il le fit souvent en 1914, il choisissait invariablement l'as de trèfle.) En tout cas, le sujet – la cartomancie, les cartes à jouer, peut-être la tricherie –, en accord avec le fond sombre, les taches de lumière brillantes et le sens du drame, suggère que Picasso jouait aussi le rôle d'un caravagiste cubiste.

Dans les archives Kahnweiler, *Joueur de cartes* est daté de 1913. Il fut probablement peint à l'automne suivant le retour de Picasso à Paris, après son séjour à Céret, où il se rendait régulièrement depuis décembre 1912. Il y fut rejoint en avril 1913 par Max Jacob, qui a peut-être exercé alors ses talents de chiromancie et de cartomancie [4]. Non que l'homme moustachu à la longue et épaisse chevelure représente le poète rasé de près et aux cheveux clairsemés : il figure plutôt le type du paysan français ou espagnol que Picasso avait rencontré dans les bistrots de Céret [5]. C'est peut-être aussi une allusion voilée aux acrobates des cirques ambulants qui passèrent à Céret pendant le séjour de Picasso et Jacob. Dans une lettre à Kahnweiler (2 juin 1913) décrivant le charme rustique des spectacles, Max Jacob mentionne « ces clowns à moustaches qui semblent maquillés par une farce d'atelier cubiste [6] ». L'ancre visible sur le fourneau de sa pipe en terre, qui répète spirituellement le signe rudimentaire de ses sourcils, de son nez et de sa bouche, reproduit sans doute une marque de fabrique moulée et apparaît sur les pipes d'autres tableaux cubistes de la même période. Juan Gris fut un autre visiteur à Céret cet été-là et *Joueur de cartes* reflète les audacieux schémas colorés de Gris et sa manière d'animer ses compositions de nature morte, en les découpant selon des bandes verticales contrastées [7].

 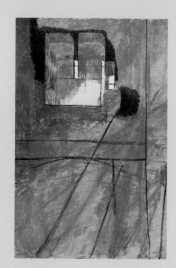 

11 « Un corps humain comme une cathédrale »

« Emboîtez vos parties les unes dans les autres et construisez votre figure comme un charpentier construit une maison. Tout doit être construit – composé de parties qui forment un tout : un arbre comme un corps humain, un corps humain comme une cathédrale [1]. » Dans ces instructions aux élèves de son « académie », datant de 1908, Matisse reprend le précepte cézannien de l'étude des volumes élémentaires du sujet : « Tout dans la nature se modèle selon la sphère, le cône et le cylindre [2]. » Mais pour Matisse, l'approche constructive prépare à l'arabesque qui doit ramasser et transcender « le sentiment pour ainsi dire religieux [3] » que lui inspire son sujet. Fidèle à l'approche classique, il opposerait ainsi la propédeutique d'une construction infrastructurelle à la synthèse expressive du tableau. Sa prise de position dans les « Notes d'un peintre [4] » est concomitante du débat que Matisse mène avec quelques jeunes peintres « inquiétants [5] » dont Derain, Braque et Picasso. Comme Gelett Burgess [6] y insistera, ceux-ci se seraient contentés d'appliquer de manière quasi parodique les principes matissiens. Pourtant, ils se réfèrent ici tout aussi directement à Cézanne qui constitue le point d'ancrage commun de leur réflexion et de leur pratique. Mais pour eux, de simple prémisse, la donne constructive constituera le ferment de la révolution formelle qui conduira au cubisme et rétroagira sur le statut même du sujet pictural. Cette lecture différente du maître d'Aix participe du clivage qui s'instaure alors entre « Picassoïstes et Matissistes [7] ». Membre du jury du Salon d'automne, Matisse s'associe en effet au refus du tableau présenté par Braque et contribue à stigmatiser par l'épithète de « cubiste [8] » le mouvement pictural émergeant. Si l'on s'en tient à Cézanne, le cube ne serait pas dans la nature et le refus de Matisse refoulerait ainsi du côté de l'artefact le traitement géométral de ce volume simple initié par les innovateurs du cubisme. Pourtant, en soumettant la cathédrale à la même règle constructive que l'arbre ou la figure, Matisse prône lui aussi la nécessité d'une telle extrapolation de la pensée cézannienne.

Lorsqu'à l'été 1910, Picasso, amorçant la transformation du premier cubisme, dit « cézannien », en sa version « sémiologique », peint le *Guitariste* (cat. 55), il applique encore la tactique matissienne. Le corps du joueur de guitare se trouve en effet « réduit » à l'échafaudage de ses plans essentiels et aux lignes de force constitutives de son érection comme « figure ». Il n'y s'agit certes pas de ressemblance avec un modèle virtuel ou générique, mais de l'énonciation d'un signe plastique auquel le terme « guitariste » est attribué arbitrairement. L'emboîtement physique des parties, préconisé par Matisse, s'ouvre ici sur un enchaînement métonymique : le guitariste et la guitare, la figure et le fond, la guitare et le tableau font glisser les unes sur les autres les lames monochromes de leur indéfinition. Privé de toute autre référence iconique que celles inhérentes à son format vertical dit « figure », sa dynamique spatiolinéaire et son intitulé – *Guitariste* –, cet amalgame pigmentaire s'affirmerait par défaut comme une construction. Ni objet, ni nature, ni figure, ni même cathédrale, en ces temps-là, tout l'objet pour Picasso est de faire de la construction une peinture et vice versa. Par cette pulsation intermittente de la forme, la figure du guitariste se compose et se dissout, se nomme et se défait. La séparation entre œil et cerveau, établie

par Cézanne [9] et reconduite par Matisse lorsqu'il place le premier du côté de l'enregistrement et de l'étude, le second, du concept et de la réalisation, deviendrait ainsi le principe constructif même de la peinture.

Matisse percevait bien cette fonction d'analyseur du cubisme : « L'investigation du plan par les Cubistes reposait sur la réalité. Chez un peintre lyrique, elle fait appel à l'imagination. C'est l'imagination qui donne au tableau espace et profondeur. Les Cubistes faisaient accepter de force à l'imagination du spectateur un espace rigoureusement défini entre chaque objet [10] […] » Se situant vraisemblablement du côté des « peintres lyriques », Matisse ne pouvait adhérer à une démarche qu'il jugeait salubre dans sa capacité à combattre « la déliquescence de l'impressionnisme [11] » mais limitée à « une sorte de réalisme descriptif [12] ». On pourrait ainsi rapporter aux toiles de la période du cubisme « analytique », tel le *Guitariste*, sa remarque à Walter Pach : « Si votre homme voyait son sujet avec suffisamment de clarté et de force, il rendrait sa vision de telle sorte que le spectateur sentirait chaque élément la composant. Il ne s'embarrasserait pas de ces entrecroisements de lignes et de plans [13]. » Picasso prenant, dès le Salon de 1912, ses distances avec l'*apparatus* cubiste, au moment même de sa consécration publique, partagera en définitive une approche similaire : « Au fond, le cubisme – le vrai cubisme – était une épouvantable affaire matérialiste, un matérialisme de bas étage […]. Je pense à l'imitation de la forme matérielle. Vous savez bien les objets qui étaient représentés de face, de profil, vus de haut [14] […] » Partant de ce constat critique, Picasso s'engage alors dans l'élaboration des « papiers collés » qui vont contribuer à régler pour lui la question du mimétisme : « Le papier collé fut vraiment au centre de la découverte […]. Un des points fondamentaux du cubisme visait à déplacer la réalité ; elle n'était plus dans l'objet, elle était dans la peinture […]. Nous étions réalistes mais dans le sens du dicton chinois : *Je n'imite pas la nature, je travaille comme elle* [15]. » Le projet de cette « compétition » avec la réalité [16] subvertit la soumission cézannienne à la nature, la déplaçant à la fois vers une ascèse – la pauvreté délibérée des moyens – et vers le jeu.

Durant l'été 1913, Matisse et Picasso se lièrent plus qu'ils ne l'avaient fait auparavant. Les deux artistes échangent leurs points de vue et « cavalent » ensemble dans le bois de Clamart [17]. « Sans doute, tirions-nous avantage l'un de l'autre, confiera Matisse en évoquant ces années, je pense que, finalement, il y a eu interpénétration réciproque de nos voies différentes [18]. » Aux murs de l'atelier du boulevard Raspail sont sans doute encore épinglées les compositions de papier découpé et collé, rehaussé de dessins dont l'exécution avait occupé Picasso durant les six derniers mois. L'innovation radicale qu'elles constituent n'échappe pas à Matisse et, dès l'hiver-printemps suivant, il va en transposer le principe dans *Vue de Notre-Dame*, toile inaugurale de la manière qu'il développera dans les années 1914-1917. *Bouteille, journal et verre sur une table (Un coup de thé)* [19] (cat. 54) appartient, comme par exemple *Guitare sur une table* [20] (fig. 39) ou *Bouteille et verre* [21] (fig. 40), à la première génération des papiers collés de Picasso et manifeste les enjeux et les virtualités plastiques du procédé. L'artiste y trace au fusain le diagramme de ses natures mortes dont il subvertit la lecture en apposant, là une pièce de papier peint, ici une coupure de presse. Le pattern propre aux larges bandes alternées du papier peint intervient dans un rapport illusionniste avec le tracé de *Guitare sur une table*, sécrétant la perception d'un pliage selon une ligne virtuelle départageant l'ombre de la lumière. Dans *Bouteille, journal et verre sur une table (Un coup de thé)*, la pièce de papier journal dément, par son exposé textuel qui, lu ou non lu [22], n'en est pas moins reconnu comme morceau, le caractère représentationnel du

dessin. Cette « matière grise » du texte, qui peut renvoyer au fait divers, à l'iconographie

publicitaire [23] comme à l'actualité politique [24], opère une désublimation ramenant intellectuellement comme physiquement l'œuvre à la surface. L'intrusion de fragments de réalité matérielle, d'artefacts industriels, constitue une rupture épistémologique pour le statut de l'œuvre d'art.

Depuis la fenêtre de son atelier du 19, quai Saint-Michel [25], Matisse aima, dès le tout début du siècle, prendre la cathédrale pour motif. En ce jour de 1914, il observe ainsi l'implacable éclatement du printemps parisien et s'en va, à sa manière, peindre « sur le motif ». À travers l'élaboration simultanée de deux toiles jumelles, il cherche à comprendre comment se génère et se fixe en lui la « sensation ». Ces versions qui veulent séparer *vision* et *condensation*, témoignent de la tension productive existant pour Matisse entre « ce qui est vu et ce qui est peint [26] ». S'il avait pu développer une telle stratégie en miroir avec notamment *Le Jeune Marin I et II* (1906) ou *Le Luxe I et II* (1908), cette procédure prend ici valeur de manifeste. Matisse y décide *in situ*, dans un grand écart stylistique sans précédent, d'adopter un principe « étranger » à son idiome pictural propre. Lorsqu'il dit : « Une traduction rapide du paysage ne donne de lui qu'un moment de sa durée. Je préfère, en insistant sur son caractère, m'exposer à perdre le charme et obtenir plus de stabilité [27] », ses propos résonnent comme ceux de Picasso affirmant : « Chez moi, un tableau est une somme de destructions. [28] » En cela, l'un et l'autre s'insurgent à nouveau contre l'option impressionniste telle qu'énoncée par Mallarmé : « Je me contente de refléter sur le miroir durable et clair de la peinture ce qui vit perpétuellement, et pourtant meurt à chaque instant, qui n'existe que par le vouloir de l'idée, et cependant constitue dans mon domaine le seul, authentique et certain, mérite de la nature : l'Aspect [29]. » Cette immanente présence au monde constituerait le paradis perdu de la peinture moderne auquel Matisse, avant de s'en libérer par la « mécanique du tableau [30] », se soumet une fois encore en peignant une toile naturaliste dans une manière luministe et aérienne. « Quel bonheur d'être un impressionniste. C'est le peintre dans son innocence de peintre [31] », dit Picasso de cet état natif.

Dans *Vue de Notre-Dame*, le paysage est exactement découpé par le rectangle de la fenêtre. Matisse semblerait même donner à son tableau les dimensions physiques de la croisée qui ne se limite pas à y inscrire son cadrage et son volet, mais lui impose aussi son carreauyage [32]. Le point de vue se trouve ainsi littéralement objectalisé par le tableau [33]. Il ne s'agit pas d'une simple coïncidence des paysages intérieurs et extérieurs, mais aussi d'un rapport d'homothétie entre la peinture et le châssis de la vision où le graphe structurel, superposant les géométries angulaires du cadre de la fenêtre et des lignes de force du paysage, est marqué en noir sur le bleu monochrome [34]. Brossé à grands coups, ce bleu laisse transparaître le fond laissé en réserve. Les tracés à demi effacés retissent la trame palimpseste de la version naturaliste du motif et le carré de la cathédrale se surimprimant en coupe à la première vue perspective du bâtiment. La mise en abîme de ces images matrices provoque une brutale projection du tableau vers l'avant qui le constitue comme un phénomène de surface.

Ce fonctionnement à double fond du tableau n'est pas sans faire écho à la dialectique des plans dont les papiers collés de Picasso jouaient, par la disparité de codes et de moyens, entre dessin et collage. En superposant notations naturalistes et synthétiques, Matisse suscite un aller-retour visuel tendant à requalifier de manière similaire les rapports fond/forme et surface/profondeur. Il importerait également la prédominance des vides sur les pleins de la composition, qui marque, avec les papiers collés, une affirmation explicite du support, de son format, de sa matérialité, comme condition première de l'œuvre. Outre ce primat de la surface et du vide, et la superposition des niveaux de représentation, *Vue de Notre-Dame* emprunte

également au cubisme picassien l'oblique qui forme son axe principal. La puissante diagonale, qui retrame et dynamise la grille du *Guitariste*, renvoyait de même le plan pictural vers l'avant, contredisant toute visée perspective par ce redressement à la verticale des lignes de fuite. Le peintre s'y affirmait déjà comme le vrai sujet de la peinture. Sur lui s'exerce la pression tant physique que psychique de l'espace dont il reconstruit le phénomène, à l'envers, depuis le point de vue qu'il occupe. « C'est la vibration de l'individu qui compte plutôt que l'objet qui produit cette émotion [35] », dit Matisse qui insiste une fois encore : « Il faut faire une construction [36]. » Ainsi, par des voies différentes, Matisse et Picasso énonceraient ce même postulat : la nature doit désormais être mise à distance et le tableau est le lieu de cette distanciation [37]. À l'artiste impressionniste s'identifiant au monde dans la perte de soi et l'effusion, succéderait ainsi le sujet du peintre moderne, solitaire, coupé de la nature, tout occupé, en concurrence avec la réalité, à l'élaboration autoréférente de signes.

A. B.

54 *Bouteille, journal et verre sur une table (Un coup de thé)*, 1912

Papier collé, fusain et gouache, 62 x 48

Centre Georges Pompidou, Paris, Musée national d'art moderne/Centre de création

industrielle, donation de Henri Laugier (Paris) en 1963

PABLO PICASSO

55 *Le Guitariste*, 1910

Huile sur toile, 100 x 73

Centre Georges Pompidou, Paris, Musée national d'art moderne/Centre de création
industrielle, donation de M. et Mme André Lefèvre (Paris) en 1952

HENRI MATISSE

56 *Vue de Notre-Dame*, 1914
Huile sur toile, 147,3 x 94,3
The Museum of Modern Art, New York, acquis grâce au legs de Lillie P. Bliss,
aux fonds Henry Ittleson, A. Conger Goodyear, M. et Mme Robert Sinclair, et grâce au legs
de Anna Erickson Levene en mémoire de son mari le Dr Phoebus Aaron Theodor Levene

12   Emblèmes

« En peinture, les choses sont des signes ;
nous disions des emblèmes, avant la guerre de quatorze... »

(Propos de Pablo Picasso, dans André Malraux, *La Tête d'obsidienne*, Paris, Gallimard, 1974, p. 110.)

Au cœur de ce groupe de cinq éléments se trouve une confrontation entre deux tableaux inoubliables, *Poissons rouges et palette* (cat. 61), peint par Matisse fin 1914, et *Arlequin* (cat. 59), peint par Picasso fin 1915. Ce rapprochement est parfaitement justifié du point de vue visuel, par des parallèles de forme et d'impact émotionnel, même s'il n'avait pas fait l'objet d'un commentaire historique – celui de Matisse déclarant que l'*Arlequin* prouvait toute l'attention que Picasso avait accordée au *Poissons rouges et palette* [1]. Mais ce dernier tableau montre aussi toute l'attention accordée par Matisse au cubisme. Les trois autres œuvres du groupe incarnent les divers types de stratégies structurelles (sinon certaines des formes mêmes) que Matisse a peut-être empruntées à Picasso pour concevoir son tableau.

Le motif du bocal à poissons rouges ne fut bien sûr emprunté à personne. Au moment de commencer cette toile, Matisse avait déjà peint cinq autres scènes incluant ce « monde flottant » captif, à la fois dans son atelier de banlieue à Issy-les-Moulineaux et dans l'appartement parisien qu'il louait fin 1913 [2]. Mais dans le présent aboutissement de cette série, il refond ce thème de manière étonnante – jusque-là essentiellement domestique et d'un lyrisme intime –, selon un registre approfondi au pouvoir plus sombre. Une décennie après sa création, André Breton écrit de *Poissons rouges et palette* : « Je crois qu'il y a du génie de Matisse, alors que partout ailleurs il n'y a que son talent qui est immense [...] c'est vraiment tout à la fois d'une liberté, d'une intelligence, d'un goût et d'une audace inouïs [...] Je suis persuadé que nulle part Matisse n'a tant mis de lui que dans ce tableau [3]. » De fait, l'identification de l'artiste avec ce tableau et son thème « signature » fut telle que le marchand Léonce Rosenberg (qui venait d'acheter la toile) pouvait, en 1915, entamer une lettre à Picasso par une allusion au « maître des poissons rouges », sans douter une seconde que Picasso ne sût de qui il voulait parler [4]. Pourtant, *Poissons rouges et palette* confirme de manière magistrale, entre autres choses, ce paradoxe que nous désignons souvent sous le terme trivial de « influence » et qui veut que l'expression la plus révélatrice du motif le plus personnel d'un artiste tire parfois toute sa force originale des leçons et des défis d'un autre créateur.

Le décor était littéralement planté, un an plus tôt, dans *Intérieur au bocal de poissons rouges*, peint par Matisse juste après son emménagement dans l'appartement du quai Saint-Michel [5]. Nous trouvons ici, beaucoup moins abstraits, la petite table soutenant le bocal en forme de colonne, ainsi que la plante en pot devant la porte-fenêtre et son balcon en fer forgé. L'eau de ce bocal, qui apporte la lumière extérieure dans la pièce ombreuse, réunit les bleus de la Seine et du ciel. De même, elle focalise les accents lumineux des façades chaulées de l'Île de la Cité, en une douce abstraction morcelée qui désigne le centre lumineux d'une construction autrement rigide et linéaire, zigzagante, de rhomboïdes et de rectangles. Mais dans *Poissons rouges et palette*, cette contemplation oblique de lumière et d'ombre, d'univers public et privé, se voit comprimée en un drame frontal à la sévérité radicale.

PABLO PICASSO
60 *Violon et verres sur une table*, 1913
Huile sur toile, 65 x 54 x 3
Musée national de l'Ermitage, Saint-Pétersbourg

Henri Matisse

61 *Poissons rouges et palette*, 1914
Huile sur toile, 146,5 x 112,4
The Museum of Modern Art, New York,
don et legs de Florence M. Schoenborn et Samuel A. Marx

141

13

Le noir est une couleur

Les Marocains, peint par Matisse en 1915-1916, et *Les Trois Musiciens*, peint par Picasso en 1921, sont tous deux de grandes compositions dramatiques, incluant essentiellement des personnages et des éléments architecturaux, qu'on ne saurait déchiffrer aisément. Le tableau de Matisse est conçu de manière plus globale que *Les Trois Musiciens*, lequel juxtapose des détails et des généralisations. De plus, sa planéité s'ouvre comme une scène et nous attire vers lui, alors que le tableau de Picasso nous fait face, tout comme ses personnages, et nous repousse. Ces deux œuvres constituent néanmoins un type sévère et quelque peu rébarbatif, apparemment gelé dans le temps, leurs zones de couleurs vives attirant le regard, car mises en lumière par la prépondérance des plans sombres qui les entourent.

Matisse et Picasso rivalisaient depuis 1905 dans le domaine des grands tableaux. Ces deux-ci appartiennent à la phase de leur compétition qui commença en 1909 avec la naissance du cubisme, un style qui, ironiquement, convenait très mal pour la réalisation de toiles de grandes dimensions. Ils furent seulement créés – il paraît juste de le signaler – parce que Matisse et Picasso étaient en compétition et que chacun avait la confiance de l'autre. « Il est évident que chacun d'entre nous a bénéficié de l'autre, dit plus tard Matisse. Je crois qu'en définitive, il existait une interpénétration réciproque entre nos différentes voies [1]. » La nature de cette interpénétration réciproque est éclairée par les rapports historiques entre ces deux toiles, *La Leçon de piano* de 1916 et d'autres œuvres, à partir de 1909.

Le cubisme, tel qu'il fut créé et développé par Picasso et Braque, dans les années 1909-1914, ne convenait pas aux grandes compositions, parce que c'était essentiellement un art de la taille réduite, un art de la petite échelle. Le format des tableaux cubistes de ces années-là était déterminé par leur fabrication manuelle, à travers des touches et des traces extrêmement nuancées et visibles, produites par les mouvements des doigts, du poignet et parfois de l'avant-bras de l'artiste. Les petits objets appartenant à la nature morte et décrits dans de nombreux tableaux cubistes exigeaient que ceux-ci fussent relativement petits – à moins que le caractère réduit de la touche n'ait requis de petites unités de composition. Malgré tout, c'est de la fragmentation de tels objets dans les touches de peinture que résulta surtout l'échelle interne des toiles cubistes, moyennant quoi la plupart d'entre elles s'installent confortablement en deçà d'une dimension maximum d'un mètre, et, pour de nombreuses œuvres, à la moitié, voire au tiers de ce format. Bien sûr, des tableaux cubistes de taille plus grande furent exécutés, mais on peut relater sans eux l'essentiel du dialogue entre Picasso et Braque, durant cette période de cinq années. Pourtant, on ne saurait décrire le dialogue entre Picasso et Matisse dans le cadre strict de l'histoire de la peinture cubiste.

Avant 1909, Picasso avait peint trois très grandes compositions, toutes essentielles au développement de son art, la plus vaste étant *Les Demoiselles d'Avignon* [2] (fig. 3), d'environ 244 sur 234 centimètres. Durant l'hiver 1908-1909, il réalisa une toile haute de 165 centimètres et, au printemps suivant, une autre, haute de 130 centimètres [3]. Mais son travail s'élaborait d'ordinaire dans une dimension maximum de 100 centimètres ou moins. Avant 1909, Matisse réalisa quatre très grandes compositions d'une importance similaire à celle de Picasso, la plus vaste

étant *Le Bonheur de vivre* de 1905-1906 (fig. 2), de 174 sur 238 centimètres [4]. Deux d'entre elles faisaient 180 sur 220 centimètres, ce qui devint pour Matisse un format de prédilection. Bien qu'aucune raison stylistique intrinsèque n'obligeât Matisse à choisir des formats plus réduits en 1909, comme c'était le cas pour Picasso (qui y était en fait contraint), il existait une raison commerciale évidente : les grands tableaux étaient plus difficiles à vendre. Ainsi, le format maximum d'une toile incluse dans le contrat de septembre 1909 liant Matisse à la galerie Bernheim-Jeune était la taille standard 50, qui ne dépassait pas les 116 centimètres [5]. En conclusion, avant 1909, les deux artistes se trouvaient à peu près à égalité dans leurs productions de grandes dimensions, et leur pratique se fondait sur la réalisation de toiles plus petites, celles de Picasso passablement plus réduites que celles de Matisse.

Mais en 1909, cet équilibre fut radicalement compromis au bénéfice de Matisse, qui obtint une commande du Russe Sergei Chtchoukine pour peindre les immenses toiles de *La Danse* et de *La Musique*, toutes deux de 260 sur 390 centimètres [6]. Il en commença une autre de la même dimension, en croyant à tort que Chtchoukine désirait trois compositions. Et dans leur sillage, il peignit quatre grands tableaux en 1911 (deux dans le format 180 x 220 cm), quatre autres en 1912 (dont un de 180 x 220 cm) et encore un, mesurant 180 sur 220 centimètres, en 1913 [7]. Ce qu'on a appelé le style décoratif de Matisse durant ces années – de vastes unités de composition, peintes de manière plate, d'habitude sans coups de pinceau nettement visibles – permettait et était renforcé par des toiles de grande taille, tout comme le style cubiste de Picasso empêchait leur création.

Néanmoins, la réaction de Picasso au choix de Matisse effectué pour la commande Chtchoukine – qui n'était pas seulement une victoire professionnelle, mais qui fit que Chtchoukine cessa provisoirement d'acheter les œuvres de Picasso – consista à accepter tête baissée une commande beaucoup plus importante du collectionneur américain Hamilton Easter Field, dont les termes incluaient quatre toiles hautes de 185 centimètres, neuf verticales assez étroites et cinq horizontales atteignant jusqu'à 300 centimètres de large [8]. Compte tenu des contraintes susmentionnées, liées au style cubiste, il était parfaitement imprudent de la part de Picasso de défier Matisse avec des toiles aussi vastes, sans parler de la quantité requise. Mais, après avoir reçu les détails de la commande en juillet 1910, il se mit au travail et s'aperçut aussitôt, comme c'était prévisible, que la répétition d'éléments à l'échelle du chevalet sur de grandes toiles produisait des œuvres qui semblaient trop étendues, ou brisées en sections localisées, ou encore encombrées de détails. Seule une grande toile fut achevée [9]. Picasso fut sans doute choqué et très amer de voir *La Danse* et *La Musique* achevés et créer une sensation extraordinaire au Salon d'automne. La violence de la couleur et le « primitivisme » du dessin, que tous les visiteurs remarquèrent, donnaient désormais à ses propres toiles un aspect calme et vieillot [10]. Picasso en tira néanmoins une leçon précieuse : ce n'était pas seulement le style de Matisse mais aussi son sujet presque narratif qui fournissaient les grands éléments unificateurs de la composition, indispensables à d'énormes surfaces. Ainsi, lorsque Picasso retourna à sa commande, durant l'été suivant, et se mit au travail sur la plus grande toile requise, il choisit pour sujet « un cours d'eau au milieu d'une ville, avec quelques filles en train de nager [11] » –, sujet se trouvant être presque identique à celui de la troisième toile de Matisse (après *La Danse* et *La Musique*), qui serait achevée en 1916 et porterait le titre de *Femmes à la rivière* (fig. 13).

Picasso travailla courageusement à sa commande durant l'automne 1911, achevant un
tableau de 160 centimètres et deux autres plus petits, mais il fut incapable de réaliser une

autre toile verticale de grande taille. Et le grand tableau de l'été, qui ressemblait dangereusement à un Le Fauconnier, fut finalement détruit [12]. Ainsi, cette commande fut-elle un échec. Mais dès que le coup de pinceau fut remplacé, en tant qu'unité fondamentale de la composition cubiste, par le morceau de papier découpé, avec l'invention du papier collé en 1912, la voie fut ouverte pour un cubisme affranchi de l'échelle du fait main. Cette nouvelle unité pouvait être agrandie, sous forme peinte, pour devenir l'une parmi d'autres grandes unités plates, susceptibles de fonctionner comme éléments unificateurs pour de vastes compositions. En 1913, Picasso retravailla une toile de 1911 pour la commande Field, haute de 155 centimètres, dans cet esprit précis [13]. Toutefois, ce ne fut pas avant la fin de 1915 qu'il augmenta la taille de ses tableaux pour en créer de nouveaux de grande hauteur : 185 centimètres [14]. Comme l'a fait remarquer William Rubin, qui a démêlé les tenants et les aboutissants de la commande Field, l'une de ces toiles était probablement un tableau inquiétant peint sur fond noir, intitulé *Arlequin*, réalisé durant l'agonie d'Eva Gouel, la maîtresse de Picasso (voir cat. 59).

Matisse n'avait pas peint une toile de très grand format depuis l'achèvement de son *Café marocain* de 180 sur 220 centimètres, au début 1913, interrompant ainsi une routine qui durait depuis presque une décennie. C'était sans doute en partie parce qu'à l'automne 1913, il avait retrouvé à Paris un atelier plus petit que celui de sa maison d'Issy-les-Moulineaux, lequel avait été réquisitionné par l'armée française en août 1914, à l'orée de la guerre, pour le restant de l'année. Mais ce fut aussi probablement parce que, depuis le début de 1913, au retour de son second et dernier voyage-échappée au Maroc, il avait commencé à dialoguer avec le cubisme de Picasso, et depuis la fin de 1913, avec Picasso lui-même et d'autres cubistes à Paris. Ainsi, il tenta deux grandes toiles supplémentaires cette année-là, mais se trouva incapable de les achever. L'une était certainement un souvenir du Maroc, conçue pour accompagner *Le Café marocain* [15]. L'autre était une nouvelle version de l'immense toile de 1909 intitulée *Femmes à la rivière*, peut-être entreprise dans l'idée d'en faire une scène de plage marocaine [16]. Ces deux projets échouèrent, sans doute pour une raison similaire à celle de l'échec de Picasso concernant la commande Field : la difficulté d'adapter un vocabulaire cubiste à un grand format. Même si, comme nous l'avons vu, ce moyen existait en 1913, aucune réalisation ne venait le concrétiser. Moyennant quoi, la production de Matisse en 1913-1914 engagea l'essentiel du cubisme vers de grandes toiles verticales qu'on peut associer aux plus impressionnantes peintures réalisées à cette époque par Picasso – les plus imposantes dans le format 150 sur 100 centimètres – et, de plus en plus, elle ancra ces toiles dans des zones d'un noir dense.

Ailleurs dans ce catalogue, on trouvera un récit de l'influence exercée par l'une de ces toiles, *Poissons rouges et palette* de l'automne 1914 (cat. 61), sur l'*Arlequin* déjà mentionné, et de la manière dont Picasso et Matisse déclarèrent séparément que c'était le meilleur tableau jamais réalisé par Picasso (voir chapitre 12). Ce qui importe ici, c'est la façon dont Matisse, dans *Poissons rouges et palette*, ainsi que dans d'autres œuvres similaires, avait transformé ses unités planes, familières et décoratives, pour les rendre géométriques, sombres et sévères, afin qu'elles soient en accord avec le trait novateur de ces œuvres : la grille linéaire imposée. Pour Matisse, cette grille était la quintessence même du cubisme. Quand, juste avant de voir l'*Arlequin* de Picasso, il entama une nouvelle toile au format privilégié de 180 sur 220 centimètres, la *Nature morte d'après « La Desserte » de Jan Davidsz. De Heem* (cat. 67), il la conçut consciemment à partir d'une grille de lignes réglées et acheva cette composition avec succès [17]. Pour Picasso, à l'inverse, cette grille explicitement tracée n'avait rien de nouveau. Ce qui

HENRI MATISSE
63 *Les Marocains*, 1915-1916
Huile sur toile, 181,3 x 279,4
The Museum of Modern Art, New York,
don de M. et Mme Samuel A. Marx

Pablo Picasso
64 *Les Trois Musiciens*, 1921
Huile sur toile, 200,7 x 230
The Museum of Modern Art, New York,
fonds de Mme Simon Guggenheim

151

14

La révolte des objets

C'est lors de son séjour à Avignon, durant l'été 1914, que Picasso commença à faire alterner des œuvres dans son dernier style cubiste synthétique et des œuvres créées dans divers styles naturalistes, principalement dérivés de la peinture française du XIXᵉ siècle. Exploitant ses papiers collés précédents, qui incorporaient fréquemment des découpes aux styles disparates, Picasso mêlait aussi ces deux modes dans la même composition. C'est ce qui se produit dans *Nature morte au compotier* qui, bien que portant la date de 1915, fut sans doute commencé à Avignon : des éléments plats, hautement abstraits, côtoient d'autres éléments peints dans un style réaliste faussement naïf, et l'illusion d'une construction à partir de matériaux *ready-made* est ingénieusement créée par l'exploitation systématique de la fragmentation et de la discontinuité (par exemple dans la disjonction opérée sur les deux fragments de journal – JOURN / AL).

Cette toile exceptionnellement complexe et méticuleuse reflète le mélange d'admiration et de rivalité, qui caractérisait la réaction de Picasso à l'œuvre contemporaine de Juan Gris. Comme ce dernier, il fait un usage audacieux de violentes diagonales et de courbes contournées pour créer rythme et vivacité ; comme Gris, il organise les objets posés sur la table en une séquence de plans semblable à un éventail, le bouton du tiroir jouant le rôle d'axe central ; comme Gris, il juxtapose des éléments plats et modelés, des zones contrastées de motifs décoratifs et de couleurs unies[1]. Mais il entretient aussi un dialogue affectueux, bien qu'irrévérencieux, avec le passé : si l'épluchure spiralée de la pomme parodie l'épluchure de citron de spécialistes hollandais du XVIIᵉ siècle comme Kalf ou De Heem, et si la palette rappelle les maîtres espagnols tels que Pereda ou Meléndez, le tiroir ouvert et la serviette froissée posée au bord de la table rappellent certains dispositifs spatiaux affectionnés par Chardin. (La brioche miniature dans le compotier est peut-être une référence en forme de clin d'œil à l'imposante brioche d'un célèbre Chardin du Louvre[2].) Cézanne était néanmoins la référence principale. C'est sa pomme qui a été épluchée et Picasso exagère des effets typiquement cézanniens dans la pente abrupte du plateau de la table et dans le changement radical de niveau de la moulure en bois. De plus, les formes abstraites mouchetées qui séparent les objets décrits de manière plus réaliste constituent sans doute sa traduction d'un dispositif que Cézanne répéta volontiers dans ses dernières natures mortes – le tissu et le tapis à motifs qui fournissent un contrepoint somptueux aux fruits, à la porcelaine et au linge de table, dans des œuvres comme *Pommes et oranges*[3], vers 1899. À ces allusions aux grands maîtres du genre s'ajoutent des imitations ironiques de l'habileté du « peintre décorateur », capable de contrefaire le marbre, le grain du bois et les moulures en bois. Mais Picasso n'était pas absorbé dans les problèmes de son art au point d'en oublier les terribles événements du monde extérieur : l'ombre sombre projetée sur la table et le journal noir sont des notations lugubres, tandis que la vulnérabilité désespérée de la France est symbolisée par les fleurs de lis spectrales qui planent dans le fond et au premier plan[4].

Aucune prémonition funeste, aucun sentiment tragique ne semblent perturber la *Nature morte d'après « La Desserte » de Jan Davidsz. de Heem*. Grâce aux lettres où il mentionne ce tableau, nous savons pourtant que Matisse souffrait alors d'une angoisse aiguë et d'un douloureux sentiment d'impuissance, tandis qu'il attendait des nouvelles de sa famille et de ses amis sur le front[5]. 153

PABLO PICASSO
66 *Mandoline et guitare*, 1924
Huile sur toile, 140,6 x 200,4
The Solomon R. Guggenheim Museum, New York

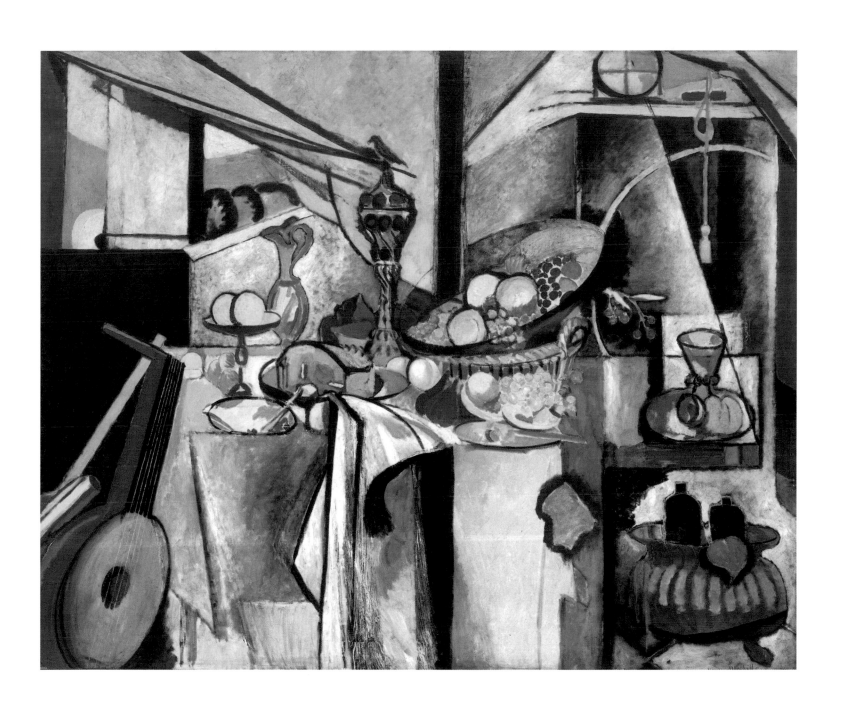

HENRI MATISSE
67 *Nature morte d'après « La Desserte » de Jan Davidsz. de Heem*, 1915
Huile sur toile, 180,9 x 220,8
The Museum of Modern Art, New York,
don et legs de Florence M. Schoenborn et Samuel A. Marx

15

La vie intérieure

Intérieur au violon est un tableau clef dans l'œuvre de Matisse, un tableau qui lui demanda énormément d'efforts. Il montre la chambre de l'hôtel Beau-Rivage où Matisse s'installa lorsqu'il arriva à Nice, le 20 décembre 1917. Les chambres du Beau-Rivage, comme celles de nombreux hôtels du front de mer, étaient relativement petites, longues et étroites [1]. Celle de Matisse incluait une unique fenêtre assez grande – son trait le plus séduisant –, un lit à une place, une armoire et un fauteuil banal – vraiment, un lieu d'habitation étonnant, même temporaire, pour un artiste qui était désormais aux yeux de beaucoup l'un des deux plus grands peintres vivants. D'autant plus que Matisse était soucieux de son environnement, à un point inconnu de Picasso.

Un tableau réalisé un peu plus tôt, *Intérieur à Nice* (1917-1918 ; The Philadelphia Museum of Art), donne une impression plus véridique des conditions de vie modestes de Matisse. Dans *Intérieur au violon*, l'espace est rendu monumental par l'utilisation de procédés picturaux : les angles entre la fenêtre ouverte vers l'intérieur et le volet externe à demi ouvert ont été soulignés avec une puissance presque sculpturale. Les rideaux de gaze, ouverts, dans les angles supérieurs, agissent comme des notations subliminales à côté desquelles se joue le drame puissant de la lumière et de l'obscurité. Quelques années plus tard, Matisse déclara : « Dans ce tableau, j'ai peint la lumière en noir. Il a été peint à Nice pendant la guerre dans un petit hôtel. Il y avait des stores à la fenêtre, le soleil brillait au dehors, mais il faisait sombre dans la chambre ; on avait ouvert un petit panneau dans l'un des volets pour que la lumière entre dans la chambre comme une flamme [2]. » En 1919, Matisse décrivit ce tableau comme « une toile de l'été dernier où j'ai combiné tout ce que j'ai récemment gagné avec ce que je savais faire avant [3] ». Ce tableau sert de pont entre l'œuvre de style architectonique des années héroïques, entre 1913 et 1916, et la manière apparemment plus détendue qui caractérise la première période niçoise.

Intérieur au violon fut, au début, une œuvre beaucoup plus blonde, aux couleurs beaucoup plus vives, qui décrivait un vase de fleurs en bas à gauche, lequel fut ensuite remplacé par le violon dans son étui ouvert. Des traces de peinture montrent que le sol était originellement peint en rose et que le panneau situé sous la fenêtre était gris pâle. Les contours du violon ont été modifiés et agrandis [4]. Face au tableau, l'œil note quelques indices indiquant la jonction du sol et du mur, mais il est simultanément contraint de reconstruire cette jonction pour lui-même – un trait distinctif de l'œuvre de Matisse qui génère une tension visuelle. Même dans les tableaux apparemment les plus accessibles de Matisse, les choses ne sont pas aussi simples qu'on pourrait le croire de prime abord, et le spectateur est invité à travailler, à regarder, à participer. Marguerite, la fille de Matisse, qui arrivait pour l'un de ses fréquents séjours à Nice durant les vacances de Pâques 1918, vit l'une des premières versions de ce tableau, qu'elle qualifia de « joli ». Parce que Matisse considérait Marguerite comme l'un de ses critiques les plus avertis et sensibles, cette remarque joua sans doute un rôle décisif pour encourager l'artiste à retravailler sa toile [5].

Les noirs omniprésents qui structurent le tableau le rattachent, du point de vue de la composition, aux œuvres de Matisse des années immédiatement pré-niçoises (cat. 63). Mais ils doivent peut-être aussi quelque chose aux visites, si importantes historiquement, de Matisse à Renoir. Matisse avait emporté quelques-unes de ses toiles récentes pour les lui montrer. L'artiste relata ainsi à Picasso

État des lieux

En décembre 1913, Matisse loua un atelier au 19, quai Saint-Michel, où il avait déjà travaillé pendant les premières années du siècle, célébrant la vue qu'on avait à partir de cet atelier dans des tableaux aux styles variés : vers Notre-Dame sur la droite et jusqu'au pont Saint-Michel sur la gauche. Son nouvel espace de travail se trouvait au troisième étage, juste au-dessus de son ancien atelier, maintenant occupé par son ami proche, Albert Marquet. Ce fut en 1913 que Matisse commença à réaffirmer les fondements de son art (cat. 47). Sa méfiance persista à l'égard de nombreux aspects du cubisme, mais il reconnaissait désormais qu'il ne pouvait éviter plus longtemps ses conséquences. En un sens, son adoption d'une base nouvelle au cœur de Paris indiquait qu'il acceptait de livrer une nouvelle bataille. Matisse continua de passer les mois d'été à Issy-les-Moulineaux tout en effectuant de fréquents allers et retours à Paris ; mais il trouvait les hivers à Issy humides et tristes, moyennant quoi, il partageait son temps entre ses deux centres d'activité picturale. Ce fut quai Saint-Michel qu'il peignit certains de ses tableaux les plus sobres et les plus expérimentaux (cat. 44, 48, 56).

Matisse commémora aussi son nouvel atelier parisien dans trois chefs-d'œuvre majeurs. Ce sont en un sens les contrepoints de ses trois tableaux d'atelier « symphoniques » de 1911 : *L'Atelier rose*, *L'Atelier rouge*, deux descriptions de l'atelier qu'il avait fait construire au fond du jardin d'Issy, et *Intérieur aux aubergines*, exécuté cet été-là dans le logement temporaire de Collioure [1]. Ce furent les œuvres qui établirent la réputation de Matisse comme étant le plus grand coloriste de son époque. Toutes sont de format horizontal. Les œuvres d'atelier du quai Saint-Michel, à l'inverse, sont toutes verticales. Elles sont majestueuses du point de vue de la couleur, mais en même temps leurs harmonies sont plus restreintes et elles insistent davantage sur la structure de la composition. L'atelier d'Issy était assez vaste, tout comme l'espace de travail à Collioure – du moins à en juger par son aspect sur les tableaux. En revanche, le nouvel atelier ou espace de travail du quai Saint-Michel, quoique bien proportionné, était relativement petit – mesurant seulement trois mètres sur quatre et demi [2]. Ce fut l'une des réussites majeures de Matisse que d'accorder à ce modeste espace intime une impression d'ampleur et de grandeur.

Le premier tableau important peint dans l'atelier du quai Saint-Michel, *Intérieur, bocal de poissons rouges*, une œuvre du début 1914 [3], est peut-être le plus accessible, bien que sa palette argentée et gris bleu, ainsi que la rigueur de sa composition reflètent les nouvelles préoccupations picturales de Matisse. Il n'y a pas encore le moindre signe de l'artiste lui-même, lequel fait son entrée, sous la forme d'un signe abscons, dans la nature morte associée, *Poissons rouges et palette* (cat. 61), peinte durant l'automne [4]. Les deux derniers tableaux d'atelier, *L'Atelier, quai Saint-Michel* de la collection Phillips (cat. 70) et *Le Peintre dans son atelier* du Centre Georges Pompidou, sont généralement datés de l'automne et de l'hiver 1916-1917, et reflètent la tendance de Matisse, entre 1907 et 1917, à penser en termes d'images couplées ou appariées ; au travail sur un tableau important, Matisse commence souvent à constituer une image mentale du même sujet traité différemment. Ces tableaux sont de la même hauteur, même si l'œuvre de la collection Phillips est passablement plus

HENRI MATISSE

70 *L'Atelier, quai Saint-Michel*, 1916-1917
Huile sur toile, 147,9 x 116,8
The Phillips Collection, Washington

PABLO PICASSO
71 *Le Peintre et son modèle*, 1928
Huile sur toile, 129,8 x 163
The Museum of Modern Art, New York,
The Sidney and Harris Janis Collection

173

17

La Danse

Capucines à la « Danse » est la dernière de quatre toiles montrant l'intérieur de l'atelier de Matisse à Issy-les-Moulineaux, avec l'étude grandeur nature de ce qui devint *Danse II* de 1910 [1]. Ce tableau, ainsi que son pendant, *La Musique*, ont été commandés par le collectionneur russe Sergei Chtchoukine comme des décorations murales destinées aux paliers de son escalier, dans le palais moscovite qu'il habitait. Avant leur départ pour la Russie, à la fin de l'année 1910, ces deux grandes toiles furent montrées au Salon d'automne et provoquèrent des réactions critiques très virulentes. De nombreuses années plus tard, Matisse se souvint être resté debout devant *La Musique* en compagnie de Picasso, pour discuter avec lui de la question de l'échelle [2]. Matisse avait montré *Danse I* – l'étude récemment peinte – à Chtchoukine dans son atelier, en mars 1909. La commande Chtchoukine marqua un sommet dans la carrière de Matisse et sembla éveiller quelque ressentiment chez Picasso [3], même si l'on pense généralement que ce fut Matisse qui amena son mécène dans l'atelier du peintre espagnol, à l'automne 1908 [4].

Durant toute sa carrière, Matisse fit un fréquent usage du tableau dans le tableau, ainsi que de miroirs, et surtout de fenêtres ouvertes. La plupart de celles-ci sont placées parallèlement au plan du tableau ; elles servent de dispositifs de composition qui en ponctuent la surface. Mais surtout, elles enrichissent les espaces intérieurs, qu'elles définissent tout en les agrandissant. Dans les quatre toiles d'atelier montrant *Danse I*, on voit le grand projet mural en biais, ce qui introduit des diagonales perspectives. Dans *Capucines à la « Danse »* I et II, le décor de l'atelier est simplement rendu par la présence d'un trépied de sculpteur en bois ou d'une estrade de modèle. Et dans ces deux toiles, *Danse* occupe approximativement les deux tiers de la surface du tableau, moyennant quoi ce sont en un sens des tableaux à propos d'un autre tableau et donc à propos du processus de la création picturale. *Capucines à la « Danse »* I conserve une impression de frontalité, malgré le très léger angle du tableau décrit, et possède une qualité flottante, aérienne. La seconde version, plus robuste et convaincante, est plus lourdement travaillée et, malgré l'élimination du tapis de verdure sous les pieds des danseurs, leurs mouvements sont plus tendus, plus dynamiques, et évoquent de beaucoup plus près ceux de la deuxième version définitive de *Danse*. Les espaces négatifs sont également calculés avec davantage de soin, orchestrant ainsi un dialogue parfaitement équilibré entre les effets récessifs et la puissante organisation de surface de la composition. La rigueur formaliste du tableau en fait un précurseur des toiles de 1913-1914, dans lesquelles Matisse commença de reconnaître les réussites des œuvres immédiatement précubistes de Picasso et, ensuite, les réussites du cubisme proprement dit.

La Danse de Picasso, une toile encore plus lourdement travaillée, fut entamée au printemps 1925 et terminée en juin. Ce tableau marque un tournant dans sa carrière. *La Danse* fut reproduite, avec *Les Demoiselles d'Avignon* (avec laquelle elle entretient de nombreux rapports) et à quelques semaines de son achèvement, dans le numéro de *La Révolution surréaliste* du 15 juillet. Cela faisait partie des tentatives du mouvement pour revendiquer Picasso comme « un des nôtres [5] ». Picasso ne souscrivit jamais au culte du monde onirique pratiqué par les surréalistes, un monde qu'ils croyaient beaucoup plus puissant que la réalité perçue en état de veille. Néanmoins, peut-être davantage que toute autre œuvre, *La Danse* prouvait leur prétention à la

beauté « convulsive ». Le tableau engendre une sensation suffocante de névrose obsessionnelle. Et si Picasso avait beaucoup contribué à créer le climat dans lequel l'art surréaliste s'épanouissait désormais, il devait maintenant être profondément influencé par l'*ethos* surréaliste. Matisse évita le surréalisme et, réciproquement, il fut évité par lui. Au cours de la décennie qui s'étend entre 1917 et 1927, Picasso et Matisse avaient suivi des chemins divergents. Ils menaient des existences tout à fait différentes, et le climat artistique et intellectuel généré par Dada (auquel Picasso avait une fois encore contribué), puis par le surréalisme, avait creusé entre eux un profond fossé esthétique.

Si *Capucines à la « Danse »* évoque les processus de l'art et sa création, *La Danse* possède une forte qualité autobiographique. Alors qu'il travaillait sur ce tableau, Picasso avait appris la nouvelle du décès d'un ami intime de sa jeunesse, le peintre catalan Ramon Pichot, et il déclara à Roland Penrose que ce tableau devrait s'intituler « La Mort de Pichot [6] », ajoutant que « le grand personnage noir derrière la danseuse de droite est la présence de Pichot ». Le décès de Ramon Pichot dut à son tour rappeler à Picasso la fin tragique d'un autre ami de la période de Barcelone, Carles Casagemas, qui s'était suicidé en 1901 – un événement commémoré tant directement qu'indirectement dans les premières œuvres de Picasso. D'un point de vue iconographique, *La Danse* est plus riche que *Capucines à la « Danse »* et ses sources sont légion, depuis les trois Grâces et les ménades de l'Antiquité jusqu'à ses dessins relativement récents des danseuses des ballets Diaghilev. On peut y voir aussi les sous-entendus inévitables d'une crucifixion. Picasso a également été touché par un intérêt nouveau et vaste pour l'art tribal et ethnique, que les surréalistes découvraient et popularisaient. Ici, par exemple, si la danseuse de droite dégage une aura africaine, sa compagne de gauche reflète la fascination nouvelle de Picasso pour l'art eskimo.

D'un autre côté, les procédures de composition mises en œuvre par Picasso sont toujours fondamentalement celles du cubisme synthétique et ne diffèrent pas, dans leur essence, de celles, par exemple, des *Trois Musiciens* de 1921 (cat. 64). Le motif de la fenêtre, si cher à Matisse, commence seulement à intéresser sérieusement Picasso dans une série de petites œuvres exécutées à Saint-Raphaël, sur la Côte d'Azur, durant l'été 1919 ; toutes sont reliées à ses incursions dans la scénographie et toutes dégagent une impression passablement théâtrale. Les fenêtres de Picasso, contrairement à celles de Matisse, donnent rarement sur un espace spécifique autre que le ciel et la mer. Ici, elles apparaissent simplement comme des éléments de composition ou des dispositifs de cadrage. Les bleus de Matisse sont presque invariablement imprégnés de sensations spatiales, même quand ils inondent toute la surface picturale, comme c'est le cas dans *Capucines à la « Danse »*, où ils ont une qualité douce, fumeuse. Les bleus de Picasso tendent à être plats et froids, et ils sont souvent utilisés, comme ici, simplement pour mettre violemment ses images en relief, même si les zones bleues sont subtilement différenciées.

Pourtant, si ces deux tableaux habitent des univers esthétiques totalement différents, au niveau superficiel, leurs iconographies sont similaires. Matisse a choisi de mettre l'accent sur trois de ses cinq premiers danseurs, bien que l'élément de composition essentiel, en haut à droite, soit le genou d'un quatrième. Et les liens purement visuels, formalistes, entre eux sont frappants. Les rythmes des trois danseuses de Picasso font écho aux personnages de Matisse, même si elles apparaissent au spectateur de manière plus frontale et certainement plus agressive. La danseuse placée au centre de la composition de Matisse, quoique ses jambes soient en partie décalées vers la gauche, semble presque empalée sur l'objet situé en dessous d'elle (le récipient des capucines et le trépied sur lequel il est posé). Les membres inférieurs du personnage correspondant de la composition de Picasso ont un aspect rigide, figé, et sont inclus dans des

configurations verticales qui connotent à la fois l'architecture de colonnes et le drapé classique.

Les deux compositions pivotent sur les mains tendues des deux personnages latéraux. Celles du tableau de Matisse luttent une fois encore pour saisir [7]. Celles du tableau de Picasso sont fermées mais, en même temps, violemment divisées d'un point de vue chromatique.

Il est possible que les affinités picturales entre ces œuvres soient fortuites. Pourtant, on sent que, même en cette période de grand divorce psychologique avec son rival plus âgé, Picasso conservait l'art de Matisse présent dans quelque recoin obscur de son cerveau. Sergei Chtchoukine, qui avait acheté *Capucines à la « Danse »* dans l'atelier de Matisse un peu plus tôt cette année-là, avait accepté que cette œuvre fût montrée au Salon d'automne de 1912 [8]. Connaissant la destination ultime de ce tableau – une collection où Picasso et Matisse, en tant que représentants exemplaires de l'art contemporain, régnaient ensemble sans partage –, il est plus que probable que Picasso soit allé le regarder. De ce point de vue, il faut noter que la mémoire visuelle de Picasso était étonnante et quasiment sans faille ; tous ceux qui le connaissaient en ont témoigné. Même si André Breton, le grand pape du surréalisme, en vint à considérer avec mépris l'art de Matisse après la guerre [9], en 1916, alors qu'il travaillait à Saint-Dizier comme infirmier dans un hôpital psychiatrique de l'armée, il avait mis une reproduction de *Capucines à la « Danse »* dans sa chambre [10]. Il est tentant de croire que Breton pensait au moins inconsciemment à la toile de Matisse lorsqu'il reconnut instantanément l'importance de *La Danse* en rapport avec le mouvement surréaliste naissant.

J. G.

HENRI MATISSE

72 *Capucines à la « Danse » II*, 1912
Huile sur toile, 190 x 114
Musée d'État des Beaux Arts Pouchkine,
Moscou, S. I. Shchukin Collection

PABLO PICASSO

73 *La Danse*, 1925
Huile sur toile, 215,3 x 142,2
Tate, Londres, achat grâce à une subvention de l'État
et grâce au legs de Florence Fox, avec l'aide des Amis de la Tate Gallery
et de la Contemporary Arts Society, en 1965

179

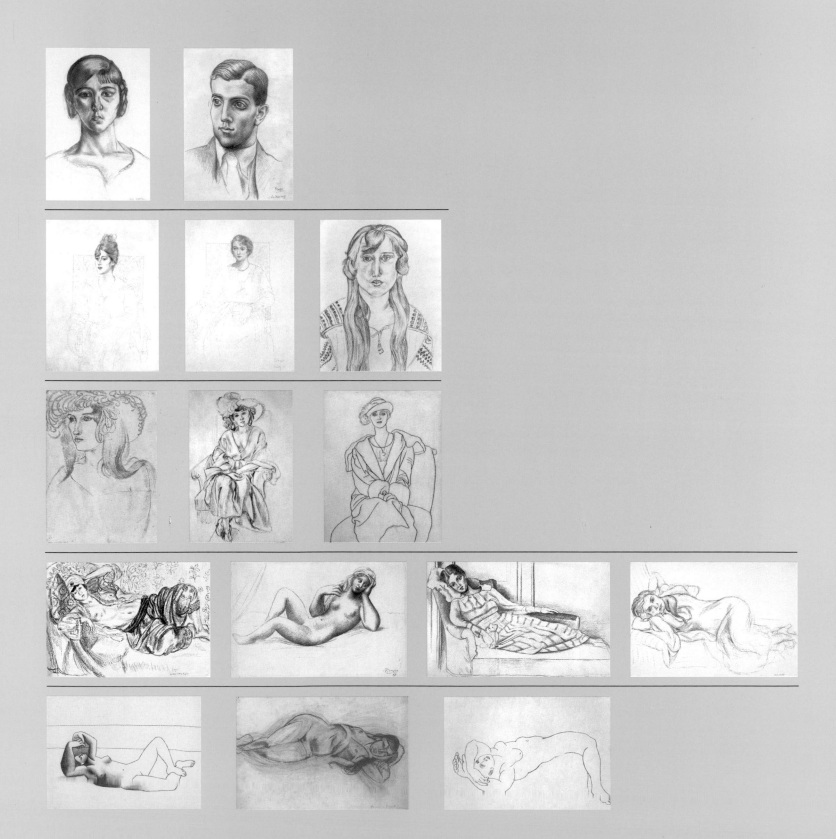

18

La ligne seule

L'année 1917 marqua un changement dans les rapports entre Matisse et Picasso. Le séjour de Picasso à Rome, où il collabora avec les Ballets russes de Diaghilev, laissa une trace profonde sur son art et apporta pour longtemps des transformations dans sa vie personnelle, à cause de son mariage avec la danseuse Olga Kokhlova. À la fin de cette même année, Matisse s'installa dans ce qui devait être le premier de ses divers espaces de création à Nice. Il ne travaillait pas dans un isolement absolu. Il rendit visite tant à Renoir qu'à Bonnard, et des amis artistes venaient parfois le voir. Mais à Nice, ses contacts artistiques étaient restreints et il se tournait de plus en plus vers ses propres ressources. Les préoccupations esthétiques de Matisse et de Picasso devaient diverger radicalement pendant une décennie, même si, ironiquement, leur première exposition commune fut organisée au moment précis où leurs chemins se séparaient [1]. En tant que dessinateurs, ils continuèrent cependant de partager bien plus de choses en proposant, pourrait-on dire, l'envers et l'endroit de la même pièce de monnaie, car, ainsi qu'on l'a souvent suggéré, la renaissance d'une tradition d'art français réaliste ou naturaliste était la contrepartie du néoclassicisme plus conscient du point de vue stylistique, qui régnait à Paris durant la première moitié des années vingt. Ainsi, malgré leurs différences d'interprétation et de parti pris, Ingres, Courbet et Renoir devinrent importants à la fois pour Matisse et pour Picasso à cette époque, tandis que l'identification de ce dernier à la tradition française s'affirmait davantage que précédemment.

Picasso avait manifesté son inquiétude stylistique en 1914 en créant des dessins détaillés, illusionnistes, au crayon, d'une délicatesse et d'une précision nouvelles dans sa production artistique. Ces œuvres constituent le prélude à son expérience romaine et à sa création d'un langage néoclassique entièrement formé. Matisse, à l'inverse, alors qu'il faisait l'expérience de l'impact du cubisme, travaillait en direction d'un langage linéaire réducteur : « Fauvisme, l'exaltation de la couleur ; précision du dessin due au cubisme [2]. » Certains, parmi ses dessins les plus anguleux et les plus sévères de 1915, sont néanmoins superposés aux fantômes d'images naturalistes soigneusement travaillées qui ont été effacées et annulées. Ils sont épelés dans une poignée de dessins de natures mortes naturalistes, exécutés au crayon, avec un sens exquis du rendu.

À Nice, l'art du dessin de Matisse fit l'expérience d'une détente presque instantanée, qu'il fêta en 1920 par la publication d'un volume intitulé *Cinquante dessins*. Comme l'a fait remarquer John Elderfield, « c'était une sorte de cadeau d'anniversaire qu'il se faisait à lui-même : cinquante dessins à cinquante ans [3] ». La qualité des œuvres choisies par Matisse pour cette commémoration est inégale. Durant toute son existence, l'artiste manifesta une attitude beaucoup moins critique envers ses dessins que vis-à-vis de sa peinture, peut-être parce qu'il les voyait non seulement comme l'enregistrement immédiat des sensations qu'il vivait face à la réalité observée, mais aussi comme l'inévitable préambule à autre chose. Jusque dans les années quarante, quand la couleur et la ligne prirent à ses yeux une importance égale, la couleur – « cette magie » – constitua sa préoccupation essentielle et, comme toute forme de magie, elle demeura pour lui un mystère. Il voyait le dessin davantage comme une discipline, mais une discipline qui le divertissait et le ravissait. Ses dessins constituent une sorte d'autobiographie visuelle, ce que n'accomplissent pas ses tableaux. Malgré leur qualité variée, les meilleurs parmi les cinquante dessins figurent au nombre

Mélancolies

Les titres qui identifient ces deux toiles presque symétriques livrent quelques pistes. *Assise*, la femme de Picasso l'est en effet, posée là solidement par l'intermédiaire d'un énorme pied-socle et immobile jusqu'à paraître pétrifiée. Assise : le mot et la posture évoquent immédiatement, dans l'expérience la plus quotidienne, un espace à trois dimensions, un espace creux où le corps a toute latitude de se plier et de se replier. Un corps assis occupe bien trois plans différents, même s'ils ne sont pas strictement parallèles, celui vertical du buste, l'horizontale des cuisses et la diagonale des jambes. Ce zigzag est redoublé par l'articulation du siège qui soutient le personnage assis, pourvu qu'il comporte (c'est le cas dans la toile de Picasso) l'assortiment complet du dossier, de l'assise et des pieds...

Lorette sur fond noir, robe verte : c'est avec la même immédiateté que la femme de Matisse se laisse d'abord percevoir à plat, comme une tache de couleur sur une autre. Ainsi, le titre pose-t-il d'emblée une problématique matissienne — la dialectique de la figure et du fond, le travail de la couleur, et même l'insistance sur le noir. L'opposition entre la figure volumineuse, statique et comme sculptée de Picasso, et la figure découpée en deux aplats vert et rose par un fond noir de Matisse saute aux yeux. Mais tout autant, les symétries qui relient les deux toiles, jusque dans leur format (un rectangle à peine plus étiré cependant pour le Picasso), jusque dans l'inscription en légère oblique des figures dans leurs espaces respectifs, jusque dans le détail des longues chevelures dénouées, des vêtements amples et sans âge qui drapent les deux femmes, jusque dans la façon dont elles surgissent pareillement d'un fond sombre. D'autres symétries, moins visibles, les relient encore, et par exemple la date de leur réalisation par rapport à la fin de la guerre et à la coupure symbolique de l'armistice (11 novembre 1918). La toile de Matisse est peinte à peu près deux ans avant, en pleine guerre, entre la fin novembre 1916 et le printemps suivant, en même temps que *Le Peintre dans son atelier* (Centre Georges Pompidou) où figurent à la fois le modèle et la toile en cours. *Femme assise* est peint très exactement deux ans après, à l'automne 1920, au retour d'un été mondain à Juan-les-Pins. Les deux figures se réfèrent à un modèle identifiable. Pour Matisse, comme souvent, il s'agit d'un modèle professionnel, Lorette [1], qui posa pour une quarantaine de toiles entre novembre 1916 et le début des longs séjours de Matisse à Nice, à partir de 1918.

Alors que Picasso s'inspire d'Olga pour cette série de figures classicisantes. Non pas qu'il la fasse poser, à proprement parler, mais il semble évident que la fréquentation de sa beauté régulière, les poses dignes qu'elle affectionne — assise, le bras posé sur l'accoudoir d'un fauteuil, en train de lire, telle qu'elle est souvent photographiée et qu'il l'a beaucoup dessinée —, l'expression pensive (ou mélancolique ?) de ses grands yeux entretiennent quelque rapport avec l'intérêt grandissant de Picasso (à partir du séjour romain de 1917, précisément associé à la rencontre avec Olga) pour la monumentalité calme d'un « classicisme », revisité à sa manière, entre autres à travers Ingres et Renoir. De Renoir (qui est mort le 3 décembre 1919), il a d'ailleurs acquis plusieurs toiles : avant janvier 1918, une *Femme lisant*, puis en 1919 ou au tout début des années 1920, une grande toile tardive, *Baigneuse assise dans un paysage* [2] (1895-1896).

On sait que le 4 mai 1918, c'est précisément à Renoir que Matisse avait montré *Lorette sur fond noir, robe verte*, entre autres toiles rapportées de Paris (pour les mettre à l'abri des bombardements) par ses enfants Marguerite et Pierre, venus le rejoindre à Nice quelques semaines plus tôt. Matisse avait

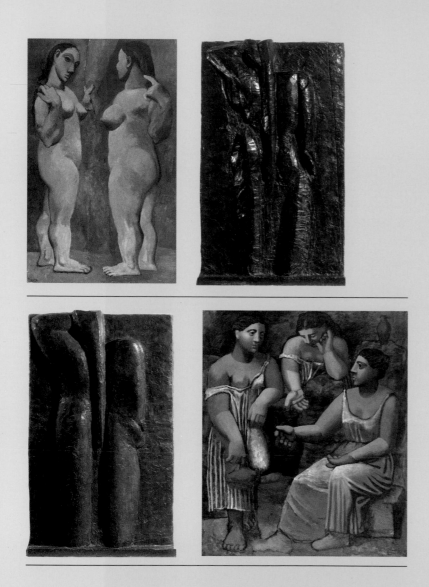

20 « La forme, le fond, la forme... »

« La forme, le fond, la forme, le fond... Qu'est-ce que la forme ? Qu'est-ce que le fond ? Ce qui fait le fond de la fraise des bois, c'est le pépin et le pépin de la fraise des bois, il est à la surface de la fraise ! Alors où il est, le fond de la fraise des bois ? Où elle est sa forme[1] ? » aurait déclaré Picasso. Dans les *Deux Nus* de 1906, les « pépins » seraient l'œil, le sein dressé, l'ongle des doigts tendus, l'angle coupant du talon, le coude pointé, l'oreille, le nez, la pommette qui entrecroisent la saillie pyramidale de leurs microreliefs. La surface de la toile s'en trouve comme bosselée, martelée, étamée. Ces deux monumentaux nus ocres se regardant en miroir sont la métaphore d'une « forme » qui se lirait selon des modalités réversibles : face/profil, devant/derrière, droite/gauche, mais aussi masculin/féminin, positif/négatif, peinture/sculpture. Au sortir d'une phase de taille directe sur bois, menée durant son séjour à Gósol, sous l'influence de la statuaire ibérique primitive et de la sculpture romane de Catalogne, Picasso retourne *contre* la peinture les conséquences de ses recherches sculpturales. « La forme, le fond... » C'est probablement en ces temps-là que sa stratégie du tableau comme d'un « trompe-l'esprit[2] » se met en place. Les *Deux Nus*, vigies à l'avant-poste des *Demoiselles d'Avignon*, matérialisent cette conscience nouvelle, guidée par la contemplation de Cézanne : « La forme elle-même est un volume creux sur lequel la pression extérieure est telle qu'elle produit l'apparence d'une pomme[3]... » Ce que, par habitude, nous lisons comme en relief pourrait donc être creux. Est-il convexe ou concave ce rideau où la main s'enfonce et qui enlise les deux corps comme une argile, des fossiles ? Occlusion de l'espace, signe de l'indéterminé, le rideau énonce simplement qu'il est la matérialisation de la « pression » : de l'air chauffé au rouge. En définitive, ne serait-il pas le véritable objet du tableau : la forme du fond ? Cette relation paradoxale se trouve éclairée par certaines approches picassiennes de la sculpture. En 1933, Daniel-Henry Kahnweiler notera ainsi : « Picasso me raconte que pour éviter le moulage, il vient de faire au Boisgeloup des sculptures en terre en *creux*, en coulant ensuite du plâtre dans ce creux. Résultat : sculpture en plâtre en relief[4]. » Ici, la main de Picasso s'enfonce dans l'argile comme le faisait celle de son *Nu* dans la terre du rideau. Sa pression, savante et musculaire, « sculpte » une forme en aveugle, *négativement*. « Et je voudrais les peindre, ces sculptures », ajoute Picasso. « Tout de même, la peinture ne sera jamais qu'un art d'imitation. Si vous mettez un noir, le spectateur croit que "ça tourne", et, en effet, vous ne pouvez faire l'épaisseur que de cette façon, tandis qu'en peignant en rose une sculpture, elle sera rose[5]. » Étrange couleur que ce rose « chair » de la figure, qui vient s'inscrire « en relief » sur le rouge du moule d'argile. De même, avant que l'ocre ne les recouvre, les *Deux Nus* étaient « rose figure », « rose peinture ». Et le noir qui souligne leurs contours nous ferait croire que « ça tourne » si Picasso n'avait glissé quelques attrapes visuelles : les « passages » chromatiques entre le rideau et les corps, ou encore cette source d'éclairement contrariée qui arriverait d'en haut comme le prouve l'ombre portée des seins et pourtant balaie les jambes de ses hautes lumières. Ainsi, l'illusion *tournerait court* pour laisser l'imaginaire prendre le relais : la femme au doigt pointé, la plus proche de nous physiquement, ne serait-elle pas celle-là même qui saisit le rideau, son double vu depuis l'autre côté de cette fissure de l'espace ? N'en serait-elle pas la projection virtuelle, le reflet, la restitution géométrale ? À ce jeu du « Qu'est-ce que la forme ? Qu'est-ce que le fond ? », Picasso s'exercera toujours avec le même plaisir iconoclaste. Ainsi, en 1948, devant ses céramiques : « J'ai fait une tête. Eh bien, on peut la regarder de partout, elle est *plate*. Bien entendu, c'est la peinture qui la rend plate – car elle est peinte. Je me suis arrangé pour que la couleur la fasse paraître plate de partout. Qu'est-ce qu'on cherche dans un tableau : la profondeur, le plus d'espace possible. Dans une sculpture, il faut chercher à la faire plate pour le spectateur, vue de partout[6]. » Picasso nous dit ailleurs : « Ce qu'il faut éviter, supprimer, c'est la

HENRI MATISSE

93 *Dos IV*, 1930

Bronze, 190 x 116 x 14

Centre Georges Pompidou, Paris, Musée national d'art moderne/Centre de création industrielle,

achat en 1964 par le Fonds national d'art contemporain, attribution au MNAM en 1970

PABLO PICASSO
94 *Trois Femmes à la fontaine*, 1921
Huile sur toile, 203,9 x 174
The Museum of Modern Art, New York,
don de M. et Mme Allan D. Emil

L'une et l'autre puissamment travaillées, ces deux natures mortes ont en commun une certaine qualité de mystère. Comme si, malgré des apparences d'extrême simplicité — une coupe remplie d'oranges dans un cas, un banal pichet surmonté d'une assiette de pommes dans l'autre — , ces toiles recélaient une signification cachée. Elles sont livrées frontalement, et pourtant quelque chose en elles se dérobe et résiste au regard le plus insistant.

L'orange, ce fruit confondu avec la couleur si vive et si dense qui lui donne son nom, apparaît fréquemment dans la peinture de Matisse, à tel point qu'on put y voir l'emblème de son art. C'est précisément *La Coupe d'oranges*, peinte à Paris au printemps 1916, qui inspira à Apollinaire la célèbre formule : « Si l'on devait comparer l'œuvre d'Henri Matisse à quelque chose, il faudrait choisir l'orange. Comme elle, l'œuvre d'Henri Matisse est un fruit de lumière éclatante. » On notera, bien entendu, que cette phrase qui appartient à la double préface rédigée par le poète pour le catalogue de l'exposition « Œuvres de Matisse et de Picasso », organisée par la galerie Paul Guillaume en 1918 (*La Coupe d'oranges* y figurait au n° 4), n'a pas pu échapper à Picasso. De fait, l'assignation symbolique de l'orange, fruit espagnol par excellence, à Matisse pouvait apparaître comme une provocation, dans le contexte particulier d'une confrontation organisée. Pourtant, Picasso n'a jamais remis en question la formule de son ami Apollinaire. Il lui arrivera de renchérir encore, en disant à Tériade (en 1932) : « C'est uniquement pour cela, par exemple, que Matisse est Matisse. C'est qu'il porte ce soleil dans le ventre » — ce qui est une façon plus brutale d'emblasonner la lumière dans le corps même de Matisse, et pas seulement dans sa peinture. Picasso ira même jusqu'à s'approprier (en 1942) une corbeille entière d'oranges de Matisse, en acquérant auprès de Fabiani la splendide nature morte de 1912 du même titre (cat. 40), qu'il fera figurer non loin de ses propres peintures au Salon d'automne de 1944, et qu'il conservera en bonne place auprès de lui jusqu'à sa mort [1].

La trajectoire de l'orange (fruit et couleur) dans l'œuvre de Matisse commence avec son tableau-manifeste de 1896-1897, *La Desserte*. Trois compotiers remplis de fruits (dont au premier plan des oranges) rythment la composition soigneusement agencée de cette toile ambitieuse, comme le font aussi les divers flacons, carafes et verreries disposés à intervalles sur la table dressée : une sorte d'écho scolaire ou d'hommage appuyé au *Bar des Folies-Bergères* de Manet, toile autrement plus somptueuse, exposée précisément en 1896 chez Durand-Ruel [2]. Au premier plan à droite de l'ultime chef-d'œuvre de Manet, un compotier rempli d'oranges, splendidement peint, semble hanter la peinture de Matisse dans les années suivantes. Cet objet de verre ou de porcelaine — tout à la fois banal et légèrement prétentieux, destiné à « présenter » les fruits, tout en les rehaussant — réapparaît notamment, tout semblable à celui de Manet, dans *Buffet et table*, peint à Toulouse en 1899, et surtout dans *Nature morte aux oranges II*. On revoit le même compotier, décanté, simplifié et aplati dans *La Desserte, harmonie rouge* (1908). On retrouve l'intensité des oranges cette fois-ci en situation, au Maroc, dans *La Corbeille d'oranges* (1912) déjà citée (cat. 40).

Devenu simple coupe, le compotier de 1916 est radicalement réduit : plus de jeu de transparences et de reflets entre le verre et la peau luisante des fruits, mais simplement une double courbe fortement marquée en noir qui enferme quelques sphères — six, disposées symétriquement — remplies d'une substance orange, épaisse, grumeleuse, le tout sur un fond gris. La coupe est vue à la fois de dessus et de côté. Entourées de toutes les nuances du gris, les oranges concentrent la lumière et apparaissent exaltées, poussées vers le haut (le bord de la toile coupe le haut de la composition et certains des fruits), quasiment auréolées par la coupe qui les supporte. Réduite à l'essentiel, quelques lignes et des couleurs, cette coupe devient une icône, un symbole sacré. Coupe ou calice ? Rémi Labrusse [3] évoque à propos de cette toile le calice byzantin en argent admiré par Matisse dans la collection de Royall Tyler qui l'avait acquis en 1912 par l'intermédiaire de Joseph Brummer, un de ses anciens élèves. Le gris argenté modulé sur l'ensemble de la surface de la toile, qui fait rayonner les oranges comme d'étranges hosties, de même que la profondeur de la coupe et son bord ourlé, peuvent en effet rappeler le souvenir de cet objet exceptionnel maintenant conservé au Dumbarton Oaks Research Library and Collection.

Sur l'adéquation de l'orange à son rôle de blason matissien, Pierre Schneider avance une hypothèse intéressante [4] : la couleur de l'orange, distribuée sur toute sa surface avec une intensité égale, préfigure ou suscite la tache ou l'aplat qui suffira à la décrire — le comble des oranges matissiennes, ce sont évidemment les trois fruits découpés dans un papier gouaché d'orange qui entourent un nu dessiné de quelques traits de pinceau, le *Nu aux oranges* (1953). Ainsi, l'orange serait par nature « réfractaire aux dégradés, au modelé, à la mise en perspective » et, par conséquent, destinée de toute éternité à être peinte par Matisse.

Alors que la pomme, souvent préférée par Cézanne... ou par Picasso, devrait être rangée du côté du modelé, du tactile. On voit combien *Nature morte au pichet et aux pommes*, peinte en 1919 par un Picasso en pleine période classicisante, s'inscrit aisément dans cette démonstration [5] : six volumes (un pichet, une assiette, quatre pommes) pour une dramaturgie en clair-obscur, comme étouffée sur fond de ouate grise. Leurs contours sont arrondis, épaissis, même celui du bord de la table, même l'assiette qui, posée bizarrement sur le pichet, obstrue partiellement son ouverture. La couleur est pareillement estompée, c'est presque une grisaille d'où surgissent seulement des lumières jaunes, ocres, infiniment délicates. Chacun des éléments de cette composition sensuellement modelée, veloutée et comme frottée de cendres [6] appelle la caresse : les fruits ronds bien sûr (la pomme, *pomum* en latin, le fruit par excellence, celui par lequel tout a commencé...), mais aussi le pichet de terre dont la silhouette à la fois ronde et mince, et l'embouchure légèrement évasée – bouche d'ombre ouverte et tentante –, évoquent irrésistiblement la métaphore sexuelle. Rosalind Krauss [7] distingue très justement, dans la période classique de Picasso, des éléments de sérialisation, d'automatisation. Comme si l'épaississement systématique des lignes, la pratique du « surmodelé », l'enrobage des objets ou des figures, par ce qui ressemble à plusieurs couches de médiations successives, tendaient à mécaniser et finalement à abstractiser les formes. La *Nature morte au pichet et aux pommes* relève en partie de ce processus (le pichet concentre tous les contours de tous les pichets de l'histoire universelle, de l'Antiquité au XVIIIe siècle européen), mais y échappe largement par sa connotation d'« inquiétante étrangeté », faite pour troubler le regard.

Ses commentateurs ont facilement décelé la femme cachée dans cette œuvre, ainsi Elizabeth Cowling la rapprochait avec pertinence « de plusieurs grands pastels de femmes au chapeau exécutés par Picasso en 1920-1922 [8] » — femmes aux chapeaux ornés de grosses coques

de ruban, qui ressemblent comme des sœurs à la femme-pichet. Cette femme-vase, pichet ou amphore, dont Picasso modèlera d'innombrables exemplaires plus littéraux pendant les années Vallauris.

Il faut pourtant résister à la tentation d'opposer l'orange icône de Matisse, à regarder d'en bas, et les pommes exagérément palpables de Picasso. D'une œuvre à l'autre, les valeurs de l'abstraction et de la figuration permutent. Le traitement pictural des oranges (composées de plusieurs couches de couleur qui jouent en transparence, mais aussi en épaisseur) est plutôt moins abstrait que celui des pommes idéalement lissées et sphériques. L'élément le plus abstrait de la toile de Matisse est sans doute le croissant d'ombre noire qui supporte l'orange centrale (l'astre central de ce microcosme) et n'a d'autre nécessité que picturale. Alors que le creux d'ombre qui s'entrouvre au bec du pichet appelle une intrusion plus brutale que celle du seul regard.

I. M.-F.

HENRI MATISSE
95 *La Coupe d'oranges*, 1916
Huile sur toile, 54 x 65
Collection particulière

Pablo Picasso
96 *Nature morte au pichet et aux pommes*, 1919
Huile sur toile, 65 x 43
Musée Picasso, Paris

211

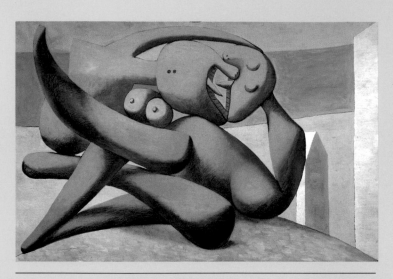

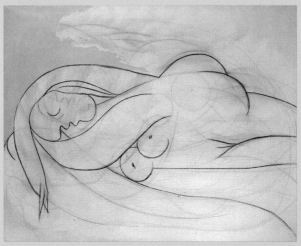

22   Du ravissement

« C'est seulement lorsque la peinture n'en est pas
qu'il peut y avoir attentat à la pudeur [1]. »

Pablo Picasso

« Pablo and Matisse have a maleness that belongs to genius [2] », note Gertrude Stein dans ses
carnets. « Mâleté », le néologisme viserait une manière de manifester dans la dimension
artistique ce que la simple virilité cantonne à la psychologie du sexe. Ainsi, ce serait dans
l'art que la *puissance* prendrait toute sa plénitude inséminatrice [3]. Elle y féconderait le champ
des représentations, y procréerait les formes nouvelles de la modernité. Cette mission trouverait singulièrement à s'incarner dans le motif de la *joute d'amour*. Pour les avant-gardistes
que furent Matisse et Picasso, la reprise de ce sujet, académique s'il en est, ne se fera pas
sans excès : la Muse sera séduite, violentée, anéantie. Le peintre pourra être acteur de la
scène, sous les traits hellénistiques du pâtre, du faune, satyre, centaure, ou s'exclure et nous
désigner l'objet de son désir. Ainsi, chez Picasso et Matisse, les riches thématiques de
l'étreinte ou des « belles endormies [4] », qui hantent leurs œuvres respectifs depuis le début
du siècle, ne relèveraient pas de la simple illustration ou de la sublimation biographique.
À suivre leurs jeux communs autour du sujet manifeste, nous pourrions approcher la signi-
fiance d'un projet où il s'agit de subvertir la peinture, de réduire ce qui résiste en elle de
conventions, d'interdits, d'impensés. *Nymphe et faune* (1943-1945 ; cat. 98) comme *Figures au
bord de la mer* (1931 ; cat. 99) mettent en scène cette emblématique du faire pictural, que l'acte
soit explicitement, pour Picasso, celui de l'accouplement, ou qu'il s'agisse, pour Matisse,
de son imminence. « Il n'y a pas de différence entre l'art et l'érotisme [5] », affirme Picasso,
exprimant la réversibilité de ces deux univers. Matisse insiste autrement sur le ressort génésique
de toute création : « L'œuvre d'art apparaîtra aussi féconde, et douée de ce même frémisse-
ment intérieur, de cette même beauté resplendissante que possèdent aussi les œuvres de la
nature. [...] Mais l'amour n'est-il pas à l'origine de toute création [6] ? » Ces propos croisés
dépassent cependant la thèse selon laquelle la pulsion libidinale surdétermine toute activité
artistique et nous invitent à lire, tautologiquement, la représentation sexuelle comme la
métaphore de l'activité picturale, de ses procédures et de ses enjeux.
« La présence du modèle, dit Matisse, compte non comme une possibilité de renseignement
sur sa constitution, mais pour me tenir en émotion, en état d'une sorte de flirt qui finit par
aboutir à un viol [7]. » Ce rapport heuristique du peintre au modèle trouverait sa forme symbolique dès 1907-1908 avec le triptyque Osthaus [8] dont le panneau central figure un satyre surprenant une nymphe. Le thème, qui apparaît de façon récurrente dans l'œuvre de Matisse,
s'origine dans l'Antiquité mais trouve pour lui un ancrage particulier dans *La Lutte d'amour* [9]
de Cézanne. En 1909, avec *Nymphe et satyre* [10], il détravestit son personnage pour lui donner
les traits d'un garçon nu et la posture de la femme ne permet pas de dire si elle est endormie,
tombée à terre inconsciente ou tente de fuir... À l'inverse, dans le fusain *Faune charmant la*

Il est l'étendue fantasmée de la peinture en train d'advenir. Aussi, dès 1900, Picasso pouvait-il oser se figurer drapé demi-nu, tel une odalisque, dans un autoportrait à la palette qu'il intitula *La Muse* [30]. C'était déjà formuler l'équation gémellaire liant le peintre et la peinture qui lui permettra de revendiquer contre toute attente : « Je suis une femme. Tout artiste est une femme [31]... »

A. B.

PABLO PICASSO
97 *Nu endormi (La Dormeuse)*, 1932
Huile et charbon de bois sur papier, 130 x 162
Collection particulière

HENRI MATISSE

98 *Nymphe et faune*, 1940-1943

Fusain sur toile, 154 x 167

Centre Georges Pompidou, Paris, Musée national d'art

moderne/Centre de création industrielle, dation en 1991

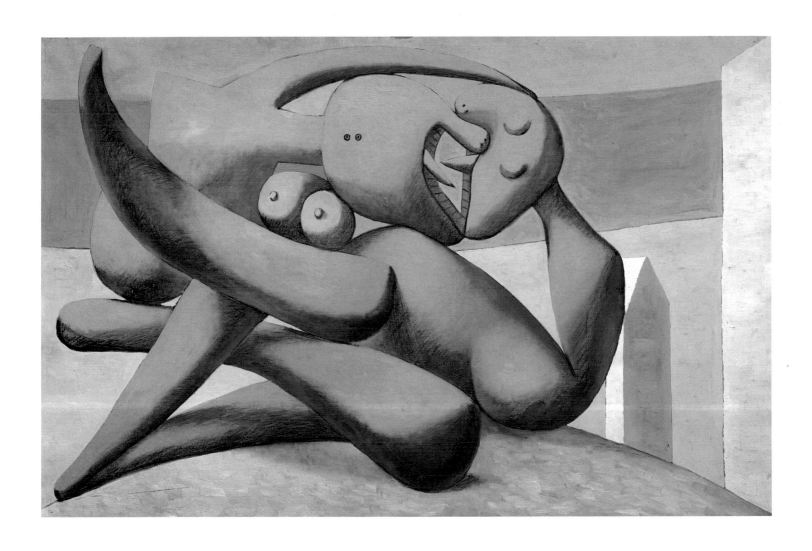

PABLO PICASSO
99 *Figures au bord de la mer*, 1931
Huile sur toile, 130 x 196
Musée Picasso, Paris

219

23   Le défi de l'odalisque

La célébrité de *Figure décorative sur fond ornemental* de Matisse date de l'époque où ce tableau fut exposé pour la première fois au Salon des Tuileries, en juin 1926. Les critiques de l'époque se divisèrent violemment, certains enthousiasmés par cet étalage flamboyant de couleurs et de motifs, par l'étonnante géométrie du personnage et par l'intransigeance juvénile du peintre d'âge mûr[1], d'autres scandalisés par l'absence du charme, de la discrétion et du naturalisme qui avait rendu si populaires ses odalisques précédentes dans le climat conservateur de l'après-guerre. Picasso ne put ignorer ni ce tableau ni la controverse qu'il provoqua.

Comme la plupart des tableaux avec personnage peints par Matisse à cette époque, *Figure décorative* eut pour modèle Henriette Darricarrère, même si dans son état final le nu est tellement schématique et impersonnel qu'il entretient peu de ressemblance, sinon aucune, avec elle. Des photographies contemporaines révèlent que l'atelier de Matisse, sis au 1, place Charles-Félix à Nice, était équipé d'une estrade et de grands cadres démontables en bois sur lesquels on pouvait fixer des textiles ou autre chose[2]. Nanti de ces simples dispositifs et de sa vaste collection de tissus imprimés et de tapis, de vêtements exotiques et d'accessoires, il se lançait constamment de nouveaux défis de composition et aménageait des décors théâtraux pour Henriette, une actrice née qui adorait incarner différents personnages, depuis l'odalisque indolente jusqu'à la bourgeoise chic. Pour *Figure décorative*, Matisse planta le décor avec un tapis persan et un chemin de couloir à bandes, et il étendit un flamboyant tissu de style rococo en travers du cadre[3]. Les irrégularités dans le motif du fond et le rapport architectural déconcertant qu'il entretient avec le sol rectangulaire peuvent paraître arbitraires, mais ils constituent en fait un rendu relativement fidèle de l'effet visuel des draperies tendues et tombantes. (Des effets similaires sont visibles sur une photographie humoristique de Pierre Bonnard allongé, telle une odalisque, sur la scène, devant un autre textile de style rococo[4].) Pour amoindrir la stridence agressive du tissu et éclaircir l'espace pictural, Matisse intégra autour de son modèle un luxueux miroir vénitien et une jardinière chinoise, un bol de citrons et ce qui est sans doute un coussin imprimé, accentuant ainsi la physionomie austère et hiératique du personnage. La composition finale témoigne de son admiration pour les miniatures persanes (voir fig. 7), même s'il renonça entièrement à leur délicatesse et à leur raffinement exquis.

En peignant ses fausses scènes de harem – rien ne pouvait être moins authentique que ce mélange hétéroclite de tissus, de costumes, de meubles et de bric-à-brac –, Matisse cherchait à personnaliser et à moderniser ces sujets orientalistes rebattus, dont la vogue première remonte à la période romantique. Le somptueux *Femmes d'Alger* de Delacroix (fig. 67) constituait l'un des sommets de ce genre pictural et, dans l'ensemble des tableaux d'odalisques de la période niçoise, on en trouve de nombreux échos, surtout dans ces toiles où le modèle revêt un costume maure. Dans son appartement de la place Charles-Félix, Matisse avait deux ateliers reliés par une porte, qu'il gardait ouverte mais garnie d'un lourd rideau tiré sur le côté. L'effet général créé par le papier peint à motifs, les textiles, les écrans et le mobilier rappelle

Fig. 17
Vue de l'appartement de Matisse,
1, place Charles-Félix, à Nice, au printemps 1926
Photographie Archives Matisse (D.R.)

Logique des sensations

En de rares occasions, une œuvre dérivée transforme l'œuvre source de manière si mémorable que, par la suite, l'œuvre source sera volontiers considérée à travers la dérivation de la seconde, comme si un artiste était imité par ses prédécesseurs [1]. Les peintures matissiennes réalisées par Picasso au début des années trente sont encore plus inhabituelles, car elles ressemblent non seulement à des tableaux antérieurs de Matisse, mais surtout aux tableaux que Matisse allait créer pour leur répondre. Tout se passe donc comme si, par une correction préventive de leurs sources réelles, elles anticipaient sur les origines dont elles dérivaient, qui ensuite dériveraient d'elles – tant leur saisie et leur remise en scène des caractéristiques matissiennes relèvent de la prolepse [2].

En 1931, « matissien » signifiait communément couleur et lumière vive, motifs, chair rose et potelée, une atmosphère hédoniste, souvent érotique, qui confondait délibérément Nice et le Proche-Orient. Pour Picasso, l'adjectif signifiait aussi et sans nul doute une révision apparemment audacieuse de cette identité par Matisse, en cours depuis environ cinq ans, ainsi que les origines plus dépouillées et plus plates du style niçois, qui remontait désormais à une vingtaine d'années. Les toiles des *Acrobates* de Picasso de 1929-1930 (cat. 149) avaient repris cette approche passée, agitant peut-être des souvenirs dans l'esprit même de Matisse, lorsqu'il se mit au travail sur la commande d'une peinture murale pour la Fondation Barnes. Mais les tableaux plus conservateurs du début des années vingt dominèrent la grande exposition consacrée à Matisse en juin et juillet 1931, à la galerie Georges Petit à Paris, le montrant apparemment en train de faire du vieux avec du neuf, plutôt que le contraire [3]. Il y avait néanmoins quelques extraordinaires tableaux récents ou moins récents, qui ont sans doute attiré particulièrement l'attention de Picasso. Parmi eux figurent ceux qui proposent trois exemples de la manière dont on peut dire que Picasso s'est emparé du passé de Matisse pour le représenter comme l'avenir de ce dernier : d'abord, *Nu bleu*, peint par Matisse en 1907 (cat. 15). En 1934, Picasso exécuta une version de ce tableau en rose, *Nu dans un jardin* (cat. 106), répétant le décor semblable à une oasis et l'emploi d'une nuance de la couleur du corps pour la zone située en dessous [4]. Deuxièmement, *Le Peintre dans son atelier*, 1916, et son pendant d'anniversaire, *Figure décorative sur fond ornemental*, 1925-1926 (cat. 104). Le *Nu sur canapé noir*, peint par Picasso en 1932 (fig. 59), confronte l'intérieur aux bandes noires du premier et la femme en tant que thème végétal du second. Troisièmement, *Pommes*, 1916, *Femme à la voilette* et *Nu de dos* (fig. 55), tous deux de 1927. *Le Miroir*, peint par Picasso en 1932, traite un sujet matissien, connu dès les premiers tableaux niçois, avec l'audacieux motif circulaire de *Pommes* ; il rejoue le motif aux losanges du costume de *Femme à la voilette* en tant que papier peint ; et fait écho aux fesses et au haut de la jambe de *Nu de dos* dans le reflet du miroir [5]. Et on peut penser que *Jeune Fille devant un miroir* (1932 ; fig. 60) de Picasso, le plus grand tableau de cette époque, tire de ces sources matissiennes, et virtuellement de toutes celles susmentionnées, une leçon de choses sur les profondeurs de complexité psychologique qu'autorise un style prétendument décoratif.

Pourtant, les trois tableaux de Picasso n'avaient pas réellement besoin de ces sources précises : on pourrait trouver des motifs comparables dans la peinture antérieure de Picasso, laquelle constitue en quelque sorte une banque de formes et d'images du début du modernisme. Aucun des trois tableaux de Picasso ne se propose comme une appropriation ; si l'association avec Matisse est reconnue, la critique implicite de la manière matissienne existante est également admise. Les rapprochements

grossiers de formes et d'images sont utiles précisément parce qu'ils nous disent que Picasso ne se contentait pas de voler Matisse. Bien plutôt, il découvrait des points de contact préexistants entre son art et celui de Matisse, qu'il transformait en sa faveur, privant ainsi son rival, tant rétrospectivement qu'à l'avance, de toute revendication sur ce territoire commun – sur un terrain que, de fait, Matisse était en droit de revendiquer comme étant le sien propre.

Nous devons nous interroger sur les raisons qu'avait Picasso pour adopter un comportement aussi antagoniste [6]. Caractériser ce comportement va à l'encontre des motivations couramment citées pour expliquer la création de ces tableaux, sans toutefois être incompatible avec elles. Ces motivations se résument en un nom, celui de Marie-Thérèse Walter, la blonde et voluptueuse adolescente qui était devenue la nouvelle amante de Picasso. Afin de décrire la séduction qu'elle exerçait sur lui comme « une espèce de pulpeux jouet sexuel [7] », selon les mots mémorables de William Rubin, que pouvait-il faire de mieux que prendre les nus confortables des tableaux niçois de Matisse, répudier leur érotisme familier et les moderniser avec l'aide des œuvres plus audacieuses de son rival ? En réalité, l'enjeu était plus important que cela. Car prendre possession de Matisse non seulement mettait celui-ci en danger, mais était aussi dangereux pour Picasso. Malgré tous les échanges réciproques entre les deux artistes, Picasso n'avait jamais autant emprunté à la manière de Matisse. Dans ses grandes œuvres des années dix, ce dernier avait adopté la manière de Picasso et un critique moderniste de l'exposition Matisse de 1931 avait déclaré que ces œuvres, les plus innovantes qui fussent, révélaient sa dette envers le peintre espagnol [8]. Prendre possession, c'est aussi confesser sa dette. Les rapports de Picasso avec les femmes lui avaient appris à négliger cette leçon difficile ; en peinture, ce n'était tout simplement pas une option viable, même pour l'artiste le plus impitoyable. Alors, pourquoi Picasso se plaça-t-il dans une position aussi désavantageuse ?

Nu sur canapé noir et *Le Miroir* furent peints à trois jours d'intervalle, les 9 et 12 mars 1932, respectivement. Ils reprennent un problème longtemps ajourné, abordé quinze ans plus tôt, à l'époque où les deux artistes s'écartèrent de leur modernisme pour réinvestir des langages conservateurs. Dans le cas de Picasso, des extrapolations continues à partir du cubisme synthétique s'accompagnèrent d'autres styles, qui parfois se fondaient avec le style parent, qui invariablement se trouvaient influencés par ce dernier, mais qui fréquemment en proposaient un contrepoint. D'habitude, un style l'emportait. Pour dire les choses plus simplement, entre le milieu des années dix et le milieu des années vingt, le néoclassicisme domina, puis ce fut le surréalisme et, à la fin de l'année 1931, arriva le style matissien [9].

Picasso avait découvert Marie-Thérèse Walter à la fin de sa période néoclassique ; de fait, on peut même penser qu'elle y mit fin. On la décrit souvent comme dotée de traits extraordinairement classiques ; l'artiste trouva donc dans la réalité le type même qu'il avait peint [10]. Afin de créer les formes volumétriques claires d'un style néoclassique, il lui fallut abandonner le désengagement cubiste des contours dans les régions colorées et descriptives. À la place, il installa les contours sur le périmètre de zones colorées (modelées par tons), afin de marquer les limites d'occlusion d'une figure en contraste avec le fond. Mais cette approche l'irritait régulièrement. Le nombre de dessins au trait indépendant, de tableaux montrant des contours comme des fils de fer et de toiles incomplètement colorées prouve que la fusion de la couleur et du contour agaçait Picasso, tout autant qu'elle enchantait Matisse. Ainsi, la période « surréaliste » commença par une explosion de liberté linéaire, affranchie de toute contrainte de circonscription et, hormis les images uniques dans des décors monospatiaux, elle conserva une division cubiste de la couleur et du contour. En 1929, néanmoins, le nombre des images uniques s'accrut ; Picasso avait rejoint couleur et contour dans la série déjà mentionnée des *Acrobates* pour former des images circonscrites, où une figure se détachait d'un fond, sur un mode matissien [11]. Néanmoins, ce fut un bref moment, pas entièrement satisfaisant. Le volume revint et, avec lui, une sorte de refonte surréaliste des précédentes compositions

néoclassiques. Puis arrivèrent les grandes sculptures de Boisgeloup, inspirées par la maîtresse néo-classique de Picasso (cat. 124, 128-129, fig. 63) ; elles font simultanément appel au surréalisme et au néoclassicisme qui les précédèrent, mais aussi au style matissien, ouvrant donc la voie aux tableaux matissiens de 1932 qui rassemblent aussi, en fait, ces trois systèmes stylistiques.

Quand, au cours des années vingt, Picasso utilisa un système séparé de contours et de couleurs, la couleur prenait d'ordinaire la forme de surfaces planes, contiguës ou superposées, afin de créer une profondeur de perception, un contrepoint indépendant où les contours s'installaient pour spécifier une description figurative. La séparation des agents de la spatialisation et de la figuration introdui-sait une incertitude dans la performance perceptuelle, qui ajoutait une diversité enrichissante à l'affect. À l'inverse, lorsque Picasso unifiait contour et couleur en utilisant des zones colorées bien cernées, les ambiguïtés d'un système dual lui étaient retirées, car les formes ainsi créées étaient les agents simultanés de la spatialisation et de la figuration. La qualité de l'affect dépendait donc beau-coup plus du type d'image proprement dit. La tradition classique et une imagination fertile furent de grandes sources d'imagerie évocatrice. Malgré tout, les contours qui la forment semblent parfois connoter presque un enfermement, car cette imagerie, qu'elle soit antique ou moderne, est souli-gnée avec une insistance inquiète. Il existait bien sûr l'option consistant à mobiliser à la fois la cou-leur et le contour en tant qu'agents de spatialisation, mais cela emmenait directement Picasso sur le territoire de Matisse. Pourtant, où Picasso pouvait-il trouver, ailleurs que chez Matisse, un exemple libérateur de contour et de couleur allant de pair, susceptible d'unifier le néoclassique et le surréa-liste en les libérant ? En fait, Picasso allait trouver mieux.

À la fin des années vingt, Matisse travaillait d'arrache-pied pour créer un effet visuel frappant, visible *au premier coup d'œil*, un impact affectif et lumineux de la couleur [12]. Il l'obtint souvent, et Picasso le suivit, en plaçant la couleur dans la lumière. Dans *Nu sur canapé noir*, *Le Miroir* et *Jeune Fille devant un miroir*, la couleur lumineuse du corps féminin est rendue encore plus lumineuse de trois manières : d'abord, par l'emploi d'accents noirs massifs et de fonds saturés ou couverts de motifs ; ensuite, en modelant les zones lumineuses, non pas en assombrissant leurs nuances, mais en les éclairant davantage (*Nu sur canapé noir*) ou en renforçant leurs contours avec des brins de couleurs prismatiques (*Le Miroir*) ; enfin, en ajustant les teintes environnantes comme des échos, des compléments ou des extensions du corps dans la lumière [13].

À cette époque, Matisse employa aussi l'éclat optique de couleurs violemment contrastées pour détourner l'attention visuelle loin du motif figuré essentiel et en ajourner la perception [14]. Picasso l'imita rapidement, utilisant la couleur selon une manière beaucoup plus électrique, dissonante et uniformément intense, que ne se le permettait Matisse. Ainsi, dans *Jeune Fille devant un miroir*, le tracé des motifs change de teinte d'une section à l'autre de la composition. On peut dire que cela renforce et contribue à réaliser le thème de mutation que cette peinture d'une transformation visuelle, temporelle, biologique, sexuelle et affective déploie [15]. Le miroir, au point focal de ce thème, est assurément un motif matissien. Cependant, la partition brutale du tableau en ce qui paraît être deux panneaux articulés par des charnières est impensable chez Matisse — tant qu'il n'aurait pas vu *Jeune Fille devant un miroir*.

Mais il utilisa aussi la couleur pour son iconographie propre, afin de coder une situation de désir, d'une manière que Matisse aurait jugée trop littérale. D'où la célèbre alliance du jaune et du violet pour Marie-Thérèse Walter. Le violet, que sa longueur d'ondes situe tout en bas du spectre, connote la nuit ; le jaune, qui se trouve au milieu, évoque la lumière solaire. Le jaune est aussi la couleur des cheveux de la femme ; le violet complémentaire servira pour sa chair. Ce qui explique aussi son renforcement par la paire rouge-vert. (Le rouge se trouve diamétralement opposé au violet dans le spectre. Le vert voisine avec le jaune, du côté du violet. Le vert est aussi la couleur de la fécondité ; le rouge complémentaire

PABLO PICASSO
106 *Nu dans un jardin*, 1934
Huile sur toile, 162 x 130
Musée Picasso, Paris

HENRI MATISSE
107 *Grand Nu couché (Nu rose)*, 1935
Huile sur toile, 66 x 92,7
The Baltimore Museum of Art, The Cone Collection, constituée
par le Dr Claribel Cone et Miss Etta Cone, Baltimore, Maryland

25

Le Rêve

Rapprocher ces trois nus invite à réexaminer le rapport de Matisse et Picasso avec leurs modèles — et plus précisément avec deux de ces modèles, parmi les plus importants. Deux muses blondes aux yeux bleus : Marie-Thérèse Walter, avec laquelle Picasso a entretenu une longue relation passionnée, de 1927 (ou même un peu avant) jusqu'à la fin des années trente au moins, une relation qui se distend certes progressivement, de même que les apparitions de Marie-Thérèse dans les toiles se font plus rares, mais une relation qui perdure, ne serait-ce qu'à travers l'enfant (Maya) née en 1935. Lydia Delectorskaya occupe dans la vie et l'œuvre de Matisse une place moins clairement définissable, mais tout aussi essentielle. Elle entre dans l'atelier de Matisse vers 1933, pour n'en plus sortir. Même si d'autres modèles la supplantent dans les toiles des années quarante, elle demeure auprès du peintre jusqu'à sa mort en 1954, muse sans doute, mais surtout présence active et bienfaisante, indispensable au bon déroulement de la vie de travail de Matisse [1].

De tout cela, de la durée en particulier de ces histoires personnelles complexes, la peinture ne trahit que quelques traces évasives. Contrairement à ce que voudraient y lire des historiens transformés en échotiers, aucun de ces tableaux n'équivaut à une page de journal intime, et d'autres enjeux y sont à l'œuvre. Tout au plus peut-on observer que s'opèrent, dans et par la peinture, des phénomènes de cristallisation, au sens amoureux et stendhalien du terme. Ils devraient logiquement être liés au moment de la rencontre. Or, dans les deux cas, il y a décalage : les tableaux les plus lyriques peints d'après Marie-Thérèse le sont en 1932, au moins cinq ans après l'instant légendaire, la rencontre fortuite, de type bretonien et « amour fou », mettant face à face, sur le trottoir du boulevard Haussmann, Picasso et une adolescente blonde. Quant aux puissants nus de 1935, ils sont les premiers posés par Lydia, alors que Matisse la connaît depuis deux ou trois ans — elle travaille à l'époque pour Mme Matisse. Elle-même a analysé longtemps après, avec une sorte de distance, la « cristallisation » du regard de Matisse, intéressé par une pose particulière (celle du *Rêve* précisément), qui va faire d'elle, pour quelques années (1935-1939), le modèle indispensable et souverain...

« Quand au bout de quelques mois, d'un an peut-être, Henri Matisse se mit à arrêter sur moi un regard lourd et scrutateur, je ne prêtai à cela aucune signification particulière [...]. D'ailleurs, c'était un fait : je n'étais pas "son type". À part sa fille, la plupart des modèles qui l'avaient inspiré étaient des Méridionales. Or j'étais une blonde, très blonde. Et c'est sans doute pourquoi, une fois que quelque chose eût déclenché son intérêt pour moi, le regard dont il me détaillait fut méditatif, pesant. Puis un jour, il vint se reposer un carnet de croquis sous le bras et, pendant que distraitement j'écoutais la conversation, il m'intima soudain : — Ne bougez pas ! Et ouvrant son cahier, il me dessina, fixant une pose qui m'était familière : la tête couchée sur les bras croisés, appuyés sur le dossier du siège [2]. » Comment distinguer dans ce récit ce qui ressemble à une élection amoureuse et ce qui relève de l'évaluation plus froide, professionnelle, des ressources *picturales* d'un corps et d'un visage.

La légende picassienne voudrait aussi qu'en accostant Marie-Thérèse ce jour de janvier 1927, Picasso lui ait tout de go déclaré : « Nous ferons de grandes choses ensemble. » De grands

Henri Matisse
109 *Nu rose assis*, 1935-1936
Huile sur toile, 92 x 73
Centre Georges Pompidou, Paris, Musée national
d'art moderne/Centre de création industrielle

PABLO PICASSO
110 *Nu au fauteuil rouge*, 1939
Huile sur toile, 100 x 80
Collection Jan et Marie-Anne Krugier-Poniatowski, Genève

249

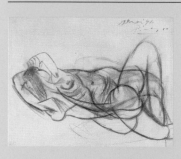

26 « Le désir de la ligne »

« Il faut rechercher le désir de la ligne,
le point où elle veut entrer ou mourir. »

(Propos de Henri Matisse, dans « Notes de Sarah Stein », 1908,
dans *Écrits et propos sur l'art*, édition établie par Dominique Fourcade, Paris, Hermann, 1972, p. 66.)

À la fin des années trente, Matisse et Picasso sont tous les deux bien au-delà de la maturité — Picasso approche de la soixantaine, Matisse a presque soixante-dix ans. Plus encore que dans leur peinture sont lisibles dans les dessins des années 1936-1940 les traces d'affects, les empreintes du trouble (l'inquiétude aux prises avec la virtuosité ou avec l'absence de désir) devant le motif qui lui n'a guère varié : le nu féminin. Les modèles succèdent aux modèles, ils ont eu le temps de s'en lasser, mais le manège des outils — ici fusain, estompe et crayon principalement, mais aussi lavis d'encre de Chine, rehauts de gouache ou d'aquarelle, ou encore crayons de couleur — tourne toujours quotidiennement, pour produire de l'ombre et de la lumière, donner du corps à la feuille. Exercices de vieux dompteurs ou exploits d'acrobates, on est toujours ramené à la métaphore gymnastique à laquelle Matisse aimait alors se référer : « Je suis le danseur ou l'équilibriste qui commence sa journée par plusieurs heures de nombreux exercices d'assouplissement, de façon à ce que toutes les parties de son corps lui obéissent lorsque, devant son public, il veut traduire ses émotions par une succession de mouvements de danse, lents ou vifs ou par une pirouette élégante [1] », écrit-il en 1939. L'esprit de système en moins, la métaphore vaut aussi pour Picasso.

À partir de ce groupe de dessins monumentaux, rassemblé spécialement pour l'étape parisienne de l'exposition, on voudrait interroger la notion de durée, l'exercice du dessin et son rapport au temps, tel que l'un et l'autre l'ont — très différemment, malgré certains points de ressemblance — mis en œuvre.

Quand Matisse fixe son objet — qu'il l'épingle dans l'instantané du dessin au trait, ou que, dans le type de dessin retenu ici, il écrase sur sa feuille tout le poids de la gomme ou de l'estompe pour mieux maculer le motif, le charger, l'étaler —, Picasso tourne autour. Comme autrefois, au temps du cubisme, il semble obsédé par l'invention d'un ultime « truc » pour montrer un corps à la fois de face et de profil, de face et de dos, de dessus et de dessous. Obsession récurrente de la torsion chez Picasso, comme une violence rapide faite au modèle, qui s'oppose au lent écrasement des effacements successifs qui ont tatoué les nus matissiens de la fin des années trente. C'est ainsi qu'une sorte de confiture grise, un « miel » de temps, englue les puissantes arabesques noires — celles de *Danseuse assise dans un fauteuil*, par exemple — et joue comme enregistreur, comme une substance témoin portant l'empreinte de chacun des instants d'un relativement long travail. Matisse en est bien conscient, lui qui tient à distinguer le travail du fusain « beaucoup plus complexe et très volontaire [2] », de celui des dessins à la plume, « dessins inspirés [3] » ou « cinématographie des sentiments d'un artiste [4] ». Mais il souligne aussi à quel point est irremplaçable un médium (fusain plus estompe) qui « permet de considérer simultanément le caractère du modèle, son expression humaine, la qualité de la lumière qui l'entoure, son ambiance, et tout ce qu'on ne peut exprimer que par le dessin [5] ».

251

Alors que les dessins contemporains de Picasso portent, eux, la trace d'une décharge d'énergie, la volonté d'un tout en un. Elle est manifeste dans le dessin daté d'une main hâtive du 19 mai 1941 (d'après Dora Maar) : elle se retourne sous nos yeux, ses cheveux ont à peine le temps de suivre le mouvement, le trait hésite pourtant, se reprend, griffé, pris de court. Tout tourne, autour de l'axe d'une double épine dorsale. Même lorsque — et cette fois, il s'agit de Marie-Thérèse, modèle aux poses plus « matissiennes » — Picasso représente son modèle assis dans un fauteuil dont les courbes répètent et amplifient les siennes, son trait s'agite en tourbillons autour des seins, du ventre, des bras. Le visage (yeux, nez, bouche) se dédouble, obligeant le regard à une incessante navette de la face au profil. Impossible de s'arrêter sur l'une des deux options… ou d'échapper à ce fascinant va-et-vient.

Quant à la *Danseuse* de Matisse, elle n'a plus de regard, si elle en a jamais eu un, comme d'ailleurs la quasi-totalité des dessins présentés ici. Si les déplacements successifs de ce qui tient la place du visage, un ovale vide, restent visibles, l'impression générale que produit ce dessin est celle d'une stabilité monumentale, Matisse décrivant une *stature*, autant qu'un corps particulier, et sa danseuse étant ici définitivement *arrêtée*.

Il en va de même pour les deux grands nus allongés, tout particulièrement le magnifique *Nu allongé, de dos*, daté de juillet 1938. Les grandes courbes et contre-courbes, sur leur fond de mémoire grise, se déploient au-delà même du cadre de la feuille et suggèrent, autour de la figure, la combinaison d'un vaste espace et d'une lumière immobile. Cette figure a son contrepoint dans une feuille de mêmes dimensions, datée également de juillet 1938. Vu de face, dans une pose identique, le nu est cette fois traité tout en angles, décomposé en éléments géométriques (un sein circulaire, l'autre triangulaire…) qui renvoient étrangement aux rares incursions de Matisse (autour des années 1914-1916 notamment) dans les formules cubistes. Dessin exceptionnel par l'intensité et l'autorité du grand zigzag, longuement cherché, qui sabre l'espace rectangulaire de la feuille blanche.

On a voulu mettre en regard de ces deux dessins plusieurs nus de Picasso des mêmes années 1938-1939. L'aquarelle ou la gouache relaient le crayon et la plume pour mieux accentuer le jeu de l'ombre et de la lumière, et mettre en évidence les volumes d'un corps tantôt déployé dans une pose michelangelesque (*Nu allongé*), tantôt tordu et replié sur lui-même pour se laisser percevoir de tous les côtés à la fois (dessin du 30 décembre 1939), ou encore surgissant de l'ombre tel un étrange volatile (*Nu debout* ; cat. 111). C'est à nouveau l'extraordinaire *versatilité* de Picasso qu'il faut souligner, la nervosité et la vélocité de ses interprétations successives d'un même modèle, face à la majesté des grands fusains où Matisse a sédimenté, sur la même feuille, l'accumulation de ses longues observations. L'un et l'autre ne se privent pas de déformer, de recomposer, mais l'un et l'autre ne sauraient se passer du modèle, Matisse plus littéralement, dépendant qu'il est du temps réel des heures de pose, Picasso plus capricieusement, travaillant autant avec le ressouvenir qu'avec une présence de toute façon intermittente du « motif » (Dora ou plus rarement Marie-Thérèse, dans ces années-là) dans l'atelier.

Les dessins de Picasso referment cette séquence : un peu plus de dix ans après la mort de Matisse, des odalisques presque convenables, à cela près que, couchées, les jambes croisées, leurs poses font en sorte de dévoiler crûment leur sexe (détail peu matissien !). La douceur du modelé à la gouache blanche [6], les yeux fermés, le flot de cheveux noirs renvoient cependant à certaines « femmes d'Alger », et de là au territoire Delacroix-Manet-Matisse arpenté entre autres par Picasso, à partir du milieu des années cinquante. Ce territoire est celui d'une compétition intense, du moins est-ce ainsi que le qualifie David Sylvester dans sa préface au catalogue de l'exposition « Le Dernier Picasso [7] », significativement intitulée « Fin de partie ». Compétition

avec toute l'histoire de la peinture, et bien sûr avec son ultime vrai partenaire dans ce jeu-là, Matisse. Mais c'est aussi le territoire de l'affrontement à la vieillesse, à la mort et, pour la première fois, à l'appréhension de la défaite. Les tout derniers nus dessinés, contemporains ou même pour certains postérieurs aux dernières œuvres peintes [8], en apportent des preuves terribles et bouleversantes. Le motif omniprésent est toujours celui d'un corps étalé : le *Nu couché* daté du 20 avril 1972 est écartelé, deux jambes, deux bras survolant un visage/torse troué d'yeux hagards, grands ouverts cependant. Les bras, énormes, projettent au-dessus de ce visage une ombre, protectrice ou menaçante on ne sait trop. Un dérisoire motif décoratif (ultime allusion matissienne ?) et un frottis de crayon rouge-rose animent à peine cette image d'un corps à la fois offert, atrocement désarticulé et recroquevillé. Cet affrontement-là, direct, irrémédiable, Matisse ne l'a jamais, à ma connaissance, représenté. Ses derniers dessins connus, tel le *Nu aux oranges*, tracé en 1953, d'un pinceau chargé d'encre bien noire, entouré de trois fruits éclatants, ne semblent contenir que de la lumière. Aucune des ombres qui, au final, sont peut-être ce qui identifie le plus visiblement le dessin de Picasso par rapport à celui de Matisse.

I. M.-F.

PABLO PICASSO
111 *Nu debout*, 1939
Lavis d'encre de Chine, 64,5 x 45,5
Musée Picasso, Paris

HENRI MATISSE
112 *Nu debout*, 1936
Fusain, 62,5 x 47
Collection Jan et Marie-Anne
Krugier-Poniatowski, Genève

255

Pablo Picasso

113 *Femme les bras croisés au-dessus de la tête*, 1939

Mine de plomb et crayon, 41,5 x 29

Musée Picasso, Paris

HENRI MATISSE
114 *Danseuse assise dans un fauteuil*, 1939
Fusain et estompe sur papier Montval, 65,5 x 50,5
Centre Georges Pompidou, Paris, Musée national
d'art moderne/Centre de création industrielle,
don de Pierre Matisse en 1976

257

Pablo Picasso
115 *Nu couché*, 1941
Mine de plomb, 20,7 x 26,5
Collection particulière.
Avec la gracieuse autorisation de M. Lopez-Bolinches

HENRI MATISSE
116 *Nu allongé*, 1938
Fusain, 60,5 x 81,5
The Museum of Modern Art, New York, achat

Henri Matisse
117 *Nu allongé, de dos*, 1938
Fusain sur papier, 60 x 81
Collection particulière

PABLO PICASSO
118 *Nu allongé*, 1939
Gouache et lavis, 38,3 x 46,1
Musée Picasso, Paris

261

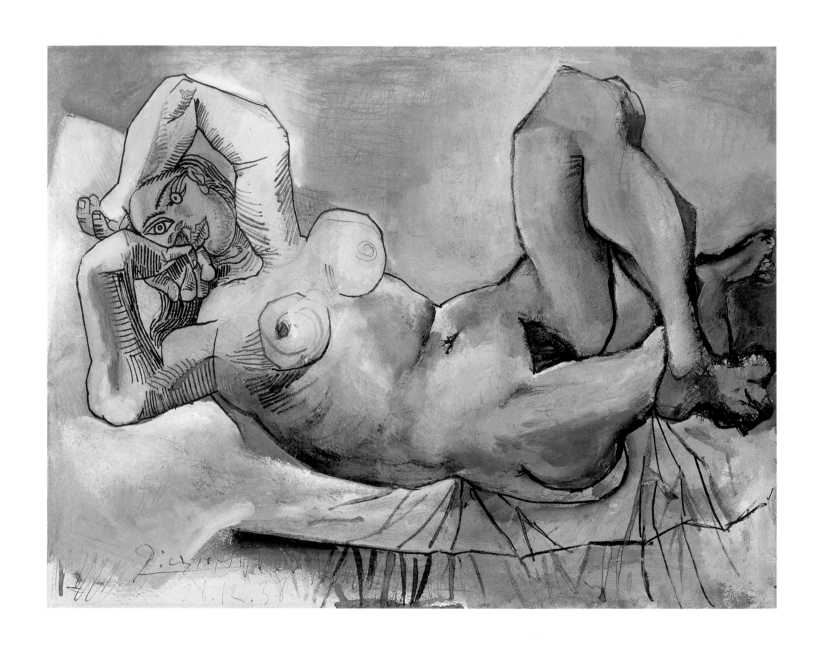

PABLO PICASSO
119 *Nu allongé*, 1938
Gouache, plume et encre noire, 26 x 34
Staatliche Museen zu Berlin, Nationalgalerie,
Sammlung Berggruen

PABLO PICASSO

120 *Sans titre (Nu couché)*, 1972
Lavis d'encre de Chine, gouache
et crayons de couleur sur papier, 56,5 x 75
Donation de Maurice Jardot, Belfort

27 « ...que portraiture sa figure si belle »

> « Quand le *toro* avec sa corne [...] et qui vont sautant et traînant – les tripes par
> l'arène – et met l'œil du photographe – dessus de la table de ce festin – et tire le fil –
> peu à peu en dehors – et fait une pelote – que portraiture sa figure si belle – sur
> la plaque d'argent – qui dégouline – à coup de poing – nettement – le soleil. »

(Écrits de Pablo Picasso, 5 novembre 1935, dans *Picasso Écrits*, édition établie par Marie-Laure Bernadac, Christine Piot, RMN/Gallimard, 1989, p. 43-44.)

« La sculpture est le meilleur commentaire qu'un peintre puisse adresser à la peinture [1] » pouvait dire
Picasso, faisant en cela écho au mot de Matisse : « J'ai fait de la sculpture comme un peintre. Je n'ai pas fait
de la sculpture comme un sculpteur. Ce que dit la sculpture n'est pas ce que dit la peinture. Ce que dit la
peinture n'est pas ce que dit la sculpture. Ce sont des routes parallèles, mais qu'on ne peut pas confondre [2]. »
De fait, pour tous deux, la sculpture fut principalement un outil spéculaire pour vérifier, réverbérer,
conclure dans les trois dimensions ce que leur peinture avait d'ores et déjà accompli. On peut juger, par les
photographies de leurs ateliers [3], des modalités de la relation peinture/sculpture où chacun d'entre eux put
puiser une nouvelle énergie. Chez Matisse, une sculpture est toujours là [4], prête à « nourrir [5] » et ressourcer
le travail d'investigation du modèle. Terre crue ou plâtre éblouissant, elle participe avec les tentures, les
objets élus, les fruits, fleurs et oiseaux, de cet univers de « motifs » que l'artiste veille possessivement,
attendant que fulgure la sensation qui le conduira à un nouveau tableau. De même qu'elle aura contribué à
matérialiser des questions posées par sa peinture, elle en deviendra à son tour un sujet de prédilection [6].
Abandonnées au sol, sous « l'élevage de poussière [7] » auquel il confie son œuvre, les sculptures de Picasso
se confondent avec l'entassement de matériaux hétéroclites, de choses déchues, de spécimens fantas-
tiques glanés à la brocante, dont elles s'approprient comme par contiguïté la nature d'objets premiers, issus
du rêve générique des cultures populaires [8]. Mais en 1931, dans son atelier de Boisgeloup, Picasso, exceptionnellement, s'adonnera aux vertiges d'une sculpture monomaniaque. Là, les virtualités du plâtre en ges-
tation formeront le thème d'une conversation phénoménologique entre l'artiste, l'œuvre et le modèle. Il
nous faut replacer dans ces *contextes* le dialogue intermittent que purent entretenir les œuvres sculptés de
Matisse et de Picasso et, singulièrement, ces obsédantes litanies de têtes aux prénoms féminins érigées et
brandies par l'un et par l'autre comme autant de blasons, boucliers ou trophées.
À l'automne 1909, Picasso réalise *Tête de femme (Fernande)* (cat. 122), un plâtre à l'échelle réelle [9] où il
prend toute la mesure des récents bouleversements intervenus dans sa peinture. Durant l'été passé à
Horta de Ebro, il avait multiplié études et toiles, poussant à l'extrême la décomposition élémentaire de la
figure. L'architecture de cette *Tête* est de même détaillée en arêtes triangulaires emboîtées les unes dans
les autres pour en restituer les « traits » et les « plans ». Ainsi que le notait Apollinaire, « Picasso étudie
un objet comme un chirurgien dissèque un cadavre [10] ». Mais les structures ici mises à nu n'évoquent en
rien la physiologie des muscles ou des viscères. Il s'agirait d'écorchés mathématiques où le projet de
l'artiste serait de reconstruire l'apparence à partir de la géométrie primaire d'une *tresse* polyédrique [11].
Celle-ci opère une cristallisation où la surface perdrait sa qualité d'*écran* pour gagner une transparence
définie par le nombre et sa plastique. Aux entités platoniciennes de la sphère, du cylindre et du cube qui, dans
l'approche de Cézanne, posaient encore la reconnaissance du monde en termes de statique et d'unité [12],
Picasso substitue une lecture dissolutoire du volume. Le prisme, élément dynamique anticlassique,

La Musique de Matisse fut peint à Nice en trois semaines au printemps 1939 [1]. Avant la fin de l'année, ce tableau et huit photographies documentaires de l'œuvre en cours furent publiés par Christian Zervos dans *Cahiers d'art* et décrits comme la dernière tendance de peinture moderne semblable à la peinture murale, dont les exemples étaient les grands tableaux réalisés par Matisse pour la Fondation Barnes et *Guernica* de Picasso [2]. Il s'agissait là d'une interprétation d'actualité : la Ville de Paris avait acheté la seconde version réalisée par Matisse pour la commande Barnes en 1936, alors que *Guernica* avait fait sa première apparition publique durant l'été 1937, dans le pavillon espagnol de l'Exposition internationale de Paris [3]. Avant la fin de 1939, *La Musique* était visible dans le pavillon français de la Foire mondiale de New York et, au mois de mai de l'année suivante, ce tableau fut acquis par l'Albright-Knox Art Gallery de Buffalo, État de New York. En 1941, le tableau et ses photographies documentaires (cette fois, les dix-huit au complet) furent reproduits une seconde fois, dans *Art News* [4]. *La Musique* fut de nouveau comparé à *Guernica*, mais pas en tant qu'œuvre décorative. Bien plutôt, on dit que *Guernica* avait été peint en un temps presque aussi bref et qu'il montrait encore plus d'altérations. « Les radiographies prouvent que les anciens maîtres changeaient aussi d'avis, mais rarement de manière aussi fondamentale [5]. » C'était là encore une interprétation d'actualité. Des photographies de *Nu rose* en train d'être peint par Matisse (fig. 57) avaient été publiées en 1936 [6], ce qui a peut-être poussé Picasso à autoriser la publication, en 1937, de photographies relatant la création de *Guernica*, dans un numéro spécial de *Cahiers d'art*, auquel participa le gendre de Matisse, Georges Duthuit [7].

En plus des thèmes de la peinture murale et des altérations de l'œuvre en cours, un troisième thème s'attache à ce bref récit : Matisse et Picasso comme artistes très publics, participant à des expositions internationales, attirant une large attention et provoquant des comparaisons avec les maîtres anciens. Ce thème de l'artiste public se lie aussitôt à celui de la peinture murale. Les altérations de l'œuvre en cours évoquent un aspect plus privé, mais elles aussi furent introduites dans la sphère publique – de peur qu'on ne pense que la célébrité engendrerait la facilité –, afin d'insister sur la difficulté artistique de ce qui pourrait ressembler à une affiche ou à de la propagande.

Pour Matisse, *La Musique* avait une connotation encore privée et passablement amère. L'hiver précédent, son mariage de près de quarante ans s'était finalement écroulé, et alors même qu'il entamait ce tableau en mars 1939, sa femme quittait Nice, événement qui marqua probablement le début de leur véritable séparation. Il se rappela forcément que, dans le premier traitement de ce thème musical, réalisé au commencement de son mariage, c'était sa femme qui jouait de la guitare [8]. Une cause majeure de cette séparation fut l'attachement de Matisse pour son modèle Lydia Delectorskaya, qui fut aussi sa secrétaire [9]. Mais il n'est pas nécessaire de reconstruire les identités des deux femmes décrites dans *La Musique* ; la partition musicale et le fruit rouge du premier plan sont des symboles traditionnels du temps qui passe et de la fidélité amoureuse.

En janvier 1940, la famille Matisse, renommée pour sa discrétion, reconnaissait enfin la séparation [10]. En avril, Matisse était à Paris pour régler les formalités juridiques et préparer un voyage d'un mois au Brésil avec Lydia. Mais en mai, alors qu'il sortait de l'agence de voyages, il rencontra Picasso. La sphère publique rejoignait la sphère privée. Alors même que *La Musique* arrivait à Buffalo,

HENRI MATISSE
131 *La Musique*, 1939
Huile sur toile, 115 x 115
Albright-Knox Art Gallery, Buffalo, New York,
Room of Contemporary Art Fund, 1940

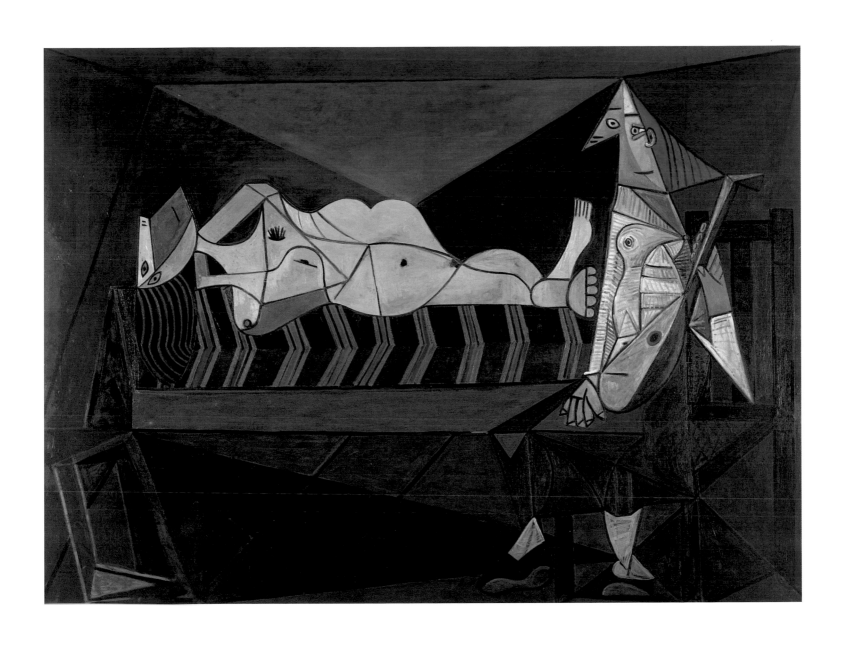

Pablo Picasso

132 *L'Aubade*, 1942

Huile sur toile, 195 x 265

Centre Georges Pompidou, Paris, Musée national

d'art moderne/Centre de création industrielle,

don de l'artiste en 1947

Peintures de guerre

« Ne m'avez-vous pas dit en 1914 : "Matisse, il y a longtemps que nous sommes dans les tranchées [1]" ? »
rappellera Matisse à Picasso durant la Seconde Guerre mondiale, alors que se renoue leur dialogue
dans une commune position de vigilance civile et de résistance sur le front de l'art. 1914, la déclaration de guerre avait brutalement *exilé* Picasso dans ce qui était sa villégiature d'Avignon. 1941,
Matisse « le ressuscité [2] » se ressaisit de la peinture. À travers la *Nature morte sur fond vert*
(cat. 134) et la *Nature morte au magnolia* (cat. 135), l'un comme l'autre s'attachent à la méditation
sur ces « petits riens [3] » qui, en ces temps tragiques, forment tout leur univers.
D'une guerre à l'autre, l'arc historique entre les deux hommes vibre d'une forte tension artistique.
Si, pour chacun, le repli de 1914-1918 fut un moment de mutation stylistique, « dans les tranchées »,
ils eurent aussi à s'affronter. En novembre 1915, Matisse émet à l'encontre de la *Nature morte sur
fond vert* un jugement sans appel que Léonce Rosenberg rapporte ainsi à Picasso : « [...] J'ai mis à
côté de "arlequin" votre nature morte à fond vert ; vous ne sauriez imaginer combien ce dernier
tableau, tout en conservant de magnifiques qualités de matière, paraissait petit de conception,
un peu jeu de construction traité avec tact et sensibilité. Dans l'arlequin, Matisse a trouvé que les
moyens concouraient à l'action, qu'ils étaient égaux à cette dernière, alors que dans la nature morte,
il n'y avait que des *moyens*, de très belles qualités mais sans objet [4]. » Ce lien entre les termes
« action » ou « objet » et « qualité » ou « moyens » exprime bien le processus itératif qui, pour
Matisse, sous-tend tout projet pictural : « La pensée d'un peintre ne doit pas être considérée en
dehors de ses moyens [...] qui doivent être d'autant plus complets (et, par complets, je n'entends pas
compliqués) que sa pensée est plus profonde [5]. » Prônant ici une égalité plastique du tout et de la
partie, Matisse entend néanmoins que l'œuvre transcende les moyens de sa formulation : « Je veux
arriver à cet état de condensation des sensations qui fait le tableau [6]. » Précepte qu'il applique à la
représentation des *choses* : « Copier les objets n'est rien ; il faut rendre les émotions qu'ils éveillent
en soi. L'émotion de l'ensemble, la corrélation des objets, le caractère spécifique de chaque objet
– modifié par sa relation avec les autres – tout cela entremêlé comme une corde ou un serpent [7]. »
Repérant ce qui rattache le cubisme synthétique de l'*Arlequin* (cat. 59) à sa propre esthétique,
notamment sa grande toile *Poissons rouges et palette* (cat. 61) – une ambition totalisante, un format,
une certaine « violence décorative [8] » –, Matisse désignerait au contraire par sa critique de la *Nature
morte sur fond vert* tout ce qui, en elle, porterait atteinte à *sa* conception du *tableau*.
Ce faisant, il veut cependant ignorer la relecture que la *Nature morte sur fond vert* propose de son
Intérieur, bocal de poissons rouges [9], œuvre dont Picasso n'avait pu manquer de prendre connaissance dans *Les Soirées de Paris* en mai 1914 [10]. Avec sa coupe de faïence blanche, *Nature morte sur
fond vert* fait explicitement écho à celle représentée au premier plan de l'*Intérieur* de Matisse.
Manière de s'opposer sur la question de la restitution perspective des objets [11], cette citation formelle invite aussi à reconsidérer la monochromie telle que chacun des deux artistes la traite alors.
Dans *Intérieur, bocal de poissons rouges*, l'une des dernières toiles monochromes de cette période,
le bleu domine encore toute la composition, bien que décliné dans un savant dégradé tonal. Exalté
par le contre-jour, le *vert d'eau* de la coupe reflète la lumière du ciel, « réalisme » n'ayant pour
Matisse d'autre but que de « servir le mieux possible l'expression [12] ». À sa subtile transparence,

Picasso substitue une couleur-signe, théorique, *inexpressive*, un vert brut tel que sorti du pot qui maçonne uniformément la surface du tableau. De même, les frottis, pointillés, hachures exposent leur principe polychrome avec une sécheresse rhétorique qui fait tourner au simulacre la référence au divisionnisme. Picasso y emploie à dessein des couleurs industrielles à la brillance amorphe : une matière chromogène plutôt qu'une couleur. Ce défi à la « sensibilité » pourrait s'attirer la critique de Matisse : « La peinture épaisse ne donne pas de lumière ; il vous faut la combinaison de couleurs voulues [13]. » Chez Picasso, le vert/rouge radicalise encore l'emploi systématique des primaires bleu/rouge qui fut le sien dans la période 1901-1908 [14], comme son indifférence affichée à toute esthétique de la couleur : « Combien de fois, au moment de mettre du bleu, j'ai constaté que j'en manquais, alors j'ai pris du rouge et l'ai mis à la place du bleu [15]. » On a pu justement suggérer [16] que la *Nature morte sur fond vert* répondrait, sur le terrain de la « saturation chromatique », à *L'Atelier rouge* de Matisse [17]. Picasso s'y interdit cependant ce « toucher » de la surface par lequel Matisse fait vibrer son rouge sur l'ocre du fond [18]. Au contraire, tout son propos serait d'appliquer à la bidimensionnalité de ce fond *écrasé* par la couleur verte, le jeu optique des ambiguïtés spatiales générées par les « papiers collés ». Dans la *Nature morte sur fond vert*, il déjoue ainsi de proche en proche les repères et dimensionnements usuels de l'espace. La conflagration visuelle entre aplats et volumétrie porte leur *montage* à un point extrême d'aberration perceptive. Le projet picassien serait donc bien de repenser le *tableau* comme un « jeu de construction » dont les « moyens », tirant chacun de son côté, lui refuseraient toute suprématie. On pourrait dire *baroque* plutôt que « rococo [19] », ce cubisme où s'exacerbe la rivalité entre niveaux de lecture, motif et composition, fond et forme. Son principe ne pouvait que heurter Matisse : « Nous voulons autre chose. Nous allons à la sérénité par la simplification des idées et de la plastique. L'ensemble est notre seul idéal. Les détails diminuent la pureté des lignes, ils nuisent à l'intensité émotive, nous les rejetons [20]. » Ces remarques visant la manière dont les toiles des impressionnistes « fourmillent de sensations contradictoires [21] » éclairent celles formulées devant Léonce Rosenberg. Leur ferait lapidairement écho la réflexion de Picasso devant les impressions de Monet, de Sisley, de Renoir, de Pissaro : « Tu ne vois que le temps qu'il fait, tu ne vois pas la peinture [22]. » Mais la *Nature morte sur fond vert* pourrait être pour lui une façon de prendre position, de préciser encore face à Matisse : quand on ne voit que le tableau, on ne voit plus la peinture. En déroutant le regard, en l'obligeant à un incessant aller-retour entre « moyens » et « objet », Picasso pousserait leur égalité plastique jusqu'à désublimer le tableau au profit de la *peinture*.

Dans la *Nature morte sur fond vert*, la monochromie est *première*. Les « objets » s'y disposent comme autant de repeints, de collages, exécutés en relief sur le fond du panneau. Ainsi que des cartes à jouer sur le tapis de feutre vert vif des tables de café, les objets de la nature morte sont agencés en quinconce autour du carafon à haut col. Ce tournoiement d'objets est mu par un faisceau de lumière qui arrive de plein fouet sur la coupe, effleure la courbe du verre à boire réfléchie en une ombre rouge incandescente, se décompose dans le prisme du carafon et projette sur la table la gerbe d'une irisation polychrome [23]. Cette ellipse frangée de lumière, comme les ombres dures, les rais, remous ou diffractions qu'elle génère, s'oppose à l'orthogonalité des lambris ou des cadres qui règlent le tableau tel un grand damier plat. Pour Matisse, la monochromie serait, à l'inverse, *conclusive*. La photographie retrace la lente évolution par laquelle, parti d'un tracé géométrique, le fond de la *Nature morte au magnolia* s'unifie et vire au « rouge cadmium clair [24] ». Désormais, le rouge seul va régir les rapports entre les différents objets du tableau. Les clichés révèlent en revanche que le motif du vase de magnolia se détachant sur la mandorle du chaudron est fixé dès l'origine. Au cœur de l'*image* voulue par l'artiste, il n'est pas sans évoquer le rôle similaire que joue le carafon scindé par l'ellipse de lumière dans la *Nature morte sur fond vert* de Picasso. Ces motifs

partagent en effet un même emmanchement formel de deux objets (le vase sur le chaudron, l'ellipse sur le carafon), un léger décentrement sur la gauche de la composition et la manière d'en effleurer le bord supérieur. Le bouquet feuillu et son orbe suscitent également un cinétisme circulaire que contrebalance l'éclatement des objets aux quatre coins du tableau. En plaçant partiellement hors champ le coquillage et le vase à fleurons, Matisse effilerait encore l'étoile dessinée par la coupe, la grappe et le paquet de tabac autour du carafon de la *Nature morte sur fond vert*. Ce désaxement tire sur la diagonale et le magnolia s'épanouit au centre comme un astre ou une toupie luminescente. Tout le tambour rouge du tableau vibre de ces pressions contraires. « Depuis plusieurs années, c'est mon tableau préféré. Je pense [y] avoir donné le maximum de ma puissance [25]. » Matisse entend bien démontrer qu'au petit jeu des « constructions », les « moyens » peuvent « concourir à l'action ». Aux extrémités de la chaîne temporelle, *L'Atelier rouge* et la *Nature morte au magnolia* forment ainsi deux des principaux marqueurs de l'œuvre monochrome de Matisse. Ce *rouge* n'y est pas de hasard. « Le fauvisme, c'est quand il y a du rouge [26] », pouvait dire le peintre au début du siècle, pour exprimer la valeur attentatoire qu'il attribuait à cette couleur. Concluant son retour progressif et contrarié vers la monochromie [27], la *Nature morte au magnolia* permet de mesurer la nouvelle radicalité de cette option en 1941. L'unité colorique du fond dépasse désormais la teinture « expressive » de l'espace représenté, comme il en allait dans *L'Atelier rouge* pour *exposer* la surface abstraite et idéelle des « relations » entre les objets [28].

« La forme en goutte d'eau de ce vase élancé, à grosse panse – le volume généreux de ce cuivre – doit vous toucher [29]. » En effet, pour Matisse, la rencontre avec un objet, le choix d'un ornement relèvent de la plus impérieuse des affinités électives. Tels siège, chapeau, pièce d'étoffe à motifs, vase… lui sont aussi chers que ses modèles favoris et l'on dira avec la même tonalité de respect et d'affection, « Le fauteuil vénitien », « Le vase à godrons » ou « Henriette ». Chez Matisse, l'objet doit donc arborer sa « qualité » pour que la sensation advienne. Sans qu'il soit nécessairement rare ou précieux, il faudra que sa couleur, sa matière, son décor le désignent comme une exception *singulière*. Cyclamen ou magnolia, les fleurs exhalent chromatiquement toute la subtilité de leur fragrance. La spirale s'en déroule suavement, portée par la rumeur du coquillage, l'aiguière torse, les palmettes du vase, et finalement réverbérée par le gong du chaudron. « État de condensation des sensations qui fait le tableau », leur accord harmonique doit confiner à la commotion des sens, du sens, afin de libérer l'*essence* des choses. Que l'on considère sa peinture ou sa sculpture, le rapport de Picasso aux objets serait tout différent. Ainsi, l'assemblage *Nature morte au bouquet de fleurs*, bronze au thème éminemment « matissien » datant de 1951, questionne tant la présence des choses que leur désignation. Par « marcottage » de pièces et de morceaux, Picasso invente à partir d'objets trouvés des entités sémantiques nouvelles qui viennent s'incarner par le plâtre puis le bronze. On assiste ainsi à la coexistence sur un mode surréalisant d'un *double sens* entre les matériaux utilisés et le jaillissement des allusions ou des équivalences. Comme Picasso l'affirmait à Brassaï : « Ce qui est merveilleux dans le bronze, c'est qu'il peut donner aux objets les plus hétéroclites une telle unité qu'il est parfois difficile d'identifier les éléments qui l'ont composé. Mais c'est aussi un danger : si l'on ne voyait plus que la tête de taureau et non la selle de vélo et le guidon qui l'ont formée, cette sculpture perdrait de son intérêt [30]. » Tout se passerait ainsi dans l'entre-deux, entre *signe d'usage* et *signe d'échange*. Le « vase de fleurs » reste manifestement fait d'un balustre de balcon, de clous, de fil de fer… et pourtant c'est bien un vase. Dans la *Nature morte sur fond vert*, les objets devaient résister autrement à la déconstruction cubiste. Ils opposaient, à l'assaut du signifiant, leur caractère usuel, élémentaire et familier. Ils y étaient lestés du poids d'inertie, d'atonie de simples choses et de choses simples. Coupe, bouteille, fruit, journal attestent leur existence têtue de signifiés, en même temps qu'ils s'affirment par la

PABLO PICASSO
134 *Nature morte sur fond vert*, 1914
Huile sur toile, 59,7 x 79,4
The Museum of Modern Art, New York,
Lillie P. Bliss Collection

Henri Matisse

135 *Nature morte au magnolia*, 1941

Huile sur toile, 74 x 101

Centre Georges Pompidou, Paris, Musée national d'art

moderne/Centre de création industrielle, achat en 1945

30

Camera obscura

En 1940, la peinture de Matisse traversa une brève crise. En janvier, il écrivit à Bonnard : « Je suis paralysé par je ne sais quoi de conventionnel qui m'empêche de m'exprimer comme je le voudrais en peinture. Mon dessin et ma peinture se séparent… J'ai une peinture bridée par des conventions nouvelles d'applats par lesquels je dois m'exprimer entièrement, de tons locaux exclusivement sans ombres, sans modelés, qui doivent réagir les uns sur les autres pour suggérer la lumière [1]. » Matisse résolut bientôt ses problèmes dans des œuvres qui introduisirent à une dernière étape dans sa carrière de peintre de chevalet [2]. *Grand Intérieur rouge* de 1948 est l'occasion d'une ultime récapitulation ; ensuite, l'énergie de Matisse allait se concentrer sur la chapelle de Vence. Ce tableau constitue aussi l'ultime et définitive déclaration de Matisse sur les rapports qu'entretiennent la ligne et la couleur. Il évoque, mieux, il exige une comparaison avec *L'Atelier rouge* de 1911 (The Museum of Modern Art, New York), le dernier et le plus audacieux des grands intérieurs « symphoniques » peints par Matisse cette année-là. Il décrit l'atelier que Matisse s'était fait construire au fond du jardin de la maison d'Issy-les-Moulineaux en 1909. À partir de l'installation de Matisse à Nice, néanmoins, la distinction entre son lieu de vie et son espace de travail s'estompe de plus en plus. Après avoir subi une importante intervention chirurgicale en 1941, Matisse devait passer de longues heures au lit dans sa chambre, laquelle devint à son tour son atelier.

Grand Intérieur rouge évoque un angle de l'atelier de Matisse à la villa « Le Rêve » à Vence, mais un angle aplati – la ligne verticale noire, située au-dessus de la chaise, représente la jonction des murs, mais, discontinue dans la moitié inférieure du tableau, elle ne nous permet pas d'avoir une lecture spatiale de la toile. Dans le plus important tableau d'atelier de 1911, le rouge omniprésent palpite doucement, de manière néanmoins insistante. Dans l'ultime proposition de Matisse sur ce thème, il scintille et éblouit. L'aspect plat du précédent tableau est subtilement contredit et enrichi par des dispositifs perspectifs, même si ces derniers sont soumis à l'impact coloré global. Dans *Grand Intérieur rouge*, la ligne et la couleur vont de pair, tout en affirmant leur existence individuelle. La perspective est seulement implicite dans les angles de la chaise et de la table, rendue par le dessin, en noir. Pourtant, le rouge jaillit à travers le mobilier pour proclamer le plan du tableau. Comme dans le tableau antérieur, les rouges sont modulés par la liberté du travail au pinceau et par une plus grande insistance sur la sensation d'une luminosité secondaire venant de derrière. Symboliquement, on remarque en haut à gauche un dessin en noir et blanc exécuté à grands coups de pinceau, à côté duquel est accrochée une huile aux couleurs brillantes, un tableau dans le tableau [3].

Grand Intérieur rouge constitue l'aboutissement d'un ensemble de toiles que l'on a regroupées sous le terme des « intérieurs de Vence ». Toutes sont libres et audacieuses, apparemment sans effort dans leur exécution, mais *Intérieur rouge, Nature morte sur table bleue* de 1947 est l'une des plus audacieuses. Comme dans *Grand Intérieur rouge*, la couleur et la ligne interagissent tout en menant une existence picturale séparée. C'est aussi l'une des dernières affirmations les plus explicites de Matisse sur l'usage décoratif du motif pour animer la

300

Henri Matisse

136 *Intérieur rouge, Nature morte sur table bleue*, 1947
Huile sur toile, 116 x 89
Kunstsammlung Nordrhein-Westfalen, Düsseldorf

PABLO PICASSO

137 *L'Atelier à « La Californie »*, 1955
Huile sur toile, 116 x 89
Centre Georges Pompidou, Paris, Musée national
d'art moderne/Centre de création industrielle,
donation de Louise et Michel Leiris en 1984

HENRI MATISSE

138 *Grand Intérieur rouge*, 1948
Huile sur toile, 146 x 97
Centre Georges Pompidou, Paris, Musée national d'art moderne/
Centre de création industrielle, achat à l'artiste en 1950
par le Fonds national d'art contemporain, attribution au MNAM en 1950

PABLO PICASSO
139 *Les Menines*, d'après Vélasquez, 1957
Huile sur toile, 161 x 121
Museu Picasso, Barcelone

303

« Pour mon malheur et pour ma joie peut-être, je place les choses selon mes amours. Quel triste sort pour un peintre qui aime les blondes, mais qui s'interdit de les mettre dans son tableau, parce qu'elles ne s'accordent pas avec la corbeille de fruits ! [...] Je mets dans mes tableaux tout ce que j'aime. Tant pis pour les choses, elles n'ont qu'à s'arranger entre elles [1]. » Ces propos de Picasso à Christian Zervos disent tant son impatience à aimer et à s'approprier ce qu'il aime qu'ils décrivent le principe de son *modus operandi*. La *Grande Nature morte au guéridon* (12 mars 1931, cat. 144) porte au paroxysme ce jeu compulsif où l'entassement instable des objets menace et l'ordonnancement du tableau et la volupté contemplative qui s'attache d'ordinaire au genre de la « nature morte ». Une dynamo hélicoïdale déploie son ressort dans l'axe du tableau et, autour d'elle, en effet, les choses « s'arrangent » comme elles le peuvent. L'onde de choc de cette « croissance biologique incontrôlable [2] » percute les sphères de la composition qui rebondissent les unes contre les autres en zigzag, aux angles du tableau. Et cela, sans oublier « les blondes », comme l'artiste le révéla à Pierre Daix, devant qui, en effet, « Picasso va dessiner sur la toile du doigt, sans presque rien changer au rythme de la nature morte, les courbes de Marie-Thérèse [3] ». Ainsi, sur un *tempo* heurté, les formes se contaminent, tour à tour œil, pomme, sein, coupe, cruche, hanche... On a également vu dans la verticalité de la toile, le fût contourné du guéridon, le haut col du pichet, des emblèmes mâles [4] faisant de cette nature morte un autoportrait de l'artiste avec son modèle. Déjà dans la série des dessins et des toiles qui, à partir du milieu des années 1920, initient la chaîne des portraits cryptés de sa maîtresse, Picasso inscrivait sa présence par la découpe d'un profil ou par l'initiale « P » de son prénom alliée au « M » et au « T » de Marie-Thérèse [5]. Ce sigle rituel emprunte sa forme graphique au chrisme, monogramme qui marque l'appel du regard [6]. La *Grande Nature morte au guéridon* substitue, à la géométrie austère de ces lettrages, une curvilinéarité sinueuse, un cryptopictogramme où le vocabulaire des formes naît de la superposition du manifeste et du caché. Écrire, décrire, s'écrier Marie-Thérèse : « Le peintre doit nommer. Si je fais un nu, on doit penser : c'est un nu [7]. » Mais, comme il l'avait fait pour Eva, dont il notait le tendre nom « Ma Jolie » dans ses tableaux de 1912, Picasso trouve le moyen de « nommer » même quand il ne peut pas *dire*. Et c'est de cette conscience secrète qu'exulte le spectateur à qui l'artiste donne ici de manière détournée « le moyen de faire le nu lui-même avec ses yeux [8] ». Ce regard à double sens, qui s'éprend du sujet, laisse se former librement les associations et les recueille, serait celui même du peintre contemplant son objet. Ici, Matisse, « le professeur », nous expliquerait posément la méthode empathique qu'il recommande à ses élèves et qui se trouve mise en œuvre par Picasso s'identifiant à son modèle d'élection et le peignant sous l'apparence des choses : « Il ne faut pas que vous considériez les parties avec un prosaïsme tel que la ressemblance de ce mollet avec un beau vase – une ligne recouvrant l'autre – en quelque sorte, ne vous émeuve pas. Pas plus que la plénitude de ce bras étendu et le fait qu'il ait véritablement la qualité d'une olive ne devrait vous échapper [9]. »

« En peinture, les choses sont des signes ; nous disions des emblèmes avant la guerre de 14... Qu'est-ce que ce serait un tableau si ce n'était pas un signe [10] ? » Picasso oppose ici à l'imitation naturaliste de l'objet un *langage visuel* qui, au même titre que le mot, *désigne* plutôt qu'il ne représente [11]. L'écart entre la chose peinte et son référent doit être préservé pour que la peinture advienne : « C'est comme

HENRI MATISSE
143 *Végétaux*, 1951
Papier découpé, 175 x 81
Collection particulière

PABLO PICASSO
144 *Grande Nature morte
au guéridon*, 1931
Huile sur toile, 195 x 130
Musée Picasso, Paris

312

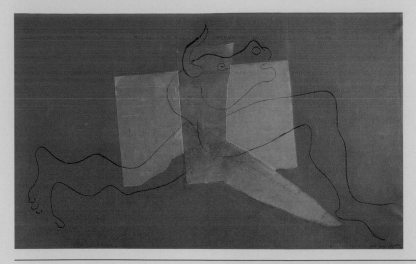

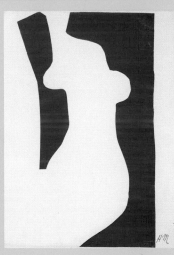

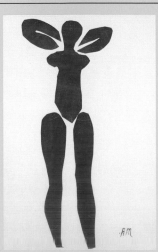

« Vous ne pouvez pas vous figurer à quel point, en cette période de papiers découpés, la sensation du vol qui se dégage en moi m'aide à mieux ajuster ma main quand elle conduit le trajet de mes ciseaux. C'est assez difficilement explicable... Il y a aussi la question de l'espace *vibrant*. »

(Propos de Henri Matisse, dans André Vernet, « Les Heures Azuréennes », *XXᵉ Siècle*, numéro d'hommage à Henri Matisse, Paris, 1970.)

Entre 1925 et 1932, Picasso lança son assaut le plus violent contre la forme humaine, qu'il soumit à des distorsions étonnamment variées. Il adhérait à l'*ethos* surréaliste, que lui-même avait contribué à créer et était stimulé par un tourbillon de sources nouvelles. L'enthousiasme des surréalistes pour l'art tribal, « primitif » et exotique excédait de beaucoup, dans sa diversité, sinon par son importance, l'intérêt porté à « l'art nègre » par les artistes un peu plus tôt dans le siècle. L'art préhistorique et, en particulier, néolithique était maintenant très en vogue. Les surréalistes étaient fascinés par l'idée que l'art serait un langage de signes [1] et, pour André Breton et ses disciples, les systèmes de notation graphique mis au point par Picasso dans son cubisme d'avant-guerre demeuraient une source d'émerveillement [2]. Une grande partie du travail de Picasso, durant les années de son association avec le surréalisme, fut profondément, voire parfois agressivement, volumétrique. Mais il élaborait simultanément un nouveau langage de signes linéaire aux implications biomorphiques et sexuelles.

Le 1ᵉʳ janvier 1928, Picasso produisit l'une de ses images les plus étonnamment réductrices. Son grand *Minotaure* consiste en une paire de jambes musculeuses marchant à grands pas, surmontées par une tête de taureau, l'ensemble rendu de manière calligraphique et recouvert par deux morceaux de papier découpés et collés [3]. Le plus pâle de ces deux papiers est censé représenter le buste du monstre ; le second, déchiqueté et bleu, suggère sa puissance sexuelle. Le Minotaure allait devenir un leitmotiv dans l'œuvre graphique de Picasso des années trente, apparaissant souvent comme un *alter ego* de l'artiste. En 1929-1930, Picasso créa une poignée de toiles associées figurant des acrobates et des nageuses (par opposition aux baigneuses, qui devinrent légion et, le plus souvent, se reposaient ou s'ébattaient sur la plage). Comme leur antécédent mythique, le Minotaure, ces créatures sont sans poids et défient la pesanteur, elles sont presque entièrement constituées de membres et de têtes, dispensées de centralité et de présence physique, ce qui les rend étrangement asexuées – phénomène atypique du Picasso de cette époque. Toutes ces images suscitent la comparaison avec les hiéroglyphes de l'île de Pâques [4]. Ces créations de Picasso sont inhabituelles dans son art, par la manière dont elles tiennent compte des rebords de la toile et parfois semblent presque les toucher. Qu'il s'agisse d'une coïncidence ou non, en 1931-1932, Matisse remplit un carnet de croquis avec des esquisses d'acrobates et de danseuses, exécutées en liaison avec son travail sur les peintures murales commandées par Barnes [5]. Mais comme les acrobates de Picasso, ces dessins sont importants pour comprendre l'obsession qui poussa ces deux artistes âgés vers la nécessité de produire ce que Matisse conçut comme des « signes ».

Les distorsions extrêmes mises en œuvre par Matisse dans son propre *Acrobates* (fig. 66) de 1952 sont rares dans sa production artistique. Le tableau de Matisse invite à la comparaison, aussi, avec le grand *Minotaure* de Picasso, en termes d'échelle, de couleur, par l'emploi de papier découpé   315

et collé. Après l'importante opération chirurgicale de 1941, Matisse était devenu un semi-invalide et le *papier découpé* devint pour lui un médium de plus en plus important, qui devait dominer les dix dernières années de sa vie. Des assistants coloriaient pour lui des feuilles de papier à la gouache, puis il les découpait avec de gros ciseaux. Ensuite, les assistants plaçaient les formes ainsi découpées sur les surfaces qui attendaient de les recevoir – des murs ou de grandes feuilles de papier fixées sur les murs –, tandis que Matisse dirigeait les opérations, souvent d'un fauteuil ou même à partir de son lit – ce qui explique la précision de chronomètre de ces compositions. Bien que Matisse ne cessât jamais de trouver son inspiration dans la nature, dans la réalité perçue, ses nouvelles méthodes de travail l'obligèrent de plus en plus à s'en remettre à sa mémoire visuelle et à adopter une approche plus conceptuelle dans la création de son art. Matisse réfléchissait maintenant à son motif, il en extrayait ce qu'il sentait être son essence, puis il en produisait le « signe ». « Le découpage, dit-il, est ce que j'ai trouvé aujourd'hui de plus simple, de plus direct pour m'exprimer. Il faut étudier longtemps un objet pour savoir quel est son signe [6]. » Simultanément, tandis qu'il travaillait entouré de fragments de papiers découpés, il se mit de plus en plus à utiliser ce qu'on pourrait décrire comme des formes négatives, provenant des rebuts initiaux des ciseaux. Dans cette mesure, il exploitait des formes et, avec elles, des images, produites fortuitement.

Dans ses papiers découpés, Matisse se voyait dessiner directement dans la couleur : « En dessinant aux ciseaux dans des feuilles de papier coloriées à l'avance, d'un même geste pour associer la ligne à la couleur, le contour à la surface [7]. » Les derniers papiers découpés bleus et blancs introduisirent une nouvelle dimension dans l'emploi de ce médium par Matisse, car aussi bien il les vit clairement comme des sculptures de remplacement [8]. Les fonds clairs sont plats et non modulés ; et si, dans les œuvres antérieures, les bleus de Matisse avaient presque invariablement été de nature spatiale, ils devenaient maintenant tangibles et d'un effet monolithique. La plupart des papiers découpés bleus et blancs traitent de la seule figure nue, le souci archétypal de la sculpture. *Acrobates* compte parmi les plus audacieux de tous les papiers découpés mais, d'un point de vue technique, c'est aussi l'un des plus révélateurs, à cause des traitements différents réservés aux deux personnages. La configuration du personnage de droite a été réalisée par additions successives, en assemblant des fragments de papier bleu superposés, un processus proche du modelage, où l'on ajoute et retire des morceaux d'argile humide. Les traces fantomatiques de dessin qui se trouvent derrière indiquent que Matisse avait initialement expérimenté des poses ou des postures différentes, en travaillant sur le même mode que celui adopté pour les peintures murales destinées à la Fondation Barnes. L'acrobate de gauche est légèrement moins distordu et il déborde d'une vitalité différente. Ici, les ciseaux ont manifestement traversé le papier bleu avec une énergie intense et le personnage donne l'impression d'avoir été sculpté, incisé. « Découper à vif dans la couleur me rappelle la taille directe des sculpteurs [9] », déclara Matisse. Son étonnant portfolio intitulé *Jazz*, publié en 1947, contenait déjà des images d'artistes du cirque et Matisse devait plusieurs fois se comparer à un jongleur, un acrobate et un funambule. Comme ceux de Picasso, les *Acrobates* de Matisse défient la gravité.

Quatre *Nus bleus* précédèrent les *Acrobates* et initient les papiers découpés qui, en tant que série, appartiennent à l'année 1952, laquelle fut prodigieuse pour Matisse. Les *Nus bleus* sont les plus authentiquement sculpturaux, car les personnages sont assis ou accroupis dans des poses qui impliquent ou sous-entendent un raccourci. Ils semblent ancrés vers le bas, même s'ils manifestent simultanément une qualité flottante. Leurs distorsions rappellent les sculptures produites par Matisse dans les premières années du siècle. *Nu bleu I* [10] est le plus lourd et le mieux résolu de la série. Malgré la violente vitalité des contours du personnage et du support blanc où on le lit miraculeusement comme une ligne, définissant et renforçant l'imagerie physique, il s'agit de l'image la

plus sensuelle à l'intérieur du groupe. De tous les *Nus bleus*, c'est l'odalisque la plus authentique. Elle est complétée par *La Chevelure*, une œuvre d'alchimie visuelle qui accorde au corps un aspect impondérable. « Vous ne pouvez pas vous figurer à quel point, en cette période de papiers découpés, dit Matisse, la sensation du vol qui se dégage en moi m'aide à mieux ajuster ma main quand elle conduit le trajet de mes ciseaux [11]. » On trouvera peut-être dans ses illustrations de Mallarmé l'image la plus mémorable de chevelure donnée par Matisse ; mais cette œuvre est aussi un hommage indirect à Baudelaire, le poète auquel Picasso associait toujours Matisse [12]. Pendant qu'il travaillait à ses *Nus bleus*, Matisse était également absorbé dans l'un de ses projets de peintures murales les plus rhapsodiques, au point qu'on a suggéré que chaque *Nu bleu* devait être inclus dans *La Perruche et la Sirène* (également de 1952 et aujourd'hui au Stedelijk Museum, à Amsterdam [13]). Mais dans sa forme finale, la configuration de la sirène est très proche de *La Chevelure* ; l'oiseau habite l'air, la sirène l'eau.

Certaines photographies montrent les deux sérigraphies murales et complémentaires, *Océanie : le ciel* et *Océanie : la mer* de 1946 (réalisées grâce à des papiers découpés), qui décorent les murs de l'appartement parisien de Matisse, unifiées par des papiers découpés improvisés au-dessus des portes qui les séparaient, une indication du fait que Matisse voyait de plus en plus la décoration comme une forme d'environnement total. Une fois achevé son travail sur la chapelle de Vence, son intérieur à l'hôtel Regina de Nice devint son « jardin », un paradis de travail aux formes colorées et aux « signes » tirés de la nature. Les papiers découpés bleus et blancs trouvent leur ultime expression dans les panneaux muraux de *La Piscine*, aujourd'hui au Museum of Modern Art de New York, les contreparties tardives et aquatiques des peintures murales de 1911 intitulées *La Danse* et *La Musique*. Au-dessus des portes intérieures qui les séparaient lorsqu'elles étaient installées à l'hôtel Regina, Matisse plaça *Femmes et singes* (musée Ludwig, Cologne), les singes ayant été ajoutés à une version antérieure de la composition, afin de s'intégrer à leur nouveau décor architectural.

Les dernières phases de l'activité de Picasso en tant que sculpteur le rapprochent une fois encore de Matisse, en ce sens qu'elles impliquèrent l'emploi de ciseaux et de papier. Picasso avait observé avec fascination l'évolution des découpages de Matisse. On a également suggéré que son propre usage de découpages dans du papier photographique, exécutés en 1954 en collaboration avec André Villiers, l'a peut-être influencé dans la création d'un nouveau type de sculpture plane [14]. 1954 vit aussi la création de ses premières têtes en métal plié, exécutées à partir de modèles en carton par des assistants, dans un atelier situé juste à la sortie de Vallauris. Ces œuvres lui étaient ensuite retournées en vue d'embellissements linéaires et parfois colorés [15]. Dans un second groupe de têtes datant de 1957, celles-ci sont fixées sur des pieux circulaires ou des socles angu- leux et allongés, qui leur donnent un aspect totémique. La réduction audacieuse des marques signifiant les yeux, la bouche, les narines et les oreilles, qui identifient ces sculptures « poteaux indicateurs » à des têtes humaines, a une affinité avec celles employées par Picasso dans ses tableaux de la fin des années vingt, et souligne son désir renouvelé de créer un nouveau langage de signes abrégés. Vers cette époque, il confia à un ami proche : « Ce qu'il faut, c'est *nommer* les choses. Il faut les appeler par leur nom. Je *nomme* l'œil. Je *nomme* le pied. Je *nomme* la tête de mon chien sur les genoux. Je *nomme* les genoux... *Nommer*. C'est tout. Ça suffit [16]. » Plus tôt, Matisse avait déclaré au poète Louis Aragon : « Un signe pour chaque chose. C'est un progrès de l'artiste dans la connaissance et l'expression du monde, une économie de temps, l'indication au plus bref d'un caractère, d'une chose [17]. »

En novembre 1960, Picasso se rend dans l'usine de Vallauris où avaient été produites ses premières pièces en tôle. L'usine était maintenant occupée par Lionel Prejer et ses associés dans une entre- prise impliquant la fabrication de tubes métalliques coniques. Picasso suggéra qu'ils travaillent

ensemble [18]. Cette collaboration fut à l'origine des plus belles sculptures tardives de Picasso. Le modèle archétypal de l'ingéniosité de Picasso pour envisager de futures sculptures en deux dimensions est très certainement *La Chaise* de 1961. Prejer se rappela que, lors d'une de ses visites presque quotidiennes à Picasso, il vit une étrange forme tentaculaire dessinée au fusain sur un énorme morceau de papier d'emballage. « C'est une chaise, expliqua Picasso, et voyez-vous c'est là une explication du cubisme ! Imaginez une chaise passée sous un rouleau compresseur, eh bien ça donnerait à peu près cela [19]. » Inutile de le dire, coupée et pliée, cette esquisse en forme de pieuvre fut transposée en un meuble entièrement convaincant et mémorable. Par son originalité et sa versatilité, cette *Chaise* rivalise avec les deux constructions géantes d'instruments de musique de 1915 et 1924, qui se trouvent aujourd'hui toutes les deux au musée Picasso à Paris.

Les années 1961-1962 devaient être pour Picasso étonnamment fertiles du point de vue de ses sculptures coudées et pliées – environ cent vingt furent créées, la plupart sous la supervision de Prejer. Certaines d'entre elles sont simplement joueuses, mais les plus ambitieuses et les mieux réalisées évoquent de lointains échos matissiens, au moins à cause de leur apparente absence de poids, une sensation renforcée par le fait qu'elles furent presque toutes peintes en un blanc pur et mat par les ouvriers de Prejer. *Femme au plateau et à la sébile* (cat. 156) évoque aussitôt la servante des variantes exécutées par Picasso à partir des *Femmes d'Alger* en 1955, qui sont elles-mêmes des tributs à Matisse [20]. *Nu debout* de 1960 ou 1961 trouve des affinités avec le *Nu bleu debout* de Matisse, également frontal. Dans ces deux œuvres, l'impact des ciseaux est évident. La *Vénus* réalisée par Matisse en 1952, l'un de ses derniers papiers découpés en bleu et blanc, est son ultime affirmation du jeu entre formes et découpes positives et négatives. C'était un aspect de la peinture et de la sculpture qui avait fasciné Picasso pendant les premières années de son cubisme synthétique, mais qui n'avait pas intéressé Matisse dans les années suivantes, lorsqu'il avait reconnu qu'il devait affronter le cubisme afin d'accomplir et d'enrichir sa propre production artistique. Ce fut seulement durant les années consacrées au découpage, tandis que des formes temporairement non désirées ou négatives tombaient par terre loin de ses ciseaux, qu'il se mit à reconnaître leur potentiel. *Vénus* est présente dans son absence, définie par les contours de papier bleu qui l'entourent ; ses membres inférieurs traversent et montent dans le fond blanc en repoussant les bleus dans l'espace. C'est un langage qui avait fasciné Picasso dans sa production sculpturale à partir de 1912 et au-delà. Il trouva l'une de ses expressions ultimes, parmi les plus complexes et les plus subtiles, dans les *Têtes* tardives de 1961. Et si les papiers découpés bleus et blancs de Matisse sont, en un sens très réel, des sculptures de remplacement, les sculptures en métal blanc coudé et plié de Picasso aspirent à la condition de la peinture. Les personnages en métal plié définissent un espace peu profond et le font discrètement ; ce sont des sculptures qui se fondent au mur. Comme les acrobates et les nageuses de Matisse, elles sont en lévitation et ne portent aucune trace de l'angoisse qui devait imprégner tant de tableaux qui leur succédèrent.

J. G.

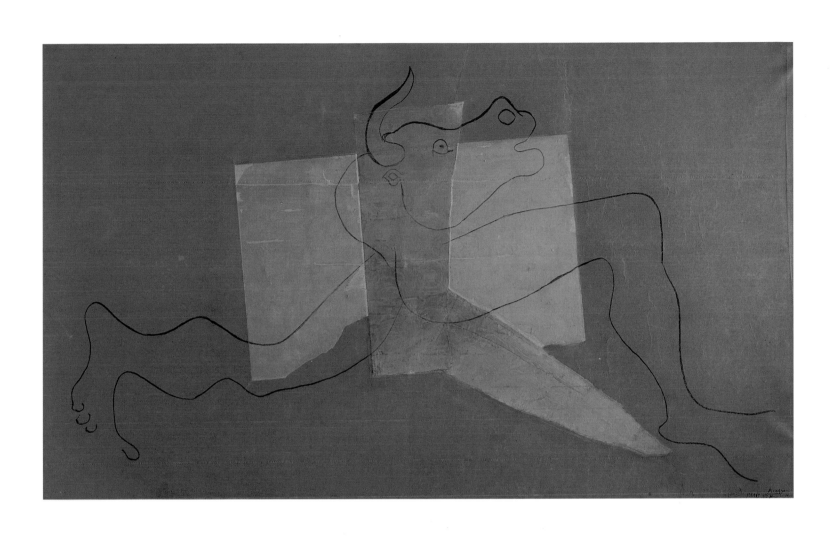

PABLO PICASSO

145 *Minotaure*, 1928

Fusain et papier collé sur toile, 142 x 232

Centre Georges Pompidou, Paris, Musée national d'art

moderne/Centre de création industrielle,

donation de Marie Cuttoli (Paris) en 1963

PABLO PICASSO

146 *Tête*, 1962-1964

(Maquette pour la sculpture en plein air du Chicago Civic Center)

Fer et tôle découpée, pliée et assemblée, 105 x 70 x 48

Collection Marina Picasso

HENRI MATISSE
147 *La Chevelure*, 1952
Papier découpé et collé, 108 x 80
Collection particulière

321

Henri Matisse
148 *Nu bleu II*, 1952
Papiers gouachés découpés et collés sur papier blanc
marouflé sur toile, 116,1 x 88,9
Centre Georges Pompidou, Paris, Musée national d'art
moderne/Centre de création industrielle, achat en 1984

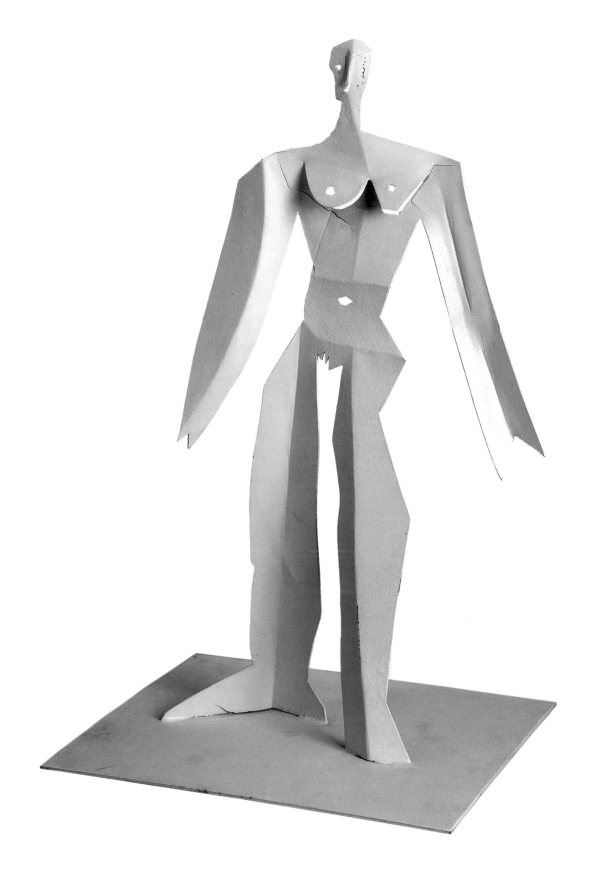

PABLO PICASSO
150 *Baigneuse*, 1961
Tôle, 42 x 30 x 21
Collection particulière

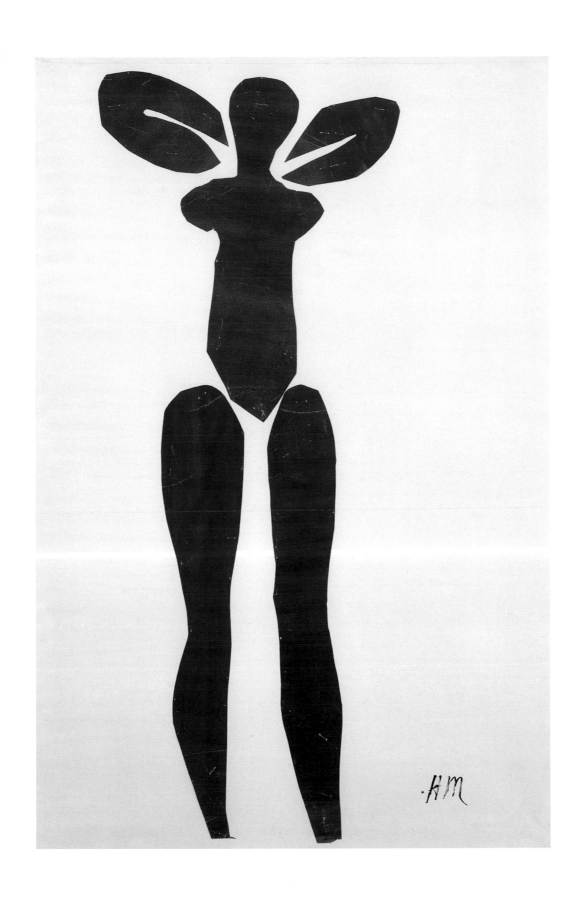

HENRI MATISSE
151 *Nu bleu debout*, 1952
Papier découpé et collé, 115,5 x 76,3
Pierre and Maria Gaetana Matisse Foundation

PABLO PICASSO
152 *La Chaise*, 1961
Tôle peinte, 111,5 x 114,5 x 89
Musée Picasso, Paris

HENRI MATISSE
153 *Nu bleu I*, 1952
Papiers gouachés et collés sur papier blanc
marouflé sur toile, 106 x 78
Fondation Beyeler, Riehen/Bâle

327

HENRI MATISSE

154 *Vénus*, 1952

Papier découpé et collé sur toile, 101,2 x 76,5

National Gallery of Art, Washington, Alisa Mellon Bruce Fund, 1973

PABLO PICASSO
155 *Tête de femme, profil*, 1961
Tôle brute, 30 x 20 x 11,5
Collection particulière

329

33   Memento Mori

Deux mois après la première rencontre de Matisse et de Picasso, au printemps 1906, Matisse était en Algérie où il ouvrait son art à ce qu'il appellerait l'influence de l'Orient, et Picasso était sur le point de peindre un *Harem* inspiré par Ingres [1]. Deux mois après la mort de Matisse, le 3 novembre 1954, Picasso entama son cycle de variations en quinze tableaux sur les *Femmes d'Alger* peint par Eugène Delacroix, en 1834 [2] (fig. 67). « Matisse en mourant, dit Picasso à Roland Penrose, m'a légué ses odalisques et voilà mon idée de l'Orient, bien que je n'y sois jamais allé [3]. »

La revendication de cet héritage diffère de toutes les réactions précédentes de Picasso envers Matisse, ou vice versa, pour cette raison évidente qu'il ne pouvait y avoir la moindre réponse de l'autre artiste. Ce fait accorde un caractère particulièrement poignant au premier cycle majeur de variations sur les maîtres anciens entrepris par Picasso – et contribue peut-être à expliquer pourquoi il n'y eut pas seulement une toile, mais une série. Matisse n'étant plus en mesure de lui répondre, Picasso devait répondre à sa place, puis lui répondre, puis de nouveau répondre à sa place. Ainsi pourra-t-on dire que ce cycle contient des « Matisse » colorés et voluptueux, ainsi que d'austères « Picasso » géométriques, mais cela reviendrait à préjuger de ce qui appartient en propre à Matisse et à Picasso [4]. « Oui, il est mort », dit Picasso en reconnaissant la présence de Matisse dans sa production récente. « Il est mort, et moi, je continue son travail [5]. » Chaque œuvre de ce cycle est donc pour Picasso une sorte de collaboration imaginée avec Matisse, tout autant qu'avec Delacroix ; ou plutôt, une collaboration imaginée avec Matisse sur le thème de Delacroix.

Cela est même vrai de l'œuvre la plus sévère de toute la série, l'antépénultième et monochromatique Tableau M, peint le 11 février 1955. L'odalisque encadrée dans la porte au centre avait été la première citation ostensiblement matissienne à apparaître dans la série. Son apparition sur le Tableau D, du 1er janvier 1955 (fig. 68), le lendemain de ce qui aurait été le quatre-vingt-cinquième anniversaire de Matisse, n'est peut-être pas significative, mais sa dérivation précise fait sans doute partie de la signification nouvelle qu'elle apporte. Matisse avait utilisé cette pose dans le tout premier de ses tableaux achetés pour les collections nationales françaises, *Odalisque au pantalon rouge* de 1921 [6], et lorsqu'il le retoucha deux ans plus tard, il le baptisa *La Pose hindoue* (fig. 71). Cette odalisque, écrit Leo Steinberg, « apparaît pour la première fois comme une présence attentive, voyant tout ce que nous voyons, mais le voyant par-derrière, inéluctablement associée à Matisse [7] ». Ainsi voit-elle – à travers les yeux de Matisse – ce que nous ne devrions logiquement pas voir, à savoir l'envers de la grande figure allongée au premier plan, dont le développement de la pose constituait l'argument dramatique de la série tout entière. Picasso ne fut certes pas sans remarquer que le fait de développer un nu allongé dans une série de variations sur un tableau consistait à revisiter ce que Matisse avait très exactement réalisé vingt ans plus tôt avec ce qu'on a appelé son *Nu rose* (cat. 107). De même, il ne pouvait pas oublier que le *Nu rose* de Matisse succédait notoirement à son *Nu bleu* (cat. 15) de 1907, que l'artiste avait conçu comme un « souvenir » de son séjour en Algérie, juste après la rencontre entre les deux artistes.

Steinberg explique le problème de représentation auquel se confronta Picasso pour la mise en forme du personnage allongé (qu'il appelle la Dormeuse), problème que l'artiste résolut dans le Tableau M, qualifié par Steinberg à juste titre de chef-d'œuvre de la série. « Le problème consistait

PABLO PICASSO

156 *Femme au plateau et à la sébile*, 1961

Fer peint, 114,6 x 62 x 35,5

Collection particulière

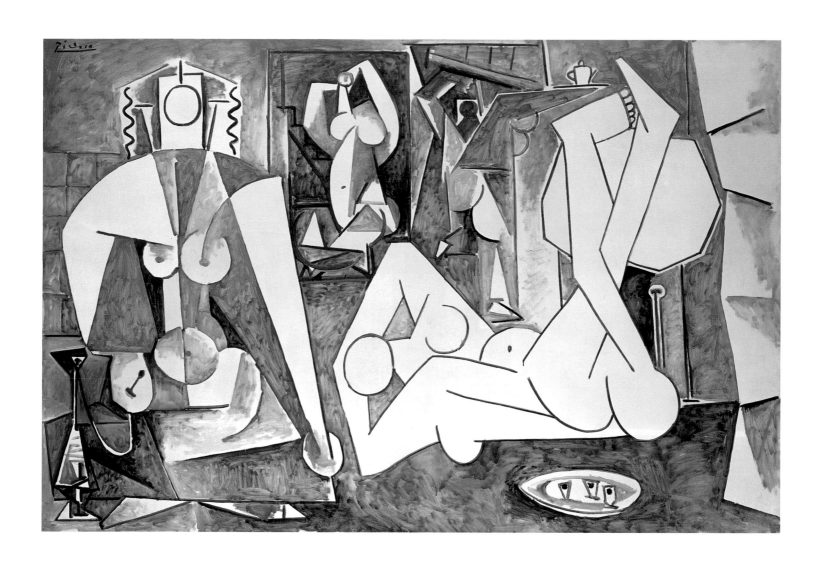

PABLO PICASSO
157 *Femmes d'Alger d'après Delacroix (Tableau M)*, 1955
Huile sur toile, 130 x 195
Collection particulière

À distance

Bien qu'aucun de ces tableaux ne montre un visage, tous deux sont certainement des autoportraits. Dans le cas de Picasso, nous disposons de son propre témoignage. Répondant au photographe David Douglas Duncan qui l'interrogeait sur le sens de *L'Ombre*, l'artiste vexé pointa un index comminatoire vers l'image et répondit sèchement qu'elle provenait de la chambre qu'il avait partagée avec Françoise Gilot dans sa villa à Vallauris. « Vous voyez mon ombre ? dit-il. Je venais de quitter la fenêtre. Maintenant, vous voyez mon ombre et la lumière qui tombe sur le lit et sur le sol ? Voyez la petite charrette sur la commode et le petit vase sur la cheminée ? Ils viennent de Sicile et ils sont toujours dans la maison. » (Tenant compte de cet indice, Duncan reconnut alors, dans le motif noir et blanc situé entre les bras de l'ombre et son buste, un tapis disposé sur le sol de la chambre à coucher [1]). Dans le cas de Matisse, il y a sans doute une certaine logique à considérer le personnage du *Violoniste à la fenêtre* comme le fils de l'artiste, Pierre. La formation musicale du jeune garçon avait déjà constitué le sujet de *La Leçon de piano* de 1916 (cat. 62) et, juste avant la date probable de la création de ce tableau (printemps 1918), Matisse fit un croquis au fusain de son fils jouant du violon, vu de derrière (fig. 72). Néanmoins, beaucoup plus tard, Pierre lui-même – qui n'avait aucun souvenir d'avoir posé pour le croquis au fusain – confirma que *Le Violoniste à la fenêtre* représentait son père [2]. Les deux tableaux montrent des peintres qui ne peignent pas, mais qui se livrent, ouvertement ou implicitement, à des sublimations d'ordres différents : faire de la musique dans le cas de Matisse, faire l'amour dans celui de Picasso.

Le Violoniste à la fenêtre fut peint par Matisse à l'approche de la cinquantaine, *L'Ombre*, alors que Picasso avait soixante-douze ans. L'intérêt qu'on peut trouver à les considérer ensemble inclut non seulement des échos de motif et de forme, mais des enjeux plus profonds qui les situent à l'écart du mode habituel d'autoreprésentation de chaque artiste. Nous sommes familiers de la pratique de Picasso consistant à se représenter, non pas littéralement, mais en projetant son identité dans un personnage observé – le Minotaure, l'Arlequin, etc. Matisse, à l'inverse, se montre de la manière la plus typique à travers le reflet du miroir et/ou avec la notation supplémentaire et consciente évoquée par l'inclusion dans l'image d'une palette ou d'une planche à dessin qu'il tient alors même qu'il peint la scène. Autrement dit, en ce qui concerne le point de vue, nous sommes habitués à être « en dehors » de Picasso et « à l'intérieur » de Matisse. Ici, ces habitudes sont interverties. Formellement, on pourrait considérer chaque tableau comme empruntant au vocabulaire de l'autre artiste. Même si *Le Violoniste à la fenêtre* fut peint loin de Paris (à Nice, un an environ après l'installation de Matisse [3]), sa stricte construction en grille et la dure austérité des « parenthèses » noires situées à gauche et à droite renvoient clairement à la rigueur géométrique des récentes rencontres de Matisse avec le cubisme. À son tour, le réseau plat et anguleux des lignes en réserve sur la toile vierge, avec lesquelles Picasso structure sa pièce, emprunte une technique revendiquée par Matisse dans *L'Atelier rouge* [4] plusieurs décennies plus tôt.

Au cœur des deux œuvres se trouve le motif romantique et familier de la fenêtre comme *proscenium*, division entre ce que Schiller appela « la poésie de la possession » et « la poésie du désir » – entre le domaine de l'expérience privée et le monde extérieur [5]. Mais ici la relation entre intérieur et extérieur est rendue plus complexe et les dualités traditionnelles du proche et du lointain s'effondrent.

Dans le cas de Matisse, toute la « profondeur », en termes picturaux et émotionnels, est à l'intérieur. Dehors, une vue aplatie inclut des nuages qui l'obscurcissent, au-dessus desquels plane un ciel d'un rouge inquiétant (reflétant non seulement cette saison niçoise exceptionnellement pluvieuse, mais aussi l'angoisse de la guerre qui perdurait [6]). C'est seulement l'intérieur des meneaux et les volets tournés vers le dedans qui proposent la teinte plus tendre de cieux plus bleus. Les meneaux se croisent exactement au niveau de l'œil du musicien, devant son visage, cadrant visuellement (ou « crucifiant ») sa tête et faisant obstacle à sa vision. De plus, la grille fermée des panneaux de verre évoque, non pas l'analogie habituelle de la surface de la toile comme « fenêtre ouverte sur le monde », mais le cadre situé derrière la toile. Ainsi, bien que le spectateur se trouve derrière l'artiste, à l'extérieur et regardant à l'intérieur, ce fait le suggère placé derrière son œuvre, à l'intérieur et regardant à l'extérieur – peut-être une connotation appropriée pour ce motif de l'art en tant que consolation privée, accompli devant le monde mais aussi à l'écart du monde.

À l'inverse, la fenêtre de Picasso est dématérialisée, un pan de lumière tombant dans une pièce obscurcie. Le jeu résultant d'angles obliques et de superpositions, d'opacités et de transparences, rappelle le début du cubisme, sur un mode radicalement différent du treillis strict et aplati du *Violoniste à la fenêtre*. Cette chambre de mariage – *camera dei sposi* – devient une *camera oscura*, au sens photographique du terme, qui reçoit une projection du monde extérieur. Le « négatif », où ne tombe aucune lumière, est Picasso, créant la scène à partir de son point de vue, regardant sa propre extension ou le trou noir qu'il crée devant lui dans le monde. Si la fenêtre est une métaphore romantique de nos aspirations, l'ombre est, depuis l'allégorie de la caverne platonicienne, l'une des métaphores occidentales les plus anciennes pour désigner les limitations restrictives de notre savoir. Par ailleurs, un mythe grec nous explique que le premier dessin est dû à une femme qui traça l'ombre de son amant avant le départ de celui-ci pour la guerre, associant ainsi l'ombre à une icône primordiale de l'évanescence physique et à une possession sublimée, par délégation. Ces deux connotations de la limite et de la perte semblent appropriées pour ce tableau, compte tenu de ce que nous savons sur les événements de la vie de Picasso à l'époque de sa création.

Grâce à la datation précise de l'artiste, nous savons que ce tableau fut peint au cours des jours séparant Noël 1953 et le Nouvel An. Quelques jours plus tôt seulement, Françoise, qui avait rompu avec Picasso peu de temps auparavant, était venue dans le Midi afin d'y chercher leurs enfants, Paloma et Claude, pour les vacances [7]. Que Françoise ait pris garde de ne pas voir Picasso durant cette visite ne fit que mettre un point final à leur relation. Surtout compte tenu de ces circonstances, nous sommes contraints de voir dans cette scène de rencontre sexuelle dans l'après-midi, peinte par un homme âgé laissé seul dans une maison pleine de souvenirs érotiques, une imagerie de l'incomplétude et du fantasme frustré. Dans certains tableaux des années vingt, Picasso avait souvent inclus son image comme une ombre, sous forme d'une tête vue de profil qui, détachée et inviolable, surveillait les difformités monstrueuses et menaçantes qu'il inventait pour ses personnages féminins [8]. Ici, lors d'une rencontre plus frontale impliquant tout son corps, le divorce entre l'ombre et son environnement prend une signification moins assurée, plus poignante. Les suggestions de l'échec du contact sont doubles, sinon triples. D'abord, l'élimination des mains de la silhouette souligne le caractère intangible d'une expérience qui ne saurait être tactile. Ensuite, la tête en forme de bouton de porte, à l'extrémité de son parcours vers l'intérieur, est enfermée dans la baie ouverte du corps cambré de la femme, mais ne touche nulle part son périmètre. Enfin, l'autre image de pénétration, où les fesses pendulaires du nu servent aussi de testicules sous l'extension en forme de hampe de la partie inférieure de son corps, vers l'ouverture obscure de la cheminée située à droite, est tranchée par l'abrupt pan de lumière. Aucun contact, aucune friction, aucune transmission de sensation, seulement la conscience de la masse obscure de l'artiste adossé à

l'univers lumineux, observant, d'un seuil lointain, un fantôme blanc inaccessible. Comme Denis Hollier l'a fait remarquer, le lendemain même, Picasso transmuta cette scène de fiasco érotique en une image plus riche, plus pleine, d'un atelier encombré, incluant une femme nue – entourée, parmi d'autres choses, des mêmes jouets siciliens –, maintenant plus confortablement située dans la soumission au travail de l'artiste [9].

Le tableau de Matisse est également issu d'un moment de crise dans la vie de l'artiste, mais d'un ordre différent. Son installation dans le sud de la France mit un terme à des années d'épreuves, d'efforts et de réussites, en partie consacrées à des confrontations avec une avant-garde cubiste qui lui semblait étrangère et usurpatrice, et qui furent marquées par des ambitions fondamentales incarnées dans des toiles monumentales. Il était sur le point d'effectuer un changement radical dans son art et (à cause de l'élimination de ses protecteurs notoires par la révolution russe) se sentait incertain quant à la manière dont le marché allait accueillir ce changement. Cette image de soi qu'il conçut en ce moment crucial mêle trois thèmes qui avaient été récurrents et continueraient de l'être dans l'œuvre de l'artiste : la fenêtre, la vue de dos et la musique. On peut considérer le premier comme incarnant l'aspiration à et l'observation de l'extérieur, le second comme la dissimulation, l'intériorité et les secrets gardés, le troisième – mélangeant sensation et sentiment – comme la force abstraite et irrésistible exercée par l'art sur ses créateurs et ses récepteurs aussi bien. Dès le premier croquis de 1909 pour l'œuvre décorative intitulée *Musique* de 1911, Matisse avait installé le personnage du violoniste comme un substitut de l'artiste (Matisse était, bien sûr, lui-même un ardent violoniste amateur), debout et solitaire sur le côté, tandis que sa mélodie inspirait les autres à la rêverie ou à la danse. Ici, l'isolement et l'intériorité sont plus complets, l'art est une consolation plus intense, dans une image d'exercice et non de concert. Le fondement biographique de cette métaphore se trouve peut-être dans l'expérience de la solitude qui imprégna les exercices musicaux de Matisse à cette époque. Après son arrivée à Nice, il commença, selon son épouse, à « étudier sérieusement le violon ». Tenant à une heure de pratique quotidienne dans son emploi du temps, il choisit comme « atelier » de musique une salle de bains écartée dans l'hôtel où il vivait, « afin de ne pas ennuyer ses voisins ». En un regard rétrospectif sur cette période, Mme Matisse relata à Raymond Escholier qu'elle avait demandé à son mari pourquoi il tenait autant à cette pratique et qu'elle avait reçu une réponse consternante : « Henri me dit très simplement, se rappelle-t-elle : "C'est un fait que je crains de perdre la vue et de ne plus pouvoir peindre. Alors j'ai songé à une chose : aveugle, on doit renoncer à la peinture, mais pas à la musique [...] Alors, je pourrais toujours aller dans les cours et jouer du violon. Ainsi, il me serait possible de vous faire vivre." [10] »

Exactement comme pour le contexte intime de Picasso et de *L'Ombre*, il est presque impossible de ne pas lire ce souvenir dans *Le Violoniste à la fenêtre*, trouvant ainsi dans cette terreur de la cécité, non seulement un élément synchronique de l'imagerie de la vision bloquée et de l'orbe vide, massif, de la tête, mais un contexte pour l'impression mélancolique d'enfermement qui imprègne ce tableau. De son vivant, Matisse n'a jamais montré cette œuvre, la jugeant peut-être pas entièrement achevée, ou d'une intention trop littérale et sentimentale (contrairement, par exemple, à la comédie sévère et énervante du thème voisin de *La Leçon de piano*), ou tout simplement trop intime, selon lui, dans ses associations.

K. V.

HENRI MATISSE
158 *Le Violoniste à la fenêtre*, 1918
Huile sur toile, 150 x 98
Centre Georges Pompidou, Paris, Musée national d'art
moderne/Centre de création industrielle, achat en 1975

Pablo Picasso
159 *L'Ombre*, 1953
Huile sur toile, 125,5 x 96,5
Musée Picasso, Paris

Notes

Liste des Abréviations
MNAM: Musée national d'art moderne

Les références aux catalogues raisonnés de Matisse et de Picasso ont été abrégées de la façon suivante :
Duthuit : Claude Duthuit (sous la dir. de) et Wanda de Guébriant, *Henri Matisse : Catalogue raisonné de l'œuvre sculpté*, Paris 1997.
MP : Musée Picasso, Paris, suivi du numéro d'inventaire.
S : Werner Spies et Christine Piot, *Picasso: Das Plastische Werk*, Stuttgart 1984.
Z : Christian Zervos, *Catalogue général illustré de l'œuvre de Picasso*, 33 vols, Paris 1932–75.

Introduction

1. Cité dans Pierre Daix, *La Vie de peintre de Pablo Picasso*, Paris, 1977, p. 81.
2. John Richardson, *A Life of Picasso : volume 1, 1881-1906*, New York, 1991, p. 413.
3. Gertrude Stein, *Autobiographie d'Alice B. Toklas* (1934), Paris, Gallimard, « L'Imaginaire », 1980, p. 61.
4. Fernande Olivier, *Picasso et ses amis*, Paris, Stock, 1933, p. 103.
5. Gertrude Stein, 1980, *op. cit.*, p. 72.
6. Voir note 7.
7. Cité dans Pierre Schneider, *Matisse*, Paris, Flammarion, 1984, p. 733.
8. Voir Chronologie : 1907.
9. John Richardson, *A Life of Picasso : volume 2, 1907-1917*, New York, 1996, p. 90.
10. Cité dans Pierre Schneider, 1984, *op. cit.*, p. 734.
11. Henri Matisse, *Écrits et propos sur l'art*, édition établie par Dominique Fourcade, Paris, Hermann, 1972, p. 83.
12. *Ibid.*, p. 47.
13. *Ibid.*, p. 203.
14. Alfred H. Barr, *Matisse, his Art and his Public*, The Museum of Modern Art, New York, 1951, p. 178.
15. John Richardson, 1991, *op. cit.*, p. 419.
16. Ce fut seulement relativement tard dans son existence que Matisse s'intéressa parfois au fait de rendre la couleur indépendante de la ligne. Il parla du *Rêve* de 1940 (coll. part.) de ce point de vue.
17. Henri Matisse, 1972, *op. cit.*, p. 115. Matisse parle ici précisément de sa *Nature morte d'après « La Desserte » de Jan Davidsz. de Heem* de 1915 (cat. 67).
18. *Tête blanche et rose*, 1914-1915 (Musée national d'art moderne, Paris).
19. Voir Chronologie : 1913-1914.
20. Voir Chronologie : 1906.
21. Voir chapitre 17.
22. Cité dans Yve-Alain Bois, *Matisse and Picasso*, catalogue d'exposition, Kimbell Art Museum, Fort Worth, 1998, p. 33. (Bois reprend une citation publiée dans Rémi Labrusse, voir Bois, note 69. Je suis profondément redevable à l'ouvrage d'Yve-Alain Bois).
23. André Breton, *Le Surréalisme et la Peinture* (1928), Paris, 1964, p. 7.
24. Voir chapitre 17.
25. Voir Chronologie : 1924-1925.
26. Jean Cocteau, *Le Rappel à l'ordre*, Paris, Stock, 1926, p. 98.
27. Voir chapitre 30.
28. Cité dans Pierre Schneider, 1984, *op. cit.*, p. 588, repris dans John Richardson, 1991, *op. cit.*, p. 417.
29. Voir Chronologie : 1932.
30. Voir Chronologie : 1928-1934.
31. Les textes de Christian Zervos dans ses propres *Cahiers d'art*, 1926-1960, constituaient une exception à cet égard.
32. Voir Chronologie : 1921 et 1931.
33. Yve-Alain Bois, 1998, *op. cit.*, p. 77.
34. *Ibid.*, p. 110.
35. Cela est souligné par le fait que Matisse, qui détestait s'engager ouvertement sur des problèmes d'ordre public, signa deux des proclamations de Picasso, politiquement [illegible]
36. John Richardson, 1996, *op. cit.*, p. 14.
37. Cela fait référence au fait qu'André Derain et Maurice de Vlaminck acceptèrent de visiter l'Allemagne en 1941 pour un voyage de « bonne volonté ».
38. En 1934, un inventaire de la collection de Matisse fut entrepris. En 1936, il donna son Cézanne, *Trois Baigneuses*, au musée d'Art moderne de la Ville de Paris. L'important tableau de Degas, *La Coiffure*, aujourd'hui à la National Gallery de Londres (ne figurant pas dans l'inventaire), fut vendu à son fils Pierre vers 1936. Les photographies prises dans l'appartement de Matisse à Nice, place Charles-Félix, montrent des œuvres de ses mentors du XIXe siècle accrochées sur les murs. Au moins l'un des Cézanne fit partie de sa succession. Mais à ma connaissance, aucune photographie prise dans ses intérieurs ultérieurs de Cimiez et de Vence ne montre aux murs des œuvres de sa collection privée, autres que celles de Picasso.
39. Yve-Alain Bois, 1998, *op. cit.*, p. 180.
40. Voir Chronologie : 1946-1947.
41. John Russell, *Matisse, père et fils*, Paris, La Martinière, 1999, p. 245.
42. André Verdet, *Entretiens, notes et écrits sur la peinture*, Paris, Galilée, 1978, p. 135-139.
43. Voir Chronologie : 1951.
44. Pour une description détaillée de ces visites, voir Yve-Alain Bois, 1998, *op. cit.*, p. 192-204.
45. Voir Chronologie : 1948.
46. Yve-Alain Bois, 1998, *op. cit.*, p. 212-215.
47. Pierre Daix, *Picasso Créateur*, Paris, Éditions du Seuil, 1987, p. 332.
48. Hélène Parmelin, *Picasso dit...*, Paris, Gonthier, 1966, p. 135.
49. Roland Penrose, *Picasso*, Paris, Flammarion, 1982, p. 159.
50. Françoise Gilot et Carlton Lake, *Life with Picasso*, Londres, 1964, p. 255 ; Françoise Gilot, *Matisse et Picasso : une amitié*, Paris, Robert Laffond, 1991, p. 219.

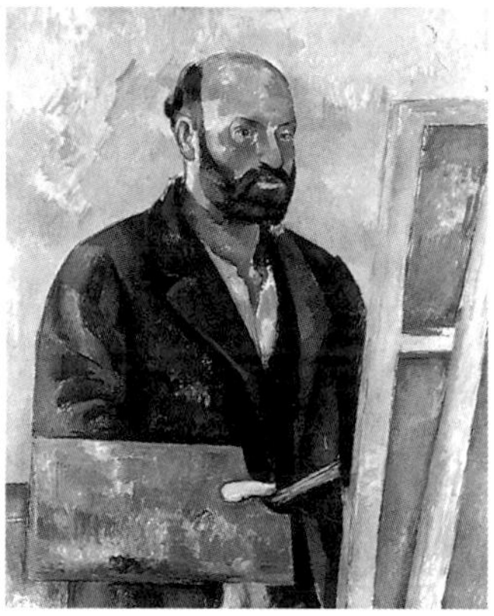

Fig. 18
Paul Cézanne
Autoportrait à la palette, 1890
Huile sur toile, 92 x 73
Bürhle Foundation, Zurich

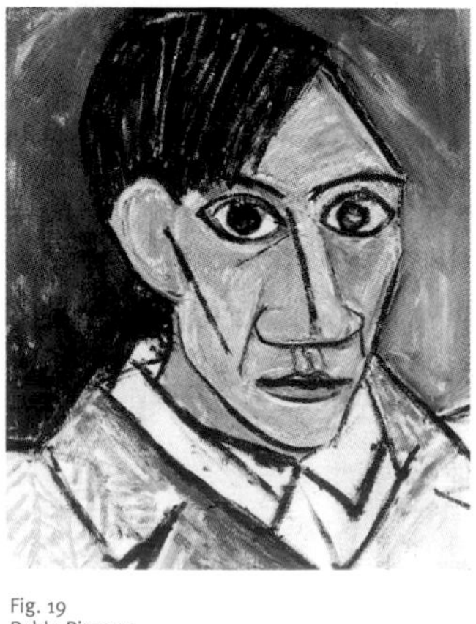

Fig. 19
Pablo Picasso
Autoportrait, 1907
Huile sur toile, 50 x 40
National Gallery, Prague

1

1. Voir ces œuvres dans John Elderfield, *Henri Matisse : A Retrospective*, catalogue d'exposition, The Museum of Modern Art, New York, 1992, p. 162, 165.
2. Gaston Diehl, *Henri Matisse*, Paris, 1954, p. 136 : « On a maintes fois souligné l'aspect "masque de tragédie" de cet extraordinaire portrait. » Katherine C. Bock, « Henri Matisse's Self-Portraits : Presentation and Representation », dans Mary Matthews Gedo, éd., *Psychoanalytic Perspectives in Art*, New Jersey, 1988, p. 245 : « L'effet est hautement agressif, audacieux, mais rétif, plein de force, mais doté d'une méfiance juvénile. » John Klein, « Matisse et l'autoportrait : démarches individuelles et relation avec le public », dans *Henri Matisse, Autoportraits*, catalogue d'exposition, musée Matisse du Cateau-Cambrésis, 1988, p. 14 : « Il se représente avec beaucoup d'expressivité sous les traits d'un explorateur aventureux, un marin endurci. Sa sereine confiance en lui, à la limite de l'arrogance, s'exprime dans ses yeux et sa bouche. »
3. Alfred H. Barr, *Matisse, his Art and his Public*, The Museum of Modern Art, New York, 1951, p. 94 : « Dans l'*Autoportrait* [...] l'artiste s'est présenté lui-même en maillot rayé de marin et sans lunettes. Curieusement, l'effet est à la fois décontracté et monumental. Les traits sont taillés en grands plans et en violentes lignes noires, comme à coups de serpe. » Voir aussi Jack Flam, *Matisse, The Man and His Art, 1869-1918*, Londres, Thames and Hudson, 1986, p. 183-184 : « Il y a quelque chose à la fois de romantique et d'appréciateur dans l'égalité de son regard, dans la fermeté avec laquelle la tête occupe en même temps le rectangle encadré de la toile et l'espace solide situé derrière, qui est taillé comme à coups de ciseau. »
4. Gertrude Stein, *Autobiographie d'Alice B. Toklas*, Paris, 1980, p. 72.
5. Georges Duthuit, *Les Fauves*, Genève, 1949, p. 216-217 : « "À bas le portrait de Marguerite", criaient les camarades de Picasso dans les rues de Montmartre, à la période héroïque du té, de l'équerre, des collages et du grand sentiment. » André Salmon, *Souvenirs sans fin, première époque, 1903-1908*, Paris, 1955, p. 187-188 : « Comme Matisse valait qu'on le tînt pour un grand artiste rien que sensible à une sorte de sensualité filtrée, hors de la vie telle qu'elle nous apparaissait, et, en outre, imperméable, je ne dirai pas à l'humour, mais à la belle humeur, on lui a fait des blagues. Des blagues à distance respectueuse. Matisse fit présent à Picasso, qui l'inquiétait tellement, d'un portrait de sa fille Marguerite, une de ses moins bonnes toiles. En avait-il conscience et est-ce pour cela qu'il en faisait cadeau ? Tout aussitôt, nous nous sommes rendus au bazar de la rue des Abbesses où, pauvres mais ne reculant devant aucun sacrifice à la joie, nous fîmes emplette d'un Tir Euréka. Et dans l'atelier les flèches à ventouses de faire merveille sur le tableau, sans l'endommager, je dois le dire. "Pan ! dans l'œil de Marguerite !" "En plein sur la joue !" On s'amusait bien, et davantage quand on apprit que Matisse, déjà classé grand homme, menait une discrète enquête pour savoir quelle main ou quelles mains écrivaient sur les murs et palissades de Montmartre : *Matisse rend fou !* »
6. Pour la citation de Picasso de 1962, voir *Paris Match*, 9 juin 1972 : « Je pensais alors que c'était un tableau clé et je le pense encore. »
7. Françoise Gilot, *Matisse and Picasso, A Friendship in Art*, New York, 1990, p. 62 : « Une telle spontanéité fascinait Picasso, qui admirait le courage qu'il avait fallu au maître du fauvisme pour s'exprimer avec une telle candeur. Bien des années plus tard, il regrettait encore d'avoir laissé ses amis se moquer de cette œuvre alors qu'il savait ce qu'elle manifestait d'essentiel. »

2

1. Gertrude et Leo Stein achetèrent *Le Meneur de cheval* directement à l'artiste et peu de temps après l'achèvement du tableau. On voit ce dernier sur une photographie de leur appartement prise vers 1907 (The Baltimore Museum of Art, Archives Cone ; reproduit dans John Richardson, *A Life of Picasso : volume 1, 1881-1906*, New York, 1991, p. 388).
2. Henri Matisse refusa de vendre *Le Luxe I* à Michael et Sarah Stein, mais il le leur prêta entre 1908 et vers 1911. Voir Dominique Fourcade et Isabelle Monod-Fontaine, éds., *Henri Matisse : 1904-1917*, catalogue d'exposition, Musée national d'art moderne, Paris, 1993, cat. 53.
3. Ardengo Soffici, *Ricordi de vita artistica e letteraria*, Florence, 1942, p. 365-366.
4. Pour des illustrations des œuvres associées et des sources visuelles, voir William Rubin et Matthew Armstrong, *The William S. Paley Collection*, The Museum of Modern Art, New York, 1992, p. 98-103.
5. Paul Cézanne, *Le Grand Baigneur*, 1885, huile sur toile (The Museum of Modern Art, New York, The Lillie P. Bliss Collection).
6. *Le Luxe II*, 1907 ?-1908, caséine sur toile (Statens Museum for Kunst, Copenhague, collection Johannes Rump). Il existe aussi deux petites études au crayon conté et une gravure sur bois (cat. 28).
7. On a parfois daté *Le Luxe I* de la période qui a suivi le voyage de Matisse en Italie, mais il fut envoyé à Paris, à partir de Collioure, le 13 juillet 1907 (Isabelle Monod-Fontaine, avec Anne Baldassari et Claude Laugier, *Matisse, Collections du Musée national d'art moderne*, Paris, 1989, cat. 7, note 3).
8. Voir Robert Reiff, « Matisse and Torii Kiyonaga », *Arts Magazine*, n° 55, février 1981, p. 164-167.
9. « Moi, j'aime pas ça », dit-il un soir à Gertrude Stein, après que Leo lui eut montré « toute une série d'estampes japonaises ». Cette aversion partagée rapprocha Gertrude Stein et Pablo Picasso (Gertrude Stein, *Autobiographie d'Alice B. Toklas*, Paris, 1980, p. 53).
10. Pour une anthologie des critiques du Salon d'automne de 1907, voir Dominique Fourcade et Isabelle Monod-Fontaine, éds., 1993, *op. cit.*, p. 442-443.

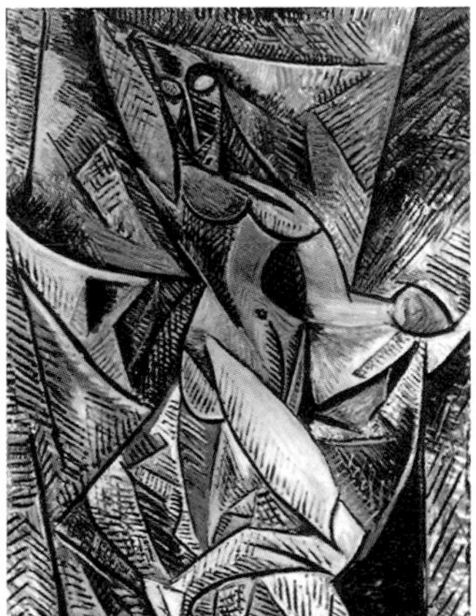

Fig. 20
Pablo Picasso
Nu à la draperie, 1907
Huile sur toile, 152 x 101
Musée national de l'Ermitage, Saint-Pétersbourg

3

Ce texte a été rédigé en étroite correspondance avec l'article de John Elderfield publié dans la version en langue anglaise de ce catalogue (notice 3, p. 41-45) et dont l'argumentation est centrée sur le vis-à-vis des *Baigneuses à la tortue* et des *Demoiselles d'Avignon*. Le choix du commissariat français s'est porté sur la confrontation des *Trois Femmes* et des *Baigneuses à la tortue*, dont la réalisation simultanée en miroir constitue un moment exceptionnel du face-à-face créatif des deux artistes. Ce dialogue pictural et thématique s'inscrit au sein d'une chaîne de relations tendues entre leurs œuvres, pour la période 1905-1908, comprenant notamment *La Famille de saltimbanques* (1905), *Le Bonheur de vivre* (1906), *Les Demoiselles d'Avignon* (1906-1907), le *Nu bleu, Souvenir de Biskra* (1907), *La Danseuse d'Avignon* (1907), *Le Luxe I* (1907), les *Trois Femmes* (1907-1908), les *Baigneuses à la tortue* (1907-1908), *La Dryade* (1908). La restitution de la complexité de ces rapports est sans commune mesure avec le cadre imparti à ce court article. Je voudrais néanmoins dédier celui-ci à Leo Steinberg dont l'essai « The Philosophical Brothel » (*October*, n° 44, printemps 1988, p. 7-74) constitue l'horizon de toute analyse de l'œuvre de Picasso pour cette période.

1. Propos de Henri Matisse rapportés par Efstratios Tériade, « Matisse Speaks », *Arts News Annual*, n° 21, 1952, repris dans Henri Matisse, *Écrits et propos sur l'art*, édition établie par Dominique Fourcade, Paris, Hermann, 1972, p. 121.
2. *Ibid.*
3. Sous l'influence directe de la statuette Vili, Picasso réalise à l'automne les *Deux Nus* (cat. 91) ou le *Nu sur fond rouge* (musée de l'Orangerie, Paris), et Matisse les deux versions du *Jeune Marin I* et *II*. La statuette Vili formera le motif central de sa *Nature morte à la sculpture africaine* de 1906-1907.
4. Les archives Picasso conservent cette série de cartes postales dues à un photographe installé à Dakar, Edmond Fortier, qui furent prises en 1905-1906. Voir nos hypothèses sur le rôle de ce fonds dans l'œuvre de Picasso de 1906-1908 dans Anne Baldassari, *Le Miroir noir : Picasso, sources photographiques 1900-1928*, catalogue d'exposition, musée Picasso, Paris, 1997, p. 69-117.
5. Gelett Burgess, « The Wild Men of Paris », *The Architectural Record*, vol. 27, n° 5, mai 1910, p. 408.
6. Pierre Schneider (*Matisse*, Paris, Flammarion, 1984, p. 551) et Isabelle Monod-Fontaine (*The Sculpture of Henri Matisse*, catalogue d'exposition, Arts Council of Great Britain, Londres, 1984, p. 12-14) ont publié les clichés ayant servi de sources, notamment pour les bronzes *Deux Négresses* ou *La Serpentine*, et pour la toile *Nu bleu, Souvenir de Biskra*.
7. Louis Vauxcelles, *Gil Blas*, 20 mars 1907.
8. Henri Matisse, « Notes d'un peintre sur son dessin », *Le Point*, n° 21, juillet 1939, repris dans Henri Matisse, 1972, *op. cit.*, p. 161.
9. Cette suscription manuscrite est portée au verso d'une carte-lettre adressée à Picasso par Leo Stein, en février 1909 (voir Anne Baldassari, *Picasso photographe, 1901-1916*, catalogue d'exposition, musée Picasso, Paris, 1994, p. 154, fig. 117).
10. « Femmes d'Afrique » fut en effet le sous-titre de plusieurs des livraisons d'une revue hebdomadaire intitulée *L'Humanité féminine*, publiée durant quelques mois entre 1906 et 1907, et dont Matisse avait utilisé le numéro de décembre 1907 comme source de ses *Deux Négresses* (voir note 6 *supra*). Amédée Vignola, l'éditeur de *L'Humanité féminine*, publiait aussi *Mes modèles*, revue également employée par Matisse.
11. Notre analyse du rôle des cartes Fortier comme possible « source » des *Demoiselles d'Avignon* a fait l'objet d'importantes remarques de la part de Carlo Ginzburg (« Oltre l'esotismo, Picasso e Warburg », dans *Rapporti di forza, storia, retorica, prova*, Milan, Feltrinelli, 2001, p. 127-147), débat que nous avons poursuivi dans « Corpus ethnicum, Picasso et la photographie coloniale », *Zoos humains*, ouvrage collectif, Paris, Éditions La Découverte, 2002, p. 340-348.
12. André Malraux, *La Tête d'obsidienne*, Paris, Gallimard, 1974, p. 18.
13. André Salmon, *Souvenirs sans fin, première époque, 1903-1908*, Paris, Gallimard, 1955, p. 187-188.
14. Guillaume Apollinaire, « Le Fauve des Fauves », *Je dis tout*, 12 octobre 1907.
15. Gertrude Stein, *Autobiographie d'Alice B. Toklas* (1934), Paris, Gallimard, « L'Imaginaire », 1980, p. 29. Cette description de l'atelier de Picasso correspond à la première visite d'Alice Toklas au Bateau-Lavoir, le 9 ou 10 octobre 1907.
16. André Salmon, *La Jeune Peinture française*, Société des Trente, Albert Massein, 1912, p. 51.
17. Sur la genèse des *Baigneuses à la tortue*, voir John Elderfield « Moving Aphrodite : on the Genesis of Bathers with a Turtle by Henri Matisse », dans *Henri Matisse « Bathers with a Turtle », St Louis Art Museum Fall Bulletin*, 1998, p. 20-49, ainsi que Yve-Alain Bois, « Un silence de pierre, *Baigneuses à la tortue* (1908) de Henri Matisse », *Les Cahiers du Musée national d'art moderne*, n° 65, automne 1998, p. 23-37.
18. Sur la genèse des *Trois Femmes*, voir Pierre Daix, « Les trois périodes de travail de Picasso sur les *Trois Femmes* (automne 1907-automne 1908), les rapports avec Braque et les débuts du cubisme », *Gazette des beaux-arts*, Paris, février 1988, p. 141-154.
19. Cette toile a disparu mais nous est connue par sa reproduction dans le catalogue de la troisième vente Kahnweiler du 4 juillet 1922, repris dans Pierre Daix, 1988, *op. cit.*, p. 150.
20. *Femmes*, la toile exposée par Braque, disparue aujourd'hui, était d'une composition très voisine de celle des *Trois Femmes* de Picasso, si l'on en juge par l'étude graphique reproduite dans « The Wild Men of Paris », 1910, *op. cit.*, p. 405.
21. Gertrude Stein, 1980, *op. cit.*, p. 24-25 et 72.
22. Voir, notamment, Gelett Burgess, 1910, *op. cit.*
23. Entre l'été 1907 et l'automne 1908, Picasso réalise plusieurs clichés de toiles en cours d'exécution ou des portraits photographiques de proches en prenant pour fond *Les Demoiselles d'Avignon* et les *Trois Femmes* à différentes étapes de leur exécution (voir Anne Baldassari, 1994, *op. cit.*, fig. 68 à 72 et 109 à 111). On peut ainsi observer comment il retravailla le premier état « africain » de son tableau après le Salon des indépendants de 1908 où exposent Braque et Derain. Entre-temps, Matisse a achevé ses *Baigneuses à la tortue* ; le dialogue pictural reprendrait alors entre les deux artistes. Le cliché du tableau publié par Gelett Burgess en 1910 fut pris en mai-juin 1908. La correspondance de Picasso avec les Stein fait cependant état, jusqu'au mois d'août, de modifications sans doute limitées, selon Pierre Daix, à des variations chromatiques. Matisse, qui dès l'automne 1907, découvre *Trois Femmes* dans son premier état, engage la toile *Baigneuses à la tortue* en décembre 1907 et la terminera en mars suivant où Hans Purrmann sert d'intermédiaire lors de sa vente à Karl-Hans Osthaus. Le 20 avril, Gelett Burgess et Inez Haynes Irwin peuvent encore voir la toile dans l'atelier lors de leur rencontre avec l'artiste.
24. Nous renvoyons ici aux seize carnets préparatoires aux *Demoiselles d'Avignon* publiés dans le volume 1 du catalogue d'exposition *Les Demoiselles d'Avignon*, Paris, Réunion des musées nationaux, 1988, ainsi qu'aux articles publiés dans le volume 2 de ce même catalogue, William Rubin, « La genèse des *Demoiselles d'Avignon* », p. 367-488, et Pierre Daix, « L'historique des *Demoiselles d'Avignon* révisé à l'aide des carnets de Picasso », p. 489-546. Dans le carnet 2 (MP 1859), les feuillets 2, 7r, 8r forment notamment les premières mises en place de cet espace, où les lignes de construction d'un ventre féminin, délimité par la ligne des hanches et parfois encadré par la double anse des bras, se constituent comme le cadre physique – architecture de drapés et de rideaux – de la composition des *Demoiselles*. Dans le carnet 3 (MP 1861), ce schéma constructif s'affirme en particulier dans les feuillets 20v, 22v, 24v, 25v ; la notation cryptée de cette composition par une croix oblique, superposant des triangles par la pointe, apparaît ici, feuillet 3r. Ce mode de construction reste lisible dans les études du carnet 6 (MP 1862), feuillets 1r à 11r, malgré la stylisation progressive de la composition. Dans le carnet 4, consacré au *Nu debout bras sur la tête*, où le feuillet 4v constitue une focalisation sur le milieu du corps, on peut également observer, dans les feuillets 11r à 16r, la manière dont les lignes de contour du corps engendrent une sorte de mandorle spatiale, notée comme une double draperie, puis un paysage de feuillage formant le contexte d'une nouvelle composition qui évoque le *Nu à la draperie* et le nu debout au centre des *Trois Femmes*. Dans le carnet 11 (suc. 1101), feuillets 1v, 3v, 6v, et tout particulièrement dans les carnets 12 (suc. 008), feuillets 1v à 11r, et 14, (suc. 079), feuillets 1r à 6r, qui abordent la torsion puis la bascule d'un *Nu debout*, on assiste, grâce aux dessins exécutés en vis-à-vis et en séquence, à cette élaboration conjointe des traits constructifs du corps féminin comme de la matrice spatiale des compositions picturales de l'année 1907. Le carnet 16 (MP 1863), en étudiant ce corps ployé en arrière, notamment feuillet 26r, permet de voir l'émergence dans les feuillets 34r, 35r, 38r, 40r, 50r, des compositions de *La Dryade*, de *La Méditation*, de la *Femme à l'éventail* et de *Femme*. On notera qu'y figure également une étude détaillée, feuillet 45r, de bras pour la femme à gauche des *Trois Femmes*.
25. Cette interprétation est attestée par la présence, dans les carnets 3 et 6 (MP 1861 et 1862), d'études où Picasso montre la portée des chiots lovés autour des mamelles de sa chienne Frika, alternant avec des figures des *Demoiselles* traitées selon des caractérisations graphiques voisines.
26. Sur cette interprétation néo-platonicienne de la figure des Grâces, voir Edgar Wind, *Mystères païens de la Renaissance*, Paris, Gallimard, « Bibliothèque illustrée des Histoires », 1992, p. 41-49.
27. *Ibid.*, p. 43-45 et 65-66.
28. Antoninus Liberalis, *Les Métamorphoses*, édition bilingue, Paris, Les Belles Lettres, 1968, XXXII, p. 54.
29. Cette interprétation s'écarte de celle d'Yve-Alain Bois (1998, *op. cit.*, p. 23-37) qui étend à ce tableau de Matisse la symbolique du « complexe de castration » couramment associée aux *Demoiselles d'Avignon*.
30. Propos de Henri Matisse rapportés par Efstratios Tériade, « Matisse Speaks », *Arts News Annual*, n° 21, 1952, repris dans Henri Matisse, 1972, *op. cit.*, p. 121.

4

1. Voir Gertrude Rosenthal, « Matisse's Reclining Figures : A Theme and Its Variations », *Baltimore Museum Art News*, n° 19, février 1956, p. 10.
2. Voir Jack Flam, *Matisse, The Man and His Art, 1869-1918*, Londres, Thames and Hudson, 1986, p. 191, 491, note 3.
3. Louis Vauxcelles, un critique contemporain, a commenté cette nouvelle virilité avec une horreur non déguisée, quand le tableau a été montré au Salon d'automne de 1907 : « Parlons sérieusement et arrêtons-nous devant M. Matisse. J'admets ne pas comprendre. Une horrible femme nue est couchée étendue dans l'herbe d'un bleu opaque sous des palmiers. En aucun cas, je ne voudrais offenser un artiste dont je connais très bien la passion et la conviction ; mais ici, le dessin me semble rudimentaire, les couleurs cruelles ; le bras droit de cette nymphe virile est plat et lourd ; les fesses du corps distordu forment une arabesque de feuillage qui motive la courbe de cette femme. Ce ballet artistique tendant vers l'abstraction m'échappe totalement » (Louis Vauxcelles, « Le Salon d'automne », *Gil Blas*, 30 septembre 1907, cité dans Jack Flam, *Matisse : A Retrospective*, New York, 1988, p. 66.)
4. Henri Matisse s'entretint avec Pierre Courthion en 1941, cité dans Claude Duthuit, éd., avec Wanda de Guébriant, *Henri Matisse. Catalogue raisonné de l'œuvre sculpté*, Paris, 1997, p. 383, note 11.

5. Voir John Elderfield, *Henri Matisse : A Retrospective*, catalogue d'exposition, The Museum of Modern Art, New York, 1992, p. 32, et Jack Flam, 1986, *op. cit.*, p. 195.

6. Pour l'analogie de la cuisse et du phallus, voir Yve-Alain Bois, « On Matisse : The Blinding », *October*, n° 68, printemps 1994, p. 105.

7. Pour une illustration de cette sculpture, voir Friedrich Tesa Bach, éd., *Constantin Brancusi, 1876-1957*, catalogue d'exposition, The Philadelphia Museum of Art, 1995, p. 141.

8. Voir Tim Clark, « Freud's Cézanne », *Farewell to an Idea*, New Haven et Londres, 1999, p. 139-167, pour une discussion du genre incertain des neuf baigneuses dans les *Grandes Baigneuses* peintes par Cézanne en 1895-1906, aujourd'hui à la Fondation Barnes. Il souligne surtout la qualité phallique de la tête d'une femme : « La tête n'est pas douée pour la métaphore. Elle essaie d'être littérale quant au sexe, et elle nous montre le phallus une bonne fois pour toutes – elle nous montre ce qu'est le phallus, physiquement, anatomiquement, matériellement » (*ibid.*, p. 147).

9. S'appuyant sur un souvenir de Marguerite Duthuit concernant la peinture encore humide accrochée au mur quand sa belle-mère et elle-même rendirent visite à Matisse à Collioure, en octobre ou novembre 1906, Jack Flam conclut que Henri Matisse retravailla ce tableau vers la même époque où il acheva *Nu allongé I* et *Nu bleu*, ce qui expliquerait pourquoi il est daté de 1907. Voir Jack Flam, 1986, *op. cit.*, p. 197 et 491, note 20.

10. *Mes modèles*, octobre 1906, reproduit dans Isabelle Monod-Fontaine, *The Sculpture of Henri Matisse*, catalogue d'exposition, Arts Council of Great Britain, Londres, 1984, p. 13.

11. « Quant à la danse du ventre, je n'ai même pas pris la peine d'en voir à Alger et j'en ai vu par hasard pendant un quart d'heure à Biskra. La célèbre Ouled-Naïls, cette blague ? On a vu cent fois mieux à l'Exposition. » Lettre de Henri Matisse à Henri Manguin, écrite en juin 1906, citée par Roger Benjamin, « Orientalist Excursions : Matisse in North Africa », dans Roger Benjamin et Caroline Turner, éds., *Matisse*, catalogue d'exposition, Queensland Art Gallery, 1993, p. 73. *Ibid.* pour une discussion générale de Biskra, p. 72-74.

12. Pour un compte rendu détaillé de la création du tableau, voir William Rubin, « The Genesis of *Les Demoiselles d'Avignon* », dans John Elderfield, éd., *Studies in Modern Art 3 : Les Demoiselles d'Avignon*, The Museum of Modern Art, New York, 1994, p. 12-144.

13. Pour une discussion concernant l'importance de la *Grande Odalisque* d'Ingres sur le travail de Picasso durant cette période, voir Michael Marrinan, « Picasso as an "Ingres" Young Cubist », *Burlington Magazine*, vol. 11a, n° 896, novembre 1977, p. 756-763. Voir aussi Susan Grace Galassi, *Picasso's Variations on the Masters*, New York, 1996, p. 37-41. L'étude la plus complète des rapports entre Ingres et Picasso est une conférence non publiée de Robert Rosenblum, présentée au Fogg Art Museum, Harvard University, en février 1981, en conjonction avec l'exposition « Master Drawings by Picasso ».

14. William Rubin cite l'observation de Lucy Lippard, pour qui les emprunts de Picasso à l'art africain sont « superficiels » (voir « Heroic Years From Humble Treasures : Notes on African and Modern Art », originellement publié dans *Art International*, vol. 10, n° 7, septembre 1966 ; réimprimé dans *Changing : Essays in Art Criticism*, New York, 1971, p. 38), mais suggère de remplacer l'adjectif « superficiel » par « indirect » et « fragmentaire » pour caractériser ces emprunts (voir William Rubin, « Picasso », dans William Rubin, éd., *Primitivism in Twentieth Century Art*, catalogue d'exposition, The Museum of Modern Art, New York, 1985, p. 267-268).

15. John Elderfield, *Pleasuring Painting : Matisse's Feminine Representation*, Londres, 1995, p. 30-32.

16. Ces publications incluent le déjà cité *Mes modèles* (octobre 1906) et *Un esthétique*. On peut trouver des reproductions de la photographie à partir de laquelle *La Serpentine* fut créée dans : Albert Elsen, *The Sculpture of Henri Matisse*, New York, 1972, p. 93 ; John Elderfield, *Matisse in the Collection of the Museum of Modern Art*, New York, 1978, p. 190 ; Isabelle Monod-Fontaine, 1984, *op. cit.*, p. 17 ; Michael Mezzatesta, *Henri Matisse, Sculptor/Painter, A Formal Analysis of Selected Works*, catalogue d'exposition, Kimbell Art Museum, Fort Worth, 1984, p. 78 ; Pierre Schneider, *Matisse*, Paris, Flammarion, 1984 ; Jack Flam, 1986, *op. cit.*, p. 271 ; John Elderfield, 1992, *op. cit.*, p. 46 ; Ernst-Gerhard Güse, éd., *Henri Matisse : Drawings and Sculpture*, catalogue d'exposition, Saarland Museum, Saarbrücken, 1991, p. 17.

17. Voir Michael Mezzatesta, 1984, *op. cit.*, p. 78, et John Elderfield, 1995, *op. cit.*, p. 32-33.

18. Pour une reproduction des photographies, prises par Edward Steichen, de Matisse en 1909, au travail sur la sculpture, montrant l'œuvre à un stade antérieur, « plus gros », et pour une discussion de l'évolution de cette sculpture, voir Roger Benjamin et Caroline Turner, éds., 1993, *op. cit.*, p. 150 ; Jack Flam, 1986, *op. cit.*, p. 269-271 ; Isabelle Monod-Fontaine, 1984, *op. cit.*, p. 17 ; Albert Elsen, 1972, *op. cit.*, p. 91-95 ; Alfred H. Barr, *Matisse, his Art and his Public*, The Museum of Modern Art, New York, 1951, p. 23 (pour la reproduction seulement).

19. Voir William Rubin, *Picasso and Braque : Pioneering Cubism*, catalogue d'exposition, The Museum of Modern Art, New York, 1996, p. 111.

20. Ce lien avec le *Nu* de Picasso de 1910 dans la Albright-Knox Art Gallery, Buffalo, New York, fut d'abord remarqué par Edward Fry (voir Kirk Varnedoe, *Masterworks from the Louise Reinhardt Smith Collection*, catalogue d'exposition, The Museum of Modern Art, New York, 1995, p. 32).

21. Voir Michael Marrinan, 1977, *op. cit.*, p. 759-760. Pour une discussion des anatomies monstrueuses de ces figures et leur potentiel érotique, voir Robert Rosenblum, « Picasso and the Anatomy of Eroticism », *Studies in Erotic Art*, New York et Londres, 1970, p. 337-392.

. . . .

Fig. 22
Pablo Picasso
Nu de face (Étude pour « Les Demoiselles d'Avignon »), 1907
Gouache, 63 x 46
University of East Anglia, Norwich, The Robert and Lisa Sainsbury Collection

Fig. 23
Pablo Picasso
Nu assis (Étude pour « Les Demoiselles d'Avignon »), 1907
Aquarelle et mine de plomb, 63,2 x 46
The British Museum, Londres

Fig. 24
Pablo Picasso
Nu couché (Étude pour « Nu à la draperie »), 1907
Gouache sur papier marouflé sur toile, 31,8 x 23,5
Collection particulière

Fig. 25
Pablo Picasso
Étude pour « Nu à la draperie », 1907
Aquarelle et encre sur papier, 31 x 24
The Baltimore Museum of Art, The Cone Collection, constituée par le D' Claribel Cone et Miss Etta Cone, Baltimore, Maryland

Fig. 26
Pablo Picasso
Étude pour « La Dryade », 1908
Gouache et encre sur papier, 63 x 36
Collection particulière

Fig. 21
Pablo Picasso
Buste de femme de trois quarts gauche, 1906
Gravure sur bois, 72,5 x 55,5
Musée Picasso, Paris

5

1. Propos de Pablo Picasso rapportés par Brassaï, *Conversations avec Picasso*, Paris, Gallimard, 1964, p. 71.

2. Propos de Pablo Picasso rapportés par Geneviève Laporte, *Si tard le soir*, Paris, Plon, 1973, p. 77.

3. Propos de Pablo Picasso rapportés par Romuald Dor de la Souchère, *Picasso à Antibes*, Paris, Fernand Hazan, 1960, p. 3.

4. Note de Henri Matisse rapportée par Louis Aragon, citée dans Henri Matisse, *Écrits et propos sur l'art*, édition établie par Dominique Fourcade, Paris, Hermann, 1972, p. 160, note 4.

5. « Notes de Matisse sur les dessins de la série *Thèmes et variations* » (1942), citées par Louis Aragon, dans « La Grande Songerie ou le Détour de Thulé » (sept. 1946), *Henri Matisse Roman*, Paris, Gallimard, 1971, t. I, p. 234.

6. Propos de Pablo Picasso rapportés par Geneviève Laporte, 1973, *op. cit.*, p. 26.

7. Note de Henri Matisse rapportée par Louis Aragon, citée dans Henri Matisse, 1972, *op. cit.*, p. 82.

8. Charles H. Caffin, « Henri Matisse and Isadora Duncan », *Camera Work*, n° 25, janvier 1909.

9. « Notes de Matisse sur les dessins de la série *Thèmes et variations* » (1942), citées par Louis Aragon, 1971, *op. cit.*, p. 234.

10. *Ibid.*

11. Voir Anne Baldassari, notice du dessin *Sans titre (Nu de dos)* (n° 53), dans Isabelle Monod-Fontaine, avec Anne Baldassari et Claude Laugier, *Matisse, Collections du Musée national d'art moderne*, Paris, 1989.

12. Cette « révélation » est relatée par Henri Matisse dans sa préface à *Portraits*, Monte-Carlo, Éditions André Sauret, 1954, repris dans Henri Matisse, 1972, *op. cit.*, p. 177.

13. Cette parure dissimule les traces de la trachéotomie que la fille de Matisse subit en 1901.

14. Gelett Burgess, « The Wild Men of Paris », *The Architectural Record*, vol. 27, n° 5, mai 1910, p. 404.

15. Propos de Pablo Picasso rapportés par Brassaï, 1964, *op. cit.*, p. 70-71.

16. *Ibid.*

17. Propos de Pablo Picasso rapportés par Hélène Parmelin, *Picasso dit...*, Paris, Gonthier, 1966, p. 111.

18. Leo Stein, dans une lettre à Pablo Picasso datant du 14 avril 1906 (Archives Picasso), évoque cette visite qu'il propose de « remettre jusqu'à lundi en huit ».

19. Voir Anne Baldassari, notice sur *Petit Bois noir* (n° 45) et *Petit Bois clair* (n° 46), dans Isabelle Monod-Fontaine et al., 1989, op. cit.

20. Baer, n° 212.

21. Ce bois est conservé au musée Picasso de Paris, où il est d'ailleurs classé parmi les sculptures (n° 274, MP 3541).

22. Propos de Pablo Picasso rapportés par Brassaï, 1964, *op. cit.*, p. 88.

23. Respectivement : Z. II*, 47, DR 95 ; Z. II*, 60, DR 104 ; Z. II*, 113, DR 133 ; et Z. II*, 108, DR 131.

24. Propos de Pablo Picasso (9 mai 1959) rapportés par Daniel-Henry Kahnweiler, « Conversations avec Picasso », repris dans Pablo Picasso, *Propos sur l'art*, édition établie

par Marie-Laure Bernadac et Androula Michael, Paris, Gallimard, 1998, p. 97.

25. Leo Stein, *Appreciation : Painting, Poetry and Prose*, New York, Crown Publishers, 1947, p. 75.

26. Gelett Burgess, 1910, *op. cit.*, p. 402.

27. *Ibid.*, p. 401.

28. *Ibid.*, p. 403, « little madcap Picasso… ».

29. *Ibid.*

30. Note de Henri Matisse citée par Louis Aragon, 1971, *op. cit.*, p. 104.

31. Lettre de Pablo Picasso à Daniel-Henry Kahnweiler, Céret, 12 juin 1912, citée dans Hélène Seckel, « Anthologie », *Les Demoiselles d'Avignon*, Paris, Réunion des musées nationaux, 1988, p. 567.

32. Leo Stein, 1947, *op. cit.*, p. 175-176.

33. Gelett Burgess, 1910, *op. cit.*, p. 403.

34. « Notes de Sarah Stein » (1908), repris dans Henri Matisse, 1972, *op. cit.*, p. 66.

35. Propos de Pablo Picasso rapportés par Guillaume Apollinaire, manuscrit dactylographié publié dans *Apollinaire journaliste*, Paris, Minard, Lettres modernes, 1981, p. 596-598.

. . . .

Fig. 27
Henri Matisse
Poissons rouges et sculpture, 1912
Huile sur toile, 116 x 100
The Museum of Modern Art, New York,
don de M. et Mᵐᵉ John Hay Whitney

6

1. Theodore Reff, *Themes of Love and Death in Picasso's Early Work, Picasso, 1881-1973*, Londres, 1973, p. 11-49. John Richardson, dans *A Life of Picasso : volume 2, 1907-1917*, New York, 1996, p. 86-87, suit cette suggestion et ajoute des informations sur Karl-Heinz Wiegels, p. 86-87.

2. Anatoli Podoski, *Picasso, une quête continuelle : œuvres de l'artiste dans les musées soviétiques*, Leningrad, 1989.

3. Les deux versions se trouvent au Kunstsammlung Nordrhein-Westfalen, à Düsseldorf, et à la Pinacoteca di Brera, à Milan.

4. Jean Sutherland Boggs, *Picasso and Things*, catalogue d'exposition, Cleveland Museum of Art, 1992, p. 54.

5. John Richardson, *A Life of Picasso : volume 1, 1881-1906*, New York, 1991, p. 518, note 22.

6. Voir Jean Sutherland Boggs, 1992, *op. cit.*, p. 55, note 2, pour une identification du tableau. Mais le nu a peut-être été tout aussi bien une évocation de tous ceux que Picasso peignait au début de 1908. Une étude préparatoire sur papier illustrée, dans *ibid.*, p. 54, fig. 7, montre le cadre vide.

7. John Richardson, 1996, *op. cit.*, p. 87.

8. Vers 1912, Henri Matisse acheta une estampe de Hokusai représentant une carpe. Voir Robert Reiff, « Matisse and Torii Kiyonaga », *Arts Magazine*, nᵒ 55, février 1981, p. 164-167.

9. Pierre Schneider, *Matisse*, Paris, Flammarion, 1984, p. 422.

10. *Ibid.*

11. Lettre de Henri Matisse à Louis Aragon, en date du 1ᵉʳ septembre 1942, dans Louis Aragon, *Henri Matisse, Roman*, Paris, Gallimard, 1971, p. 208, repris dans Henri Matisse, *Écrits et propos sur l'art*, édition établie par Dominique Fourcade, Paris, Hermann, 1972.

12. La commande concerne deux tableaux de paysages et une nature morte, cette dernière

destinée à Mᵐᵉ Morosov. Voir John Elderfield, dans Jack Cowart et Pierre Schneider, *Matisse in Morocco : The Paintings and the Drawings, 1912-1913*, catalogue d'exposition, National Gallery of Art, Washington, 1990, appendice 2, p. 270-274. Cet appendice aborde aussi les trois tableaux qui finirent par être livrés aux Morosov.

13. Picasso acquit ce tableau par le marchand Martin Fabiani. Il proposa de l'acheter, mais Fabiani préféra accepter un tableau de Picasso en échange. Il s'agissait presque certainement de *Paysage de Gósol* de 1906 (Z. VI. 732). Voir Martin Fabiani, *Quand j'étais marchand de tableaux*, Paris, 1976, p. 127.

14. Brassaï, *Conversations avec Picasso*, Paris, 1986, p. 63.

15. Rosamond Bernier, *Matisse, Picasso and Miró, As I Knew Them*, New York, 1991, p. 26.

16. Hélène Parmelin, *Voyage en Picasso*, Paris, 1994, p. 189.

17. Cité par John Elderfield, dans Jack Cowart et Pierre Schneider, 1990, *op. cit.*, p. 66, note 8.

18. André Malraux, *La Tête d'obsidienne*, Paris, 1986, p. 63.

19. John Elderfield, dans Jack Cowart et Pierre Schneider, 1990, *op. cit.*, p. 214-215, note 17.

20. Henri Matisse retourna au Maroc en septembre 1912, pour une autre période de quatre mois.

21. Pierre Schneider, dans Jack Cowart et Pierre Schneider, 1990, *op. cit.*, p. 269, note 17.

22. *Chronique d'art*, p. 430, cité dans Dominique Fourcade et Isabelle Monod-Fontaine, éds., *Henri Matisse : 1904-1917*, catalogue d'exposition, Musée national d'art moderne, Paris, 1993, p. 505.

23. Pierre Schneider, 1984, *op. cit.*, p. 269.

24. John Richardson, 1996, *op. cit.*, p. 281.

25. Rosamond Bernier, 1991, *op. cit.*, p. 29.

. . . .

Fig. 28
Henri Matisse
L'Allée de Trivaux, 1917
Huile sur toile, 92 x 73
Collection particulière

7

1. *Le Jeune Marin*, hiver 1906-1907, 100 x 78,5 cm, coll. part. (Paris, 1993, nᵒ 45) ; *Le Jeune Marin II*, hiver 1906-1907, 100 x 81 cm, The Metropolitan Museum of Art, New York, Jacques and Natasha Gelman Collection.

2. *Portrait de Marguerite*, hiver 1906-1907, 65 x 54 cm, musée Picasso, Paris (cat. 3) ; *Portrait de Marguerite*, hiver 1906-1907, 56 x 46 cm, coll. part. (Paris, 1993, nᵒ 47).

3. *Paysage à Collioure*, été 1905, 46 x 55 cm, Statens Museum for Kunst, Copenhague, collection Johannes Rump.

4. Expression utilisée par Charles Morice à propos du *Bonheur de vivre*, dans son article du *Mercure de France*, daté du 15 avril 1906.

5. *Le Bonheur de vivre*, automne-hiver 1905-1906, 174 x 238,1 cm, The Barnes Foundation, Merion.

6. Voir le catalogue de l'exposition « Henri Matisse », Paris, 1970, où cette œuvre figurait sous le nᵒ 88, datée 1908.

7. Voir les lettres 68 et 69, dans André Derain, *Lettres à Vlaminck*, édité par Philippe Dagen, Paris, 1994.

8. *Ibid.*, p. 187.

9. Elle est conservée dans le fonds Marc Vaux, documentation du MNAM-CCI, Paris.

10. Comme il le confirme dans une lettre du 21 mars 2001 : « L'œuvre est reproduite dans l'article de Louis Riotor, "Les Artistes d'automne", dans *Le Dernier Cahier de Mecislas Goldberg* (Paris, 1908). Sous la reproduction figure la légende *Paysage, par Henri Matisse (Salon d'Automne)* ». Je remercie vivement Jack Flam de m'avoir autorisée à publier cet élément de datation.

11. Elle accompagne les titres de quatre des cinq toiles exposées (dont les nᵒˢ 759 et 759 bis, pareillement intitulés *Paysage*).

12. Lettre de Pablo Picasso aux Stein, 14 juillet 1907, voir William Rubin et Judith Cousins, *Picasso and Braque*, catalogue d'exposition, The Museum of Modern Art, New York, 1989, p. 353.

13. Fernande Olivier, *Picasso et ses amis*, Paris, Stock, 1933, p. 148.

14. *Ibid.*, p. 149.

15. Il semble que Picasso n'ait rencontré le Douanier Rousseau que le 10 novembre 1908, voir William Rubin et Judith Cousins, 1989, *op. cit.*, p. 441, note 52.

16. Lettre à Charles Camoin, 19 janvier 1916, *Correspondance entre Charles Camoin et Henri Matisse*, éditée par Claudine Grammont, Lausanne, La Bibliothèque des arts 1997, p. 95.

17. Lettre à Charles Camoin [été 1917], dans Claudine Grammont, éd., 1997, *op. cit.*, p. 105.

18. Coll. part., voir Jack Flam, *Matisse, The Man and His Art, 1869-1918*, Londres, Thames and Hudson, 1986, p. 463.

. . . . . .

Fig. 29
Pablo Picasso
Femme au corsage jaune, 1907
Huile sur toile, 130 x 97
Collection particulière

Fig. 30
Pablo Picasso
Eva Gouel (Marcelle Humbert), 1914
Épreuve aux sels d'argent, 31,3 x 16
Musée Picasso, Paris

Fig. 31
Alvin Langdon Coburn
Henri Matisse et Mᵐᵉ Matisse dans l'atelier
d'Issy-les-Moulineaux, mai 1913
The George Eastman House, Rochester, New York

Fig. 32
Pablo Picasso
Femme en chemise dans un fauteuil, 1913
Huile sur toile, 148 x 99
Collection particulière

Fig. 33
L'appartement de Gertrude et Leo Stein, 27, rue de Fleurus, Paris, avec *Le Bonheur de vivre* de Matisse et *La Femme de l'artiste dans un fauteuil* de Cézanne (en dessous, au centre), en 1906
The Baltimore Museum of Art, The Cone Collection, constituée par le Dʳ Claribel Cone et Miss Etta Cone, Baltimore, Maryland

8

1. Voir l'expression de Matisse : « J'ai finalement engagé la partie sérieuse avec la Peinture », dans une lettre à Louis Aragon datée du 1ᵉʳ septembre 1942, il a alors près de 73 ans… (Henri Matisse, *Écrits et propos sur l'art*, édition établie par Dominique Fourcade, Paris, Hermann, 1972, p. 191).

2. Ces deux documents sont reproduits dans l'article de Pierre Daix, « Portraiture in

Picasso's Primitivism and Cubism », *Picasso and Portraiture*, catalogue d'exposition, The Museum of Modern Art, New York, 1996, p. 270.
3. Pierre Daix et Joan Rosselet, *Le Cubisme de Picasso, Catalogue raisonné de l'œuvre peint 1907-1916*, Neuchâtel, Ides et Calendes, 1979, p. 218.
4. Le *Portrait de Greta Moll* a été peint pendant le printemps et l'été 1908. Selon le témoignage de Hans Purrmann (1946) et celui du modèle (1951), Henri Matisse s'inspira d'un portrait de femme de Véronèse pour pouvoir « unifier son tableau en une unité parfaitement expressive », après que Greta Moll ait posé pendant dix séances de trois heures... (voir Dominique Fourcade et Isabelle Monod-Fontaine, éds., *Henri Matisse : 1904-1917*, catalogue d'exposition, Musée national d'art moderne, Paris, 1993, p. 448).
5. Pierre Daix et Joan Rosselet, 1979, *op. cit.*, p. 218.
6. Le 14 novembre, dans *L'Intransigeant* : « Ce portrait de femme est ce que la peinture a produit de plus voluptueux depuis bien longtemps [...] S'il y a un chef-d'œuvre au Salon d'automne, il est là et point ailleurs. » Et dans *Les Soirées de Paris* du 15 novembre : « La figure qu'il expose, chargée de volupté et de charme, inaugure pour ainsi dire une nouvelle époque de l'art matissien et peut être même de l'art contemporain [...]. »
7. « Matisse, dont la participation était incertaine, a apporté, au dernier moment, un portrait de femme. C'est une œuvre qui peut satisfaire ceux qu'il satisfait le moins souvent. Exempte de ses défauts ordinaires, ou presque, elle résume les plus belles qualités de cet artiste qui fut un maître si dangereux », écrit André Salmon dans *Montjoie*, n° 11-12, novembre-décembre 1913.
8. Voir *Henri Matisse : A Retrospective*, catalogue d'exposition, The Museum of Modern Art, New York, 1992, p. 236.
9. « Par hasard mon tableau (le portrait de ma femme) a un certain succès parmi les avancés. Mais il ne me satisfait guère, il est le commencement d'un effort bien pénible », écrit Henri Matisse à Charles Camoin en novembre 1913. Le 4 novembre, Prichard signale à Isabella Stewart Gardner que Matisse « vient de terminer le grand portrait de sa femme et deux autres tableaux ».
10. Voir les lettres adressées par Sergei Chtchoukine à Henri Matisse le 10 octobre 1913 : « J'espère que le *Portrait de madame Matisse* sera aussi une œuvre importante », et le 18 juin 1914 : « Je vous ai envoyé [...] Frs 6 000 que je vous devais pour le beau tableau (le *Portrait de madame Matisse*). » Faut-il insister sur le fait que trois des œuvres considérées dans cette séquence ont appartenu à ce prodigieux collectionneur et se sont côtoyées sur ses murs ?
11. Notamment *La Dame à l'éventail* ou *La Femme de l'artiste au fauteuil*, vers 1878, 1886-1888, Fondation E. G. Bürhle, qui avait appartenu à la collection de Leo et Gertrude Stein et avait été accroché rue de Fleurus sous *Le Bonheur de vivre*, et *Madame Cézanne au fauteuil jaune*, 1893-1895, The Art Institute of Chicago, qui avait figuré au Salon de mai (1er-15 mai 1913). Deux tableaux qui ont donc pu être étudiés conjointement par Matisse et Picasso.
12. Voir surtout *Femme dans un fauteuil*, 1913, et toutes les études qui l'ont précédé, vues par Pierre Daix comme une tentative de « portrait synthétique » d'Eva (« Portraiture in Picasso's Primitivism and Cubism », *Picasso and Portraiture*, 1996, *op. cit.*). Selon Jack Flam, *Femme dans un fauteuil*, réalisé à l'automne 1913, aurait été peint après une visite de Picasso à Matisse (Jack Flam, *Matisse, The Man and His Art, 1869-1918*, Londres, Thames and Hudson, 1986, p. 371).
13. Voir, notamment, les éléments rassemblés par Rémi Labrusse, *Esthétique décorative et expérience critique. Matisse, Byzance et la notion d'Orient*, thèse de doctorat, 1996, vol. I, p. 11-113.
14. Expression utilisée par Georges Braque : voir ses « Pensées et réflexions sur la peinture », publiées dans le n° 10 de *Nord-Sud* en décembre 1917.
15. « Les lignes dans le portrait de Mlle Landsberg dont vous me parlez dans votre lettre sont des lignes de construction que j'ai mis autour de la figure de façon à lui donner plus d'ampleur dans l'espace », (lettre de Henri Matisse à Alfred Barr, 22 juin 1951, BP-MOMA, New York).
16. Voir Rémi Labrusse, 1996, *op. cit.*, p. 219.
17. Publiée à l'origine dans le numéro spécial du *Point* consacré à Henri Matisse (juillet 1939).
18. Une photo d'Eva prise à Avignon (FPPH 48, musée Picasso, Paris) montre que la pièce où elle se tient est tapissée d'un papier à motifs. Voir Anne Baldassari, *Le Miroir noir : Picasso, sources photographiques 1900-1928*, catalogue d'exposition, musée Picasso, Paris, 1997, p. 132, fig. 149.
19. On sait que les « vrais » papiers collés, ceux qui ont servi de modèles (Z. 792 à 803), sont conservés au musée Picasso.
20. Un premier vert, assez clair, constitue le fond, à proprement parler, celui des zones pointillées. Picasso a repris ensuite l'ensemble (à l'exception des interstices entre les pointillés évidemment) avec un vert plus foncé. À noter aussi la consistance particulière de ce vert compact, mêlé de sable.
21. Voir Elizabeth Lebovici et Philippe Peltier, « Lithophanies de Matisse », *Cahiers du Musée national d'art moderne*, n° 49, automne 1994, p. 4-39. Ce remarquable article explore extensivement la notion de « grattage » dans la peinture de Matisse, tout autant dans ses aspects formels, que dans ses connotations pulsionnelles.
22. *Ibid.*, p. 15 : « Le grattage est probablement le seul processus où le peintre *ajoute* un *retrait* comme strate supplémentaire au processus de la peinture, trait à la fois constructif et destructif, trait à la limite. »
23. *Ibid.*, p. 32, citent à ce propos Rosalind Krauss : « Le fond est littéralement masqué, annulé dans le collage. Il s'intègre à notre expérience, non comme objet de perception, mais comme objet de discours, de représentation. »
24. Jack Flam, 1986, *op. cit.*, p. 372.
25. Une centaine de séances auraient été nécessaires, selon Henri Matisse.
26. Voir le témoignage d'André Breton : « Le portrait [de sa femme] par Matisse, exposé au Salon d'automne de 1913, dont — bien que je ne l'aie jamais revu depuis — je ne saurais oublier la couronne de plumes noires, la mince fourrure fauve et la blouse émeraude (les cheveux n'étaient-ils pas café au lait ?) Voilà pour moi un parfait exemple de l'œuvre événement », écrivait-il en 1952 (« C'est à vous de parler, jeune voyant des choses », repris dans *Perspective cavalière*).

. . . .

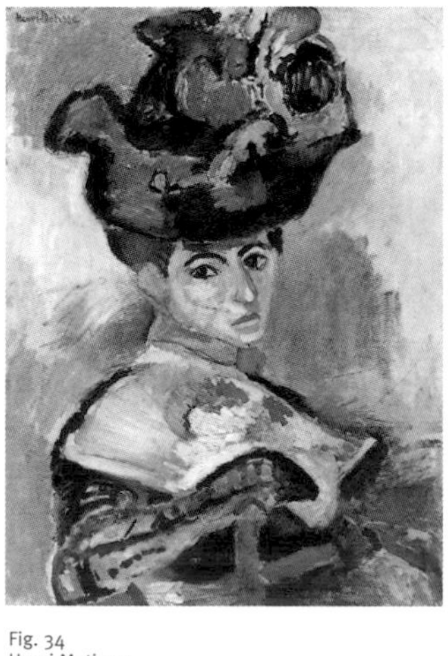

Fig. 34
Henri Matisse
La Femme au chapeau, 1905
Huile sur toile, 81 x 65
The San Francisco Museum of Modern Art,
legs d'Elise S. Haas

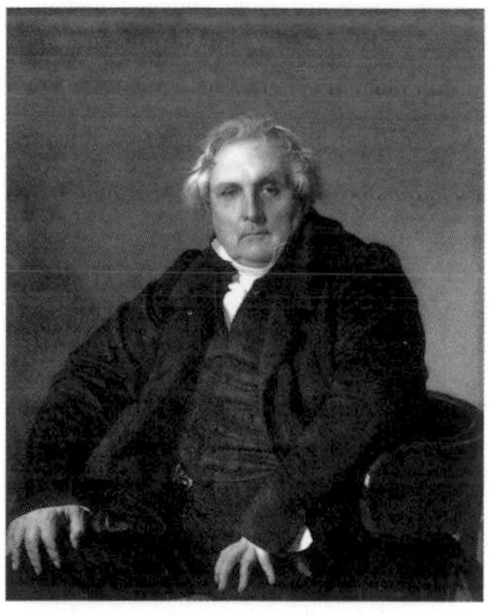

Fig. 35
Jean-Auguste-Dominique Ingres
Portrait de M. Bertin, 1832
Huile sur toile, 116 x 95
Musée du Louvre, Paris

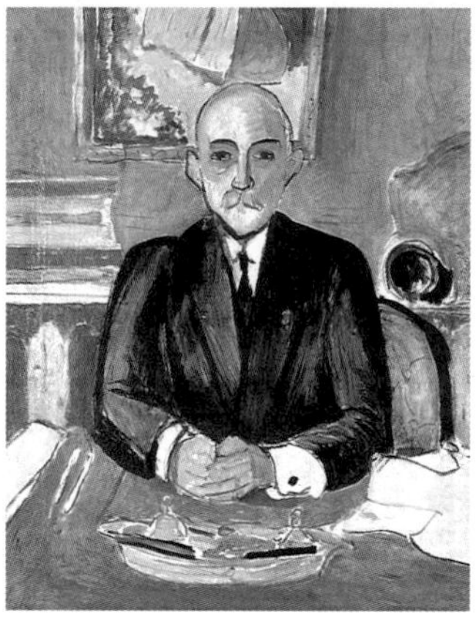

Fig. 36
Henri Matisse
Auguste Pellerin I, 1916
Huile sur toile, 100 x 76
Collection particulière

9

1. Le seul récit de première main est celui de Gertrude Stein (Gertrude Stein, *Autobiographie d'Alice B. Toklas* (1934), Paris, Gallimard, « L'Imaginaire », 1980, p. 53-62), mais Leo Stein évoque les circonstances de la rencontre avec Picasso et y ajoute quelques détails (Leo Stein, *Appreciation : Painting, Poetry and Prose*, New York, Crown Publishers, 1947, p. 168-170, 173-174). D'importants comptes rendus de critiques et d'historiens d'art sont dans Pierre Daix, « Picasso's Time of Decisive Encounters », *Art News*, 82, n° 4, avril 1987, p. 136-141 ; Pierre Daix, « Portraiture in Picasso's Primitivism and Cubism », dans William Rubin, éd., *Picasso and Portraiture*, catalogue d'exposition, The Museum of Modern Art, New York, 1996, p. 255-272 ; Leon Katz et Edward Burns, « They Walk in the Light : Gertrude Stein and Pablo Picasso », dans Edward Burns, éd., *Gertrude Stein on Picasso*, New York, 1970, p. 109-116 ; Robert S. Lubar, « Unmasking Pablo's Gertrude : Queer Desire and the Subject of Portraiture », *Art Bulletin*, vol. 79, n° 1, mars 1997, p. 56-84 ; Norman Mailer, *Portrait of Picasso as a Young Man : An Interpretative Biography by Norman Mailer*, New York, 1995, p. 183-233 ; John Richardson, *A Life of Picasso : volume 1, 1881-1906*, New York, 1991, p. 402-419 ; Margaret Werth, « Representing the Body in 1906 », dans Marilyn McCully, éd., *Picasso : The Early Years, 1892-1906*, catalogue d'exposition, National Gallery of Art, Washington, 1997, p. 277-288.
2. Robert S. Lubar, 1997, *op. cit.*, p. 59, suggère de manière intéressante que Picasso aurait proposé de peindre ce portrait afin de se gagner les faveurs de Leo. Le résultat fut bien sûr que Picasso s'assura les faveurs de Gertrude, laquelle fit basculer ses allégeances de Matisse vers Picasso, tandis que Leo resta un défenseur de Matisse (voir John Richardson, 1991, *op. cit.*, p. 419). Mais les deux artistes seront stupéfiés et gênés lorsque Gertrude Stein publiera sa propre version de leurs rapports (voir *ibid.*, p. 405-407, pour une description de la réaction de Picasso et du « Témoignage contre Gertrude Stein » publié par Matisse dans *Transition*, La Hague, juillet 1935, n° 23, p. 3-8).
3. Gertrude Stein, 1980, *op. cit.*, p. 60.
4. Roland Penrose, *Picasso : His Life and Work*, Londres, 1958, p. 116.
5. Propos de Henri Matisse à Georges Besson, rapportés à Pierre Schneider, dans Pierre Schneider, *Matisse*, Paris, Flammarion, 1984, p. 411.
6. Il mérite d'être noté que, lorsque le portrait de Gertrude Stein fut achevé et que le modèle transféra ses allégeances de Matisse vers Picasso, son portrait par Picasso fut accroché juste au-dessus de *La Femme au chapeau* de Matisse (voir une photographie de l'appartement du 27, rue de Fleurus, datant de 1907, dans John Richardson, 1991, *op. cit.*, p. 419).
7. Les portraits de Leo Stein et d'Allan Stein constituent des éléments de comparaison vraisemblables pour avoir une idée du premier état du tableau ; voir Pierre Daix, dans William Rubin, éd., 1996, *op. cit.*, p. 258, et John Richardson, 1991, *op. cit.*, p. 404.
8. Le portrait de Louis-François Bertin apparaît sous le numéro 49 dans la section « Œuvres d'Ingres » du catalogue des œuvres exposées au Salon d'automne de 1905.
9. Voir chapitre 2.
10. Marguerite Duthuit décrivit cette rencontre dans un entretien avec Brassaï : « Picasso... Je me rappelle comme si c'était aujourd'hui le jour où les Stein nous ont amenés, mon père et moi, rue Ravignan. C'est là que nous l'avons rencontré pour la première fois. Je me souviens de son grand chien saint-bernard... C'étaient de drôles de gens, les Stein ! Léo, Michel et Gertrude. Tous ils avaient reçu une éducation germanique. Gertrude et Léo sortaient d'universités allemandes. Ils étaient venus à Paris après l'incendie de San Francisco. La famille était très riche, leur père possédait dans cette ville une compagnie de tramways. Après la visite chez Picasso, nous sommes descendus à pied de Montmartre jusqu'à la rue de Fleurus où habitaient les Stein. Nous aurions pu rentrer sur l'impériale de l'omnibus Batignolles-Clichy-Odéon ou bien par l'omnibus qui allait de la place Pigalle à la Halle-aux-Vins, mais nous avons préféré la marche... Et nous ne sommes pas passés inaperçus ! Avenue de l'Opéra, les gens se retournaient et regardaient avec consternation notre groupe. Les Stein étaient singulièrement accoutrés, surtout elle, forte, massive, plutôt hommasse... Elle s'habillait de robes en gros velours côtelé pas du tout à la mode. Et ils marchaient tous en sandales à lanières de cuir, pieds nus comme les Nazaréens ou comme la famille Duncan... », Brassaï, *Conversations avec Picasso*, Paris, Gallimard, 1964, p. 358-359. Quoi qu'il en soit, Matisse et Picasso s'étaient peut-être déjà rencontrés avant l'entrevue décrite ci-dessus. Voir Chronologie : 1905-1906.
11. Voir Chronologie : 20 mars-30 avril 1906. Je comprends le point de vue de John Richardson, 1991, *op. cit.*, p. 411-419, et de Pierre Daix, dans William Rubin, éd., 1996, *op. cit.*, p. 262, quand ils veulent associer l'interruption du travail de Picasso sur ce portrait avec sa découverte du *Bonheur de vivre*, mais je ne suis pas convaincu que tel a été le cas. Voir note 16 *infra*.
12. Voir Robert S. Lubar, 1997, *op. cit.*, p. 60, note 28.
13. John Richardson, 1991, *op. cit.*, p. 410. Richardson affirme ceci, convaincu que « l'insatisfaction de Picasso devant le portrait de Stein coïncide avec sa première rencontre avec Matisse » (*ibid.*, p. 411), sous-entendant ainsi que Picasso avait vu la version matissienne d'Ingres dans *Le Bonheur de vivre*. Mais son commentaire demeure judicieux même si ça n'a pas été le cas.
14. Voir John Richardson, 1991, *op. cit.*, p. 428,

517, note 24, qui fait remarquer que ces sculptures étaient peut-être déjà montrées en 1905. Si Picasso ne les découvrit pas avant le printemps 1906, peut-être avait-il déjà cessé de travailler au portrait de Gertrude Stein, voir note 16 *infra*. Ces sculptures ont sans doute attiré aussi l'attention de Matisse, du moins à en juger par les sculptures qu'il réalisa cet été-là à Collioure, dont l'une figure une tête qui semble étrangement de la même famille que celles des tableaux de Picasso (Claude Duthuit, éd., avec Wanda de Guébriant, *Henri Matisse. Catalogue raisonné de l'œuvre sculpté*, Paris, 1997, n°s 27, 28, datés de 1906-1907 ; la vue dans Jack Flam, *Matisse, The Man and His Art, 1869-1918*, Londres, Thames and Hudson, 1986, p. 183, est particulièrement révélatrice). Les deux artistes étaient quasiment sur la même piste. Néanmoins, l'acte essentiel de masquage effectué par Matisse cet été-là (ou peut-être à l'automne) montre toute la différence de cette interprétation. Également dans une substitution à retardement, mais sur une toile différente, il repeignit le personnage du *Jeune Marin*. Matisse venait de se rendre pour la première fois dans ce qu'on appelait le Proche-Orient et il transforma le visage du jeune marin en un masque « oriental » (voir John Elderfield, *Henri Matisse : A Retrospective*, catalogue d'exposition, The Museum of Modern Art, New York, 1992, p. 164-165).

15. Voir Lucy Belloli, « The Evolution of Picasso's Portrait of Gertrude Stein », *Burlington Magazine*, vol. 141, n° 1150, janvier 1999, p. 12-18. Néanmoins, Belloli ne s'occupe pas de la question des quatre-vingt-dix séances supposées. S'il y en eut littéralement autant, on peut soupçonner que leur motif n'était pas entièrement d'ordre artistique, que Picasso faisait volontairement traîner les choses afin d'établir un rapport avec Stein, ou encore que l'artiste et son modèle en vinrent à apprécier leurs rencontres régulières.

16. Le tableau fut commencé fin octobre 1905, s'il fut vraiment commencé dans les circonstances décrites dans le premier paragraphe de ce texte. Néanmoins, John Richardson, 1991, *op. cit.*, p. 403, écrit qu'il fut commencé « au cœur de l'hiver », mais sans avancer la moindre preuve de son allégation. Gertrude Stein, 1980, *op. cit.*, p. 60, note que sa création dura trois mois : « Le printemps arrivait, et les séances de pose touchaient à leur fin. » Picasso arriva à Barcelone le 21 mai 1906 (voir la chronologie de Marilyn McCully, dans Marilyn McCully, éd., 1997, *op. cit.*, p. 49) et resta à Gósol du 2 ou du 3 juin jusqu'au 15 août (voir Robert Rosenblum, « Picasso à Gósol : The Calm Before the Storm », dans *ibid.*, p. 263). Le portrait dut être arrêté longtemps avant son départ, sinon il n'aurait pu être commencé en 1905. Le vrai problème est de savoir s'il fut abandonné avant mars, quand Picasso découvrit apparemment les sculptures ibériques montrées au Louvre (voir note 14 *supra*) et particulièrement entre le 19 et le 20 mars, quand ouvrirent respectivement l'exposition de Matisse à la galerie Druet, ainsi que le Salon des indépendants. Même si Gertrude Stein mentionne effectivement le Salon des indépendants dans le contexte général de l'interruption de son portrait par Picasso, ce dernier cessa très certainement d'y travailler avant la fin mars ; sinon il n'aurait pas pu l'entamer avant Noël et il n'aurait pas arrêté avec la venue du printemps. Moyennant quoi, la découverte, par Picasso, du *Bonheur de vivre* ne joua aucun rôle dans l'abandon du portrait, à moins qu'il n'ait continué d'y travailler en l'absence du modèle, ce qui semble improbable. Même s'il est raisonnable de penser que la récente découverte de la nouvelle œuvre de Matisse a sans doute exacerbé chez Picasso son insatisfaction face à son entreprise du moment, il n'est pas raisonnable de penser que sa décision de cesser de travailler sur le portrait de Stein impliquait qu'il ait vu *Le Bonheur de vivre*. La même chose est vraie de sa découverte de la sculpture ibérique au Louvre, en mars ; cela aussi postdata probablement l'abandon de ce portrait. Robert S. Lubar, 1997, *op. cit.*, p. 60, a raison d'écrire : « Les explications classiques fournies par l'histoire de l'art sur ce portrait se lisent comme un mythe d'origine du premier modernisme. »

17. Gertrude Stein savait sans doute qu'elle ne disait pas la vérité en affirmant que Picasso ne travaillait jamais d'après modèle, car elle avait certainement su, par exemple, que *Jeune Fille au panier de fleurs*, acheté par son frère en sa présence, juste avant sa rencontre avec Picasso, avait été peint d'après modèle (voir John Richardson, 1991, *op. cit.*, p. 403).

18. Pour le portrait de Cézanne, voir John Rewald et *al.*, *The Paintings of Paul Cézanne : A Catalogue Raisonné*, New York, 1966, vol. 1, n° 811. Pour celui d'Ingres, voir Gary Tinterow et Philip Conisbee, éds., *Portraits by Ingres : Images of an Epoch*, catalogue d'exposition, The Metropolitan Museum of Art, New York, 2000, p. 300-307.

19. Voir Robert S. Lubar, 1997, *op. cit.*, p. 67-69 et *passim*, sur l'homosexualité de Gertrude Stein.

20. Cité dans Dore Ashton, *A Fable of Modern Art*, Londres, 1980, p. 82, une étude d'une ampleur éblouissante sur l'histoire de Frenhofer. On peut se demander si Picasso connaissait l'auto-identification de Cézanne à Frenhofer (voir *ibid.*, p. 9).

21. Robert S. Lubar, 1997, *op. cit.*, p. 70-71, pose cette question en rapport avec la robe de chambre du *Monument à Balzac* créé par Rodin en 1898, mais passe à côté de la connexion à Frenhofer. Margaret Werth remarque l'étrange vide de la robe de chambre, malgré l'apparente massivité du corps (Margaret Werth, dans Marilyn McCully, éd., 1997, *op. cit.*, p. 283, 287, note 30).

22. Sur Picasso à Gósol, voir Pierre Daix, dans William Rubin, éd., 1996, *op. cit.*, p. 255-272 ; Robert S. Lubar, 1997, *op. cit.*, p. 77-84 ; Robert Rosenblum, dans Marilyn McCully, éd., 1997, *op. cit.*, p. 263-275 ; Margaret Werth, dans *ibid.*, p. 277-288.

23. Voir chapitre 1.

24. Robert S. Lubar, 1997, *op. cit.*, p. 82.

25. Je m'inspire ici de mon propre texte *The Language of the Body : Drawings by Pierre-Paul Prud'hon*, New York, 1996, p. 63-64, 70-71.

26. Margaret Werth, dans Marilyn McCully, éd., 1997, *op. cit.*, p. 286, note 20.

27. *Ibid.* p. 284. Précisément parce que le masque de Gertrude Stein bloque au lieu de proposer une quelconque impression d'intériorité psychologique, Elizabeth Murray, citée dans Robert S. Lubar, 1997, *op. cit.*, p. 62, interroge la suggestion d'Adam Gopnik, pour qui ce masque s'inspire d'une tradition de la caricature (voir Adam Gopnik, *Caricature in High and Low : Modern Art, Popular Culture*, catalogue d'exposition, The Museum of Modern Art, New York 1990, p. 128-130).

28. Dans le récit habituel de cette commande par le roi de la margarine (dont la fortune venait de la margarine Tip), Isabelle Monod-Fontaine souligne que la première toile fut achevée juste après le portrait de Michael Stein (et probablement aussi celui de Sarah, car ils furent exécutés au même moment) ; voir Isabelle Monod-Fontaine, avec Anne Baldassari et Claude Laugier, *Matisse, Collections du Musée national d'art moderne*, Paris, 1989, p. 58. Pierre Schneider, 1984, *op. cit.*, p. 417, note 64, dit qu'Auguste Pellerin, mécontent du second portrait, replia les zones non peintes afin de les dissimuler, au grand mécontentement de Matisse. Ce fut néanmoins sa réaction au premier portrait (fig. 36) qui poussa probablement Matisse à proposer d'en réaliser une nouvelle version. Isabelle Monod-Fontaine me dit qu'un rapport de conservation concernant ce tableau quand il fut prêté au Musée national d'art moderne, à Paris, en 1993, indiquait que ses rebords avaient été repliés.

29. John Elderfield, 1992, *op. cit.*, p. 268-269.

30. Pierre Schneider, 1984, *op. cit.*, p. 406, 718.

31. Sur les rapports de Matisse avec son père, voir Hilary Spurling, *The Unknown Matisse, a Life of Henri Matisse, vol. 1, 1869-1908*, New York, 1998, p. 14, 68-69.

32. Jack Flam, 1986, *op. cit.*, p. 437, fait la comparaison avec le portrait de Bertin ; elle est développée, avec l'ajout de la référence à la photographie de Cézanne, dans John Elderfield, 1992, *op. cit.*, p. 68-69. Le terme « Bouddha de la bourgeoisie » est de Manet.

33. Cette photographie, prise en 1904 par Émile Bernard, fut publiée en 1914 (voir Ambroise Vollard, *Paul Cézanne*, Paris, 1914, pl. 40. Vollard la décrit à tort comme prise en 1902). Sur la collection d'Auguste Pellerin, voir Isabelle Monod-Fontaine et *al.*, 1989, *op. cit.*, p. 58, note 1.

34. Ce tableau fut d'abord identifié dans Dominique Fourcade et Isabelle Monod-Fontaine, éds., *Henri Matisse : 1904-1917*, catalogue d'exposition, Musée national d'art moderne, Paris, 1993, p. 396. Il est évoqué dans Colin B. Bailey avec l'aide de John B. Collins, *Renoir's Portraits : Impressions of an Age*, catalogue d'exposition, New Haven et Ottawa, 1997, p. 114. Si Pellerin est une figure paternelle inquiétante dans le tableau de Matisse, il est tentant de penser à Matisse considérant le Renoir comme une agréable figure maternelle.

35. Voir Chronologie : 6 octobre-15 novembre 1906.

36. Voir Julian Hochberg, « Some of the Things that Paintings Are », dans Calvin F. Nodine et Dennis F. Fisher, éds., *Perception and Pictorial Representation*, New York, 1979, p. 17-41, surtout p. 27-31 pour une description des mécanismes de la perception ici en jeu. Voir aussi Michael Baxandall, *Fixation and Distraction : The Nail in Braque's Violin and Insight. Essays on Art and Culture in Honour of E.H. Gombrich at 85*, Londres, 1994, p. 399-415.

37. La région des motifs floraux en arrière-plan dans le portrait de Stein est exceptionnelle, car elle montre des détails dans une zone sombre moyenne, mais étant dans une telle zone, elle ne produit aucune focalisation.

38. « Avec le regard du spectateur dirigé vers la région focale », écrit Hochberg, à propos d'un tableau de Rembrandt, « donc, le tableau peut être rendu identique à un tableau aux détails uniformes, autant qu'à la scène (externe) elle même » (Julian Hochberg, dans Calvin F. Nodine et Dennis F. Fisher, éds., 1979, *op. cit.*, p. 20). Un tel effet authentiquement véridique ne saurait être atteint dans ces tableaux, compte tenu de l'abstraction flagrante de leurs zones détaillées, focales, mais quelque chose d'approchant peut être réalisé.

39. Ce phénomène fut entièrement décrit dans Gaetano Kanizsa, « Subjective Contours », dans Irvin Rock, éd., *The Perceptual World*, New York, 1990, p. 157-163.

40. Même si c'est Picasso qui est particulièrement associé à l'emploi du noir (voir John Richardson, 1991, *op. cit.*, p. 417), le portrait de Pellerin appartient à une période de l'art de Matisse où le noir est omniprésent.

41. Il est intéressant qu'en 1916 Matisse ait acheté la version de 1864 de *La Source de la Loue* de Courbet, qui montre aussi un double mouvement vers l'intérieur du tableau et hors de celui-ci ; voir Michael Fried, *Courbet's Realism*, Chicago et Londres, 1990, p. 210-217.

. . . .

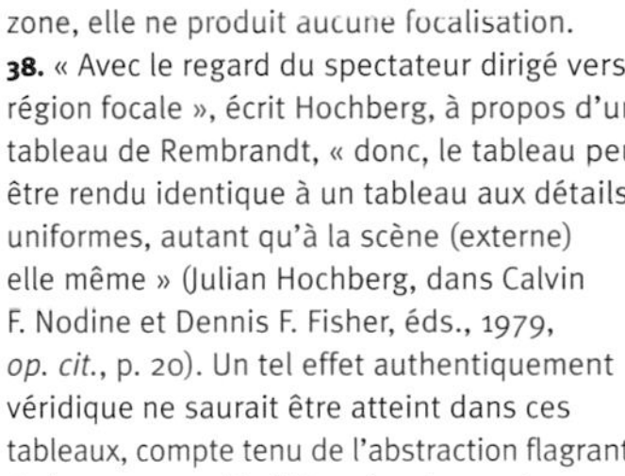

Fig. 37
Henri Matisse dans l'atelier du quai Saint-Michel, près du *Portrait de Greta Prozor*, avant son achèvement, et d'autres œuvres, 1916
The Museum of Modern Art, New York

10

1. Par exemple, *Verre, pipe, as de trèfle et dé*, 1914, bois peint et métal sur panneau de bois peint à l'huile (musée Picasso, Paris, S. 45), et *Bouteille de Bass, verre et journal*, 1914, fer blanc, sable, fil de fer et papier (musée Picasso, Paris, S. 53).

2. Paul Cézanne, *Les Joueurs de cartes*, 1890-1892 (Fondation Barnes, Merion, Pennsylvanie). Picasso l'a certainement vu à la galerie d'Ambroise Vollard, avant que ce dernier ne l'ait vendu à Auguste Pellerin. De manière significative, la version à deux personnages des *Joueurs de cartes*, 1893-1896, aujourd'hui au musée d'Orsay, entra au Louvre avec le legs Camondo en 1911. Là, une bouteille de vin semble arbitrer entre les deux protagonistes, dont l'un fume une pipe en terre.

3. Andrew Steinmetz, *The Gaming Table : Its Victims and Votaries, in All Times and Countries, Especially in England and in France*, Londres, 1870, vol. 2, p. 371.

4. Selon Victor Crastre, *La Naissance du cubisme (Céret, 1910)*, Ophrys, 1947, p. 16, Max Jacob « tire les horoscopes des bourgeois de Céret ».

5. Victor Crastre fournit une description vivante de la clientèle typique des tavernes de Céret : « Beaucoup d'Espagnols. Muletiers, sandaliers, bouchonniers, paysans français ou espagnols ont le verbe haut et le geste large pour vider le verre ou le "pourou" ; ils viennent ici parce qu'ils ont leurs coudées franches ; ils sont chez eux ; ils peuvent chanter à tue-tête ou faire gémir la table en abattant une carte sans craindre les foudres du patron qui fait d'ailleurs ripaille avec eux », *ibid.*, p. 43-44.

6. Cité dans Étienne Sabench, « Chronologie documentaire », *Picasso, dessins et papiers collés – Céret, 1911-1913*, catalogue d'exposition, musée d'Art moderne, Céret, 1997, p. 358.

7. Par exemple, *Le Siphon*, 1913, huile sur toile (Rose Art Museum, Brandeis University, Waltham, Mass., États-Unis). Juan Gris et Pablo Picasso étaient tous les deux à Céret à la mi-août 1913. À l'automne, Picasso étudia la nouvelle œuvre de Gris à la galerie de Kahnweiler et exprima son admiration (Daniel-Henry Kahnweiler, *Juan Gris : His Life and Work*, trad. D. Cooper, Londres, 1968, p. 21).

8. « Je possède une quinzaine d'œuvres de vous, toutes de la dernière période, qui me font quelquefois oublier les horreurs du moment », lettre de Léonce Rosenberg à Pablo Picasso, en date du 30 octobre 1914 (Archives Picasso, Paris). Pour des détails concernant la provenance, voir Pierre Daix et Joan Rosselet, *Picasso, The Cubist Years, 1907-1916 : A Catalogue Raisonné of the Paintings and Related Works*, Londres, 1979, cat. 650.

9. *Tête blanche et rose*, 1914, huile sur toile (Musée national d'art moderne, Centre Georges Pompidou, Paris).

10. Information de Dominique Fourcade, « Greta Prozor », *Cahiers du Musée national d'art moderne*, n° 11, Musée national d'art moderne, Centre Georges Pompidou, Paris, 1983, p. 101-107, et Isabelle Monod-Fontaine, avec Anne Baldassari et Claude Laugier, *Matisse, Collections du Musée national d'art moderne*, Paris, 1989, n° 13.

11. Walther Halvorsen organisa une exposition d'art moderne français au Kunstnerforbundent d'Oslo, à l'automne 1916. Concernant le « dîner Braque », voir Hélène Seckel, *Max Jacob et Picasso*, catalogue d'exposition, Paris, 1994, p. 142, 149.

12. Dominique Fourcade, 1983, *op. cit.*, p. 104.

13. Pour l'influence apaisante de la guerre sur la mode, voir Harriet Worsley, *Decades of Fashion : The Hulton Getty Picture Collection*, Cologne, 2000, p. 64-119. L'insistance mise sur le col droit noir suggère quelque identification (peut-être inconsciente) de Greta Prozor avec la fille de Matisse, Marguerite, qui fut souvent son modèle.

14. Voir Isabelle Monod-Fontaine et *al.*, 1989, *op. cit.* L'admiration de Matisse pour les icônes apparaît dans l'entretien qu'il accorda pendant son voyage en Russie (cité dans Dominique

Fourcade et Isabelle Monod-Fontaine, éds., *Henri Matisse : 1904-1917*, catalogue d'exposition, Musée national d'art moderne, Paris, 1993, p. 99).
15. Henri Matisse, *Portraits*, Monte-Carlo, 1954, cité dans Jack Flam, *Matisse on Art*, Oxford, 1973, p. 151, repris dans Henri Matisse, *Écrits et propos sur l'art*, édition établie par Dominique Fourcade, Paris, Hermann, 1972, p. 177.
16. Voir aussi, par exemple, *Olga dans un fauteuil*, 1919, encre sur papier (musée Picasso, Paris, Z.III 295).

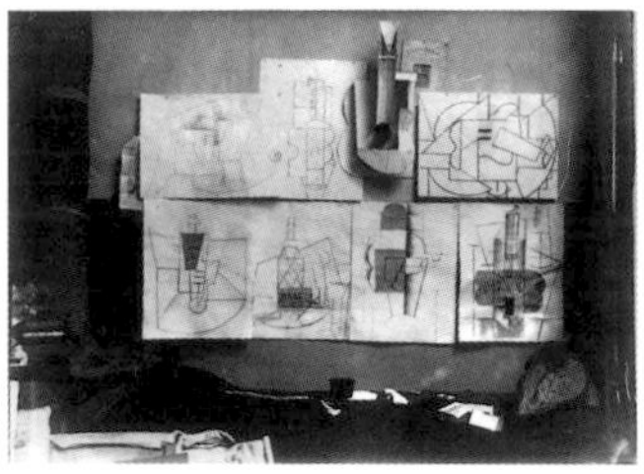

Fig. 38
L'atelier de Pablo Picasso au 242, boulevard Raspail, en 1913
Musée Picasso, Paris

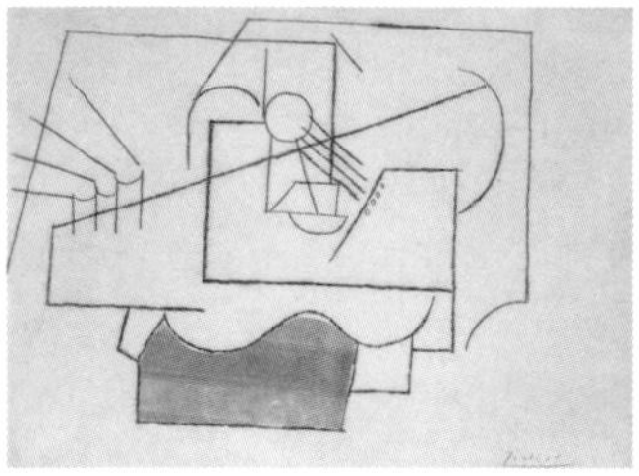

Fig. 39
Pablo Picasso
Guitare sur une table, 1912
Dessin, fusain et collage sur papier, 47,7 x 62,5
The Kerry Stokes Collection, Perth, Australie

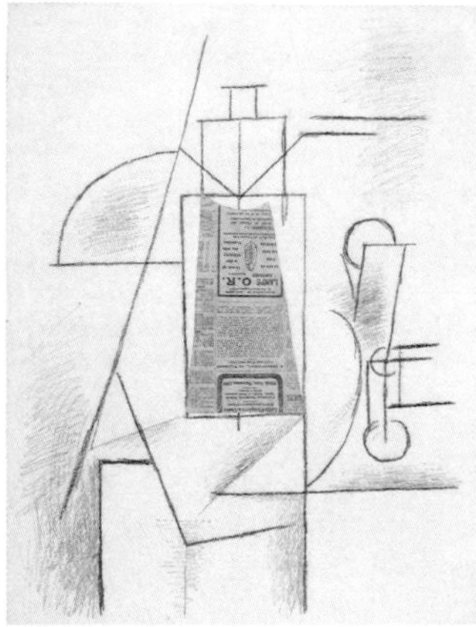

Fig. 40
Pablo Picasso
Bouteille et verre, 1912-1913
Dessin, fusain, mine de plomb et papier journal (*Le Journal*, 3 décembre 1912), 60 x 46
The Menil Collection, Houston

11

1. « Notes de Sarah Stein » (1908), repris dans Henri Matisse, *Écrits et propos sur l'art*, édition établie par Dominique Fourcade, Paris, Hermann, 1972, p. 65.
2. Propos de Paul Cézanne rapportés par Émile Bernard, *L'Occident*, juillet 1904, cités dans Françoise Cachin et Joseph J. Rishel, éds., *Cézanne*, catalogue d'exposition, Paris, Réunion des musées nationaux, 1995, p. 38. On sait que Matisse s'intéressa de près à cette publication de Cézanne dont il demandera à Paul Signac copie dans un courrier de l'été 1905.
3. Henri Matisse, « Notes d'un peintre », repris dans Henri Matisse, 1972, *op. cit.*, p. 49.
4. Repris dans Henri Matisse, 1972, *op. cit.*, p. 40-53.
5. André Salmon, *Souvenirs sans fin, première époque, 1903-1908*, Paris, Gallimard, 1955, p. 187-188.
6. Gelett Burgess, « The Wild Men of Paris », *The Architectural Record*, vol. 27, n° 5, mai 1910.
7. Gertrude Stein, *Autobiographie d'Alice B. Toklas* (1934), Paris, Gallimard, « L'Imaginaire », 1980, p. 72.
8. Notamment selon Guillaume Apollinaire, « Les Cubistes », *Mercure de France*, 16 octobre 1911.
9. « Dans le peintre, il y a deux choses, l'œil et le cerveau, tous deux doivent s'entraider : il faut travailler à leur développement mutuel ; à l'œil par la vision sur nature, au cerveau par la logique des sensations organisées, qui donne les moyens d'expression », Émile Bernard, *L'Occident*, 1904, cité dans Françoise Cachin et Joseph J. Rishel, éds., 1995, *op. cit.*, p. 37.
10. Propos de Henri Matisse rapportés par Efstratios Tériade, « Matisse Speaks », *Arts News Annual*, n° 21, 1952, repris dans Henri Matisse, 1972, *op. cit.*, p. 120-121.
11. *Ibid.*
12. *Ibid.*
13. Propos de Henri Matisse rapportés par Walter Pach, *Queer Thing, Painting*, New York, Harper and Brothers Publishers, 1938, repris dans Henri Matisse, 1972, *op. cit.*, p. 121.
14. Propos de Pablo Picasso rapportés par Daniel-Henry Kahnweiler, *Conversations avec Picasso*, repris dans Pablo Picasso, *Propos sur l'art*, édition établie par Marie-Laure Bernadac et Androula Michael, Paris, Gallimard, 1998, p. 90.
15. Propos de Pablo Picasso rapportés par Françoise Gilot et Carlton Lake, *Vivre avec Picasso* (1965), Paris, Calmann-Lévy, 1973, p. 69-70.
16. *Ibid.*
17. On sait par une lettre d'Eva Gouel à Gertrude Stein datée du 22 juillet 1913 (citée dans William Rubin et Judith Cousins, « Chronology », *Picasso and Braque Pionneering Cubism*, catalogue d'exposition, The Museum of Modern Art, New York, 1989, p. 421) que Matisse rendit plusieurs visites à Picasso alors que celui-ci, peu après la mort de son père, se retrouve gravement souffrant dans son atelier du boulevard Raspail. C'est là que Picasso avait mené, quelques mois plus tôt, ses recherches de papiers collés, comme en témoignent les photographies de l'époque (voir Anne Baldassari, *Picasso and Photography, The Dark Mirror*, Paris, Flammarion, Houston, The Museum of Fine Arts, 1997, p. 106-117).
18. Propos de Henri Matisse rapportés par André Verdet, « À propos du dessin et des odalisques », *Entretiens, notes et écrits sur la peinture*, Paris, Galilée, 1978, p. 127.
19. Hiver 1912, Z. II**, 755, DR 542.
20. Automne 1912, DR 508.
21. Hiver 1912, Z. II**, 424, DR 543.
22. Concernant le débat théorique sur la « lisibilité » ou le caractère purement visuel des fragments de papier journal, voir les positions antagoniques de Robert Rosenblum (notamment « Picasso and the Typography of Cubism », dans Roland Penrose et John Golding, éds., *Picasso in Retrospect*, 1973, Icon Edition, 1980, p. 33-45) et de Rosalind Krauss (notamment « The Motivation of the Sign », dans Lynn Zelevansky, éd., *Picasso and Braque, A Symposium*, The Museum of Modern Art/Harry B. Abrams, New York, 1992, p. 88), et celles, plus pragmatiques, de William Rubin (*Picasso and Braque, A Symposium*, p. 79) et de Leo Steinberg (*ibid.*, p. 77). Voir à ce sujet, Anne Baldassari, *Picasso Working on Paper*, Dublin, The Irish Museum of Modern Art, Londres, Merrell Publishers, 2000, p. 25. L'intensité de ce débat a pu conduire à ce qu'un même fait – l'utilisation de coupures de presse collées « la tête en bas » – ait été interprété de manière totalement opposée, soit comme l'expression d'une critique politique encore plus radicale (Patricia Leighten, « Picasso's Collages and the Threat of War », *The Art Bulletin*, XVII, n° 4, décembre 1985), soit comme transformant définitivement les papiers collés en objets « illisibles » (Brigitte Léal, *Picasso, papiers collés*, Paris, Réunion des musées nationaux, 1998). L'humour picassien veut cependant que la coupure de presse ainsi disposée dans *Bouteille et verre* (Z. II**, 424, DR 543, coupure tirée de la page 8 du *Journal* du 3 décembre 1912) comporte comme motif central une publicité pour une ampoule électrique, métaphore manifeste de l'œil, dont le slogan est précisément : « La seule qui se place *indifféremment* dans toutes les positions. »
23. Prenant pour exemple le papier collé *Bouteille et verre* (Z. II**, 424, DR 543) et la coupure provenant du *Journal* du 3 décembre 1912, Kirk Varnedoe a souligné que les cubistes, à l'instar de Picasso, « évitaient généralement les éléments modernistes d'illustration et ne prélevaient presque jamais rien de l'imagerie photographique. En retenant des publicités des pages intérieures, ils survolaient de manière cohérente les larges bandeaux qui commençaient à apparaître comme bannières des plus grandes marques, pour se poser sur les annonces plus ordinaires et moins à la mode pour des articles moins prestigieux » (« Words », dans *High and Low, Modern Art, Popular Culture*, Kirk Varnedoe et Adam Gopnik, The Museum of Modern Art, New York, p. 82-83).
24. Dans *Table avec bouteille, verre de vin et journal* (Z. II**, 755, DR 542), le lettrage « UN COUP DE THÉ », objet de multiples commentaires dans le débat sur la « lisibilité » des papiers collés, est issu du gros titre du *Journal* du 4 décembre 1912, « Un coup de théâtre », annonçant la signature d'un armistice dans la guerre des Balkans, conflit auquel font allusion nombre des coupures de presse utilisées par Picasso au cours de l'hiver 1912-1913.
25. Henri Matisse, qui avait occupé dès 1891 un premier atelier, sous les toits et sans vue, 19, quai Saint-Michel, s'installe au 5e étage de 1895 à 1908, puis se réinstallera au 4e étage en 1913.
26. John Elderfield, « Describing Matisse », *Henri Matisse : A Retrospective*, catalogue d'exposition, The Museum of Modern Art, New York, 1992, p. 66.
27. Henri Matisse, « Notes d'un peintre », repris dans Henri Matisse, 1972, *op. cit.*, p. 45.
28. Propos de Pablo Picasso rapportés par Christian Zervos, « Conversation avec Picasso », *Cahiers d'art*, Paris, numéro spécial, 1935, repris dans Pablo Picasso, 1998, *op. cit.*, p. 31.
29. Stéphane Mallarmé, « The Impressionists and Édouard Manet », *The Art Monthly Review*, Londres, 30 septembre 1876, traduction en français par Philippe Verdier, repris dans *Les Écrivains devant l'impressionnisme*, textes réunis et présentés par Denys Riout, Paris, Macula, 1989, p. 104.
30. Selon l'expression de Pierre Schneider comme titre du chapitre 13 de son *Matisse*, Paris, Flammarion, 1984.
31. Propos de Pablo Picasso rapportés par Hélène Parmelin, *Picasso dit...*, Paris, Gonthier, 1966, p. 127.
32. De même, dans ses toiles de 1900-1901 intitulées *Le Pont Saint-Michel*, qui regardent dans l'autre direction, Matisse confère à ces « vues », peintes en largeur, des demi-formats de fenêtre : 64 x 80,6 et 59 x 72 cm.
33. Ce moment clef de la recherche matissienne sera poussé à l'extrême dans *Porte-Fenêtre à Collioure*, peint quelques mois plus tard, qui assimile le dispositif de la vision et le sujet du tableau. Là, la question de la représentation perspective de l'espace semblerait se régler comme par obstruction. La fenêtre donnant sur une vue aveugle éteint l'idée même de paysage et, ainsi que la persienne à demi refermée, vient rabattre vers le peintre la signification du tableau. Voir Isabelle Monod-Fontaine, notice n° 10, dans Isabelle Monod-Fontaine, avec Anne Baldassari et Claude Laugier, *Matisse, Collections du Musée national d'art moderne*, Paris, 1989, p. 41-45.
34. La couleur évoque une toile de Matisse datant de 1902, *Notre-Dame, fin d'après-midi*, toute d'esprit cézannien et qui partage cette même atmosphère crépusculaire bleu violacé. Là déjà, on observerait un traitement du paysage par masse compacte et par blocs chromatiques qui en donne une lecture simplifiée. Si, en 1914, la vision de Matisse s'est comme recentrée sur la cathédrale, la nature de sa sensation semble, malgré le passage du temps, être restée d'une force identique.
35. Georges Duthuit, *Les Fauves*, Genève, Éditions des Trois Collines, 1949, cité dans Henri Matisse, 1972, *op. cit.*, p. 61, note 32.
36. *Ibid.*
37. Comme l'écrit Picasso, « la nature est une chose, la peinture en est une autre. [...] L'image que nous avons de la nature, c'est aux peintres que nous la devons. [...] À vrai dire, il ne s'agit que de signes », propos rapportés par André Warnod, « En peinture tout n'est que signe, nous dit Picasso », *Arts*, n° 22, 29 juin 1945.

12

1. Pour une citation complète de la lettre originale de Léonce Rosenberg à Pablo Picasso, en date du 25 novembre 1915, Archives du musée Picasso, Paris, voir note 13 *infra*.
2 Pour une liste chronologique et une référence bibliographique aux six tableaux sur le thème des poissons rouges, voir Isabelle Monod-Fontaine avec Anne Baldassari et Claude Laugier, *Matisse, Collections du Musée national d'art moderne*, Paris, 1989, p. 40, note 4. Voir également Theodore Reff, « Matisse : Meditation on a Statuette and Goldfish », *Arts Magazine*, vol. 51, novembre 1976, p. 109-115.
3. André Breton à Jacques Doucet, 6 novembre 1923 : « Nous arrivons donc à ce fameux Bocal de Poissons pour lequel vous savez, Monsieur, toute ma faiblesse. Depuis la guerre sans doute, je n'ai vu figurer dans une exposition une œuvre picturale de cette importance. Je crois qu'il y a du génie de Matisse, alors que partout ailleurs il n'y a que son talent qui est immense. *La Femme sans yeux* ne nous parle malgré tout de ce talent. J'ai examiné ce tableau vingt fois : c'est vraiment tout à la fois d'une liberté, d'une intelligence, d'un goût et d'une audace inouïs. Déformation, pénétration intense de la vie de l'auteur dans chaque objet, magie des couleurs, tout y est.
C'est sans doute une des trois ou quatre plus grandes œuvres modernes et c'est une admirable démonstration. Je suis persuadé que nulle part Matisse n'a tant mis de lui que dans ce tableau et que tout ce que nous verrons de lui, d'ancien ou de récent, sera pour nous le faire regretter. C'est vraiment quelque chose d'irremplaçable. » Cité dans Dominique Fourcade et Isabelle Monod-Fontaine, éds., *Henri Matisse, 1904-1917*, catalogue d'exposition, Musée national d'art moderne, Centre Georges Pompidou, Paris, 1993, p. 502.
4. Voir note 13 *infra*.
5. Voir notice sur *Intérieur avec bocal à poissons rouges*, dans Isabelle Monod-Fontaine et *al.*, 1989, *op. cit.*, p. 38-40.
6. Pour les rapports entre *Poissons rouges et palette* de Henri Matisse et *Verre de bière et cartes à jouer* de Juan Gris, 1913, et en particulier son *Homme dans un café* de 1912, voir John Elderfield, *Matisse in the Collection of the Museum of Modern Art*, New York, 1978, p. 100-102 ; Jack Flam, *Matisse, The Man and His Art, 1869-1918*, Londres, Thames and Hudson, 1986, p. 397-402. Pour une approche générale des rapports entre Matisse et Gris, voir Lisa Lyons, « Matisse : Work, 1914-1917 », *Arts Magazine*, mai 1975, p. 74-75.
7. Jack Flam, dans une discussion suivant la présentation de Christine Poggi lors du « Picasso and Braque Symposium at MOMA on the Topic of Braque's Early Papiers Collés : The Certainties of Faux Bois », réimprimé dans Lynn Zelevansly, éd., *Picasso and Braque : A Symposium*, New York, 1992, p. 153.
8. Voir la lettre de Henri Matisse à Charles Camoin, automne 1914, citée dans la note 9 *infra*. Pour une discussion de l'importance des couleurs sous-jacentes et leur effet de « réchauffement » atmosphérique, voir John Elderfield, 1978, *op. cit.*, p. 102.

9. « Marquet et moi avons fini par nous remettre au travail – je fais un tableau, c'est mon tableau des Poissons rouges que je refais avec un personnage qui a la palette à la main et qui observe (harmonie brun-rouge) [...] Je fais beaucoup d'eaux-fortes. Que veux-tu, on ne peut rester toute la journée à attendre les communiqués. » Lettre citée dans Dominique Fourcade et Isabelle Monod-Fontaine, 1993, *op. cit.*, p. 501.
10. Pour une illustration de l'esquisse, voir John Elderfield, 1978, *op. cit.*, p. 205 ; Jack Flam, 1986, *op. cit.*, p. 399. John Elderfield fut le premier à remarquer que le verso de la carte postale montre une image du *Saint Jérôme dans son étude, près d'une fenêtre*, de Dürer ; John Elderfield, 1978, *op. cit.*, p. 100.
11. John Elderfield écrit que les plans anguleux et les diagonales de la zone massivement retravaillée, située en haut de la toile, « rappellent fortement les stylisations du tableau contemporain intitulé *Tête blanche et rose*, suggérant qu'ils ne constituent pas la structure arbitraire qu'ils semblent être, mais qu'ils sont aussi des vestiges de l'observateur assis que Matisse a abstrait, puis effacé. » Voir John Elderfield, 1978, *op. cit.*, p. 100. Jack Flam, 1986, *op. cit.*, p. 402, souligne également le rapport à *Tête blanche et rose*, surtout dans l'harmonie des couleurs et le schéma géométrique. Voir aussi Pierre Daix, *Picasso-Matisse*, Neuchâtel, 1996, p. 146.
12. Ce fut à cette occasion, en novembre 1915, que Rosenberg juxtaposa pour Matisse son nouveau tableau et la *Nature morte verte* peinte par Picasso en 1914, un tableau dont maints commentateurs attribuent le fond monochrome à l'influence de *L'Atelier rouge* de Matisse ; l'analyse de leurs mérites respectifs par Matisse est commentée par Anne Baldassari dans le chapitre 29, ailleurs dans ce catalogue. Notons que, par coïncidence, Rosenberg acquit aussi *Poissons rouges et palette* à la galerie Berheim-Jeune, le même mois.
13. Lettre de Léonce Rosenberg à Pablo Picasso, en date du 25 novembre 1915, Archives du musée Picasso, Paris. « Cher ami, le maître des “poissons rouges” a été, comme moi, un peu interloqué à première vue. Votre “arlequin” est une telle révolution sur vous-mêmes [*sic*] que ceux qui étaient habitués à vos compositions antérieures, sont un peu dérouté [*sic*] en présence de “arlequin”. Level était présent, mais une fois qu'il fut parti, j'ai pu obtenir de Matisse le fond de sa pensée. Après avoir vu et revu votre tableau, il a honnêtement reconnu qu'il était supérieur à tout ce que vous aviez fait et que c'était l'œuvre qu'il préférait à toutes celles que vous aviez créées. J'ai mis à côté de “arlequin” votre nature morte à fond vert [P. Daix, 814] ; vous ne sauriez imaginer combien ce dernier tableau, tout en conservant de magnifiques qualités de matière, paraissait petit de conception, un peu “jeu de construction” traité avec tact et sensibilité./ Dans l'arlequin, Matisse a trouvé que les moyens concouraient à l'action, qu'ils étaient égaux à cette dernière, alors que dans la nature morte, il n'y avait que des *moyens*, de très belle qualité mais sans objet./ Enfin, il a exprimé le sentiment que ses “poissons rouges” vous ont conduit à l'arlequin./ Pour me résumer, quoique surpris, il n'a pu cacher que votre tableau était très beau et qu'il était obligé de l'admirer. Mon sentiment est que cette œuvre va influencer son prochain tableau. »
14. Cité dans Pierre Daix, *Picasso : Life and Art*, New York, 1993, p. 147. Lettre originale du 9 décembre 1915, de Pablo Picasso à Gertrude Stein, Archives Gertrude Stein, Beineke Rare Books and Manuscripts Library, Université de Yale.
15. Voir note 13 *supra*.
16. Alfred H. Barr, *Picasso : Fifty Years of His Art*, New York, 1946, p. 93.
17. Voir Kirk Varnedoe, « Picasso's Self-Portraits », dans William Rubin, éd., *Picasso and Portraiture : Representation and Transformation*, catalogue d'exposition, The Museum of Modern Art, New York, 1996, p. 143-145 ; Theodore Reff, « Saltimbanques, Clowns and Fools », *Artforum*, vol. 13, n° 2, octobre 1974, p. 30-43. Voir aussi Carter Ratcliff, « Picasso's “Harlequin” : Remarks on the Modern's Harlequin », *Arts Magazine*, janvier 1977, p. 124-126, qui suggère que ce personnage mêle Pierrot et Arlequin, et incarne donc deux versants du même individu maniaque.
18. John Richardson, *A Life of Picasso, volume 2, 1907-1917*, New York, 1996, p. 387.
19. Selon William Rubin, une lecture de la zone non peinte, couleur chamois, du plan rectangulaire en tant que profil est improbable et non corroborée par le moindre élément des croquis ou des aquarelles aboutissant à cette œuvre. Voir William Rubin, *Picasso in the Collection of the Museum of Modern Art*, The Museum of Modern Art, New York, 1972, p. 68. Néanmoins, ainsi que je l'ai écrit ailleurs, « si cette lecture est correcte, Picasso aurait glissé dans cette scène un “second soi” désincarné, apparemment latent ou émergeant dans le processus de la peinture lui-même », Kirk Varnedoe, 1996, *op. cit.*, p. 145. L'insertion de portraits de profil devint une stratégie fréquente dans l'œuvre subséquente de Picasso au cours des années vingt et trente, *ibid.*, p. 146-150.
20. Voir Harold Bloom, *The Anxiety of Influence : A Theory of Poetry*, New York, 1997.
21. Voir note 13 *supra*. Cité dans Michael Fitzgerald, *Making Modernism*, New York, 1995, p. 40.

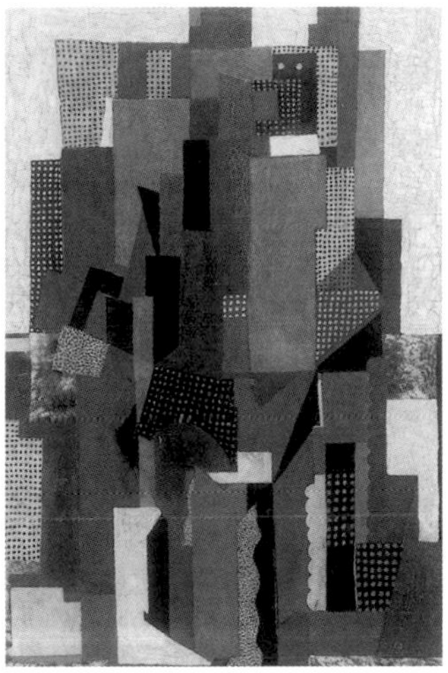

Fig. 41
Pablo Picasso
Homme accoudé sur une table, 1916
Huile sur toile, 200 x 132
Collection particulière

13

1. Jack Flam, *Matisse on Art*, Berkeley et Los Angeles, 1995, p. 300.
2. Dans ce texte, les dimensions sont données arrondies aux cinq centimètres les plus proches. Ceci à la fois pour l'agrément du lecteur et parce que les dimensions précises, dans le cas de toiles qui ont été retendues (et c'est le cas de la plupart des toiles ici mentionnées), varient à partir des dimensions originales (les dimensions exactes sont données dans les notes lorsque cela est nécessaire). Les deux autres œuvres auxquelles il est fait allusion sont *La Famille de saltimbanques* de 1905, 215 x 230 cm (voir E. A. Carmean, Jr., *Picasso, The Saltimbanques*, catalogue d'exposition, National Gallery of Art, Washington, 1980, pl. 1), et *Les Trois Femmes* de 1907-1908, 200 x 180 cm (voir William Rubin, *Picasso and Braque : Pioneering Cubism*, catalogue d'exposition, The Museum of Modern Art, New York, 1989, p. 111).
3. Les deux toiles sont *Nature morte, pain et bol de fruits sur une table* de 1909, 165 x 133 cm (voir *ibid.*, p. 115), et *Baigneuse* de 1908-1909, 130 x 97 cm (cat. 20).
4. Les trois autres œuvres sont *Le Luxe* de 1907 (deux versions, toutes deux de 210 x 130 cm : pour la version I, voir cat. 6 ; pour la version II, voir John Elderfield, *Henri Matisse : A Retrospective*, catalogue d'exposition, The Museum of Modern Art, New York, 1992, n° 103, p. 177), *Harmonie rouge* de 1908, 180 x 220 cm (voir *ibid.*, n° 105, p. 187), et *Baigneuses à la tortue* de 1908, 179 x 220 cm (voir cat. 7).
5. Voir *Appendix C : Contracts between Matisse and Bernheim-Jeune*, dans Alfred H. Barr, *Matisse, his Art and his Public*, The Museum of Modern Art, New York, 1951, p. 553-554.
6. Pour davantage de détails concernant la commande Chtchoukine, voir Jack Flam, *Matisse, The Man and His Art, 1869-1918*, Ithaca et Londres, 1986, p. 281-293, et Albert Kostenevich, *Matisse and Shchukin : a Collector's Choice*, The Art Institute of Chicago Museum Studies, vol. 16, n° 1, p. 27-43.
7. *L'Atelier rose* de 1911, 180 x 221 cm (voir John Elderfield, 1992, *op. cit.*, n° 136, p. 212) ; *La Famille du peintre* de 1911, 143 x 194 cm (*ibid.*, n° 137, p. 213) ; *Intérieur aux aubergines* de 1911, 212 x 246 cm (*ibid.*, n° 145, p. 218) ; *L'Atelier rouge* de 1911, 181 x 219 cm (*ibid.*, n° 146, p. 219) ; *Capucines à « La Danse » II* de 1912, 191 x 114 cm (cat. 72) ; *Coin d'atelier* de 1912, 192 x 114 cm (*ibid.*, n° 151, p. 224) ; *La Conversation* de 1912, 177 x 217 cm (*ibid.*, n° 152, p. 225) ; *Les Poissons rouges* de 1912, 146 x 97 cm (*ibid.*, n° 155, p. 227) ; et *Café marocain* de 1913, 176 x 210 cm (*ibid.*, n° 163, p. 235).
8. Voir *Appendix : The Library of Hamilton Easter Field*, dans William Rubin, 1989, *op. cit.*, p. 63-69, où les œuvres sont illustrées et commentées. Remarquons au passage que la vogue des motifs décoratifs, promue par les artistes nabis, a peut-être influencé Picasso dans son désir de tirer profit de ce marché (voir *Beyond the Easel : Decorative Painting by Bonnard, Vuillard, Denis et Roussel, 1890-1930*, catalogue d'exposition, The Metropolitan Museum of Art, New York, 2001). Néanmoins, les anciens nabis ne lançaient aucun défi à Picasso, contrairement à Matisse.
9. *Nu* de 1910, 187 x 61 cm, aujourd'hui à la National Gallery of Art, Washington (voir William Rubin, 1989, *op. cit.*, p. 65). Une toile horizontale plus petite, ainsi qu'une autre haute de 185 cm furent peintes, mais cette dernière fut jugée insatisfaisante et retravaillée en 1918 (*ibid.*).
10. La réaction critique au Salon d'automne fut dévastatrice. Voir, par exemple, l'article de P. Strotsky et la lettre de Matthew Stewart Prichard à Isabella Stewart Gardner, tous deux réimprimés sous formes d'extraits dans Jack Flam, *Matisse : A Retrospective*, New York, 1988, p. 126-127.
11. Extrait d'une lettre de Pablo Picasso à Georges Braque, en date du 25 juillet 1911, réimprimée dans William Rubin, *Picasso and Braque : Pioneering Cubism*, catalogue d'exposition, The Museum of Modern Art, New York, 1996, p. 376. Plus tôt, Picasso avait essayé de peindre une autre toile sur ce sujet cézannien, avant de la diviser pour en tirer ce qui allait devenir *Les Trois Femmes* et *Amitié*. Je remercie Elizabeth Cowling de me l'avoir rappelé.
12. Voir William Rubin, 1989, *op. cit.*, p. 64, 66.
13. *Homme à la guitare*, *ibid.*, p. 65.
14. *Ibid.*, p. 68.
15. Sur la genèse de ce tableau, voir le texte consacré aux *Marocains*, dans John Elderfield, *Matisse in the Collection of the Museum of Modern Art*, New York, 1978, p. 110-113, et John Elderfield, « An Interpretative Guide », dans Jack Cowart et Pierre Schneider, éds., *Matisse in Morocco : The Paintings and the Drawings, 1912-1913*, catalogue d'exposition, National Gallery of Art, Washington, 1990, n° 24, p. 108-110.
16. Jack Flam, 1986, *op. cit.*, p. 366, tient cela pour acquis, mais la lettre citée sur le sujet demeure ambiguë quant à la peinture à laquelle il est fait référence.
17. Voir John Elderfield, 1978, *op. cit.*, p. 105-107, et la note 87, p. 207, pour une analyse et un diagramme de la géométrie linéaire de cette œuvre.
18. Voir Yve-Alain Bois, *Matisse and Picasso*, catalogue d'exposition, Kimbell Art Museum, Fort Worth, 1998, p. 15, pour une autre explication du problème de la grille imposée.
19. Quatre, si l'on inclut la sculpture intitulée *Dos III*, qui accompagna la dernière séance de travail sur *Femmes à la rivière*, tout comme *Dos II* avait accompagné le travail de 1913 sur cette toile.
20. Henri Matisse employa ce terme pour décrire la zone de robe grise dans son tableau de 1942 intitulé *L'Idole*. Voir le numéro spécial *De la couleur, Verve*, vol. 4, n° 13, 1945, p. 48.
21. Daté de 1915-1916 dans la littérature ancienne, ce tableau fut daté de fin mai 1916, sans explication, dans William Rubin, *Pablo Picasso : A Retrospective*, catalogue d'exposition, The Museum of Modern Art, New York, 1980, p. 196. Ce compte rendu du développement du tableau suit John Richardson, *A Life of Picasso : volume 2, 1907-1917*, New York, 1996, p. 411-412.
22. *Homme accoudé sur une table* renvoie de toute évidence à *Arlequin* et montre peut-être un arlequin malheureux, dans la mesure où il dérive en définitive de *Artiste et modèle*, peint en 1914 par Picasso (William Rubin, éd., *Picasso and Portraiture : Representation and Transformation*, catalogue d'exposition, The Museum of Modern Art, New York, 1996, p. 298), qui montre un double de l'artiste appuyé sur le dossier d'une chaise à côté d'une table et d'un portrait d'Eva.
23. Je corrobore John Richardson, 1996, *op. cit.*, p. 412, en pensant que cet état bénéficiant de la première documentation date de l'automne 1915. Pour une discussion et des illustrations plus grandes des photographies documentaires de ce tableau, voir Anne Baldassari, *Picasso and Photography, The Dark Mirror*, catalogue d'exposition, Museum of Fine Art, Houston et Paris, 1997, p. 125-139.
24. Après la photographie de l'automne 1915 (*ibid.*, fig. 153), deux des trois photographies restantes (*ibid.*, fig. 156, 158) furent sans doute prises à la même occasion, car Picasso porte les mêmes vêtements reconnaissables, le fouillis de l'atelier semble inchangé, et l'état du tableau paraît être le même, apparemment achevé, hormis dans sa partie supérieure. La troisième photographie (*ibid.*, fig. 155) montre Picasso avec d'autres vêtements, un fouillis sur le sol presque identique à la fig. 156 de Baldassari, et le tableau dans son état final, le haut de la toile étendu. Cela suggère qu'elle fut prise très peu de temps après les deux photographies précédentes. En tout cas, ces trois photographies ne sauraient montrer l'état du tableau datant du printemps 1916 s'il y travailla après le printemps, et elles datent probablement de l'automne 1916. Voir aussi la note 31 *infra*.
25. Voir Chronologie : 16-31 juillet 1906. On voit *Les Demoiselles d'Avignon* accroché dans l'atelier de Picasso sur une photographie qui date probablement de 1915 (Anne Baldassari, 1997, *op. cit.*, fig. 154) et ce tableau est mentionné comme étant accroché dans l'atelier au printemps 1916, dans le compte rendu d'un critique d'art danois, Axel Satto (John Richardson, 1996, *op. cit.*, p. 379).
26. *Ibid.*, p. 416.
27. Matisse envoya des œuvres assez récentes, une *Marocaine* (très probablement *La Mulâtresse Fatma* de 1912 ; voir Jack Cowart et Pierre Schneider, éds., 1990, *op. cit.*, p. 89), une nature morte et quelques dessins.
28. Il est ici impossible de proposer une analyse détaillée de ces œuvres extraordinairement complexes, chacune faisant l'objet de nombreux textes appartenant à la critique d'art ou à l'histoire de l'art. Une introduction utile à *Baigneuses au bord d'une rivière* est fournie par Catherine C. Bock, *Henri Matisse's « Femmes à la rivière »*, Art Institute of Chicago Museum Studies, vol. 16, n° 1, p. 45-55. Pour *Les Marocains* et *La Leçon de piano*, voir John Elderfield, 1978, *op. cit.*, p. 114-116, et pour les trois œuvres prises dans leur ensemble, voir Jack Flam, 1986, *op. cit.*, p. 365-371, 408-410, 414-419, pour *Femmes à la rivière*, p. 423-433, *pour La Leçon de piano*, p. 408-414, 416 pour *Les Marocains*.

29. Depuis la création du *Bonheur de vivre* en 1906, Matisse était devenu particulièrement conscient des formes situées entre les objets en positif, au point de les simplifier en les effaçant avec des couleurs plates uniformes. À cause de cette technique d'effacement, les formes positives qui demeuraient (surtout lorsqu'elles étaient d'une tonalité lumineuse) semblaient être, étrangement, à la fois des formes positives collées sur la surface et des formes négatives, des absences dans le champ pictural. (D'où, par exemple, le côté calendrier de l'Avent de *L'Atelier rouge*). Matisse avait donc travaillé dans la même arène picturale que celle où fut inventée la technique du *papier collé*, et même au point de produire certaines œuvres qui semblent réellement anticiper sur cette technique : ainsi, de manière très frappante, *Intérieur aux aubergines* de 1911. En 1913-1914, de plus, il dirigea sa peinture dans les parages du cubisme, laissant les images paraître objectivement collées à la surface de la toile et, dans ses dessins, s'écartant des contours de plans, pour les faire jouer en contrepoint à la manière d'un *papier collé*. Par ailleurs, il employait des noirs, avec des gris et d'autres couleurs sombres, pour effacer. Il grattait également beaucoup la surface de ses toiles, une technique entamée en 1908, à la fois pour effacer certaines zones et pour créer des lignes dessinées. Cette technique accompagna un renouveau de son intérêt pour la création d'eaux-fortes, de monotypes et pour la création de ses sculptures de *Dos*. Toutes ces recherches annonçaient une compatibilité avec l'art qu'était devenu le cubisme, un art pas seulement constitué de minces plans frontaux, mais de plans à la matérialité emphatique, et d'un aspect beaucoup plus audacieux et rugueux que la peinture hautement raffinée, venant de la main et du poignet, avant l'invention du *papier collé*.
30. Cet aspect est souligné par Pierre Schneider, *Matisse*, Paris, Flammarion, 1984, p. 488-489.
31. John Richardson, 1966, *op. cit.*, p. 411, sous-entendant que le tableau était alors achevé, rapporte que Picasso eut besoin d'annuler son accord avec Rosenberg, parce qu'il avait accepté de le donner, ou plus probablement de le vendre, à Mme Errazuriz. Néanmoins, la date précise à laquelle il entra dans sa collection semble ne jamais avoir été connue. Bernheim-Jeune, le marchand de Matisse, avait pour habitude de photographier les œuvres peu de temps après qu'elles étaient entrées dans sa galerie. *Les Marocains* et *Femmes à la rivière* manquèrent la séance de photographie d'août 1916 et ne furent pas photographiés avant novembre (voir Jack Flam, 1986, *op. cit.*, p. 504, notice 31). Pourtant, compte tenu de leur taille, ils purent seulement être peints dans l'atelier d'Issy-les-Moulineaux de Matisse, et donc ils durent être achevés à l'automne 1916, lorsque l'artiste déplaça ses activités à Paris. *La Leçon de piano*, de toute évidence, fut peint à Issy. Si le tableau de Picasso fut achevé en septembre (voir note 24 *supra*), cela signifie qu'il put fort bien ne pas avoir vu les trois tableaux de Matisse en leur état définitif. S'il ne fut pas achevé avant que Picasso eût annulé sa vente à Rosenberg, le 22 novembre, Picasso put très certainement avoir vu les trois tableaux, dont deux chez Bernheim-Jeune. Est-il possible que la découverte des grandes compositions de Matisse, en cours durant le printemps et achevées à l'automne, poussât deux fois Picasso à ajourner la livraison de sa propre composition de grande taille ? Les efforts spectaculaires de Matisse durant l'été 1916 s'expliquent-ils par la découverte de ce que faisait Picasso ?
Le tableau de Picasso fut-il non pas achevé en 1916, mais plutôt repris avec d'autres grandes toiles, en 1917 ? Autant de questions qui, dans l'état actuel des choses, semblent demeurer sans réponses. En tout cas, il semble raisonnable de voir des influences réciproques entre les grandes compositions de Matisse et celles de Picasso.
32. *Arlequin et femme au collier*, 1917, 200 x 200 cm (Z. III. 23).
33. Voir le texte sur cette œuvre dans Jean Sutherland Boggs, éd., *Picasso and Things*, catalogue d'exposition, Cleveland Museum of Art, 1992, n° 64, p. 176-177.
34. *Ibid.*, et Brigitte Léal, « Picasso's Stylistic "Don Juanism" : Still Life in the Dialectic Between Cubism and Classicism », dans *ibid.*, p. 30-37.
35. Voir William Rubin, 1980, *op. cit.*, p. 230.
36. Theodore Reff, « Picasso's Three Musicians : Maskers, Artists and Friends », *Art in America*, décembre 1980, p. 124-142.

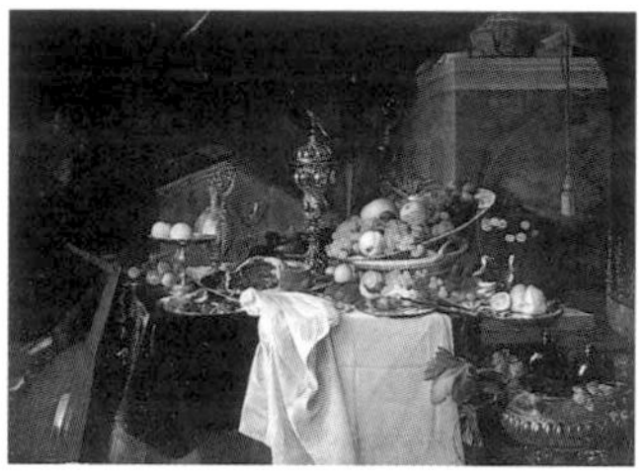

Fig. 42
Jan Davidsz. De Heem
La Desserte, 1640
Huile sur toile, 149 x 203
Musée du Louvre, Paris

14

1. Voir, par exemple, *Compotier et carafe* de Juan Gris, 1914, huile, papier collé et fusain sur toile (Rijksmuseum Kröller-Müller, Otterlo).
2. *La Brioche* de Jean-Baptiste Siméon Chardin, 1763, entra au Louvre en 1869 avec le legs La Caze. Un rameau d'oranger en fleur couronne la brioche, rappelant la fleur de la poire de Picasso.
3. *Pommes et oranges* de Paul Cézanne entra au Louvre en 1914 avec le legs Camondo.
4. Le tableau contemporain intitulé *Nature morte aux cartes à jouer, verres et bouteille de rhum*, 1914-1915 (coll. part.), contient un message explicitement patriotique : « Vive la France » – le mot « France » étant remplacé par deux drapeaux français. Comme *Nature morte au compotier*, il inclut une bouteille de rhum Negrita, voir Jean Sutherland Boggs, *Picasso and Things*, catalogue d'exposition, Cleveland Museum of Art, 1992, p. 164, 169.
5. Voir, par exemple, la lettre de Henri Matisse à Walter Pach du 20 novembre 1915 (extraits dans Dominique Fourcade et Isabelle Monod-Fontaine, éds., *Henri Matisse : 1904-1917*, catalogue d'exposition, Musée national d'art moderne, Paris, 1993, p. 503) et celle à André Derain de la fin février 1916 (citée dans Raymond Escholier, *Matisse tel que je l'ai connu*, 1960, p. 97-98).
6. Efstratios Tériade, « Matisse Speaks », 1951, dans Jack Flam, *Matisse on Art*, Oxford, 1973, p. 132, repris dans Henri Matisse, *Écrits et propos sur l'art*, édition établie par Dominique Fourcade, Paris, Hermann, 1972, p. 115.
7. John Elderfield, dans *Matisse in the Collection of the Museum of Modern Art*, New York, 1978, p. 105-107, souligne que *La Desserte* de Jan Davidsz. de Heem inspira à la fois *La Desserte*, 1897 (coll. part.), et *Harmonie rouge (La Desserte)*, 1908 (musée de l'Ermitage, Saint-Pétersbourg).
8. La première copie réalisée par Henri Matisse se trouve aujourd'hui au musée Matisse, Nice-Cimiez. En faisant cette nouvelle copie, Matisse choisit une toile de taille comparable à celle du tableau de Jan Davidsz. de Heem, quoique plus grande et plus carrée ; en 1893, il avait utilisé une toile considérablement plus petite.
9. John Elderfield, 1978, *op. cit.*, p. 106, 208.
10. Léonce Rosenberg paya 2 000 F à Picasso pour *Nature morte au compotier*, à une date inconnue. Le 16 décembre 1920, il le vendit 25 000 F à John Quinn. L'étendue de la plus-value suggère qu'il l'acheta en 1915, et pas plus tard. (Je suis très reconnaissante à Christian Derouet pour cette information.)
11. Charles Sterling, *La Nature morte de l'Antiquité à nos jours*, Paris, 1952, p. 100.
12. La première lettre connue de Léonce Rosenberg à Henri Matisse date du 17 octobre 1915 (archives du MNAM) et concerne l'achat de *Poissons rouges et palette* (cat. 61). Il rendit par la suite la « copie » du De Heem à l'artiste (toutes informations issues de Dominique Fourcade et Isabelle Monod Fontaine, éds., 1993, *op. cit.*, p. 116, 364).
13. Dans la lettre de Rosenberg à Picasso en date du 25 novembre 1915 (Archives Picasso), il relève non seulement l'observation de Matisse, pour qui l'*Arlequin* (cat. 59) était redevable à *Poissons rouges et palette*, mais il prédit que l'*Arlequin* « va influencer son [de Matisse] prochain tableau ».
14. *Le Retour du baptême d'après Louis Le Nain*, 1917, huile sur toile (musée Picasso, Paris). *Le Retour du baptême* est l'ancien titre de *La Famille heureuse* de Le Nain.
15. Par exemple, *Table et guitare devant une fenêtre*, 1919, carton, papier découpé et peint, crayon (musée Picasso, Paris). *Compotier et guitare*, 1919 (musée Picasso, Paris) est une construction en carton de plus grande taille des seuls objets de la nature morte.
16. Jean Sutherland Boggs, 1992, *op. cit.*, p. 214.
17. « Hommage à Picasso », *Paris-Journal*, 20 juin 1924. Ce texte fut contresigné par les membres du groupe surréaliste naissant. Pour une description détaillée de l'affaire *Mercure*, voir Marguerite Bonnet, *André Breton : naissance de l'aventure surréaliste*, Paris, 1975, p. 325 et suiv.
18. En octobre 1924, André Masson fut décrit dans le *Premier Manifeste du surréalisme* d'André Breton, comme étant « très proche de nous » et Picasso comme « de loin le plus pur » des peintres vivants qui « ne sont pas toujours surréalistes » (André Breton, *Manifestes du surréalisme*, Paris, 1969, p. 40). Daniel-Henry Kahnweiler avait commencé d'acheter l'œuvre de Masson en 1922 et, en février-mars 1924, il lui accorda une exposition personnelle à la galerie Simon.
19. André Breton, *Second Manifeste du surréalisme*, *ibid.*, p. 92.
20. Par exemple, *Intérieur, fleurs et perruches*, 1924, huile sur toile (The Baltimore Museum of Art, The Cone Collection), figurait dans l'exposition de Matisse à la galerie Bernheim-Jeune en mai 1924 (cat. 32).
21. *Mandoline et guitare* fut montré, avec d'autres natures mortes similaires, lors de l'exposition de Picasso à la galerie Paul Rosenberg en juin-juillet 1926 (cat. 29) et de nouveau en juin-juillet 1932, lors de sa rétrospective à la galerie Georges Petit (cat. 156).

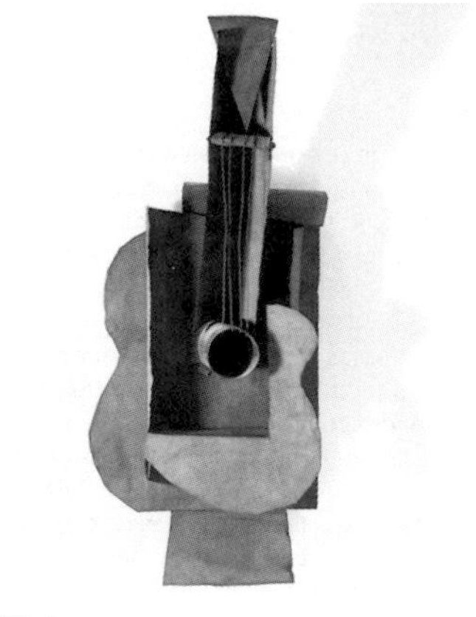

Fig. 43
Pablo Picasso
Guitare, 1912-1913
Fil de fer et fer-blanc découpé et plié, 77,5 x 35 x 19,3
The Museum of Modern Art, New York, don de l'artiste en 1971

15

1. Voir Jack Cowart, « The Place of Silvered Light : An Expanded, Illustrated Chronology of Matisse in the South of France, 1916-1932 », dans *Henri Matisse, The Early Years in Nice, 1916-1930*, catalogue d'exposition, National Gallery of Art, Washington, 1986, p. 19.
2. Cité dans Kaspar Monrad, éd., *Henri Matisse : Four Great Collectors*, catalogue d'exposition, Statens Museum for Kunst, Copenhague, 1999, p. 301.
3. *Ibid.*, p. 300. En février ou mars 1918, Henri Matisse prit un appartement vide dans l'immeuble voisin du Beau-Rivage et le tableau y a peut-être été achevé.
4. *Ibid.*
5. Pierre Schneider, *Matisse*, Paris, Flammarion, 1984, p. 339, note 37.
6. Cité dans Françoise Gilot, *Matisse and Picasso, A Friendship in Art*, New York, 1990. Jack Flam, *Matisse, The Man and His Art, 1869-1918*, Londres, Thames and Hudson, 1986, p. 469, cite une version antérieure de la rencontre. De toute évidence, Matisse étoffa son récit en le répétant.
7. Pour les problèmes impliqués par la datation de cette œuvre, voir Elizabeth Cowling, dans *Picasso : Sculptor Painter*, catalogue d'exposition, Tate Gallery, Londres, 1994, p. 258.
8. Voir *ibid.*, pour la sculpture « blague », éphémère mais liée à l'environnement, du début 1913.
9. Elizabeth Cowling, « The Fine Art of Cutting : Picasso's Papiers Collés and Constructions in 1912-1914 », *Apollo*, novembre 1995, p. 16.
10. Jean Sutherland Boggs, *Picasso and Things*, catalogue d'exposition, Cleveland Museum of Art, 1992, p. 207.

16

1. *L'Atelier rose*, 1911, huile sur toile (musée P ouchkine, Moscou) ; *L'Atelier rouge*, 1911, huile sur toile (The Museum of Modern Art, New York) ; *Intérieur aux aubergines*, 1911, détrempe sur toile (musée de Peinture et de Sculpture, Grenoble).
2. Informations de Nicholas Watkins, qui visita l'atelier de Matisse et le mesura avec ses pas. Nicholas Watkins, « A History and Analysis of the Use of Colour in the Work of Matisse », M. Phil. Dissertation, Courtauld Institute of Art, University of London, 1979, fig. 209, p. 212-215.
3. Huile sur toile, Musée national d'art moderne, Paris.
4. Voir le texte de Kirk Varnedoe dans le présent catalogue, chapitre 12.
5. Alfred H. Barr, dans *Matisse, his Art and his Public*, The Museum of Modern Art, New York, 1951, suggère que *L'Atelier, quai Saint-Michel* fut probablement « peint fin 1916 » (p. 191), mais il le reproduit dans sa séquence d'images avant *Le Peintre dans son atelier*. Jack Flam, *Matisse, The Man and His Art, 1869-1918*, Londres, Thames and Hudson, 1986, p. 438 ; Pierre Schneider, *Matisse*, Paris, Flammarion, 1984 ; tous deux croient que le tableau de la collection Phillips a suivi celui du Centre Georges Pompidou. Nicholas Watkins, dans *Matisse*, Oxford, 1984, p. 136, suivant une intuition de Barr, suggère que le tableau de la collection Phillips a peut-être été conçu comme un pendant à *La Fenêtre* (Detroit Institute of Art), peint à Issy-les-Moulineaux, durant l'été 1916 – les deux tableaux sont de format identique –, impliquant donc que Matisse s'est mis à travailler sur cette œuvre peu après son arrivée à Paris à l'automne. John Elderfield, dans *Henri Matisse : A Retrospective*, catalogue d'exposition, The Museum of Modern Art, New York, 1992, n° 204, date le tableau du Centre Georges Pompidou de « l'automne-hiver 1916 » et le tableau de la collection Phillips de « l'automne 1916 à 1917 » (*ibid.*, n° 206) ; et Isabelle Monod-Fontaine, dans Dominique Fourcade et Isabelle Monod-Fontaine, éds., *Henri Matisse : 1904-1917*, catalogue d'exposition, Musée national d'art moderne, Paris, 1993, n° 145, suggère pour le tableau de la collection Phillips une date de « fin 1916-printemps 1917 », renforçant donc la thèse de John Elderfield.
6. Le modèle italien Lorette (ou Laurette) commença à poser pour Matisse vers la fin du mois de novembre 1916 ; voir Isabelle Monod-Fontaine et Claude Laugier, « Éléments de chronologie (1904-1918) », dans Dominique

Fourcade et Isabelle Monod-Fontaine, éds., 1993, *op. cit.*, p. 120. Lorette est aussi le sujet du cat. 90.

7. *Lorette allongée*, 1916-1917, huile sur toile (coll. part.). Le personnage allongé est légèrement plus grand que nature. Il figure à côté du tableau de la collection Phillips dans John Elderfield, 1992, *op. cit.*, p. 276.

8. L'expression est tirée de la définition du surréalisme par André Breton, dans le *Premier Manifeste* d'octobre 1924.

9. Par exemple, *L'Atelier de l'artiste, rue La Boétie*, 12 juin 1920, crayon et fusain sur papier gris (musée Picasso, Paris).

10. L'emploi intensif de photographies par Picasso est révélé dans Anne Baldassari, *Le Miroir noir : Picasso, sources photographiques 1900-1928*, catalogue d'exposition, musée Picasso, Paris, 1997. Elle montre quelques-unes de ses photographies d'ateliers dans *Picasso photographe, 1901-1916*, catalogue d'exposition, musée Picasso, Paris, 1994.

11. Voir, par exemple, Michel Leiris, « The Artist and his Model », dans Roland Penrose et John Golding, éds., *Pablo Picasso, 1881-1973*, Londres, 1988, p. 249.

12. *L'Atelier*, 1927-1928, huile sur toile (The Museum of Modern Art, New York, don de Walter P. Chrysler Jr.).

13. Karen Kleinfelder a avancé cette séduisante suggestion selon laquelle la ligne bouclée, qui dans *Le Peintre et son modèle* décrit le dossier de la chaise, se redouble en tant que queue de singe et renvoie de manière elliptique à la notion traditionnelle de l'artiste en tant que « singe de la nature » (*The Artist, His Model, Her Image, His Gaze : Picasso's Pursuit of the Model*, Chicago, 1993, p. 27). Picasso entendit peut-être les demi-cercles noirs et gris de la tête comme un signe cryptique du béret traditionnel du peintre (tel qu'il est porté, par exemple, par Rembrandt dans plusieurs célèbres autoportraits). Son corps en forme de trépied dérive certainement d'un chevalet.

14. Coll. part. Dans un absolu renversement des rôles, le peintre montré dans *La Séance de trois heures* est Henriette Darricarrère, le modèle préféré de Matisse en 1920-1927 ; pour une fois, le modèle nu est masculin (le frère de Henriette Darricarrère).

15. La photographie bien connue de Man Ray, où l'on voit Matisse en train de peindre Henriette dans la pose de *Liseuse au guéridon* du Kunstmuseum de Berne, est reproduite dans John Elderfield, 1992, *op. cit.*, p. 293.

16. « Picasso Speaks », *The Arts*, New York, mai 1923, cité dans Pablo Picasso, *Propos sur l'art*, édition établie par Marie-Laure Bernadac et Androula Michael, Paris, 1998, p. 170.

17. Voir Chronologie : 1916-1917.

18. « Œuvres de Matisse et de Picasso », galerie Paul Guillaume, Paris, 23 janvier-15 février 1918, n° 1.

19. « Trente ans d'art indépendant, 1884-1914 : rétrospective de la Société des artistes indépendants », Grand Palais, Paris, 20 février-21 mars 1926, n° 1188.

20. « Modèle » doit être pris au sens large et non au sens étroit du terme : ainsi que William Rubin l'a remarqué, le « modèle » situé à gauche du *Peintre et son modèle* de Janis est un buste féminin sur un socle – le genre de sculpture en métal soudé que Picasso se mettrait bientôt à fabriquer avec l'aide de Julio González (William Rubin, *Picasso in the Collection of the Museum of Modern Art*, The Museum of Modern Art, New York, 1972, p. 130).

21. Voir, par exemple, les dessins datés du 4 janvier 1954. Un dessin du 23 décembre 1953 montre un modèle blond qui rappelle de manière étonnante Lydia Delectorskaya, qui commença à poser pour Matisse en 1935 et que Picasso rencontra lors de ses visites à Matisse après la guerre. La série tout entière d'abord éditée sous le titre « Suite de 180 dessins de Picasso », *Verve*, n° 29-30, septembre 1954. Comme le souligne Karen Kleinfelder, Picasso aurait connu les photographies prises par Brassaï, montrant Matisse dessinant un modèle nu à Paris en 1939 (Karen Kleinfelder, 1993, *op. cit.*, p. 134-137).

22. Huile sur toile (coll. part.).

23. « Henri Matisse », galerie Georges Petit, Paris, 16 juin-25 juillet 1931, n° 36. Picasso assista au vernissage de l'exposition (voir Chronologie, 1931).

24. Voir note 5 *supra*.

25. Le réchaud marocain en cuivre apparaît dans un certain nombre de tableaux de Matisse figurant une odalisque, à la fin des années vingt : par exemple, dans *Odalisque à la culotte grise*, 1926-1927, huile sur toile (musée de l'Orangerie, Paris, collection Jean Walter et Paul Guillaume).

. . . .

Fig. 44
Henri Matisse
La Danse I, 1909
Huile sur toile, 261 x 390
The Museum of Modern Art, New York, don de Nelson A. Rockfeller en hommage à Alfred H. Barr, Jr.

Fig. 45
Henri Matisse
Capucines à la Danse I, 1912
Huile sur toile, 199 x 114
The Metropolitan Museum of Art, New York, legs de Scofield Thayer

17

1. L'étude de *Danse* apparaît dans *Nature morte à la « Danse »* de 1909 (musée de l'Ermitage, Saint-Pétersbourg), dans *L'Atelier rose* de 1911 (musée Pouchkine, Moscou), ainsi que dans les deux versions de *Capucines à la « Danse »* de 1912 (aujourd'hui au Metropolitan Museum of Art, New York) et le tableau de cette exposition. Une grande confusion a entouré la séquence de ces œuvres. Mais on ne saurait douter du fait que le tableau russe, montré au Salon d'automne de 1912, est le second. Voir John Elderfield, dans Jack Cowart et Pierre Schneider, *Matisse in Morocco : The Paintings and the Drawings, 1912-1913*, catalogue d'exposition, National Gallery of Art, Washington, 1990, p. 237, note 76.

2. Georges Duthuit, *Écrits sur Matisse*, 1992.

3. John Richardson, *A Life of Picasso : volume 1, 1881-1906*, New York, 1991, p. 419.

4. *Ibid.*, p. 319, où John Richardson suggère que Picasso a peut-être rencontré Sergei Chtchoukine à une date aussi ancienne que 1906.

5. Voir l'introduction de John Golding dans le présent catalogue.

6. Cité dans Ronald Ally, *The Three Dancers*, Charlton Lectures on Art, Newcastle upon Tyne, 1967.

7. Des photographies infrarouges montrent qu'il s'agit de la seule région du tableau qui resta identique à elle-même et ne fut pas retravaillée. Voir Jack Flam, *Matisse, The Man and His Art, 1869-1918*, Londres, Thames and Hudson, 1986, p. 344-345.

8. Une certaine confusion est née du fait que *Capucines à la « Danse »* (n° 769 dans le catalogue du Salon d'automne de 1912) était décrit comme appartenant à « M. le Dr G. » (l'historien d'art Curt Glaser). Cela ajouté au fait que, le 15 janvier 1913, Chtchoukine écrivait à Matisse pour lui demander des nouvelles de son tableau, a conduit les auteurs de *Henri Matisse : Four Great Collectors* (Kaspar Monrad, éd., catalogue d'exposition, Statens Museum for Kunst, Copenhague, 1999) à croire que ce tableau, aujourd'hui au Metropolitan Museum of Art, New York, fut substitué à celui qui se trouve aujourd'hui au musée Pouchkine, Moscou (p. 232-233). La version antérieure fut néanmoins envoyée à la « Second Post-Impressionist Exhibition » à Londres (Grafton Galleries, 5 octobre 1912-31 janvier 1913) et ensuite au célèbre « Armory Show » de New York, Chicago et Boston.

9. Voir Chronologie, 1922.

10. *André Breton : La Beauté convulsive*, catalogue d'exposition, Musée national d'art moderne, Paris, 1991, p. 87. Il s'agit peut-être de la première version, mais il est plus probable que ce soit la seconde, qui fréquentait les galeries depuis sa jeunesse, a peut-être vue au Salon d'automne de 1912.

. . . .

Fig. 46
Pablo Picasso
Femme au pichet, 1919
Crayon et fusain sur papier, 65,5 x 48,5
Santa Barbara Museum of Art, don de Wright S. Ludington

Fig. 47
Henri Matisse
Femme à demi nue, 1923-1924
Fusain sur papier, 47,6 x 31,5, Centre Georges Pompidou, Paris. Musée national d'art moderne/Centre de création industrielle. Don de l'artiste en 1932

Fig. 48
Henri Matisse
Femme assise, 1919
Graphite sur papier, 35,1 x 25,2,
Courtauld Institute Gallery

18

1. « Matisse et Picasso », galerie Paul Guillaume, Paris, 23 janvier-15 février 1918. Voir Chronologie, 1918.

2. Efstratios Tériade, « Matisse Speaks », 1951, dans Jack Flam, *Matisse on Art*, Oxford, 1973, p. 134, repris dans Henri Matisse, *Écrits et propos sur l'art*, édition établie par Dominique Fourcade, Paris, Hermann, 1972, p. 121.

3. *The Drawings of Matisse*, catalogue d'exposition, Arts Council of Great Britain, 1985, p. 74.

4. Felipe Cossio del Pomar, *Con las Buscadores del Camino*, Madrid, 1932, cité dans Dore Ashton, *Picasso on Art : A Selection of Views*, Londres, 1972, p. 98.

5. Voir Anne Baldassari, *Le Miroir noir : Picasso, sources photographiques 1900-1928*, catalogue d'exposition, musée Picasso, Paris, 1997, p. 125-187.

6. Par exemple, *La Source*, 1921, pastel sur toile (musée Picasso, Paris), et *Grande Baigneuse*, 1921, huile sur toile (musée de l'Orangerie, Paris, collection Jean Walter et Paul Guillaume).

7. *Trois Femmes à la fontaine*, 1921, sanguine sur toile (musée Picasso, Paris).

8. *Les Trois Musiciens*, 1921, huile sur toile (The Philadelphia Museum of Art).

9. Par exemple, *Nature morte à la mandoline et au compotier*, 1920, huile sur toile (Kunstmuseum, Bâle).

10. Fier de son association avec Picasso, Serge Diaghilev inclut des illustrations de ses dessins au trait, ainsi que ses projets de costumes dans les programmes d'après-guerre de sa compagnie.

11. Parlant à Daniel-Henry Kahnweiler en 1933 de ses eaux-fortes illustrant *Les Métamorphoses* d'Ovide (Lausanne, 1931), Picasso déclara : « Le dessin au trait a sa propre lumière, créée, non imitée » (Pablo Picasso, *Propos sur l'art*, édition établie par Marie-Laure Bernadac et Androula Michael, Paris, 1998, p. 60).

12. Voir Anne Baldassari, 1997, *op. cit.*, p. 180, pour la source de Picasso.

13. La galerie Picasso – galerie Bernheim-Jeune – organisa des expositions Courbet et Renoir pendant l'année 1919. Celle de Renoir, consacrée aux œuvres sur papier, eut lieu en mars ; l'artiste décéda le 3 décembre. Le *Portrait de Renoir* par Picasso, exécuté au fusain (musée Picasso, Paris), fut réalisé d'après une photographie, vraisemblablement juste après la mort de l'artiste.

14. Raymond Escholier, *Matisse ce vivant*, Paris, 1956, p. 163-164.

15. John Richardson, *The Sorcerer's Apprentice : Picasso, Provence, and Douglas Cooper*, Londres, 1999, p. 203.

. . . .

19

1. Modèle italien recommandé à Henri Matisse par son amie Georgette Agutte Sembat, Lorette commence à poser à partir de novembre 1916.

2. Sur Picasso et Renoir, voir la très complète notice d'Hélène Seckel-Klein dans *Picasso collectionneur*, Paris, Réunion des musées

nationaux, 199 , p. 202-211. Paul Rosenberg avait essayé sans succès d'organiser une rencontre entre les deux peintres en 1919. Auguste Renoir meurt le 3 décembre de la même année.

3. Lettre à Amélie Matisse, 5 mai 1918 (Archives Matisse, Paris).

4. Voir les propos d'Auguste Renoir lors de ces visites de 1918, tels qu'ils furent rapportés

Fig. 49
Auguste Renoir
Baigneuse assise dans un paysage, dite Eurydice,
1895-1900
Huile sur toile, 116 x 89
Musée Picasso, Paris

Fig. 50
Pablo Picasso
Grande Baigneuse, 1921
Huile sur toile, 180 x 98
Musée de l'Orangerie, Paris, collection Jean Walter et Paul Guillaume

Fig. 51
Henri Matisse
Dos o, 1909 (1ᵉ version)
Photographie de Perret
Documentation générale du Centre Georges Pompidou

par Matisse à Picasso bien plus tard... selon la version qu'en donne Françoise Gilot (*Vivre avec Picasso*, Paris, Calmann-Lévy, 1965) :
« J'aimerais presque dire que vous n'êtes pas un bon peintre, ou même que vous êtes un très mauvais peintre. Mais une chose m'en empêche ; quand vous placez un noir, sur la toile, il reste à son plan. Toute ma vie, j'ai pensé qu'on ne pouvait s'en servir sans rompre l'unité chromatique de la surface. C'est une teinte que j'ai bannie de ma palette. Quant à vous, utilisant un vocabulaire coloré, vous introduisez le noir et cela tient. Alors, malgré mon sentiment, je crois que vous êtes sûrement un peintre. »

5. « Den Franske Utstilling », Oslo, 18 janvier-fin février 1918.

6. Propos cités par Georges Duthuit, *Les Fauves*, Genève, Éditions des Trois Collines, 1949.

7. Lettre à Alexandre Romm, octobre 1934, citée dans Henri Matisse, *Écrits et propos sur l'art*, édition établie par Dominique Fourcade, Paris, Hermann, 1972, p. 150.

8. Voir *Lorette allongée sur fond rouge*, fin 1916-printemps 1917, 95 x 196 cm, et *Lorette à la tasse de café, fond jaune*, 1917, 89 x 146 cm, ou bien *Aïcha et Lorette*, 1917, 38 x 46 cm, et *Les Deux Sœurs*, 1917, 61 x 74 cm, Denver Art Museum.

9. Voir, notamment, *Grande Baigneuse*, 1921, huile sur toile, 182 x 101,5 cm, et *Grande Baigneuse à la draperie*, 1921-1923, huile sur toile, 160 x 95 cm, deux toiles ayant appartenu à la collection de Paul Guillaume, musée de l'Orangerie.

10. Dans Jean Cocteau, *Picasso*, Paris, Stock, 1923.

11. Ces ombres la constituent littéralement : la figure est peinte sur fond gris et modelée classiquement, du sombre au clair, les lumières sont posées en dernier.

. . . .

20

1. Propos de Pablo Picasso rapportés par Claude Roy, *La Guerre et la Paix*, Paris, Cercle d'art, 1954, p. 26.

2. Propos de Pablo Picasso rapportés par Françoise Gilot et Carlton Lake, *Vivre avec Picasso* (1965), Paris, Calmann-Lévy, 1973, p. 69-70 et 293.

3. *Ibid.*, p. 209-210.

4. Propos de Pablo Picasso rapportés par Daniel-Henry Kahnweiler, « Huit entretiens avec Picasso », *Le Point*, Mulhouse, octobre 1952.

5. *Ibid.*

6. Propos de Pablo Picasso du 8 juillet 1948 rapportés par Daniel-Henry Kahnweiler, « Entretiens avec Picasso », *Quadrum*, Bruxelles, n° 2, novembre 1956, p. 7.

7. Propos de Pablo Picasso rapportés par Daniel-Henry Kahnweiler, « Conversations avec Picasso », 9 mai 1959, repris dans Pablo Picasso, *Propos sur l'art*, édition établie par Marie-Laure Bernadac et Androula Michael, Paris, Gallimard, 1998, p. 97.

8. Alexander Liberman, « Picasso », *Vogue*, New York, 1ᵉʳ novembre 1956, p. 132-134.

9. William Rubin, dans *Picasso in the Collection of the Museum of Modern Art*, The Museum of Modern Art, New York, 1972, p. 114.

10. Nommer, dire, au sens où l'artiste déclare : « Je veux DIRE le nu. Je ne veux pas faire un nu comme un nu. Je veux seulement DIRE sein, DIRE pied, DIRE main, ventre. Trouver le moyen de le DIRE, et ça suffit », propos de Pablo Picasso rapportés par Hélène Parmelin, *Picasso dit...*, Paris, Gonthier, 1966, p. 111.

11. Durant l'été 1921 à Fontainebleau, Picasso élabore en parallèle les *Femmes à la fontaine* et leur variante à la sanguine (1921, pas dans le Zervos, musée Picasso, Paris, MP 74), dont le rouge rouillé fait écho à celui des *Deux Nus* de 1906. Comme en témoignent des photographies, les deux versions des *Trois Musiciens* (1921, Z. IV, 332, The Philadelphia Museum of Art ; Z. IV, 331, The Museum of Modern Art, New York) étaient accrochées, en cours d'exécution, dans le même atelier (voir Anne Baldassari, *Picasso and Photography, The Dark Mirror*, Paris, Flammarion, Houston, The Museum of Fine Arts, 1997, fig. 201-203, p. 174-175). Picasso

mène simultanément et contradictoirement ces triples effigies féminines et masculines qui semblent se défier dans un combat sexuel et stylistique sans précédent. La simultanéité du procès de travail manifeste une identité de stratégie entre le cubisme synthétique des *Trois Musiciens* et le langage de parodie « néoclassique » des *Femmes à la fontaine*.

12. Sur les témoignages photographiques de la visite de Picasso à Pompéi (1917) et la référence au jardin de la maison de Marcus Lucretius dans la peinture néoclassique de Picasso, au début des années vingt, voir Anne Baldassari, « Fantaisie pompéienne, une source photographique du néoclassicisme de Picasso », dans Jean Clair, éd., *Picasso, 1917-1924, Le Voyage d'Italie*, Milan, RCS Libri, 1998, p. 79-86.

13. Selon la même métaphore de la sculpture comme maquette à monter, André Salmon rapporte, à propos de la construction cubiste *Guitare* (1912), que Picasso lui avait dit par plaisanterie que sa version en carton aurait pu être vendue comme un « plan », afin que chacun puisse en réaliser des copies, *L'Air de la Butte*, Paris, Éditions de la Nouvelle France, 1945, p. 82.

14. Julio González, « Picasso sculpteur », *Cahiers d'art*, Paris, vol. II, n° 6-7, 1936, p. 18.

15. Renato Guttuso, « Michelangelo e piú difficile » (journal inédit), dans De Micheli, *Scritti di Picasso*, Milan, Feltrinelli Editore, 1973, p. 112.

16. Clara MacChesney, « A Talk with Matisse, leader of Post-Impressionists », *The New York Times*, 9 mars 1913, repris dans Henri Matisse, *Écrits et propos sur l'art*, édition établie par Dominique Fourcade, Paris, Hermann, 1972, p. 70.

17. Henri Matisse a peu sculpté de bas-relief. On signalera le bois *La Danse* (1907, Duthuit, n° 53) ou le bronze *Nu debout* (1908, Duthuit, n° 40), réalisés dans les années qui suivent les bois taillés et peints que Picasso réalise à Gósol à l'été 1906.

18. Reproduit dans la notice du dessin *Nu de dos* (1907-1908), Anne Baldassari, section « Dessins », dans Isabelle Monod-Fontaine, avec Anne Baldassari et Claude Laugier, *Matisse, Collections du Musée national d'art moderne*, Paris, 1989, notice n° 53, fig. b, p. 160.

19. Voir Pierre Schneider, *Matisse*, Paris, Flammarion, 1984, p. 556 : « Nous sommes confrontés, en somme, à une double image, donnant lieu à deux lectures renvoyant l'une à l'autre, et dominant tour à tour, selon que nous considérons le bas-relief comme peinture (épaissie) ou comme sculpture (émincée). »

20. Voir, notamment, le dessin à l'encre *Étude de femme nue, debout, de dos*, 1901-1903, 27 x 20 cm, musée de Peinture et de Sculpture, Grenoble, legs Agutte Sembat. Reproduit dans la notice n° 53, section « Dessins », dans Isabelle Monod-Fontaine et al., 1989, *op. cit.*, fig. c, p. 160.

21. « Notes de Sarah Stein » (1908), repris dans Henri Matisse, 1972, *op. cit.*, p. 67.

22. Voir, notamment, les dessins à l'encre *Nu de dos*, 29 x 18 cm (Archives Matisse, photo Druet), reproduit dans Pierre Schneider, 1984, *op. cit.*, p. 554, et *Nu de dos*, 26,6 x 21,7 cm (The Museum of Modern Art, New York), reproduit dans la notice n° 120, section « Sculptures », dans Isabelle Monod-Fontaine et al., 1989, *op. cit.*, fig. a, p. 324.

23. Pierre Schneider, 1984, *op. cit.*, p. 556, en propose cette interprétation réaliste : « Le fond se donne à lire comme une profondeur : de dos, une baigneuse se dirige – sa jambe droite est levée – vers le lointain illusionniste qui se lit comme une perspective prolongeant la surface de l'eau où ses pieds s'enfoncent : une figure réelle sculpturale s'enfonce ainsi dans un fond fictif, pictural. »

24. 1908, 179 x 220 cm, Saint Louis, City Art Museum, don de M. Pulitzer Jr.

25. Huile sur toile achevée en 1916, 261,8 x 391,4 cm, The Art Institute of Chicago, The Worcester Collection.

26. Pierre Schneider, 1984, *op. cit.*, p. 284, souligne cette parenté chromatique avec *La Musique* et *La Danse*, et se réfère (note 30), pour cette version initiale des *Femmes*

à *la rivière*, à l'article de John Hallmark Neff, « Matisse and Decoration, the Shchukin Panels », *Art in America*, juillet-août 1975, p. 48, note 24.

27. *La Danse*, 1909-1910, huile sur toile, 260 x 391 cm, musée de l'Ermitage, Saint-Pétersbourg ; *La Musique*, 1910, huile sur toile, 260 x 389 cm, musée de l'Ermitage, Saint-Pétersbourg.

28. 1931-1933, The Barnes Foundation, Merion.

29. Reproduit dans Isabelle Monod-Fontaine et al., 1989, *op. cit.*, section « Sculptures », notice n° 123, *Nu de dos*, 4ᵉ état, fig. a, p. 332.

30. « Notes de Sarah Stein » (1908), repris dans Henri Matisse, 1972, *op. cit.*, p. 69.

31. Propos de Henri Matisse rapportés par Georges Charbonnier, « Entretiens avec Henri Matisse », dans *Le Monologue du peintre*, Paris, Julliard, 1960, t. 2, repris dans Henri Matisse, 1972, *op. cit.*, note 45, p. 70.

32. Propos de Pablo Picasso rapportés par Françoise Gilot et Lake Carlton, 1973, *op. cit.*, p. 118.

. . . .

Fig. 52
Henri Matisse
Nymphe et satyre, 1909
Huile sur toile, 89 x 117
Musée national de l'Ermitage, Saint-Pétersbourg

Fig. 53
Pablo Picasso
Le Baiser, 1931
Huile sur toile, 61 x 50,5
Musée Picasso, Paris

21

1. De nombreux témoins et visiteurs en ont attesté : Françoise Gilot, Brassaï, André Malraux, entre autres, voir Dominique Fourcade et Isabelle Monod-Fontaine, éds., *Henri Matisse : 1904-1917*, catalogue d'exposition, Musée national d'art moderne, Paris, 1993, p. 484-485. Pour ajouter à ces échanges d'oranges : début 1944, Pablo Picasso a peint une *Nature morte avec pichet, verre et orange*, qu'il offrira à Henri Matisse à l'automne de la même année. Efstratios Tériade rapporte que « quand Matisse lui envoyait des oranges, Picasso ne les mangeait pas, mais les posait sur une cheminée et les montrait à ses visiteurs, en disant : "Regardez les oranges de Matisse" » (voir Pierre Schneider, 1992, p. 269).

2. Voir le catalogue *Manet*, Paris, 1983, p. 478-482. Le tableau appartient à Auguste Pellerin, entre 1897 et 1912.

3. Voir le catalogue *Matisse et l'Orient*, Rome, 1997, p. 176. Royall Tyler (1883-1953) avait été introduit dans l'atelier de Matisse vers 1912 par Matthew Prichard. Lui-même et sa femme Elisina ont fréquenté assidûment les Matisse pendant la Première Guerre mondiale. Ils possédaient une importante collection d'art byzantin et appartenaient à ce milieu anglo-

américain byzantinophile qui joua un rôle important auprès de Matisse à cette époque. Voir Rémi Labrusse, *Esthétique décorative et expérience critique. Matisse, Byzance et la notion d'Orient*, thèse de doctorat, 1996, p. 299-309.
4. Voir Pierre Schneider, 1992, *op. cit.*, p. 269.
5. Démonstration par ailleurs pas entièrement satisfaisante : *La Coupe d'oranges* appartient à une série de natures mortes tout aussi radicales, tout aussi abstraites, peintes en 1916, et ayant pour motif un plat de pommes rouges et vertes ou rouges et jaunes.
6. Le voyage de Picasso à Rome et sa visite à Pompéi, fin mars 1917, ont joué un rôle déterminant sur la production « classique » des années suivantes. Voir le catalogue de l'exposition « Picasso 1917-1924 », Venise, 1998, et notamment l'article d'Anne Baldassari, « Pompeian Fantasy : A Photographic Source of Picasso's Neoclassicism ».
7. Voir Rosalind Krauss, *The Picasso Papers*, Londres, Thames and Hudson, 1998, et notamment le chapitre « Picasso/Pastiche », p. 89-212.
8. Voir le catalogue de l'exposition « On Classic Ground », Londres, 1990, p. 209.

22

1. Propos de Pablo Picasso rapportés par Hélène Parmelin, *Picasso dit...*, Paris, Gonthier, 1966, p. 77.
2. Gertrude Stein, « From the Notebooks », dans *Picasso. The Complete Writings*, introduction par Leon Katz et Edward Burns, Boston, Beacon Press, 1985, p. 109.
3. Cette « mâleté » artistique n'est pas pour Gertrude Stein un privilège du sexe masculin puisqu'elle ajoute : « Moi aussi perhaps. »
4. D'après le titre de l'ouvrage d'Isabelle Monod-Fontaine, *Matisse, Le Rêve ou les belles endormies*, Paris, Adam Biro, 1989.
5. Propos de Pablo Picasso rapportés par Roland Penrose, *Picasso*, Paris, Flammarion, 1982, p. 535.
6. Henri Matisse, « Il faut regarder toute la vie avec des yeux d'enfants », propos recueillis par Régine Pernoud, *Le Courrier de l'UNESCO*, vol. VI, n° 10, octobre 1953, repris dans Henri Matisse, *Écrits et propos sur l'art*, édition établie par Dominique Fourcade, Paris, Hermann, 1972, p. 323.
7. Propos de Henri Matisse en 1942 rapportés par Louis Aragon, « La Grande Songerie », repris dans Henri Matisse, 1972, *op. cit.*, p. 162, note 9.
8. Tryptique, céramique, 1907-1908, Haus Hohenhof, Hagen, Westfalen.
9. Huile sur toile, vers 1880, 96,8 x 127 cm. La toile, qui a appartenu à Camille Pissarro, se trouve aujourd'hui dans une collection particulière ; une autre version est conservée à la National Gallery of Art à Washington. Voir *Cézanne*, catalogue d'exposition, Paris, Galeries nationales du Grand Palais, Londres, Tate Gallery, Philadelphie, Philadelphia Museum of Art, Paris, Réunion des musées nationaux, 1995, n° 64 et p. 204-207.
10. Huile sur toile, 89 x 117 cm, musée de l'Ermitage, Saint-Pétersbourg. Voir, également, l'étude pour *Nymphe et satyre*, 21 x 27 cm, coll. part.
11. Fusain, 1935, 51,1 x 61,3 cm, coll. part.
12. Huile sur toile, 1936-1942/43, intitulée également *La Verdure*, 242 x 195 cm, musée Matisse, Nice, don de Jean Matisse, dépôt de l'État.
13. Tryptique, huile sur panneau, 1944-1946, 183 x 157 cm, coll. part. Études au fusain, 1945, Archives Matisse, reproduites dans Pierre Schneider, *Matisse*, Paris, Flammarion, 1984, p. 150.
14. Henri Matisse, « Il faut regarder toute la vie avec des yeux d'enfants », propos recueillis par Régine Pernoud, 1953, *op. cit.*, repris dans Henri Matisse, 1972, *op. cit.*, p. 322. L'image était déjà présente dans ses propos de 1908 : « De même qu'en parlant d'un melon, on se sert des deux mains pour l'exprimer d'un geste, les deux lignes qui délimitent une forme doivent la restituer. » Voir « Notes de Sarah Stein » (1908), repris dans Henri Matisse, 1972, *op. cit.*, p. 67.
15. Cette dialectique de la dépendance et de la prise de distance est décrite par Henri Matisse à travers les étapes successives de sa relation avec ses modèles : « Quand je prends un nouveau modèle, c'est dans son abandon au repos que je devine la pose qui lui convient et dont je me rends esclave. Je garde ces jeunes filles souvent plusieurs années, jusqu'à épuisement d'intérêts. » Voir « Notes d'un peintre sur son dessin », *Le Point*, n° 21, juillet 1939, repris dans Henri Matisse, 1972, *op. cit.*, p. 162.
16. Propos de Henri Matisse en 1942 rapportés par Louis Aragon, « La Grande Songerie », repris dans Henri Matisse, 1972, *op. cit.*, p. 162, note 9.
17. Propos de Henri Matisse rapportés par Louis Aragon, « Matisse-en-France » (1942), *Henri Matisse, Roman*, Paris, Gallimard, 1971, repris dans Henri Matisse, 1972, *op. cit.*, p. 162, note 9.
18. Propos de Henri Matisse en 1942 rapportés par Louis Aragon, « La Grande Songerie », repris dans Henri Matisse, 1972, *op. cit.*, p. 162, note 9.
19. Juan-les-Pins, été 1925, huile sur toile, 130,5 x 97,2 cm, Z. V, 460, MP 85.
20. Ce tableau est également intitulé *Le Baiser*, Paris, 12 janvier 1931, huile sur toile, 61 x 50,5 cm, Z. VII, 325, MP 132.
21. Propos de Pablo Picasso rapportés par Alexander Lieberman, dans « Picasso », *Vogue*, New York, 1er novembre 1956, repris dans Pablo Picasso, *Propos sur l'art*, édition établie par Marie-Laure Bernadac et Androula Michael, Paris, Gallimard, 1998, p. 82.
22. *Ibid.*
23. « Notes de Sarah Stein » (1908), repris dans Henri Matisse, 1972, *op. cit.*, p. 66.
24. Propos de Pablo Picasso rapportés par André Malraux, *La Tête d'obsidienne*, Paris, Gallimard, 1974, p. 129.
25. Propos de Pablo Picasso rapportés par Geneviève Laporte, *Si tard le soir*, Paris, Plon, 1975, p. 98.
26. Propos de Pablo Picasso rapportés par André Malraux, 1974, *op. cit.*, p. 101.
27. *Ibid.*
28. Leo Steinberg, « Les Veilleurs de sommeil », article initialement publié dans *Life*, 27 décembre 1968, repris dans Leo Steinberg, *Trois études sur Picasso*, Arts & Esthétiques, Éditions Carré, 1996, p. 47-49.
29. Propos de Henri Matisse en 1942 rapportés par Louis Aragon, « La Grande Songerie », repris dans Henri Matisse, 1972, *op. cit.*, p. 162, note 9.
30. Dessin au crayon de couleur, également intitulé *L'Artiste nu au bord de la mer*, Z. I, 129.
31. Propos de Pablo Picasso rapportés par Geneviève Laporte, 1975, *op. cit.*, p. 127.

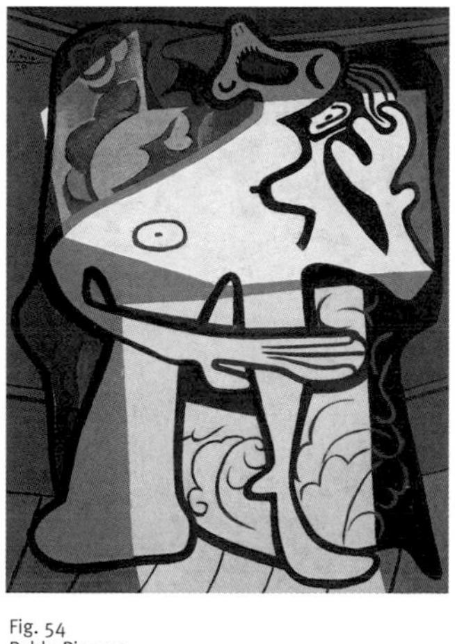

Fig. 54
Pablo Picasso
Femme dans un fauteuil, 1927
Huile sur toile, 130,5 x 97,2
Collection particulière

23

1. Pour une utile anthologie de la première critique, voir Isabelle Monod-Fontaine, avec Anne Baldassari et Claude Laugier, *Matisse, Collections du Musée national d'art moderne*, Paris, 1989, p. 79-82. Tériade, par exemple, décrivit ce tableau comme « émouvant de jeunesse ».
2. Jack Cowart fournit une description détaillée du « théâtre portable » de Matisse dans « The Place of Silvered Light : An Expanded, Illustrated Chronology of Matisse in the South of France, 1916-1932 », dans *Henri Matisse, The Early Years in Nice, 1916-1930*, catalogue d'exposition, National Gallery of Art, Washington, 1986, p. 30-32.
3. Ce tissu est incorrectement décrit comme « du papier-peint baroque français » par Alfred H. Barr, *Matisse, his Art and his Public*, The Museum of Modern Art, New York, 1951, p. 214. On l'entrevoit dans plusieurs photographies d'atelier très connues, dont une d'Henriette posant pour Matisse en costume de harem, avec le miroir vénitien accroché au-dessus d'elle. Cette photographie est datée du printemps 1926 dans John Elderfield, *Henri Matisse : A Retrospective*, catalogue d'exposition, The Museum of Modern Art, New York, 1992, p. 294.
4. Jack Cowart, 1986, *op. cit.*, p. 31, fig. 30.
5. Henri Matisse transporta ce miroir vénitien de Nice à Paris : il occupait une place de choix dans *Le Peintre dans son atelier*, 1916, huile sur toile, Musée national d'art moderne, Paris.
6. Voir le texte de John Elderfield dans le présent catalogue, chapitre 33.
7. Pierre Schneider, *Matisse*, Paris, Flammarion, 1984, p. 534.
8. *Figure assise sur fond décoratif*, 1925-1926, fusain sur papier (coll. part.).
9. Judith Cladel, *Aristide Maillol : sa vie, son œuvre, ses idées*, Paris, 1937, p. 148. *La Méditerranée* était simplement intitulée *Femme* lorsqu'elle fut montrée au Salon d'automne de 1905.
10. Henri Matisse rendit visite à Aristide Maillol à Banyuls, durant l'été 1905 (Hilary Spurling, *The Unknown Matisse, a Life of Henri Matisse, vol. 1, 1869-1908*, Londres, Hamish Hamilton, 1998, p. 312). Sans doute connaissait-il aussi la version précédente de *La Méditerranée*, achevée en 1902, dans laquelle le bras libre repose horizontalement sur le genou, un peu comme dans *Figure décorative*.
11. Déclaration non datée, reprise dans Raymond Escholier, *Matisse ce vivant*, repris dans Henri Matisse, *Écrits et propos sur l'art*, édition établie par Dominique Fourcade, Paris, Hermann, 1972, p. 305, note 27.
12. « Hommages à Maillol », *L'Art d'aujourd'hui*, automne 1925, p. 46. La version en pierre de *La Méditerranée*, qu'Aristide Maillol sculpta pour le comte Harry Kessler en 1905-1906, est reproduite comme « Figure », pl. XLVIII. Matisse savait sans doute que Maillol travaillait à cette époque sur une réplique en marbre de *La Méditerranée* pour les jardins des Tuileries, où elle fut installée en 1927. (Voir Dina Vierny, Bernard Lorquin et Antoinette Le Normand-Romain, « Maillol : *La Méditerranée* », *Les Dossiers du musée d'Orsay*, 4, Paris, 1986).
13. Lettre à Jean Matisse, 14 février 1926, citée dans Pierre Schneider, 1984, *op. cit.*, p. 524.
14. *Grand Nu assis* apparut, selon deux angles différents et sous une forme encore inachevée, dans *Cahiers d'art*, n° 7, 1928, p. 282. Cette sculpture fut presque certainement présente lors de l'exposition des sculptures de Matisse à la galerie Pierre en juin-juillet 1930 (voir Yve-Alain Bois, *Matisse and Picasso*, catalogue d'exposition, Kimbell Art Museum, Fort Worth, 1998, p. 58, 246).
15. John Elderfield, 1992, *op. cit.*, p. 294, date du printemps 1926 la célèbre photographie où *Grand Nu assis* se détache en silhouette devant le tissu qui apparaît dans *Figure décorative*.
16. *Correspondance entre Charles Camoin et Henri Matisse*, édition établie par Claudine Grammont, Lausanne, 1997, p. 115. Dans la même lettre, Matisse se réfère de manière précise à *Nuit* – « Je dessine la nuit et je le modèle » – et à la statue de Laurent de Médicis. Pierre Schneider, 1984, *op. cit.*, p. 527, associe l'aspect athlétique du *Grand Nu assis* et la pratique de l'aviron par Matisse.
17. Le *Nu au coussin bleu près d'une cheminée* était l'une des lithographies reproduites parmi les « Lithographies d'Henri Matisse » par Christian Zervos, dans le numéro inaugural de *Cahiers d'art*, janvier 1926, p. 9.
18. « Notes of a Painter » (1908), dans Jack Flam, *Matisse on Art*, Oxford, 1973, p. 38, repris dans Henri Matisse, 1972, *op. cit.*, p. 50.
19. Yve-Alain Bois, 1998, *op. cit.*, p. 21, propose une comparaison révélatrice avec l'éblouissante mais de taille modeste *Odalisque au tambourin* de Matisse, 1926, huile sur toile (The Museum of Modern Art, New York, collection William S. Paley).
20. Michel Leiris, *Journal 1922-1989*, Éditions Jean Jamin, Paris, 1992, p. 154. *Grand Nu au fauteuil rouge* est daté du 5 mai 1929 sur le cadre.
21. Les « hiéroglyphes » de l'île de Pâques apparurent dans la réimpression de *L'Île de Pâques* de Mgr Tepano Jaussen (originellement publié en 1893), dans *Cahiers d'art*, n° 2-3, mars-avril 1929, p. 116-119. La passion illimitée

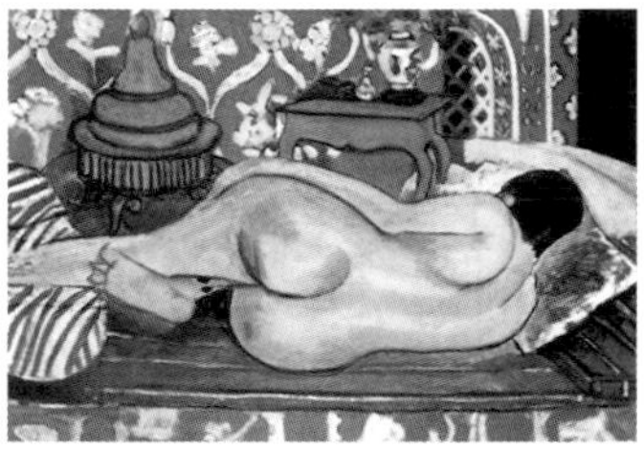

Fig. 55
Henri Matisse
Nu de dos, 1927
Huile sur toile, 66 x 92
Collection particulière

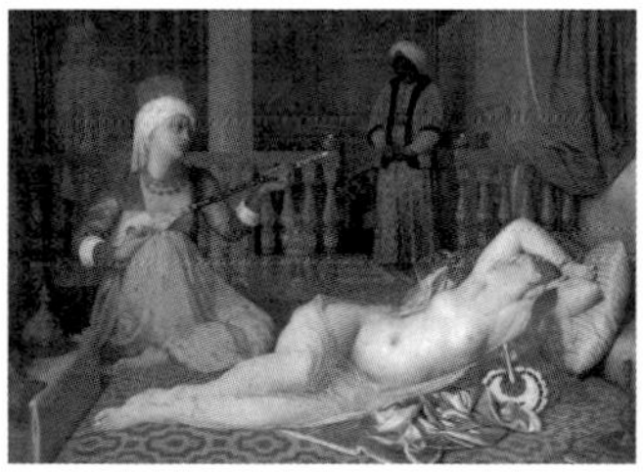

Fig. 56
Jean-Auguste-Dominique Ingres
Odalisque à l'esclave, 1839
Huile sur toile marouflée sur panneau, 72,1 x 100,3
The Fogg Museum, Harvard University Art Museums, Cambridge, legs de Grenville L. Winthrop

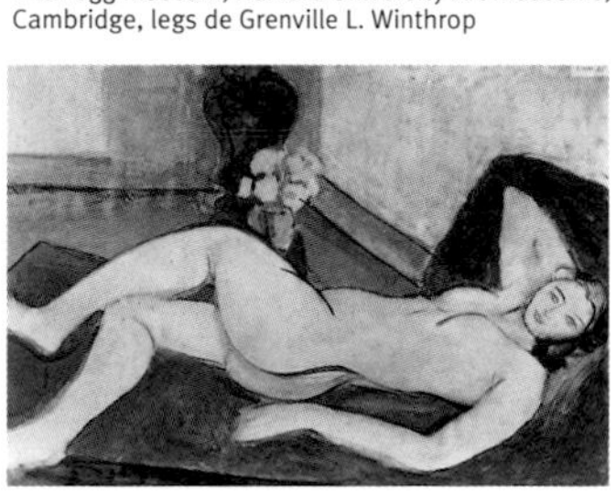

Fig. 57
Photographie du *Nu rose* (1er état) de Matisse, le 3 mai 1935
The Baltimore Museum of Art, The Cone Archives

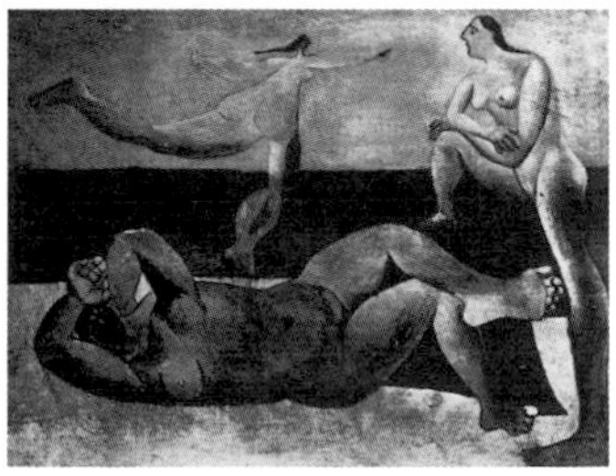

Fig. 58
Pablo Picasso
Trois Baigneuses, 1920
Huile sur bois, 81 x 100
Collection particulière

des surréalistes pour l'art océanien se reflète dans le fait que, lorsque André Breton et Paul Éluard mirent en vente leurs collections ethnographiques en 1931, environ la moitié des trois cents lots au moins étaient d'origine océanienne. Ils possédaient de nombreux objets originaires de la Nouvelle-Guinée et plusieurs sculptures en bois de l'île de Pâques (*Collection André Breton et Paul Éluard : sculptures d'Afrique, d'Amérique, d'Océanie*, Paris, 2-3 juillet 1931).

22. Des photographies de Paul Régnard illustraient la célébration, par André Breton et Louis Aragon, des recherches de Charcot sur l'hystérie, « Le Cinquantenaire de l'hystérie », *La Révolution surréaliste*, nos 11, 15, mars 1928, p. 20-21.

23. « Notes of a Painter » (1908), dans Jack Flam, 1973, *op. cit.*, p. 38, repris dans Henri Matisse, 1972, *op. cit.*, p. 50.

24. *Métamorphose I* et *Métamorphose II* existent sous forme de plâtres originaux et de bronze (unique). Le musée Picasso, à Paris, possède le bronze du premier et le plâtre du second. Ils sont d'habitude datés de 1928, mais Peter Read soutient que l'un d'entre eux fut montré au Comité Apollinaire en décembre 1927 (*Picasso et Apollinaire : les métamorphoses de la mémoire 1905-1973*, Paris, 1995, p. 179-81).

25. Les dessins méticuleux pour *Femme assise* sont datés des 5-8 mai 1929 (Brigitte Léal, *Carnets : Catalogue des dessins, vol. 2*, musée Picasso, Paris, 1996, p. 112, cat. 38, 37R, 38R). Michel Leiris mentionne ces dessins dans son *Journal* à la date du 11 mai 1929 et écrit que Picasso « est en train de faire » la sculpture (Michel Leiris, 1992, *op. cit.*, p. 155).

26. Voir aussi Yve-Alain Bois, 1998, *op. cit.*, p. 58, 70-72.

....

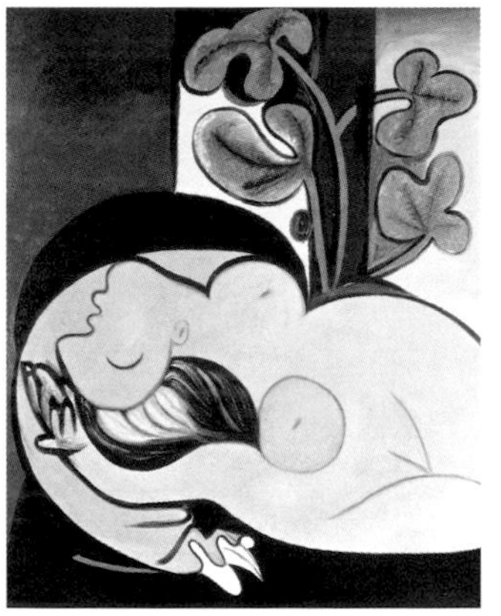

Fig. 59
Pablo Picasso
Nu sur canapé noir, 1932
Huile sur toile, 162 x 130
Collection particulière

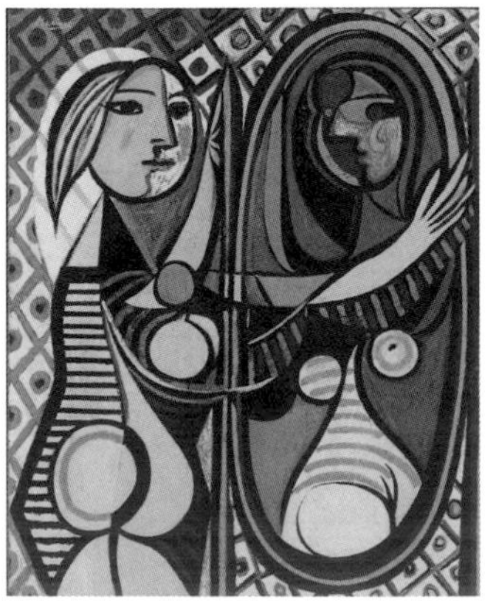

Fig. 60
Pablo Picasso
Jeune Fille devant un miroir, 1932
Huile sur toile, 162,3 x 130,2
The Museum of Modern Art, New York,
don de Mme Simon Guggenheim

24

1. Norman Bryson, *Tradition and Desire : From David to Delacroix*, Cambridge, 1984, p. 172. Les versions, par Jasper Johns, de *Femme au chapeau de paille* peint par Picasso en 1936 tombent presque maintenant dans cette catégorie.

2. Le présent essai est extrait d'une étude en cours qui fournit un compte rendu détaillé du développement de *Nu rose* de Matisse, ainsi que des œuvres associées, et qui a reçu la forme d'une conférence au Baltimore Museum of Art en 1996 et au Kimbell Art Museum en 1999. Il doit beaucoup, comme inévitablement tout essai sur l'art de Matisse à cette période, à la documentation de Lydia Delectorskaya, *L'Apparente Facilité, Henri Matisse*, Paris, Adrien Maeght, 1986, et à celle d'Yve-Alain Bois, *Matisse and Picasso*, Paris, Flammarion, Kimbell Art Museum, 1998.

3. Les réactions critiques positives à cette exposition inclurent des déclarations affirmant que Matisse n'avait de préjugé ni pour les anciens, comme André Derain, ni pour les nouveaux, comme Picasso, mais qu'il avait réussi un parfait équilibre, et qu'il y avait eu des influences réciproques entre Matisse et les cubistes. Voir Christian Zervos, « Notes on the Formation and Development of the Art of Henri Matisse », dans Jack Flam, *Matisse : A Retrospective*, New York, 1988, p. 271, et Waldemar George, « The Duality of Matisse », *ibid.*, p. 276-287. Au vu de ce qui suit, il est intéressant qu'un critique ait mentionné comment Matisse distribuait la couleur en dehors des périmètres des objets (Waldemar Georges, « Psychoanalysis of Matisse : Letter to Raymond Cogniat », *ibid.*, p. 274). Voir également Yve-Alain Bois, 1998, *op. cit.*, p. 64-65, pour une discussion des contenus de cette exposition et des réactions qu'elle provoqua.

4. Yve-Alain Bois, 1998, *op. cit.*, p. 102, relie cette œuvre à un motif de *La Leçon de musique* de Matisse, de manière très raisonnable, car ce motif est une réplique de *Nu bleu*. Apparemment, le marchand de Picasso refusa de montrer son *Nu dans un jardin*, moyennant quoi nous ne savons pas si Henri Matisse le vit.

5. Le reflet est inversé, proposant ainsi une vue de la figure comme si on la découvrait de dos. Le motif en losanges dans cette œuvre non seulement suggère Matisse, mais aussi les images d'arlequin autoréférentielles de Picasso.

6. Sur les rapports antagonistes entre l'emprunteur et sa source, voir Norman Bryson, 1984, *op. cit.*, p. 15-18 et *passim*.

7. William Rubin, « Reflections on Picasso and Portraiture », dans William Rubin, éd., *Picasso and Portraiture : Representation and Transformation*, catalogue d'exposition, The Museum of Modern Art, New York, 1996, p. 66, fait référence à sa présentation dans *Baigneuse au ballon de plage* de 1932.

8. Henry McBride cité dans Yve-Alain Bois, 1998, *op. cit.*, p. 65.

9. Picasso reconnut avoir été influencé par le surréalisme seulement à partir de 1933 (voir Pierre Cabanne, *Le Siècle de Picasso, L'époque des métamorphoses, vol. 2*, Paris, 1979, p. 190-191). Néanmoins, un consensus semble aujourd'hui exister pour dire que le surréalisme l'influença à partir du milieu des années vingt ; voir Pierre Daix, *La Vie de peintre de Pablo Picasso*, Paris, 1977, p. 198-214 ; John Golding, « Picasso and Surrealism », dans Roland Penrose et John Golding, éds., *Picasso in Retrospect*, 1973, New York et Washington, Icon Edition, p. 78 ; Rosalind Krauss, « Life with Picasso », dans Arnold et Marc Glimcher, éds., *Je suis le cahier : The Sketchbooks of Picasso*, catalogue d'exposition, Pace Gallery, New York, 1986, p. 114-115, notes 9-10.

10. Voir Rosalind Krauss, dans Arnold et Marc Glimcher, éds., 1986, *op. cit.*, p. 118.

11. La transition critique est celle qui passe de *Minotaure* de 1928 à *Nageuse* et à *Acrobate*, tous deux de 1929.

12. Sur l'exigence traditionnelle qui veut qu'un tableau crée un effet visuel saisissant *au premier coup d'œil*, voir Thomas Puttfarken, *Roger de Piles'Theory of Art*, New Haven et Londres, 1985, p. 40 et *passim*.

13. Voir la brève et belle analyse comparative des tableaux de Matisse et Picasso peints au milieu et à la fin des années vingt, dans Robert Kudielka, « Chromatic and Plastic Interaction », dans Bridget Riley, *Ausgewählte Gemälde*, Ostfildern-Ruit, 1999, p. 58-59.

14. Voir John Elderfield, *Henri Matisse : A Retrospective*, catalogue d'exposition, The Museum of Modern Art, New York, 1992, p. 62-63 ; Yve-Alain Bois, « On Matisse : The Blinding », *October*, n° 68, printemps 1994, p. 81-84.

15. L'objet de cette analyse étant le lien entre Picasso et Matisse, je ne commencerai pas à évoquer l'iconographie de ce tableau, qui a déjà suscité de nombreux commentaires. Voir, par exemple, William Rubin, *Picasso in the Collection of the Museum of Modern Art*, The Museum of Modern Art, New York, 1972, p. 138-141, 226-227 ; John Golding, dans Roland Penrose et John Golding, éds., 1973, *op. cit.*, p. 77-121 ; Robert Rosenblum, « Picasso's Blonde Muse : The Reign of Marie-Thérèse Walter », dans William Rubin, éd., 1996, *op. cit.*, p. 336-383 ; Robert Rosenblum, « Picasso and the Anatomy of Eroticism », dans *Studies in Erotic Art*, New York et Londres, 1970, p. 339-392 ; Robert Rosenblum, « Picasso as a Surrealist », dans Jean Sutherland Boggs, éd., *Picasso and Man*, catalogue d'exposition, Toronto et Montréal, 1964, p. 15-17.

16. L'emplacement des couleurs dans le spectre est ici indiqué afin d'expliquer leurs connotations et non pas pour suggérer que Picasso avait besoin de les connaître pour les coder comme il le fit. Sur l'iconographie, mais pas sur la mécanique de la couleur dans ces œuvres, voir Linda Nochlin, « Picasso's Colour : Schemes and Gambits », dans *Art in America*, décembre 1980, p. 177-179. Sur leur symbolisme, non traité ici, voir les importantes analyses dans les références données à la note 15 *supra*.

17. Hélène Parmelin, *Picasso dit...*, Paris, Gonthier, 1966. La rétrospective Manet de 1932 peut très bien avoir conforté Picasso dans son emploi du noir.

18. La ur-nymphe est probablement Antiope dans *Jupiter et Antiope* du Corrège, au Louvre. Voir aussi Isabelle Monod-Fontaine, *Matisse, Le Rêve ou les belles endormies*, Paris, Adam Biro, 1989, sur l'image de la nymphe endormie durant cette période.

19. Voir, par exemple, John Richardson, « Picasso and Marie-Thérèse Walter », dans John Richardson, éd., *Through the Eye of Picasso 1928-1934 ; The Dinard Sketchbook and Related Paintings and Sculpture*, catalogue d'exposition, New York, 1985, n.p., qui souligne que la natation était une passion de Marie-Thérèse Walter.

20. Cette peinture forme une sorte de coda à *Nature morte sur une table* du 11 mars 1931 (musée Picasso, MP 134). Une nature morte biomorphique disposée sur un piédestal y adopte des formes humaines. Ici, un être humain disposé comme une nature morte sur un piédestal adopte des formes biomorphiques. Elle complète aussi la *Dormeuse au miroir* du 14 janvier 1932 (Z. VII, 360) où ce qui paraît être une fenêtre dans la peinture de 1934 semble, dans celle de 1932, un miroir qui réfléchit une ressemblance chromatique, graphique et analogique du modèle. D'où la question de savoir si Picasso, en 1934, a imaginé non pas un paysage vu par une fenêtre, mais, encore une fois, un reflet du modèle figuré par un analogue non ressemblant. Les études en vue de la peinture (Z. VIII, 199-206) montrent bien une fenêtre, mais donnant sur une vue urbaine comprenant une forme de toit triangulaire qui, dans la peinture achevée, sera transférée à l'intérieur de la pièce. Finalement, cette peinture peut être considérée comme faisant partie des représentations picassiennes de l'artiste dans son atelier (voir p. 164-171 et 254-263).

21. Roland Penrose et John Golding, éds., 1973, *op. cit.*, p. 115.

22. Le rapprochement a été fait par Susan Grace Galassi au cours d'une conférence au Wadsworth Atheneum (Hartford). Les études en vue de la peinture (voir note 20 *supra*) ne répètent pas cette pose contorsionnée, ce qui semble confirmer qu'elle se sera imposée de mémoire. L'image de l'artiste lui-même est l'aboutissement d'études de guerrier classique – tantôt masculin, tantôt féminin, ressemblant parfois au modèle féminin.

23. Nous ignorons, pour l'instant, si Matisse a vu, ou non, ce tableau précis.

24. Sur cet aspect du néoclassicisme, voir Norman Bryson, 1984, *op. cit.*, p. 28-31. Ses analyses du néoclassicisme, et particulièrement celles concernant Ingres, sont pertinentes pour le sujet présent.

25. Mary Matthews Gedo, *Picasso : Art as Autobiography*, Chicago et Londres, 1980, p. 150.

26. Voir Norman Bryson, 1984, *op. cit.*, p. 137-144.

27. Entretien avec Tériade, 15 juin 1932, repris dans Yve-Alain Bois 1998, *op. cit.*, p. 74, avec une interprétation différente de sa motivation.

28. Rosalind Krauss, dans Arnold et Marc Glimcher, éds., 1986, *op. cit.*, p. 121-122, souhaitant éviter une lecture biographique de Picasso, parle du contraste des femmes blondes et brunes dans son art comme une variante sémantique sur les autres couples d'opposition sous-jacents qui l'ont structuré, le plus important étant celui de la figure et du fond. Il mérite d'être noté que le développement de l'art de Matisse au cours des années vingt et trente témoigne d'un contraste similaire. Voir Lydia Delectorskaya, 1988, *op. cit.*, p. 15 (« Je n'étais pas "son type"... J'étais une blonde, très blonde »).

29. Voir *ibid.*, p. 58-67.

30. Leo Steinberg, « The Algerian Woman and Picasso at Large », dans *Other Criteria*, Londres, Oxford et New York, 1972, p. 167, 189.

31. Si Matisse ne s'était pas souvenu de ce tableau dans l'exposition, il l'aurait vu reproduit dans *Documents* (n° 3, 1930, p. 113), dans le catalogue de la rétrospective Picasso à la galerie Georges Petit (*Exposition Picasso*, Paris, 1932, n° 129, sous le titre *Personnages sur une plage*) et dans le numéro spécial de *Cahiers d'art* (n° 3, 1932, n.p.) qui accompagna cette exposition.

32. Voir Lydia Delectorskaya, 1988, *op. cit.*, p. 25.

33. Leo Steinberg, 1972, *op. cit.*, p. 182.

34. Voir Yve-Alain Bois, 1998, *op. cit.*, p. 72-75, pour ces œuvres.

35. Voir Lydia Delectorskaya, 1988, *op. cit.*, p. 36-41.

36. Dès qu'on a remarqué l'étrangeté de la posture décrite, la question se pose de savoir si, à quelque niveau probablement inconscient, Matisse se rappelait une représentation antérieure d'une merveille monstrueuse du genre qui commençait à attirer l'attention de Rudolf Wittkower. (Voir surtout son essai de 1942, « Marvels of the East : a Study in the History of Monsters », dans *Allegory and the Migration of Symbols*, Londres, 1977, p. 45-74).

....

25

1. Voir le témoignage de Lydia Delectorskaya, *L'Apparente Facilité, Henri Matisse*, Paris, Adrien Maeght, 1986.

2. *Ibid.*, p. 15-16.

3. Berlin, Thannhauser Gallery, 15 février-19 mars 1930 (265 œuvres, dont 83 peintures) ; Paris, galerie Georges Petit, 16 juin-25 juillet 1931 (141 peintures, et une sélection de dessins et gravures) ; Bâle, Kunsthalle, 9 août-15 septembre 1931 (111 peintures, et de nombreux dessins, gravures et sculptures).

4. Voir l'émotion ressentie par Daniel-Henry Kahnweiler lorsqu'il découvrit quelques-unes de ces toiles. Il écrit en effet le 17 mars 1932 à Michel Leiris, alors en mission en Abyssinie : « Oui la peinture n'est supportée que par Picasso, comme tu le dis, mais combien merveilleusement. Nous avons vu chez lui il y a deux jours deux tableaux qu'il venait de peindre. Deux nus qui sont peut-être ce

qu'il a produit de plus grand, de plus émouvant. "Il semblerait qu'un satyre qui viendrait de tuer une femme aurait pu peindre ce tableau", lui ai-je dit à propos de l'un d'eux. Ce n'est ni cubiste, ni naturaliste, c'est sans artifice aucun de peinture, c'est très vivant, très érotique, mais d'un érotisme de géant. Depuis bien des années, Picasso n'avait rien fait de pareil. "Je voudrais peindre comme un aveugle, avait-il dit quelques jours plus tôt, qui ferait une fesse à tâtons." C'est bien ça. Nous sommes sortis de là, écrasés… » Les deux nus qui ont ému Kahnweiler à ce point sont vraisemblablement deux dormeuses, deux de ces figures dont le sommeil fait à ses yeux des victimes déjà sacrifiées (Archives Kahnweiler-Leiris, cité dans Isabelle Monod-Fontaine, *Matisse, Le Rêve ou les belles endormies*, Paris, Adam Biro, 1989, p. 32).

5. Voir la note de Henri Matisse, le 1er avril 1935, dans Lydia Delectorskaya, 1986, *op. cit.*, p. 43 : « Commencé après-midi nouveau tableau sur le divan. Le matin travaillé petite toile, "reflet dans la glace". »

6. *Ibid.*, p. 23.

7. Archives de la galerie Leiris, Paris.

8. « Conversation avec Picasso », dans *Cahiers d'art*, n° X, p. 173-178.

9. Voir le dossier complet des états publié par Lydia Delectorskaya, 1986, *op. cit.*, p. 68-71.

10. Henri Matisse, « Notes d'un peintre sur son dessin », *Le Point*, n° 21, juillet 1939. Il déclare à propos de ses modèles : « L'intérêt émotif qu'elles m'inspirent ne se voit pas spécialement sur la représentation de leur corps, mais souvent par des lignes et des valeurs spéciales qui sont répandues sur toute la toile et en forment son orchestration, son architecture. Mais tout le monde ne s'en aperçoit pas. C'est peut-être la volupté sublimée, ce qui n'est peut-être pas encore perceptible pour tout le monde. »

. . . .

26

1. Henri Matisse, « Notes d'un peintre sur son dessin », *Le Point*, n° 21, juillet 1939, repris dans Henri Matisse, *Écrits et propos sur l'art*, édition établie par Dominique Fourcade, Paris, Hermann, 1972, p. 159-163.

2. Henri Matisse, notes sur les dessins de *Thèmes et variations*, reprises dans Louis Aragon, *Henri Matisse, Roman*, Paris, Gallimard, 1971, citées d'après Henri Matisse, 1972, *op. cit.*, p. 164.

3. Henri Matisse, note sur les dessins de *Thèmes et variations*, *ibid.*, p. 165.

4. Lettre de Henri Matisse à Louis Aragon, février 1942, citée dans *ibid.*, p. 165.

5. Henri Matisse, « Notes d'un peintre sur son dessin », *ibid.*, p. 160.

6. Voir en particulier la superbe *Femme nue couchée*, 1965 (donation Maurice Jardot, Belfort)

7. David Sylvester, « Fin de partie », *Le Dernier Picasso*, catalogue d'exposition, Musée national d'art moderne, Paris, 1988.

8. Les dernières toiles de Picasso sont peintes fin mai-début juin 1972. Il dessine encore au début de l'automne 1972 (*Nu dans un fauteuil*, 3 octobre 1972, musée Picasso, Paris).

. . . .

27

1. Propos de Pablo Picasso rapportés par Renato Guttuso, « Michelangelo e piú difficile » (journal inédit), dans De Micheli, *Scritti di Picasso*, Milan, Feltrinelli Editore, 1973, repris dans Pablo Picasso, *Propos sur l'art*, édition établie par Marie-Laure Bernadac et Androula Michael, Paris, Gallimard, 1998, p. 128.

2. Propos de Henri Matisse rapportés par Georges Charbonnier, « Entretiens avec Henri Matisse », dans *Le Monologue du peintre*, Paris, Julliard, 1960, t. 2, p. 112.

3. Voir, notamment, pour Picasso, les clichés pris par l'artiste de ses ateliers entre 1908 et 1913, dans Anne Baldassari, *Picasso and Photography, The Dark Mirror*, Paris, Flammarion, Houston, The Museum of Fine Arts, 1997, fig. 79, 130-132 et 133, et, pour

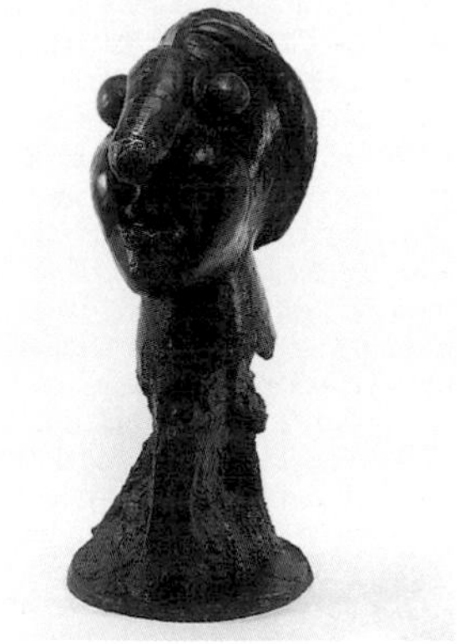

Fig. 61
Pablo Picasso
Tête de femme, 1931
Bronze, 86 x 32 x 48,5
Musée Picasso, Paris

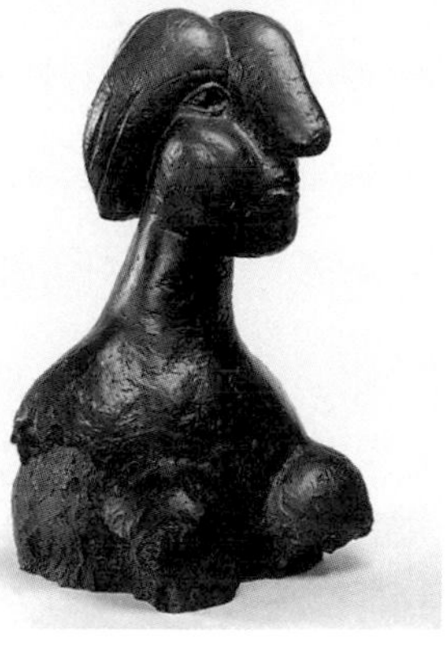

Fig. 62
Pablo Picasso
Buste de femme, 1931
Bronze, 78 x 44,5 x 54
Musée Picasso, Paris

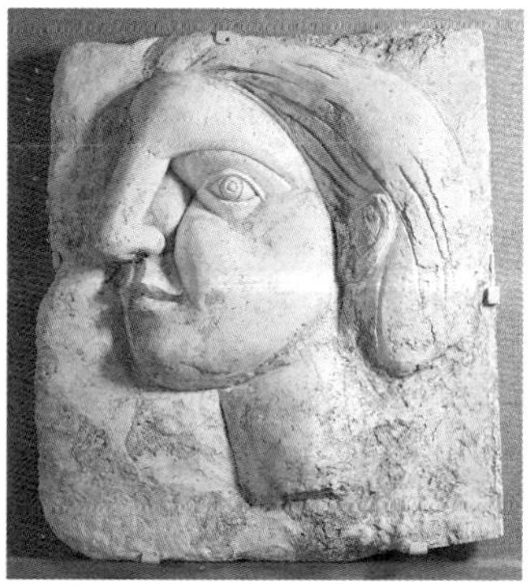

Fig. 63
Pablo Picasso
Femme de profil gauche (Marie-Thérèse), 1931
Plâtre, 60 x 60 x 10
Collection particulière

Matisse, les photographies illustrant l'ouvrage de Claude Duthuit, éd., avec Wanda de Guébriant, *Henri Matisse. Catalogue raisonné de l'œuvre sculpté*, Paris, 1997, p. 254 à 263.

4. « – Comment avez-vous débuté en sculpture ? – Mais j'en ai fait presque toute ma vie ! J'en ai toujours eu une en train dans mon atelier », Henri Matisse, « Bavardages, entretiens avec Pierre Courthion, 6e conversation », cité dans Claude Duthuit, éd., 1997, *op. cit.*, p. 253.

5. « J'aime modeler autant que peindre. […] Quand je me fatigue d'un moyen, alors je me tourne vers l'autre – et je fais souvent, "pour me nourrir", la copie en terre d'une figure anatomique », propos de Henri Matisse rapportés par Clara MacChesney, « A Talk with Matisse, leader of Post-Impressionists », *The New York Times*, 9 mars 1913, repris dans Henri Matisse, *Écrits et propos sur l'art*, édition établie par Dominique Fourcade, Paris, Hermann, 1972, p. 70.

6. Jusqu'à 1917, la peinture de Matisse abonde en citations sculpturales de ses propres œuvres. Ces toiles sont étudiées par Isabelle Monod-Fontaine, « The Sculptures in Matisse's Painting 1911-1917 », dans *The Sculpture of Henri Matisse*, Londres, Thames and Hudson, 1984, p. 24-33, et récapitulées dans Claude Duthuit, éd., 1997, *op. cit.*, p. 265-266.

7. Selon le titre *Élevage de poussière* donné par Marcel Duchamp à la photographie prise par Man Ray en 1921 de son œuvre *Le Grand Verre*, voir Man Ray, *Autoportrait*, Paris, Seghers, p. 92. Pour sa part, Picasso a confié à Brassaï, à propos de l'atelier de la rue La Boétie, comment il avait « toujours compté sur la protection de la poussière », voir Brassaï, *Conversations avec Picasso*, Paris, Gallimard, 1964, p. 89.

8. Les sculptures de Picasso se trouvent parfois à la source de démonstrations didactiques comme ce fut le cas, dans l'atelier du boulevard Raspail, de la construction de carton *Guitare* (S. 27A) pour le processus d'élaboration de la série des papiers collés de l'hiver 1912-1913 ; voir à ce sujet, Anne Baldassari, *Picasso and Photography, The Dark Mirror*, 1997, *op. cit.*, p. 106-123.

9. 47 x 23 x 21 cm.

10. Guillaume Apollinaire, *Méditations esthétiques. Les Peintres cubistes* (1913), réédition, Paris, Hermann, « Collection Savoir », p. 60.

11. Cette tresse polyédrique apparaît dans la peinture dès 1907, alors que Picasso engage un travail d'élaboration syntaxique qui, des *Demoiselles d'Avignon* au *Nu à la draperie* puis à *Trois Femmes*, le mènera à la radicalisation stylistique de Horta de Ebro. Picasso dépasse ainsi le principe d'un *masque* opaque apposé comme un signe sur l'effigie du corps que mettaient en œuvre le *Portrait de Gertrude Stein* en peinture ou le *Buste de Fontdevila* en sculpture. Mais il prend aussi ses distances avec les travaux néogauguiniens menés en parallèle à l'élaboration des *Demoiselles d'Avignon*, où des figures taillées sommairement dans le bois inscrivaient, comme en un mimétisme fondamentaliste, des « images premières » jaillies des ressources frustes du matériau.

12. La réduction volumétrique cézannienne est encore à l'œuvre dans les sculptures *Tête* (Z. I**, 717, S. 25) et *Pomme* (Z. II**, 718 et 719, S. 26), elles aussi de 1909.

13. Propos de Pablo Picasso rapportés par Efstratios Tériade, « En causant avec Picasso », dans *L'Intransigeant*, 15 juin 1932.

14. Comme Picasso l'a précisé à Roland Penrose : « Je pensais que les courbes que vous pouvez voir à la surface devaient continuer à l'intérieur […] mon idée était de les faire en fil de fer » (Roland Penrose, *The Sculpture of Picasso*, The Museum of Modern Art, 1967, cité par Pepe Karmel, *Picasso, Masterworks from The Museum of Modern Art*, New York, 1997, p. 54). Il aurait ainsi tenté avec *Tête de femme (Fernande)* une première approche de *sculpture ouverte*, dont le principe est ébauché dans le traitement excavé du bas du visage et du cou, mais qui ne devait aboutir qu'avec la radicalisation opérée en 1912 par la construction en carton puis en tôle découpée *Guitare* (original en carton, S. 27A ; voir Kirk Varnedoe, *Picasso, Masterworks from The Museum of Modern Art*, New York, 1997, p. 64).

15. Voir Daniel-Henry Kahnweiler, *Les Sculptures de Picasso*, photographies de Brassaï, Paris, Les Éditions du Chêne, 1948 (publié en 1949), n.p.. L'auteur ajoute : « La surface n'est plus seulement rugueuse mais se troue de creux profonds, se bossue de saillies, comme si Picasso avait voulu douer son bronze d'une lumière créée comme un tableau. Ce n'est plus – comme en 1906 – la forme de la tête qui est figurée mais l'objectivation de la lumière sur cette tête. »

16. Anne Baldassari, « Goethe's Eye : The Role of Colour in Picasso's Graphic Work », dans Roland Doschka, éd., *Pablo Picasso, Metamorphoses of the Human Form*, Munich, Londres, New York, Prestel, 2000, p. 25-36. La position de Picasso semble ne pas avoir été sans lien avec la théorie goethéenne de la couleur qui avait placé l'observateur au cœur d'une expérimentation subjective des phénomènes chromatiques. Pour Picasso, le sujet de l'art moderne refonde le monde à partir de critères perceptifs et d'un langage autoréférent dont il se doit d'*éprouver* chacun des états avant de les organiser. Roland Penrose a bien analysé le traitement de la lumière dans les toiles de 1909 où « elle n'est plus projetée sur [les formes] à partir d'un point arbitraire, mais elle semble irradier du dessous des surfaces », *Picasso*, Paris, Flammarion, « Champs », 1996, p. 186-187.

17. J. W. Goethe, *Traité des couleurs* (1810), traduction française, Paris, Éditions du Centre Triades, 1980, p. 273.

18. Pablo Picasso, « Lettre sur l'art », 1926, *Ogoniok*, Moscou, n° 20, 16 mai 1926, traduction du russe en français par C. Motchoulsky, *Formes*, n° 2, février 1930, repris dans Pablo Picasso, 1998, *op. cit.*, p. 22.

19. Werner Spies cite ce terme de Picasso qui aurait précisé à la fonderie le plâtre de travail, *Picasso sculpteur. Catalogue raisonné des sculptures*, établi en collaboration avec Christine Piot, Paris, 2000, p. 60.

20. Daniel-Henry Kahnweiler, 1949, *op. cit.*

21. Isabelle Monod-Fontaine, 1984, *op. cit.*, p. 21.

22. Le plâtre de *Jeannette V* est daté de 1910-1913 par Pierre Schneider, *Matisse*, Paris, Flammarion, 1984, p. 553, et par Margit Rowell, *Qu'est-ce que la sculpture moderne*, Paris, Musée national d'art moderne, 1986, p. 24. Elle l'est de 1913 par Isabelle Monod-Fontaine, 1984, *op. cit.*, n° 48*, p. 20, dans l'édition de 1985 du catalogue du Museum of Modern Art de New York, fig. 47, p. 71, comme dans le catalogue de Claude Duthuit, 1997, *op. cit.*, n° 55, p. 158-159. En 1984, Jack Flam a cependant suggéré que son exécution devait être reportée à 1916 (« Matisse », dans William Rubin, éd., *Primitivism in Twentieth Century Art*, catalogue d'exposition, The Museum of Modern Art, New York, 1985, t. I, p. 230), se référant sur ce point à une conversation avec Pierre Matisse (*ibid.*, note 105, p. 239), ce qui ferait de *Jeannette V* une œuvre contemporaine de *Dos III* (voir notre chapitre 20) ; cette thèse conduit Jack Flam à reporter également à 1916 la toile de la Fondation Barnes, *Nature morte au buste de plâtre* où *Jeannette V* figure (le *Catalogue raisonné de l'œuvre sculpté* de Claude Duthuit, 1997, p. 266, continue à dater cette toile de 1913-1915). Cette hypothèse de Jack Flam est retenue comme « probable » par John Elderfield, *Henri Matisse : A Retrospective*, catalogue d'exposition, The Museum of Modern Art, New York, 1992, p. 240 et fig. 189, p. 264. Wanda de Guébriant nous a, pour sa part, indiqué que l'opinion constante de Marguerite Matisse était bien que *Jeannette V* remontait à 1913.

23. Cela a été souligné par Isabelle Monod-Fontaine, 1984, *op. cit.*, p. 21.

24. 1910, huile sur toile, 92 x 73,5 cm, musée de l'Ermitage, Saint-Pétersbourg, et *Jeune Fille aux tulipes (Jeanne Vaderin)*, fusain, 73 x 58,4 cm, The Museum of Modern Art, New York. Henri Matisse présente ce tableau, seul, au Salon des indépendants de 1911.

25. Propos de Henri Matisse à Pierre Courthion rapportés par Jean Guichard-Meili, *Matisse, son œuvre, son univers*, Paris, Fernand Hazan, 1967, cité dans Henri Matisse, 1972, *op. cit.*, p. 70, note 45.

26. Henri Matisse applique à cette série de *Têtes* le principe qu'il avait expérimenté précédemment avec les versions successives des *Dos*, voir cat. 92-93 *supra*.

27. « Notes de Sarah Stein » (1908), repris dans Henri Matisse, 1972, *op. cit.*, p. 70.

28. Pierre Schneider, 1984, *op. cit.*, p. 278-279, analyse cette crainte récurrente chez Matisse et cite notamment le témoignage d'Edward Steichen sur l'inquiétude suscitée chez celui-ci par l'éclat aveuglant des couleurs de *La Danse*.

29. Se référant à ses débuts en sculpture, il dira ainsi : « J'ai copié le *Tigre* de Barye,

en aveugle, avec les deux mains, en peloteur prenant la sensation d'une forme, les yeux fermés, je faisais la même opération pour mon travail et je jugeais », Henri Matisse, « Bavardages, entretiens avec Pierre Courthion, 3e conversation », cité dans Claude Duthuit, éd., 1997, *op. cit.*, p. 256. L'artiste se réfère en fait au *Jaguar dévorant un lièvre* de Barye dont il a donné une copie en 1899-1901, catalogue Duthuit, n° 4, p. 6-7.

30. On connaît la « révélation » que constitua, pour le jeune Matisse, l'épisode où dans un bureau de poste de Picardie, « sans y penser », il dessina d'une « plume allant à sa volonté » le portrait de sa mère, Henri Matisse, préface à *Portraits*, Monte-Carlo, Éditions André Sauret, 1954, repris dans Henri Matisse, 1972, *op. cit.*, p. 177. Matisse affirme plus loin : « La transcription presque inconsciente de la signification du modèle est l'acte initial de toute œuvre d'art et particulièrement du portrait » (*ibid.*, p. 178).

31. *Jeannette III*, Duthuit, n° 52.

32. Dans une note personnelle de Matisse publiée par Claude Duthuit, éd., 1997, *op. cit.*, note 21, p. 260, Matisse précise que les deux premiers états de *Jeannette* sont « fondus bronze sans socle » et que le premier est « monté sur cône indépendant » et le second sur « socle marbre carré ».

33. On notera qu'à l'exception des versions *II* et *IV*, qui firent l'objet de fontes dès les années 1910-1915, c'est-à-dire peu après leur réalisation, les diverses versions de *Jeannette* furent présentées par Matisse comme des plâtres. Comme pour les *Dos*, leurs bronzes sont tardifs ; la note personnelle manuscrite de Matisse publiée par Claude Duthuit, 1997, *op. cit.*, p. 260, donne cependant des indications sur le « fondu bronze » des « 5 états Portraits J. Vaderin ».

34. André Verdet, *Prestiges de Matisse*, Paris, Éditions Émile Paul, 1952, p. 61.

35. Au sens où Matisse écrit : « Encore convient-il cependant que les sensations soient condensées et que les moyens utilisés soient portés à leur maximum d'expression », « Témoignage », propos recueillis par Gaston Diehl, *Peintres d'aujourd'hui*, collection Comœdia-Charpentier, juin 1943, repris dans Henri Matisse, 1972, *op. cit.*, p. 195.

36. Jack Flam a mis en relation *Jeannette V* avec l'acquisition par Matisse d'une « idole de la région de Bobo-Dioulasso » dont un cliché avait été publié en 1917 par Paul Guillaume dans l'album *Sculptures Nègres*, planche V. La parenté formelle de ces deux œuvres tiendrait particulièrement au traitement similaire de l'exhaussement de la calotte crânienne, de l'arête unifiant le front au nez, de la saillie des lobes oculaires, de l'élongation du cou. Jack Flam rapporte une conversation avec Pierre Matisse qui lui aurait indiqué que son père avait acquis cette pièce « aux alentours du début de la Première Guerre mondiale, vers 1915 » ; voir « Matisse », dans William Rubin, éd., 1985, *op. cit.*, note 106, p. 239. La mise en relation avec *Jeannette V* repose donc sur la redatation de cette œuvre de 1912 à 1916 que Jack Flam propose par ailleurs, voir note 22. Pour sa part, Isabelle Monod-Fontaine, 1984, *op. cit.*, p. 21, qui date *Jeannette V* de 1913, la met en rapport avec la découverte de l'art nègre par Matisse dès 1906. S'agissant du « primitivisme » dans la sculpture de Picasso et des rapports formels décelés par Daniel-Henry Kahnweiler entre la *Guitare* de 1912 et la structure d'un masque grebo, voir William Rubin, « Picasso », dans William Rubin, éd., 1985, *op. cit.*, notamment p. 304-307.

37. Voir les « Notes d'un peintre » (dans Henri Matisse, 1972, *op. cit.*, p. 52) où Matisse reprend à son compte le mot de Paul Cézanne affirmant : « Je veux faire l'image. »

38. Propos de Pablo Picasso rapportés par André Malraux, *La Tête d'obsidienne*, Paris, Gallimard, 1974, p. 18.

39. Voir les propos de Pablo Picasso rapportés par André Malraux, *ibid.*, p. 18 ; « Je regardais toujours les fétiches. J'ai compris : moi aussi, je suis contre tout ! Moi aussi, je pense que tout, c'est inconnu, c'est ennemi ! Tout ! Pas les détails ! Les femmes, les enfants, les bêtes, le tabac, jouer… ».

40. Duthuit, n° 64.

41. Spies 128.

42. Outre *Tête de femme (Marie-Thérèse)*, S. 128, on se réfère à : *Tête de femme*, 1931, S. 110, plâtre, MP 291, bronze, MP 292 ; *Femme de profil gauche (Marie-Thérèse)*, 1931, S. 133, plâtre et bois, MP 301, bronze, MP 302 ; *Tête de femme*, 1931, S. 132, bronze, MP 300 ; *Buste de femme (Marie- Thérèse)*, 1931, S. 131, bronze, MP 298, ciment, MP 299.

43. À l'inverse, dans le cas de *Guitare* (1912), c'est une œuvre tridimensionnelle qui revêt un caractère « générateur » (William Rubin et Judith Cousins, éds., *Picasso and Braque Pionneering Cubism*, catalogue d'exposition, The Museum of Modern Art, New York, 1989, p. 31-32) pour des œuvres graphiques comme la série des premiers « papiers collés ».

44. Sous le titre : « Exposition de peintures et de sculptures de Henri Matisse ».

45. Yve-Alain Bois, *Matisse and Picasso*, Kimbell Art Museum, Fort Worth, 1998, p. 66-67.

46. « J'ai vu arriver Picasso il y a trois ou quatre jours avec une très jolie jeune fille. Il a été chaleureux en diable. Il devait revenir me raconter des tas de choses. Il n'est pas revenu. Il avait vu ce qu'il voulait : mes papiers découpés, mes tableaux nouveaux […]. Ça va fermenter dans son esprit à son profit », Henri Matisse, lettre du 19 mars 1946 à Pierre Matisse, Pierpont Morgan Library, Fonds de la Pierre Matisse Fondation.

47. Propos de Pablo Picasso rapportés par Efstratios Tériade, « En causant avec Picasso », dans *L'Intransigeant*, 15 juin 1932.

48. En 1931, Picasso n'a encore jamais exécuté de portrait peint ou sculpté révélant la physionomie de sa jeune maîtresse, à l'exception de quelques dessins ou gravures restant de nature intime.

49. Au sens où Picasso affirme : « Je peins à coups de coq-à-l'âne ? Bon, mais qui se suivent ! », propos rapportés par André Malraux, 1974, *op. cit.*, p. 129.

50. Roland Penrose, 1996, *op. cit.*, p. 319.

51. *Ibid.* Ce portrait par ombre portée de la jeune femme évoque les *Ateliers* des années 1927-1929 où le peintre inscrivait souvent sa propre présence sous la forme d'un profil sombre.

52. Pablo Picasso achète le château de Boisgeloup en mai 1931, puis quitte Paris pour Juan-les-Pins où il élabore le projet de ses sculptures. Il engagera leur réalisation à son retour à l'automne et ses efforts s'intensifient en décembre.

53. Dès le 11 août 1931, un dessin (MP 1056) en note d'ailleurs le principe constructif.

54. MP 1056.

55. Propos de Pablo Picasso rapportés par Brassaï, 1964, *op. cit.*, p. 92-93.

56. *Ibid.*

57. 1932, Fondation Beyeler, Riehen/Bâle.

58. Spies 128.

59. Ovide, *Les Métamorphoses*, eaux-fortes originales de Pablo Picasso, Lausanne, Albert Skira, 1931.

60. Ovide, *Les Métamorphoses*, traduction Georges Lafaye, Paris, Gallimard, « Folio », 1994, p. 93.

61. Spies 128.

62. Pablo Picasso, texte poétique écrit en français, en date du 15 novembre 1935, *Picasso, Écrits*, Paris, Réunion des musées nationaux/Gallimard, 1989, p. 43-44.

28

1. Ce tableau fut peint entre le 17 mars et le 8 avril. Voir Lydia Delectorskaya, *L'Apparente Facilité, Henri Matisse*, Paris, Adrien Maeght, 1986, p. 305-307, 312-315.

2. Christian Zervos, « Réflexions sur l'art mural », dans *Cahiers d'art*, 5-10, 1939, p. 166-171. Cet article comprenait aussi la décoration de cheminée, stylistiquement et thématiquement proche, exécutée pour Nelson A. Rockefeller, *Le Chant*, et certains de ses états documentés. Pour cette œuvre et d'autres reliées à *La Musique*, voir Lydia Delectorskaya, 1988, *op. cit.*, p. 278-287.

3. Voir Chronologie : été 1937.

4. « M. Matisse Paints a Picture : 3 Weeks' Work in 18 Views », *Art News*, vol. 40, n° 11, septembre 1941, p. 8.

5. *Ibid.*

6. Voir Roger Fry, *Henri Matisse*, New York, 1935, pl. 57 pour la reproduction des états 1, 2, 8, 9, 11, 12, 15, 18 du tableau.

7. Voir *Cahiers d'art*, 4-5, 1937. Les photographies par Dora Maar sont reproduites p. 146-154.

8. Illustré dans John Elderfield, *Henri Matisse : A Retrospective*, catalogue d'exposition, The Museum of Modern Art, New York, 1992, p. 117. En 1945, Henri Matisse se remémora parfaitement les conditions dans lesquelles cette œuvre fut créée ; voir Alfred H. Barr, *Matisse, his Art and his Public*, The Museum of Modern Art, New York, 1951, p. 41.

9. Lydia Delectorskaya fit son entrée dans la vie artistique de Matisse en tant qu'assistante sur la peinture murale de Barnes ; elle est donc associée de manière inéluctable à son nouveau style décoratif, qui persiste dans *La Musique*. Voir Lydia Delectorskaya, 1988, *op. cit.*, p. 7-28. Néanmoins, elle n'est pas représentée dans *La Musique*, les modèles étant Hélène Galitzine et sa cousine.

10. Lettre de Pierre Matisse à Etta Cone, en date du 11 janvier 1940 (Archives Etta et Claribel Cone, Archives of American Art, Smithsonian Institution) : « Vous avez sans doute entendu dire que mon père et ma mère se séparent. C'est un coup terrible pour nous tous, mais après de nombreux efforts nous sommes contraints de réaliser que c'est la meilleure alternative pour l'instant. Mère est à Paris avec Marguerite et père est à Nice où il travaille. Je n'avais jamais cru possible qu'une telle chose puisse arriver dans notre famille. »

11. La ville natale de Matisse était donc occupée pour la troisième fois de son vivant. Les troupes prussiennes envahirent Bohain-en-Vermandois le 1er janvier 1871, durant la guerre franco-prussienne, puis de nouveau pendant la Première Guerre mondiale (la ville voisine de Saint-Quentin fut entièrement détruite en mars 1917). Hilary Spurling a remarqué que, si Picasso plutôt que Matisse est couramment associé à des images de guerre, il n'en avait aucune expérience directe, alors que Matisse connaissait la guerre depuis la première année de son existence, puis par le biais des souffrances endurées par sa famille durant les deux conflits mondiaux. Voir Hilary Spurling, *The Unknown Matisse, a Life of Henri Matisse, vol. 1, 1869-1908*, Londres, Hamish Hamilton, 1998, p. 9.

12. Voir Alfred H. Barr, 1951, *op. cit.*, p. 255. Répétant ensuite l'anecdote, Matisse ajouta : « Si tout le monde faisait son métier, comme Picasso et moi faisions le nôtre, ça ne serait pas arrivé » (*ibid.*, p. 256).

13. « Il me sembla que c'eût été déserter. Si tous les individus de quelque valeur quittent la France, que reste-t-il de la France ? » (*ibid.*).

14. L'admiration de Matisse pour Ingres en tant qu'artiste fut tempérée par son influence en tant qu'académicien, ainsi qu'il s'en expliqua dans un article de décembre 1937. Voir Henri Matisse, *Écrits et propos sur l'art*, édition établie par Dominique Fourcade, Paris, Hermann, 1972, p. 157-158. L'inversion de la pose d'Ingres dans *L'Aubade*, par Picasso, fut anticipée dans une lithographie de Matisse, vers 1931 (Claude Duthuit et Françoise Garnaud, éds., *Henri Matisse. Catalogue raisonné de l'œuvre gravé*, Paris, 1983, n° 525). Voir Yve-Alain Bois, *Matisse and Picasso*, catalogue d'exposition, Kimbell Art Museum, Fort Worth, 1998, p. 162-169, pour un compte rendu exhaustif, bien illustré, du développement de *L'Aubade*, incluant ses éléments matissiens. D'autres sources de ce tableau appartenant à l'histoire de l'art incluent le *Concert champêtre* de Giorgione ou du Titien (musée du Louvre), la *Vénus au miroir* de Vélasquez (museo del Prado, Madrid), l'*Olympia* de Manet (musée d'Orsay, Paris) et *Le Rêve* de Rousseau (The Museum of Modern Art, New York).

15. Il est bien sûr intéressant qu'il reprenne un motif annoncé à Avignon juste avant la Première Guerre mondiale. Voir Alfred H. Barr, *Picasso : Fifty Years of His Art*, New York, 1974, p. 89.

16. Werner Spies, *Picasso : Die Zeit nach Guernica, 1937-1973*, catalogue d'exposition, Berlin, 1993, p. 35 : « On entrevoit ce qui se joue d'autobiographique derrière la confrontation des deux femmes dans le harem privé : une mise en scène du contraste opposant Marie-Thérèse Walter et Dora Maar, l'indolence et la passivité à la vigilance et à l'esprit critique. »

17. Ludwig Ullman, *Picasso und der Krieg*, Bielefeld, 1993, p. 336 : « [Picasso choisit en mars 1939] le thème de la femme à la mandoline afin de signifier son exaspération et sa colère à l'égard des "dissonances du monde" par une déformation extrême de cette métaphore traditionnelle de l'harmonie. » L'association la plus hyperbolique de ce tableau avec la catastrophe est dans Lydia Gasman, *Mystery, Magic and Love in Picasso, 1925-1938*, Londres, 1981, p. 1125-1127.

18. Yve-Alain Bois, 1998, *op. cit.*, p. 116, associe les aplats noirs des premières toiles de Picasso des années de guerre avec les tableaux peints par Matisse en 1939, qu'il vit réellement. On pourrait faire un autre rapprochement avec les tableaux récents de Miró, dont l'influence se fait peut-être sentir sur le dessin caricatural de *L'Aubade*. Une intéressante comparaison stylistique avec les tableaux contemporains de Kandinsky est proposée dans *Paris-Paris, 1937-1957 : Créations en France*, catalogue d'exposition, Musée national d'art moderne, Paris, 1981, p. 105. Mais le tableau de Picasso ne requiert aucun de ces antécédents.

19. André Lhote, *La Peinture, le Cœur et l'Esprit*, Paris, 1993, étant un recueil d'essais originellement publiés entre 1919 et 1922. Cité et traduit dans Carol Ockman, *Ingres' Eroticized Bodies : Retracing the Serpentine Line*, New Haven et Londres, 1995, p. 112.

20. *Ibid.*, p. 113.

21. Ces deux caractérisations sont, en fait, de Manet (Matisse) et d'Ingres (Picasso), dans Richard Wollheim, *Painting as an Art*, Princeton, 1987, p. 275, dont l'analyse aboutit donc à des conséquences fascinantes pour une réflexion sur la lignée des deux artistes.

22. Ce développement est redevable à la belle analyse de *Harmonie en jaune* peint par Matisse en 1928, par Bridget Riley, « Painting Now », dans Robert Kudielka, éd., *The Eye's Mind : Bridget Riley, Collected Writings, 1965-1999*, Londres, 1999, p. 207-209.

23. Voir Lydia Delectorskaya, 1988, *op. cit.*, p. 314.

24. Ce motif apparaît dans le premier état du 18 mars 1939, mais l'alignement vertical n'est pas défini avant l'état du 25 mars 1939 ; voir *ibid.*, p. 307.

25. Leo Steinberg, « The Algerian Woman and Picasso at Large », dans *Other Criteria*, Londres, Oxford et New York, 1972, p. 217-222.

26. Siegfried Gohr, *Picasso im Zweiten Weltkrieg, 1939 bis 1945*, catalogue d'exposition, Museum Ludwig, Cologne, 1988, p. 35.

27. *Ibid.*, p. 33.

28. Je renvoie ici à l'extraordinaire *The Body in Pain : The Making and Unmaking of the World*, d'Elaine Scary, New York et Oxford, 1985, p. 279 et *passim*. Il est donc tout à fait approprié que *L'Aubade* ait été particulièrement mis en valeur au Salon de la Libération de 1944 ; voir Chronologie : 6 octobre-5 novembre 1944.

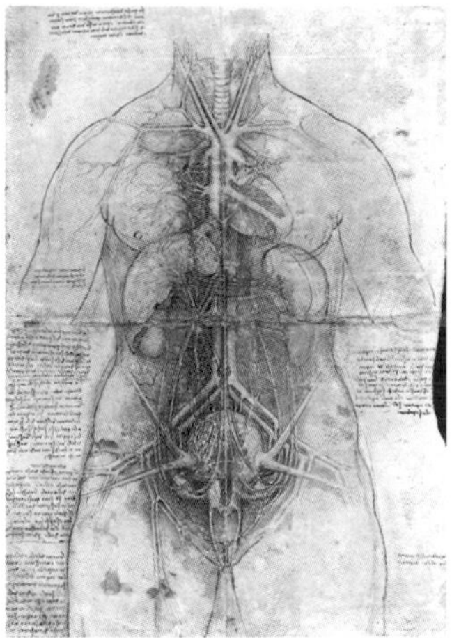

Fig. 64
Léonard de Vinci
Études anatomiques des principaux organes et du système artériel d'un buste féminin, vers 1510
Plume, encre brune et craie, 47 x 32,8
The Royal Collection

29

1. Lettre de Henri Matisse à Pablo Picasso, 28 décembre 1944, Archives Picasso, Paris.
2. Après la grave opération subie au début de l'année 1941, Henri Matisse écrit à André Rouveyre, le 13 avril 1941 : « T'ai-je dit que les infirmières de la clinique m'appellent le ressuscité ! Tu vois si j'ai été peu de chose », dans Henri Matisse, *Écrits et propos sur l'art*, édition établie par Dominique Fourcade, Paris, Hermann, 1972, p. 283.
3. « Petits riens », c'est ainsi que Matisse désignera en fait ses travaux pour le recueil *Jazz* dans ses notes de *Répertoire : 6*, cité dans Pierre Schneider, *Matisse*, Paris, Flammarion, 1984, p. 710, note 31.
4. Lettre de Léonce Rosenberg à Pablo Picasso, Meudon, 25 novembre 1915, Archives Picasso, Paris. Le terme « magnifiques » remplace un mot rayé, sans doute « réelles ». La lettre se continue ainsi : « Enfin, il a exprimé le sentiment que "ses poissons rouges" vous ont conduit à l'arlequin. Pour me résumer, quoique surpris, il n'a pu cacher que votre tableau était très beau et qu'il était obligé de l'admirer. Mon sentiment est que cette œuvre va influencer son prochain tableau. » Rosenberg fait ici allusion à la toile de Matisse *Poissons rouges et palette* (cat. 61) et à celle de Picasso *Arlequin* (cat. 59). Sur le rapport entre ces deux œuvres, voir le texte de Kirk Varnedoe, dans le présent catalogue, chapitre 12.
5. « Notes d'un peintre », repris dans Henri Matisse, 1972, *op. cit.*, p. 42.
6. *Ibid.*, p. 43.
7. « Notes de Sarah Stein » (1908), repris dans Henri Matisse, 1972, *op. cit.*, p. 72.
8. Selon le titre du livre d'Éric de Chassey, *La Violence décorative, Matisse dans l'art américain*, Éditions Jacqueline Chambon, 1998.
9. Paris, printemps 1914, huile sur toile, 147 x 97 cm, Musée national d'art moderne, Paris ; voir Isabelle Monod-Fontaine, avec Anne Baldassari et Claude Laugier, *Matisse, Collections du Musée national d'art moderne*, Paris, 1989, notice n° 9, p. 38-40.
10. Le tableau fait l'objet d'une reproduction en noir et blanc, *Les Soirées de Paris*, Paris, 15 mai 1914, n° 24, n.p.
11. Voir sur cette question, Isabelle Monod-Fontaine, *La Coupe d'oranges* et *Nature morte au pichet et aux pommes*, chapitre 21 du présent catalogue.
12. « Notes d'un peintre », repris dans Henri Matisse, 1972, *op. cit.*, p. 48.
13. « Notes de Sarah Stein », repris dans Henri Matisse, 1972, *op. cit.*, p. 74.
14. Anne Baldassari, « Goethe's Eye : The Role of Colour in Picasso's Graphic Work », dans Roland Doschka, éd., *Picasso, Metamorphoses of the Human Form*, Munich, Londres, New York, Prestel, 2000, p. 25-35, version française, « L'Œil de Goethe. De la couleur dans l'œuvre graphique de Picasso », dans Régine Rémon, éd., *Picasso*, Prestel, 2000, p. 31-40.
15. Efstratios Tériade, « En causant avec Picasso », dans *L'Intransigeant*, 15 juin 1932.
16. Kirk Varnedoe, *Picasso, Masterworks from The Museum of Modern Art*, New York, 1997, p. 74. Voir, également, Yve-Alain Bois, *Matisse and Picasso*, Kimbell Art Museum, Fort Worth, 1998, p. 11.
17. 1911, huile sur toile, 181 x 219 cm, The Museum of Modern Art, New York.
18. Pierre Schneider analyse la toile de manière très extensive dans le chapitre « La mécanique du tableau », 1984, *op. cit.*, notamment p. 341- 347.
19. William Rubin parle de « cubisme rococo » dans sa notice de la *Nature morte sur fond vert*, dans *Picasso in the Collection of the Museum of Modern Art*, The Museum of Modern Art, New York, 1972, p. 94.
20. « Entretiens avec Estienne », dans Henri Matisse, 1972, *op. cit.*, p. 60.
21. *Ibid.*
22. Francis Carco, *L'Ami des peintres, souvenirs*, Genève, Éditions du Milieu du monde, 1944, p. 76.
23. Le paradoxe de la transparence du verre, volume sans visibilité, piège à lumière et prisme de couleurs, avait précisément retenu Picasso durant le printemps précédent dont date sa sculpture *Le Verre d'absinthe* (1914, S. 36). Ses états successifs seraient comme la notation des transformations de l'objet « verre » par la captation d'un faisceau lumineux. On notera que plusieurs des variantes peintes (S. 36 c, 36 e, 36 f) comportent des pointillés polychromes qui expriment ce jeu de la lumière d'une manière très voisine de la *Nature morte sur fond vert*. Le verre, l'objet autant que le matériau, réunit pour Picasso les termes d'une énigme qu'il ne cessera d'interroger. À la fois lamellaire et volumique, matière et lieu catalytique où la lumière devient couleur, verre à vitre ou verre à boire plutôt que miroir, ce psycho-objet trouverait son double dans l'aquarium que Matisse place au centre de ses compositions de l'année 1914.
24. Selon l'indication de Matisse dans le croquis annoté, publié dans *Verve*, 1945, p. 36, et reproduit dans Isabelle Monod-Fontaine et *al.*, 1989, *op. cit.*, p. 107.
25. Interview de Matisse dans le film de François Campaux, *Henri Matisse*, 1945-1946, cité par Isabelle Monod-Fontaine, *ibid.*, p. 107.
26. Pierre Schneider, 1984, *op. cit.*, p. 341.
27. Le retour de Matisse vers la monochromie s'observe, depuis la fin des années trente, dans la genèse de plusieurs toiles et les reportages photographiques qui en témoignent. En 1939, des clichés de Brassaï permettent ainsi de suivre l'évolution, d'un fond polychrome vers le noir uni de la *Liseuse sur fond noir*. Pour *La Blouse roumaine* de 1940, de nombreux clichés d'atelier, repris dans le film *Henri Matisse*, réalisé par François Campaux en 1945-1946, jalonnent l'abandon d'un fond ornemental pour une surface rouge pur.
28. Ce travail aboutira avec la série des grands *Ateliers* de Vence des années 1946-1949, notamment *Intérieur jaune et bleu*, 1946 (Isabelle Monod-Fontaine et *al.*, 1989, *op. cit.*, notice n° 29), et *Grand Intérieur rouge*, 1948 (*ibid.*, notice n° 30).
29. « Notes de Sarah Stein », repris dans Henri Matisse, 1972, *op. cit.*, p. 73.
30. Brassaï, *Conversations avec Picasso*, Paris, Gallimard, 1964, p. 67. Ce propos concerne l'assemblage de 1942, *Tête de taureau*, S. 240.
31. Au sens où Robert Musil parle d'« homme sans qualités », dans le titre de son roman de 1931-1933, *Der Mann ohne Eigenschaften*.
32. Lettre d'Efstratios Tériade à Henri Matisse, 10 juin 1941, dans Isabelle Monod-Fontaine et *al.*, 1989, *op. cit.*, p. 342.
33. Isabelle Monod-Fontaine, notices n° 125-145, *ibid.*, p. 340-371. Le travail pour *Jazz* systématise la technique utilisée, dès 1937, pour les maquettes de la revue *Verve* : *Verve*, n°s 1, 8, 13, 23, 35-36 (couvertures).
34. Efstratios Tériade, dans une lettre à Henri Matisse du 14 juillet 1941 (*ibid.*, p. 342), écrivait, alors que les travaux pour *Jazz* commençaient à peine : « Je crains par-dessus tout que votre entrain présent "évolue" en d'autres projets. » Sur les « gouaches découpées », voir le texte de John Golding dans le présent catalogue, chapitre 32, et mon texte sur *Zulma*, *Danseuse créole* et *Végétaux*, dans le présent catalogue, chapitre 31.

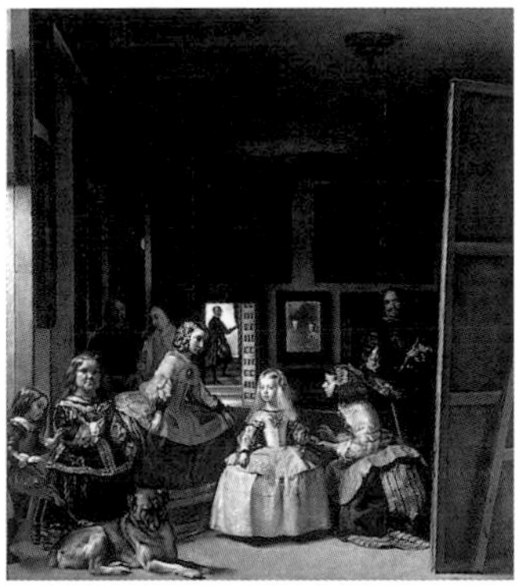

Fig. 65
Diego Velásquez
Las Meninas, 1656
Huile sur toile, 318 x 276
Museo del Prado, Madrid

30

1. Henri Matisse, *Écrits et propos sur l'art*, édition établie par Dominique Fourcade, Paris, Hermann, 1972, p. 182.
2. Matisse sentait que *Le Rêve* (coll. part.), achevé en septembre 1940, et auquel il avait longtemps travaillé, constituait une « percée » picturale dans ses efforts pour manier la couleur et la ligne sur un mode nouveau.
3. Le dessin au pinceau intitulé *La Fougère noire* (1948) existe aussi sous forme de peinture à l'huile (Fondation Beyeler, Bâle). Le tableau intitulé *Ananas* (1948) existe, quant à lui, sous forme d'œuvre au pinceau et à l'encre (coll. part.).
4. Voir Chronologie : 1949.
5. Yve-Alain Bois, *Matisse and Picasso*, catalogue d'exposition, Kimbell Art Museum, Fort Worth, 1998, p. 206.
6. Voir Chronologie : 1949.
7. Pour une description vivante des espaces de travail à « La Californie », voir Antonina Vallentin, *Pablo Picasso*, Paris, 1957, p. 434-436. Voir également John Richardson, « Picasso's Ateliers and Other Recent Works », *Burlington Magazine*, juin 1957, p. 183-193. Yve-Alain Bois, 1998, *op. cit.*, p. 231-239, décrit avec émotion les tableaux d'atelier de « La Californie » comme étant des hommages à Henri Matisse.
8. Jonathan Brown, *Velázquez : Painter and Courtier*, New Haven et Londres, 1986, p. 256. Cet espace fut attribué au peintre de cour après la mort du prince Baltasar Carlos en 1646.
9. Cet hiver-là, Picasso produisit une copie de l'un des portraits de Philip IV par Vélasquez, aujourd'hui au musée Picasso de Barcelone.
10. Les tableaux du Prado furent, dans un premier temps, tous expédiés à Valence. Lorsque Picasso entendit que *Las Meninas* avait été déroulé pour être examiné, il s'écria : « Comme j'aurais aimé cela ! » Cité dans Antonina Vallentin, 1957, *op. cit.*, p. 316.
11. Cité dans Roland Penrose, *Picasso : His Life and Work*, 3e édition, California, 1981, p. 420. Penrose nous dit aussi (p. 422) que Michel Leiris et Édouard Pignon étaient les seuls, en dehors de Jacqueline, à avoir eu le droit de voir la série des *Ménines* avant qu'elle ne fût terminée.
12. Hélène Parmelin, *Picasso sur la place*, Paris, René Julliard, 1959, p. 260.
13. *Ibid.*, p. 263.
14. Cela est largement confirmé par une conversation qui eut lieu à cette époque entre Picasso et Penrose, concernant les ambiguïtés spatiales de *Las Meninas*. Roland Penrose, *Picasso : His Life and Work*, Londres, 1958, p. 371.
15. Jean Sutherland Boggs, « The Last Thirty Years », dans Roland Penrose et John Golding, éds., *Picasso, 1881-1973*, Londres, 1973, p. 225.

31

1. Propos de Pablo Picasso rapportés par Christian Zervos, « Conversation avec Picasso », *Cahiers d'art*, numéro spécial, 1935, p. 173-178.
2. Robert Rosenblum, « Large Still Life on a Pedestal Table », dans *Picasso from the Musée Picasso*, catalogue d'exposition, Minneapolis, Walker Art Center, 1980, p. 66.
3. Pierre Daix, *Picasso Créateur, la vie intime et l'œuvre*, Paris, Éditions du Seuil, 1987, p. 229.
4. Voir, notamment, Robert Rosenblum, « La muse blonde de Picasso, le règne de Marie-Thérèse Walter », dans *Picasso et le portrait*, Paris, Réunion des musées nationaux/Flammarion, 1996, p. 360.
5. Voir, notamment, *Guitare et profil*, 1927, huile sur toile, 27 x 34,9 cm, Z. VII, 54, Chicago, collection Alsdorf. Selon un procédé comparable, en 1916, l'artiste calligraphiait son nom « Picasso » entrelacé avec le prénom « Gaby » (Lespinasse) ; voir aquarelle et encre sur papier, MP 1996-1, musée Picasso, Paris.
6. Formé des caractères grecs *chi* et *rho* superposés, le chrisme est ainsi dénommé à partir du grec *khrésimos* (ce qui est utile, profitable) et servait à désigner les passages remarquables d'un manuscrit. Dans son usage liturgique, ce monogramme désigne le Christ dont il reprend les deux premières lettres du nom dans sa graphie grecque. On notera qu'à partir des années 1935, Picasso commencera à signaliser les enveloppes de son courrier où il conservera lettres ou photographies d'un chrisme de son cru, le mot manuscrit *ojo*, « œil » en espagnol. Souvent tracé en couleur ou accompagné de graphies ou de paraphes, parfois complété en *ojo ph* pour désigner les photographies, le sigle, s'il suffit à dire l'attention devant être portée au document, permet aussi des variations sur ce sommaire autoportrait, *ojo* : l'œil gauche, le nez, l'œil droit ; voir à ce sujet, Anne Baldassari, *Picasso photographe, 1901-1916*, catalogue d'exposition, musée Picasso, Paris, 1994, p. 13 et fig. 1.
7. Propos de Pablo Picasso rapportés par André Malraux, *La Tête d'obsidienne*, Paris, Gallimard, 1974, p. 110.
8. Propos de Pablo Picasso rapportés par Hélène Parmelin, *Picasso dit...*, Paris, Gonthier, 1966, p. 111.
9. Propos de Henri Matisse rapportés par Sarah Stein (1908), « A Great Artist Speaks to his Students », dans *Matisse, his Art and his Public*, The Museum of Modern Art, New York, 1951, repris dans Henri Matisse, *Écrits et propos sur l'art*, édition établie par Dominique Fourcade, Paris, Hermann, 1972, p. 65.
10. Propos de Pablo Picasso rapportés par André Malraux, 1974, *op. cit.*, p. 110.
11. On notera que le sens premier d'« emblème » – une figure symbolique accompagnée d'une devise – s'appliquerait assez littéralement aux toiles cubistes qui mêlent aux signes visuels, des mots, des lettrages, des titres.
12. Propos de Pablo Picasso rapportés par Anatole Jakovski, « Midis avec Picasso », *Arts de France*, n° 6, Paris, 1946, p. 3-12, repris dans Pablo Picasso, *Propos sur l'art*, édition établie par Marie-Laure Bernadac et Androula Michael, Paris, Gallimard, 1998, p. 57.
13. À commencer par Daniel-Henry Kahnweiler dans son ouvrage de 1920 *Der Weg zu Kubismus*.
14. Propos de Henri Matisse rapportés par Louis Aragon, « Matisse-en-France » (1942), *Henri Matisse, Roman*, Paris, Gallimard, 1971, repris dans Henri Matisse, 1972, *op. cit.*, p. 172.
15. Propos de Henri Matisse rapportés par Estienne, « Des tendances de la peinture moderne », *Les Nouvelles*, 12 avril 1909, repris dans Henri Matisse, 1972, *op. cit.*, p. 60.
16. Propos de Henri Matisse rapportés par Guillaume Apollinaire, « Henri Matisse », *La Phalange*, n° 2, 15-18 décembre 1907, repris

dans Henri Matisse, 1972, op. cit., p. 56.
17. On peut suivre dans le Carnet 34 (décembre 1926-mai 1927), la genèse de la toile Femme assise dans un fauteuil qui n'est pas sans rapport avec la Grande Nature morte au guéridon. Le contour du corps féminin y est désarticulé et assimilé à l'espace de la pièce, tandis que le graphisme du sexe et des deux seins condensés en un diagramme substitue progressivement son masque au visage du modèle, voir feuillets 4, 5, 8, 9, 10, reproduits dans Carnets, musée Picasso, t. 1, p. 66-67.
18. Propos de Henri Matisse rapportés par André Verdet, « Les heures azuréennes », xxᵉ siècle, numéro d'hommage à Henri Matisse, 1970, repris dans Henri Matisse, 1972, op. cit., p. 251.
19. Voir Jean Sutherland Boggs, Picasso et les choses, Paris, 1992, notices 91 et 92, p. 230-233.
20. Propos de Pablo Picasso (2 octobre 1933) rapportés par Daniel-Henry Kahnweiler, « Huit entretiens avec Picasso », Le Point, Mulhouse, octobre 1952, repris dans Pablo Picasso, 1998, op. cit., p. 60.
21. Propos de Henri Matisse rapportés par Maria Luz, « Témoignage », xxᵉ siècle, n° 2, janvier 1952, repris dans Henri Matisse, 1972, op. cit., p. 249.
22. Pierre Schneider, Matisse, Flammarion, Paris, 1984, p. 697.
23. Propos de Henri Matisse rapportés par Gaston Diehl (1949), repris dans Henri Matisse, 1972, op. cit., p. 244.
24. Papiers collés, 1946, notices n°ˢ 148 et 149, dans Isabelle Monod-Fontaine, avec Anne Baldassari et Claude Laugier, Matisse, Collections du Musée national d'art moderne, Paris, 1989, p. 372-375.
25. Christian Zervos, « Picasso à Dinard, été 1928 », Cahiers d'art, n° 1, 1929, p. 5.
26. Propos de Pablo Picasso rapportés par André Malraux, 1974, op. cit., p. 129.
27. Julio González, « Picasso sculpteur », Cahiers d'art, vol. II, n° 6-7, 1936, p. 18.
28. Christian Zervos, « Picasso à Dinard, été 1928 », Cahiers d'art, n° 1, 1929, p. 11.
29. Gonzalez-Picasso Dialogue, Musée national d'art moderne, Paris, 1999, p. 125.
30. Ibid.
31. 1929, notice dans Werner Spies, Picasso sculpteur. Catalogue raisonné des sculptures, établi en collaboration avec Christine Piot, Paris, 2000, p. 137 à 143.
32. Voir le témoignage d'André Salmon : « J'ai vu Picasso fouiller au tas de ferrailles pour parfaire son monument, dans l'antre de Plaisance où flambait la forge, où les torpilles pacifiques vomissaient leurs gazs. Il riait ! », dans « Vingt-cinq ans d'art vivant », 2ᵉ partie, La Revue de France, 1ᵉʳ mars 1931.
33. Au sens où Picasso disait : « Je peins à coup de coq-à-l'âne ? Bon, mais qui se suivent ! », propos rapportés par André Malraux, 1974, op. cit., p. 129.
34. Guillaume Apollinaire, Le Poète assassiné (1916), Paris, Gallimard, 1979, p. 301.
35. S. 72.1, MP 267, musée Picasso, Paris.
36. Cet effet est bien suggéré par la photographie de Femme au jardin publiée dans le catalogue de l'exposition « Hommage à Picasso », Paris, Petit Palais, 1966-1967, n° 228.
37. Daniel-Henry Kahnweiler, Les Sculptures de Picasso, photographies de Brassaï, Paris, Les Éditions du Chêne, 1948 (publié en 1949), n.p.
38. Propos de Henri Matisse rapportés par André Verdet, « Les heures azuréennes », xxᵉ siècle, numéro d'hommage à Henri Matisse, 1970, repris dans Henri Matisse, 1972, op. cit., p. 250-251.
. . . .

32

1. Efstratios Tériade, l'éditeur qui était partie prenante dans l'esthétique du mouvement, écrit : « D'autre part, elle [l'écriture] relie l'esthétique surréaliste, au langage primitif, à ce langage par signes dont on connaît de si étonnantes schématisations », Cahiers d'art, n° 2, Paris, 1930, p. 74.

Fig. 66
Henri Matisse
Acrobates, 1952
Papier gouaché découpé et fusain sur papier, 215 x 210
Collection particulière

2. Malgré leur condamnation du ballet comme forme frivole de distraction bourgeoise, les surréalistes furent contraints de réviser leur jugement lorsqu'ils se trouvèrent confrontés à la collaboration de Picasso pour le ballet Mercure, créé durant l'été 1924 pour Les Soirées de Paris du comte Étienne de Beaumont, avec une musique d'Erik Satie et une chorégraphie de Léonide Massine. Ce fut l'économie linéaire presque automatique des conceptions de Picasso qui fut admirée par les surréalistes. Gertrude Stein écrivit : « La calligraphie de Picasso fut peut-être le plus intensément exprimée dans le décor de Mercure. C'était écrit, simplement écrit ; pas de peinture, de la calligraphie pure », Gertrude Stein, Picasso, Paris, 1938, p. 37, rééd., Christian Bourgois Éditeur, Paris, 1978, p. 69.
3. Minotaure fut transformé en une tapisserie des Gobelins, quelque neuf années plus tard.
4. Des diagrammes des hiéroglyphes de l'île de Pâques furent publiés dans Cahiers d'art, n° 2-3, 1929. L'éditeur Christian Zervos était un ami de Picasso et des surréalistes, et lorsque des textes ou des reproductions de formes artistiques différentes apparaissaient dans sa revue, c'était souvent le résultat de l'enthousiasme des artistes pour ces formes.
5. Certains de ces croquis sont reproduits dans Yve-Alain Bois, Matisse and Picasso, catalogue d'exposition, Kimbell Art Museum, Fort Worth, 1998, p. 84-87.
6. Maria Luz, « Témoignages : Henri Matisse », xxᵉ siècle, janvier 1952, p. 55-57.
7. André Verdet, « Entretiens avec Henri Matisse », dans Prestiges de Matisse, Paris, 1952, p. 37-76.
8. John Hallmark Neff, « Matisse : His Cut-Outs and the Ultimate Method », dans Jack Cowart, Henri Matisse : Paper Cut-Out, catalogue d'exposition, Washington University Gallery of Art, Saint Louis, Detroit, 1977, p. 27.
9. Henri Matisse, dans son texte pour Jazz. Les images de Jazz furent exécutées en 1943-1944 et publiées en portfolio en 1947, accompagnées du texte de l'artiste. Voir Henri Matisse, Écrits et propos sur l'art, édition établie par Dominique Fourcade, Paris, Hermann, 1972, p. 237.
10. Nu bleu IV fut en fait presque certainement le premier à être entamé. Voir John Hallmark Neff, dans Jack Cowart, 1977, op. cit., p. 21.
11. Entretien avec André Verdet, 1952, cité dans Henri Matisse, 1972, op. cit., p. 250-251.
12. La Chevelure apparaît dans Les Fleurs du mal, que Matisse connaissait depuis sa jeunesse. Ses propres illustrations de Charles Baudelaire furent publiées dans une édition limitée par la Bibliothèque française en 1947.
13. Jack Cowart, 1977, op. cit., p. 211.
14. Werner Spies, Picasso sculpteur. Catalogue raisonné des sculptures, établi en collaboration avec Christine Piot, Paris, 2000, p. 291.
15. Certains des éléments linéaires noirs des têtes furent rendus en métal soulevé et, plus tard, en fils de fer à l'usine.
16. Hélène Parmelin, Picasso dit…, Paris, Gonthier, 1966, p. 29-30.
17. Louis Aragon, Henri Matisse, Roman, Paris, Gallimard, 1971, p. 133, rééd., 1990, p. 191. La conversation de Matisse avec Aragon

concernant les signes avait d'abord été publiée en 1943. Voir Jack Flam, Matisse on Art, Oxford, 1973, p. 93-95.
18. Lionel Prejer, « Picasso's Sheet-Metal Sculpture », dans Elizabeth Cowling et John Golding, Picasso : Sculptor Painter, catalogue d'exposition, Tate Gallery, Londres, 1994, p. 242.
19. Lionel Prejer, « Picasso découpe le fer », L'Œil, n° 82, octobre 1961, p. 28-32.
20. Voir, en particulier, la version aujourd'hui à la Washington University Gallery of Art, Saint Louis.
. . . .

Fig. 67
Eugène Delacroix
Les Femmes d'Alger, 1834
Huile sur toile, 180 x 229
Musée du Louvre, Paris

Fig. 68
Pablo Picasso
Femmes d'Alger d'après Delacroix (toile D), 1955
Huile sur toile, 46 x 55
Collection particulière

Fig. 69
Pablo Picasso
Femmes d'Alger d'après Delacroix (toile N), 1955
Huile sur toile, 123,5 x 155,6
Washington University Gallery of Art, Saint Louis, MO.
University Purchase, Steinberg Fund, 1960

Fig. 70
Pablo Picasso
Femmes d'Alger d'après Delacroix (toile O), 1955
Huile sur toile, 114 x 146,4
Collection particulière

Fig. 71
Henri Matisse
La Pose hindoue, 1923
Huile sur toile, 83 x 60
Collection particulière

·33

1. Au sujet de Picasso à Gósol et de l'importance du Harem, voir William Rubin, « The Genesis of Les Demoiselles d'Avignon », dans John Elderfield, Studies in Modern Art 3 : « Les Demoiselles d'Avignon », The Museum of Modern Art, New York, 1994, p. 35-42 ; au sujet de la présence de Matisse en Algérie, voir John Cowart et Pierre Schneider, Matisse in Morocco : The Paintings and the Drawings, 1912-1913, catalogue d'exposition, National Gallery of Art, Washington, 1990 ; pour les déclarations de Matisse sur l'influence de l'Orient, voir « Orient », dans l'index de Dominique Fourcade, éd., Henri Matisse, Écrits et propos sur l'art, Paris, Hermann, 1972, p. 356. L'année 1906 fut importante du point de vue politique pour le colonialisme français, la conférence d'Algésiras accordant à la France et à l'Espagne un contrôle commun sur le Maroc.
2. Voir Christian Zervos, Pablo Picasso : œuvres de 1953 à 1955, vol. 16, Paris, 1965, n°ˢ 342, 343, 345-349, 352-357, 359, 360. L'analyse la plus développée et la plus influente de cette série est de Leo Steinberg, « The Algerian Woman and Picasso at Large », dans Other Criteria, Londres, Oxford et New York, 1972, p. 125-134. Une approche nouvelle et séduisante est fournie par Susan Grace Galassi, Picasso's Variations on the Masters, Confrontations with the Past, New York, 1996, p. 127-147, qui inclut des informations utiles sur la réputation moderniste de Delacroix et sur les circonstances de la création des variations de Picasso, et fait référence à la version de 1849 du tableau de Delacroix à Montpellier, ainsi qu'à celle du Louvre. Je suis profondément reconnaissant envers ces deux sources. Une bonne analyse récente de Delacroix lui-même dans le contexte de l'orientalisme apparaît dans Todd Porterfield, The Allure of the Empire : Art in the Service of French Imperialism, 1798-1836, Princeton, 1998, p. 117-142. Contrairement à Picasso, Matisse n'exécuta, au cours de sa maturité, aucun tableau d'après les maîtres anciens, à la seule exception de sa copie du De Heem (voir chapitre 14), mais très tôt, il réalisa une copie au dessin d'après la version du Louvre de L'Enlèvement de Rébecca de Delacroix (voir Roger Benjamin, « Recovering Authors : The Modern Copy, Copy Exhibitions and Matisse », Art History, vol. 12, n° 2, juin 1989, p. 187-188).
3. Roland Penrose, Picasso : His Life and Work, Londres, 1958, p. 396.
4. Pour les stéréotypes et les préjugés attachés à Matisse et Picasso, voir John Elderfield, Henri Matisse : A Retrospective, catalogue d'exposition, The Museum of Modern Art, New York, 1992, p. 20-22. Néanmoins, les œuvres de cette série ont peut-être été originellement reçues en ces termes ; voir note 11 infra. La première approche de Femmes d'Alger par Picasso, laissant de côté l'influence du tableau sur ses

premières œuvres, y compris *Les Demoiselles d'Avignon* (fig. 3), comprend quatre dessins dans un carnet de Royan de 1940 (voir Susan Grace Galassi, 1996, *op. cit.*, p. 134), qui préparent à l'approche picturale biomorphique des premières œuvres « matissiennes », aux motifs denses, de la série. Les œuvres les plus sévères sont les Tableaux K, L et M, créées après une interruption de onze jours dans la série. Après le Tableau M, Picasso réintroduit la couleur, pour aboutir à l'ultime Tableau O, aux couleurs les plus décoratives, une toile que l'on a considérée comme incarnant une parfaite alliance Picasso-Matisse (Susan Grace Galassi, 1996, *op. cit.*, p. 146-147) et un retour anti-matissien à une violente agressivité proche de celle des *Demoiselles d'Avignon* (Yve-Alain Bois, *Matisse and Picasso*, catalogue d'exposition, Kimbell Art Museum, Fort Worth, 1998, p. 231). La présente analyse concerne principalement le Tableau M, et ce de l'unique point de vue de son rapport à Matisse.
5. Cité par Leo Steinberg, 1972, *op. cit.*, p. 136.
6. Pour une illustration de cette œuvre, voir John Elderfield, 1992, *op. cit.*, p. 337.
7. Leo Steinberg, 1972, *op. cit.*, p. 133, remarque la référence à *La Pose hindoue*.
8. *Ibid.*, p. 141-143, y compris une explication de la solution de Picasso, telle qu'elle est résumée dans ce texte.
9. Cette œuvre apparaît sur des photographies de l'atelier de Matisse, à partir de 1940 (voir John Elderfield, 1992, *op. cit.*, p. 364-365) et jusqu'à 1952 (voir Jack Cowart, *Henri Matisse : Paper Cut-Out*, catalogue d'exposition, Washington University Gallery of Art, St Louis, Detroit, 1977, p. 250).
10. La table maure est elle-même une autre synecdoque de Matisse ; elle apparaît dans un grand nombre de ses tableaux et de ses gravures de la période niçoise, de manière très révélatrice des lithographies d'un modèle « hindou » (par exemple, Claude Duthuit et Françoise Garnaud, éds., *Henri Matisse. Catalogue raisonné de l'œuvre gravé*, Paris, 1983, n° 510).
11. Daniel-Henry Kahnweiler dit que l'œuvre qu'il vit le 7 février 1955 (sans doute le Tableau K, peint la veille) était, « au lieu d'arborer des couleurs brillantes... en noir et blanc... entièrement une sorte de dessin... Je l'appellerais cubiste ». Il avait reconnu comme étant matissiennes les œuvres qu'il avait vues précédemment (Daniel-Henry Kahnweiler, « Conversations about the *Femmes d'Alger* », dans Marilyn McCully, éd., *A Picasso Anthology : Documents, Criticism, Reminiscences*, Arts Council of Great Britain, Londres, 1982, p. 253). Ainsi, l'emploi du monochrome était compris comme étant non-matissien, sinon anti-matissien. De manière intéressante, Kahnweiler cite Picasso disant, après avoir évoqué l'influence de Matisse sur les tableaux, que « les couleurs vives sont enfouies sous d'autres » (*ibid.*) ; compte tenu de l'occasion, une métaphore malheureuse, peut-être révélatrice.
12. Françoise Gilot, *Matisse et Picasso : une amitié*, Paris, Robert Laffond, 1991, p. 105.
13. *Ibid.*, p. 90.
14. Marilyn McCully, 1982, *op. cit.*, p. 252.
15. Voir Yve-Alain Bois, 1998, *op. cit.*, p. 231.
16. Susan Grace Galassi, 1996, *op. cit.*, p. 139, relie cette image, apparue pour la première fois dans des dessins réalisés le jour de Noël 1954, à la lithographie créée par Matisse en 1929, d'un nu renversé avec un brasero (Claude Duthuit, 1983, *op. cit.*, n° 500), mais elle montre clairement un personnage raccourci vu d'au-dessus. Il y a un certain nombre de poses étonnamment similaires dans les monotypes de bordel (voir Jean Adhémar et Françoise Cachin, *Degas : The Complete Etchings, Lithographs, and Monotypes*, New York, 1975, n°s 97, 98, 111, 112, 121). Picasso ne devait pas acquérir un nombre considérable de ces monotypes de bordel avant 1958, et aucune de ces œuvres avec des poses similaires (voir Eugenia Parry Janis, *Degas Monotypes*, catalogue d'exposition, Fogg Art Museum, Cambridge, Mass., 1968, n° 62

et *passim*), mais il semble très probable qu'il devait connaître de telles gravures, surtout parce que Vollard en publia certaines et compte tenu du fait qu'au Bateau-Lavoir, « faire un Degas » signifiait de manière voilée faire un dessin lascif (voir Richard Kendall, *Degas : Beyond Impressionism*, catalogue d'exposition, Londres, Chicago et New Haven, 1996, p. 171). Ces monotypes montrent vraisemblablement des femmes atteignant l'orgasme après la masturbation (Eunice Lipton, *Looking into Degas : Uneasy Images of Women and Modern Life*, Berkeley, 1987, p. 177-178), et sont peut-être redevables aux dessins contemporains de Paul Richter, montrant des distorsions hystériques, publiés sous forme de livre en 1881 ; l'un d'eux montre la pose allongée aux jambes croisées du Tableau M (voir Richard Thomson, *Degas : The Nudes*, Londres, 1988, p. 102). Les contorsions de l'excitation érotique constituent peut-être le récit à associer aux lectures contraires de cette figure, telles que Leo Steinberg les propose.
17. Voir Christian Geelhaar, *Picasso : Wegbereiter und Förderer seines Aufstiegs 1899-1939*, Zurich, 1993, p. 229-230, et Dore Ashton, « Picasso in His Studio », dans Ashton et Fred Licht, éds., *Pablo Picasso « L'Atelier »*, catalogue d'exposition, Peggy Guggenheim Collection, Venise, 1996, p. 140. La fusion de Delacroix et d'Ingres ainsi réalisée est, bien sûr, parfaitement appropriée à une œuvre qui mêle aussi Matisse et Picasso. Un autre artiste, Vélasquez, est invoqué dans le Tableau E (voir Leo Steinberg, 1972, *op. cit.*, p. 136), mais la référence avait été recouverte et transformée lorsque le Tableau M fut créé. La disparition de cette référence est intéressante, dans la mesure où Matisse disait détester l'œuvre de Vélasquez (Henri Matisse, 1972, *op. cit.*, p. 89, 96), tandis que, bien sûr, Degas, Ingres et Delacroix figuraient dans sa « grande chaîne ».
18. Roland Penrose, 1958, *op. cit.*, p. 344.
19. *Ibid.*, p. 350.
20. Mon emploi du terme « reproduction » dérive de David Prochaska, *Making Algeria French : Colonialism in Bône*, Cambridge, 1990, p. 141-142, tel qu'il est discuté dans Edward W. Said, *Culture and Imperialism*, New York, 1994, p. 171.
21. François Mitterrand, *Présence française et abandon*, 1957, cité dans Edward W. Said, 1994, *op. cit.*, p. 178. La libération eut lieu en 1963.

. . . .

Fig. 72
Henri Matisse
Le Violoniste, 1918
Fusain sur toile, 194 x 114
Musée Matisse, Le Cateau-Cambrésis

34
1. David Douglas Duncan, *Picasso's Picassos*, New York, 1961, p. 183.
2. Isabelle Monod-Fontaine avec Anne Baldassari et Claude Laugier, *Matisse, Collection du Musée national d'art moderne*, Paris, 1989, p. 64, et Jack Flam, *Matisse, The Man and His Art, 1869-1918*, Londres, Thames and Hudson, 1986, p. 506, note 29, font référence et citent la déclaration de Pierre Matisse, selon laquelle il ne posa ni pour le dessin ni pour le tableau.
3. Voir Isabelle Monod-Fontaine et *al.*, *ibid.*, et Jack Flam, *ibid.*, pour une discussion de la date du tableau, commencé en avril 1918 et achevé à une date incertaine, mais proche.
4. Pour une illustration de cette œuvre, voir John Elderfield, *Henri Matisse : A Retrospective*, catalogue d'exposition, The Museum of Modern Art, New York, 1992, p. 219.
5. Voir Lorenz Eitner, « The Open Window and the Storm-Tossed Boat », *Art Bulletin*, vol. 37, n° 4, décembre 1955, p. 281-290.
6. Selon Henri Matisse, il ne cessa jamais de pleuvoir (cité dans Jack Flam, 1986, *op. cit.*, p. 463). Jack Flam décrit le temps comme déprimant et la vue peinte dans le tableau comme désolée et d'une coloration inhabituelle : « la mer et les nuages gris, et le ciel rouge brique » (*ibid.*). Dans un texte antérieur, Flam suggère que l'image reflète la réaction de l'artiste à la fin d'une époque de la culture européenne, autant que sa propre crise artistique (voir Jack Flam, « Some Observations on Matisse's Self-Portraits », *Arts Magazine*, vol. 49, n° 9, mai 1975, p. 51-52).
7. Françoise Gilot et Carlton Lake, *Life with Picasso*, New York, 1964, p. 358.
8. Voir Kirk Varnedoe, « Picasso's Self-Portraits », dans William Rubin, éd., *Picasso and Portraiture : Representation and Transformation*, catalogue d'exposition, The Museum of Modern Art, New York, 1996, p. 146-150.
9. Denis Hollier, « Portrait de l'artiste en son absence », *Les Cahiers du Musée national d'art moderne*, n° 30, hiver 1989, p. 12, 14.
10. Raymond Escholier, *Matisse ce vivant*, Paris, 1956, repris dans Henri Matisse, *Écrits et propos sur l'art*, édition établie par Dominique Fourcade, Paris, Hermann, 1972, p. 301.

359

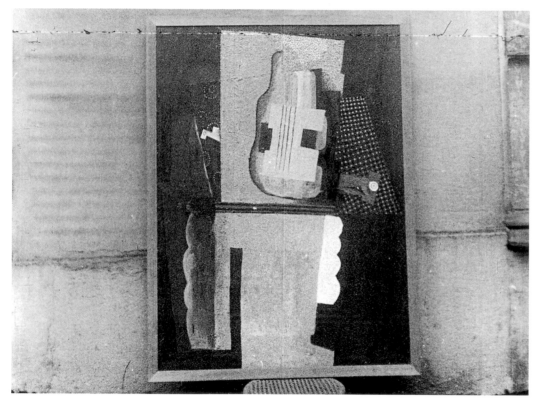

Fig. 73
« Une exposition cubiste à la galerie
Paul Guillaume. » Œuvres de Matisse et de Picasso,
*Intérieur d'atelier, La Femme à la mandoline,
Anacréon moderne*: les trois tableaux, posés
sur une chaise, sont filmés en gros plan.
Archives Gaumont.

Exposer Matisse et Picasso : note historique

Exposition « Matisse-Picasso », galerie Paul Guillaume, Paris, 1918

« *Cubisme et Cinéma*. Lorsque, l'autre matin, veille du vernissage fameux, le jeune marchand Paul Guillaume fit photographier sur le pas de sa boutique la grande toile cubiste de Pablo Picasso, les passants s'arrêtèrent, suffoqués. Un attroupement se forma, et les commentaires prirent assez vite une tournure passionnée. Un sergent briscard dut contenir les ardeurs de la foule, dont l'éducation est sans contredit insuffisante. Après la photographie, le panneau reçut les honneurs du cinéma. On tourna un film cubico-picassique ou picasso-cubique [1]. » L'événement relaté par *Le Carnet de la semaine* avait également été signalé dans *Excelsior* : « Mardi [22 janvier], un cinéma était venu "tourner" le n° 13 du catalogue : *Tableau*, de Picasso [2]. » Si l'on doit à Étienne-Alain Hubert d'avoir repéré et commenté ce tournage [3], nous avons pu identifier dans les Archives Gaumont [4] le bref sujet des actualités cinématographiques consacré, en pleine guerre, à une telle manifestation d'avant-garde (fig. 73). Après le carton noir du titre « Une exposition cubiste à la galerie Paul Guillaume », trois images vacillantes, en plan fixe, montrent, appuyées à un mur de Paris au grand jour de la rue, trois œuvres : *Atelier, quai Saint-Michel* (1916) de Matisse, *Guitare et clarinette sur une cheminée* [5] (1915) et *Tête d'homme* [6] (1907) de Picasso. Inédit dans le monde de l'art, ce recours au cinéma s'était accompagné, de la part de Paul Guillaume, d'une intense promotion commerciale des activités de sa nouvelle galerie située dans l'annexe de la maison de photographie Druet, où deux petites salles accueillent l'exposition, l'une consacrée à Matisse, l'autre à Picasso, tandis que l'arrière-boutique est réservée aux « sculptures nègres ». Organisée du 23 janvier au 15 février 1918, l'exposition, qui pour la première fois dans l'histoire de l'art moderne réunit exclusivement Matisse et Picasso, est annoncée par une affiche placardée sur les murs de Paris [7]. Si ces méthodes s'attirent quelques critiques – « La galerie Paul Guillaume nous convie par une publicité peut-être excessive à une exposition Matisse-Picasso [8] » –, la presse reprend dans son ensemble des fragments du « communiqué » rédigé par Guillaume Apollinaire : « On vient d'avoir l'idée la plus rare et la plus imprévue, celle de réunir dans une même exposition les deux maîtres les plus fameux et qui représentent les deux grandes tendances opposées de l'art contemporain. On a deviné qu'il s'agit d'Henri Matisse et de Pablo Picasso. [...] Ce sera là une exposition sensationnelle et une date dans l'histoire artistique de notre temps [9]... » Parfois, les échos s'en feront parodiques, comme ici dans *Le Petit Bleu* du 19 janvier : « Chez Paul Guillaume... exposition "sensationnelle" Henri Matisse et Pablo Picasso. Comme union, c'est "tapé", dirait Gavroche. Mais Gavroche ne s'y connaît pas en art ! » Pour sa part, Matisse s'en plaignit à Paul Guillaume, ainsi qu'il l'écrit à sa femme, dès le 27 janvier : « Je viens d'écrire à Guillaume pour lui dire que je ne suis pas trop content de la réclame qu'il fait autour de cette petite exposition. Que ça va à l'encontre de mon désir de ne pas faire de manifestation importante pendant la guerre [10]. » Il reviendra sur ce point auprès d'André Rouveyre : « As-tu eu vent de cette exposition Matisse & Picasso, dont je ne suis pour rien surtout dans la réclame ultra moderne qui me remplit de dégoût ? Peut-être parce que je n'en ai pas besoin – en tout cas elle n'est pas de ma génération [11]. » Barbazanges, répondant sans doute à une semblable plainte de l'artiste, lui écrit : « Quant à votre protestation au sujet de l'exposition Guillaume, j'étais bien certain que vous n'étiez pour rien dans cette réclame charlatanesque, et je la regrettais pour vous. Un journal s'étant trompé d'adresse (on avait mis 109 fbg...) jamais ma porte n'a tant fonctionné [12]... » Et Picasso partagea sans doute sa réserve, si l'on en juge par la politique délibérément antipublicitaire établie en commun par les artistes de la galerie Kahnweiler dès 1908 [13]. Cependant, ni Matisse ni Picasso ne pouvaient guère refuser la confrontation de leurs œuvres, comme le souligne un commentaire éclairant de Juan Gris à Léonce Rosenberg : « J'ai moi-même montré à Picasso mon étonnement pour sa nouvelle manière de se faire voir. Il m'a répondu que pendant la guerre il n'a rien refusé à aucune manifestation d'art français de peur d'être mal vu. Pour lui comme pour Matisse étant donné leur célébrité la raison est assez plausible. Refuser ici leur concours ayant vendu tant de tableaux à l'étranger ça paraîtrait drôle [14]. »

Paul Guillaume, jeune marchand passionné d'art moderne et d'art nègre, semblerait avoir bien rapidement décidé de l'organisation de cette exposition, puisque sa correspondance à ce propos avec les deux artistes ne débute que le 12 janvier [15]. Il s'y révèle un véritable stratège pour convaincre Picasso puis Matisse de participer à cette manifestation en se prévalant de l'accord de principe puis de prêts de chacun d'entre eux. En 1918, l'engagement de Paul Guillaume à l'égard de l'œuvre de Matisse et Picasso date déjà de plusieurs années. Il partage de plus leur intérêt pour l'art tribal, leur fournit des pièces à l'occasion et reproduit dans son album *Sculptures Nègres* (1917) des bois leur appartenant. Enfin, tout récemment, à l'automne 1917, il avait organisé des accrochages de leurs œuvres, dont témoigne notamment une publicité dans *Nord-Sud* : « Œuvres de / André Derain, Henri Matisse, Picasso, Cézanne, Modigliani, Chirico / Sculptures Nègres [16] ».

Bien que le catalogue de l'exposition ne comporte qu'une liste de titres génériques, nous voudrions tenter ici d'en identifier les œuvres à partir des commentaires relevés dans la presse et dont un premier état avait été publié par Paul Guillaume lui-même dans le numéro inaugural de sa revue *Les Arts à Paris*, en avril 1918. Ce travail a été mené en étroite collaboration avec Wanda de Guébriant, responsable des Archives Matisse, Jack Flam [17] et Étienne-Alain Hubert, qui ont tous trois porté à ma connaissance de nombreux documents inédits et débattu de chacune des hypothèses rapportées ci-dessous. Je veux leur dire ici toute ma reconnaissance. Dans la démonstration d'Étienne-Alain Hubert, point de départ irremplaçable pour l'identification des œuvres de Picasso, un écho de presse et une note de Max Jacob [18] constituent les indices en faveur d'une présentation, lors de l'exposition de 1918, des *Demoiselles d'Avignon*. Ainsi, *Le Courrier de la semaine* titrant « Devant du cubisme » évoque la présence, faubourg Saint-Honoré, « d'une coquine de toile sur quoi s'étale une confusion de bras, de jambes, de demi-têtes, enfin de torses humains jetés au petit bonheur… et tout cela monstrueusement représenté [19] ». Cet entrefilet pourrait en effet se rapporter aux *Demoiselles* et une confirmation s'en trouverait dans cette description de l'exposition par l'abbé Mugnier : « […] puis la *Femme d'Avignon* car tel est le nom qu'on donne à une toile cubiste indéchiffrable [20] ». À supposer qu'il nous soit parvenu complet, le film Gaumont pourrait suggérer une piste alternative. En effet, *Guitare et clarinette sur une cheminée*, qui a effectivement été filmé, est de dimensions suffisamment importantes [21] pour pouvoir être qualifié de « panneau » ou de « grande toile cubiste ». L'on ne saurait non plus ignorer le caractère d'énigme visuelle « suffocante » que pouvait constituer pour les passants parisiens de 1918 son vocabulaire pictural quasi abstrait. Le tableau fut d'ailleurs intitulé, lors d'une première indexation du film vers 1920, comme figurant une « *Femme à la mandoline* ». Et il suffit pour se convaincre de son absolue étrangeté, de replacer cette brève séquence dans le contexte des actualités qui l'accompagnaient et formaient l'avant-programme de la séance de cinéma consacrée aux *Aventures de Judex*. La brutale intrusion visuelle qu'y représentent les œuvres de Matisse et de Picasso y éclate d'autant plus que les autres sujets comme les portraits de célébrités sont soumis à des règles très comparables de filmage en extérieur et en plan fixe [22]. *Guitare et clarinette sur une cheminée* aurait donc, autant que *Les Demoiselles d'Avignon*, quelques titres à être ce numéro 13 du catalogue. Ne disposant cependant pas d'éléments probants pour trancher le débat sur ce point, nous soulignerons que *Guitare et clarinette sur une cheminée* pourrait aussi être recensé sous les numéros 15, 17 ou 21 intitulés « *Nature-morte* », et qu'en toute hypothèse, il suscita la vive perplexité dont témoigne cet article de *L'Éventail* : « L'arbitraire est ici la loi, les libertés prises avec la "nature extérieure" vont jusqu'à la supprimer. Est-ce au profit de la "nature intérieure" ? Nous ne pourrions en décider, n'ayant rien su démêler dans les panneaux que M. Picasso nomme prudemment *Tableau* et, moins prudemment, *Nature morte* [23]. » On notera par ailleurs qu'un examen des images filmées à l'époque, soit trois ans après l'achèvement supposé de *Guitare et clarinette sur une cheminée*, fait apparaître que le tableau a été très largement modifié par Picasso après ce tournage.

Le numéro « *14. Femme en vert* » correspond, sans nul doute, à la toile de 1914 *Portrait de jeune fille* (cat. 46), que décrit assez précisément cet écho : « Le modèle, ou tout au moins le prétexte du tableau, ont ici disparu, complètement. À peine retrouve-t-on dans la *Femme en vert* une tache violâtre terminée par une tache plus claire figurant une main sortant d'une manche. Est-ce même une intention ? N'y a-t-il coïncidence pure ? Pour le reste des mosaïques ingénieuses d'une couleur très épaisse, des carrés, des losanges, des dentelles accolés les uns aux autres [24]. » La mention faite par l'abbé Mugnier d'une peinture dénommée « *Femme d'Avignon* » pourrait d'ailleurs s'appliquer à cette toile, qui porte précisément au dos, de la main de Picasso, la mention « Portrait de jeune fille Avignon 1914 » et serait mieux que les *Demoiselles* qualifiée d'un cubisme « indéchiffrable ».

Pour le numéro « *16. Un Arlequin et une femme* », le commentaire de l'abbé Mugnier ne laisse ici aucun doute : « Puis une femme longue et toute nue qui se lave. À côté un autre personnage vêtu, avec un enfant sur l'épaule [25]. » Il s'agit en effet de *Famille d'arlequin* [26] (1905). Les numéros 18 et 19, *La Mansarde* et *Le Pauvre à l'enfant*, renvoient probablement aussi à des œuvres des périodes bleue et rose, telles que *Famille d'acrobates* (1905), *La Repasseuse* (1904), *Jeune Acrobate et enfant* (1905) ou *Le Marchand de gui* [27] (1902-1903). Cet ensemble de gouaches fut unanimement célébré par la critique. Ainsi, Louis Vauxcelles note : « Dessins d'un trait aigu, harmonies bleues de l'époque dite des "arlequins", nus ou portraits, Picasso […] aborde avec crânerie les problèmes les plus complexes. » C. Chinet reprenant le mot d'Apollinaire demande : « Vous pensez à une belle perle. Oui, si l'on s'en tient au peintre rare, à l'impeccable et sensible dessinateur de Arlequin et une femme ou des Amants enlacés. » Clotilde Misme note : « P. Picasso, dont quelques dessins et une petite toile datée 1905 indiquaient qu'il fut jadis, tout comme un autre, un artiste délicat, a dépassé M. Matisse et a atteint l'absolu, l'arbitraire est ici la loi [28]… »

On l'a vu, le titre « *Nature morte* » se retrouve pour trois numéros du catalogue. Comme l'a bien noté Étienne-Alain Hubert, la description de l'abbé Mugnier – « En face *un accident de chemin de fer dans un plat d'épinards*, comme on appelle encore ces choses grillées qui montent [29] » – conviendrait parfaitement aux toiles peintes durant l'été 1914 à Avignon et utilisant une couleur verte industrielle, notamment, *Nature morte verte* [30], *Nature morte avec fruits, verre et journal* [31] ou encore *Verre, pipe, as de trèfle* [32]. La locution « choses grillées qui montent » pourrait aussi désigner le décor typique de la bouteille paillée figurant dans *Nature morte à la bouteille de marasquin* [33] ou *Cartes à jouer, verre, bouteille de rhum (« Vive la France »* [34]). L'ensemble de ces œuvres se trouvait alors dans des collections parisiennes, notamment chez Gertrude Stein ou Léonce Rosenberg [35]. La presse confirmerait d'ailleurs que les natures mortes présentées appartenaient aux recherches cubistes des années 1914-1915 : Louis Vauxcelles, dans *Le Pays*, évoque « ces derniers (ou avant-derniers) travaux, d'un cubisme redoutable, que signe Picasso, panneaux d'une lecture si malaisée », tandis que C. Chinet remarque : « Il y a d'heureux rapports de tons, des arabesques curieuses. Triomphe du guillochis et du faux marbre ! Cela rappelle un jeu de puzzle, les tapis d'Orient ou un fragment de décor pour ballets russes [36] ».

Le numéro « *20. Tête d'homme* » désigne le grand dessin proto-cubiste *Tête d'homme* de 1907 [37]. Son titre « *Anacréon moderne* », conservé par l'indexation des Archives Gaumont, pourrait rendre un hommage à Guillaume Apollinaire, « poète assassiné ». Ce dernier avait en effet été lié de près à Picasso dans l'aventure du vol puis de la restitution des têtes ibériques du Louvre, sous l'influence desquelles ce dessin primitiviste fut directement conçu. Pour ce qui est des différentes *Têtes* apparaissant sous les numéros 22 à 24, 26 et 27, on signalera que les vues de la collection personnelle de Paul Guillaume, prises en 1929 chez Bernheim-Jeune, comportent *Tête de femme sur fond de*

montagnes [38] (1909) et *Buste de jeune femme* [39] (1906), œuvres qui auraient été acquises assez tôt pour figurer dans l'exposition de 1918. Le numéro « *25. Les Amants enlacés* », « deux petits nus qui s'embrassent », selon l'abbé Mugnier, correspond vraisemblablement à *Nus enlacés* [40], une gouache de 1905 appartenant alors à Paul Guillaume. On aurait été tenté d'identifier dans le numéro « *27. Portrait d'un homme assis* », la grande toile *Homme assis dans les frondaisons* [41] (1915-1916), à laquelle Paul Guillaume fait probablement allusion lorsqu'il écrit à Picasso : « Madame Errazuriz a une toile célèbre et caractéristique. » Mais aucun élément ne permet de confirmer que cet emprunt ait bien eu lieu. On pourrait aussi s'interroger utilement sur la présence sous ce titre de l'*Homme assis au verre* [42] (1914). Ce tableau, qui serait un autoportrait peint à Avignon, formait une paire avec la *Femme en vert*, portrait d'Eva Gouel, et appartenait alors à Picasso. Véritable clef stylistique de cette période de guerre, cette œuvre de dimensions monumentales pourrait bien avoir suscité ce commentaire étrange dans *La Vie* : « Nulle école ne pose plus de points d'interrogation que le Cubisme. C'est d'ailleurs significatif : un point d'interrogation forme souvent l'axe des compositions ou mosaïques cubistes. Rappelez-vous, à la dernière exposition Picasso chez Guillaume : la plus importante de ses œuvres, son manifeste, avait pour centre d'attraction un tortueux ? [43] » En première lecture, le personnage, formé de l'enroulement de plusieurs arabesques biscornues, pourrait en effet être perçu comme un gigantesque et emblématique point d'interrogation.

Le catalogue des œuvres de Matisse compte douze numéros, auxquels s'ajoutaient trois tableaux importants appartenant à Jos Hessel. Bien que quelques titres se réfèrent à l'évidence à des toiles anciennes, le commentaire de *L'Éclair* du 26 janvier – « Tout l'œuvre nouveau de Henri Matisse » –, soulignant le caractère récent de la sélection de ses œuvres, nous autorise à recentrer l'identification sur les années 1914-1917.

Le numéro « *1. Intérieur d'atelier* » renvoie, comme l'atteste le film Gaumont, à *L'Atelier, quai Saint-Michel* (cat. 70), alors en cours de vente à Walther Halvorsen. Le numéro « *2. Portrait de deux femmes* » aurait peu de chance d'être *Aïcha et Lorette* (1917), alors dans la collection de l'artiste qui, on le sait, voulut n'être « pour rien » dans cette exposition. Il pourrait donc s'agir des *Deux Sœurs* [44] (1917), appartenant à Bernheim-Jeune qui l'avait exposé l'année précédente [45]. À titre de preuve, on trouve dans les Archives Matisse un cliché reproduisant ce tableau accompagné de la mention « Photo Paul Guillaume ». On pourrait notamment rapporter à ce tableau le commentaire de l'abbé Mugnier : « Puis des femmes de Matisse, des *résignés* [*sic*], des attitudes simples, modestes », ou celui de Gustave Kahn, dans le *Mercure de France* : « Les personnages de Matisse sont bien campés et comme éclairés de vie intérieure ; la liberté et la justesse de leur allure sont extraordinaires. Les regards sont d'une attirante beauté ; la force du dessin requiert l'admiration. » Le numéro « *3. Paysage du Maroc* » pourrait désigner la *Vue de la baie de Tanger* (1912), de la collection Marcel Sembat, grand ami, fervent défenseur et collectionneur de Matisse, ou *Les Pervenches, Maroc* (1912), de la collection Alphonse Kann. Le numéro « *4. La Coupe d'oranges* » est sans aucun doute le tableau datant de 1916 acquis par Walther Halvorsen et enregistré sous ce titre dans l'inventaire Bernheim-Jeune (cat. 95). C'est lui qui donne la clef du texte qu'Apollinaire consacre alors à Matisse : « Si l'on devait comparer l'œuvre d'Henri-Matisse à quelque chose, il faudrait choisir l'orange. Comme elle, l'œuvre d'Henri-Matisse est un fruit de lumière éclatante. » Cette phrase, reprise par toute la presse, restera liée à l'œuvre de Matisse, avec tout le pouvoir d'un poétique slogan.

À l'exception de quelques dessins, une seule toile porte, dans l'inventaire Bernheim-Jeune, le titre du numéro « *5. Portrait de femme* ». Il s'agit de *Portrait de femme (Mme Stein* [46]*)*. Peint en 1916, cette toile est l'une des rares œuvres de la collection de Michael et Sarah Stein, dont une grande part bloquée à Berlin depuis juillet 1914 [47], à pouvoir figurer chez Paul Guillaume. Par contre, plusieurs *Têtes* mentionnées dans cet inventaire (n° 186, n° 190) pourraient correspondre à l'énigmatique numéro « *6. Tête de femme* ». S'il semble peu probable que celui-ci soit le *Turban blanc* (1917), au caractère oriental très marqué, déjà exposé en 1917 sous cette dénomination, ces œuvres au titre anonyme, des têtes d'expression prenant Lorette pour sujet sans effets de costume ou d'accessoire, répondent à l'esprit des personnages résignés et modestes décrits par l'abbé Mugnier. Clotilde Misme précise qu'il s'agit pour Matisse « d'exprimer "la pensée intérieure". [...] La recherche de l'essentiel l'a conduit jusqu'au schéma, le dédain des réalités tangibles jusqu'au bizarre, sans que ses personnages cessent d'être vivants [...] » Ce commentaire pourrait également se rapporter à un autre ensemble de portraits. On sait par une lettre de Paul Guillaume à Amélie Matisse que figuraient également dans l'exposition, hors catalogue, « les trois grandes toiles de Hessel [48] ». Il s'agissait en effet du triptyque des *Trois Sœurs* qui, avant d'être dispersé puis réuni par Guillaume pour le Dr Barnes, avait appartenu à Jos Hessel. Celui-ci en avait fait l'acquisition le 15 juillet 1917. Bien que faisant une confusion sur la date, Louis Aragon se remémorait effectivement la présentation de ces toiles : « J'ai vu à l'époque, chez Paul Guillaume, ce qu'on appelle le triptyque où figure trois fois, "Les trois sœurs", c'est-à-dire Laurette et ses deux sœurs, qu'il ne faut pas confondre avec les trois sœurs [49] de la collection Walter [50]. »

Il est probable que le numéro « *7. Le Jardinier* » soit en fait le tableau de 1904, *Le Chemin sous les arbres* ou *Femme à la brouette*, figurant une petite silhouette indistincte, qui appartenait à Bernheim-Jeune (inv. n° 52). Le numéro « *8. Femme lisant* » pourrait être *Marguerite lisant* (1906), que possédait Marcel Sembat, ou bien l'étude pour ce même tableau, *L'Intérieur à la fillette* (1906), alors dans la collection de Félix Fénéon. Le numéro « *9. La Femme au divan* » est, sans aucun doute, la *Femme couchée* (1917 ; inv. Bernheim n° 199), qui correspond bien à la description qu'en fait Gustave Kahn : « C'est une toile curieuse et belle que cette étude de femme en toilette noire, étendue sur un divan, avec une grâce si juste et un laisser-aller du corps si joliment formulé. » Le numéro « *10. L'Algérienne* » est, sans aucun doute non plus, la toile de 1909 portant le même titre, léguée en 1917 par Guy de Cholet au musée du Luxembourg. Le numéro « *11. La Femme à la chaise* » a pu être identifié comme la *Femme au tabouret (Germaine Raynal)* de 1913-1914, qui faisait alors partie de la collection de l'artiste [51]. Étant donné le géométrisme schématique du tableau, cette hypothèse corroborerait les analyses de Marcel Sembat qui, en 1920, se rapportait à l'exposition Guillaume comme à une tentative de démonstration publique du ralliement de Matisse au cubisme. Cependant, le tableau *Femme assise sur une chaise*, intitulé parfois *La Méditation, Laurette* [52] (1917), qui appartenait à Paul Guillaume lui-même, aurait toute chance d'être l'œuvre ayant figuré dans l'exposition. Enfin, le numéro « *12. La Belle Bédouine* » pourrait être *La Marocaine* (1912), acquise en 1913 par Marcel Sembat, ou, si les circonstances de la guerre le permettaient alors matériellement, *La Mulâtresse Fatma debout* (1913), qui se trouvait depuis 1917 à la succursale Bernheim à Lausanne.

Malgré son caractère hypothétique, cette reconstitution de l'exposition de 1918 permet de vérifier que l'ambition de Paul Guillaume de rassembler des œuvres représentatives des deux artistes fut en grande partie réalisée. Sa volonté « d'avoir des choses à vendre », comme il l'écrit sans détour à Matisse, ne sacrifie pas pour autant ce que l'art de Matisse et Picasso de la dernière période pouvait manifester de plus avancé. Et c'est avec un résolu courage que le jeune marchand exhorté par Guillaume Apollinaire s'engage en ces temps troublés dans la défense de leur œuvre. Il semble que, dans l'entourage de Matisse, l'exposition ait été considérée comme délibérément favorable à Picasso. Matisse est le premier à exprimer ce sentiment dans une lettre à Amélie : « J'ai reçu le catalogue de l'exposition Guillaume que j'appelle le match Carpentier Joe [Fumetti]. C'est bien ce que je pensais, la préface d'Apollinaire le montre bien. En somme je ne sais ce qu'elle fera mais elle est dirigée contre moi. Guillaume pourra se fouiller une autre fois, pour avoir quelque chose, et si je vends encore à Hesséle [sic] et à Georges B. c'est que je ne pourrai pas faire autrement. C'est le comble de la politique d'attirer les œuvres de quelqu'un pendant qu'il n'est pas là pour essayer de le démolir. Qu'est-ce que doivent raconter les cubistes et les cubistons. On peut voir d'après les deux préfaces que je ne fais pas l'exposition directement [53]... » Matisse reviendra dès le lendemain sur sa position dans un mot à Amélie : « À la réflexion je suis très content de la préface d'A [Apollinaire]. J'aime mieux ça que des compliments trop difficiles à soutenir ; je la trouve plus naturelle que l'autre [celle consacrée à Picasso], vraiment un peu outrée. Il faut laisser courir. Tout de même à l'avenir je sais ce que j'aurai à faire [54]. » André Rouveyre répondant à Matisse lui dit son accord sur ce point : « L'exposition M.P. ? en effet on voyait bien que tu n'y avais pas présidé, les deux exposants sont évidemment disproportionnés... » Pourtant, Picasso fut la victime expiatoire de l'exposition, la presse ne voulant retenir que son œuvre d'avant 1905. Charles Camoin, grand ami de Matisse, aura, pour sa part, des propos portant l'empreinte du repli idéologique où s'était installée la France durant la Grande Guerre : « Dufy m'a prié de faire mon possible pour t'engager à envoyer à l'exposition Manzi où l'on comptait sur toi. [...] Tu aurais tort de croire que c'est encore un traquenard dans le genre de chez Guillaume, j'ai l'impression que c'est plutôt le contraire, et c'est bien plutôt du genre "anti-métèque" qu'autre chose [55]. » Allant plus loin, Bissière, qui dresse dans *Paris-Midi* et *Le Pays* un véritable réquisitoire contre l'exposition, renvoie les deux artistes dos à dos et se fait l'avocat d'un nécessaire « retour à l'ordre » : « En somme, il apparaît que MM. Matisse et Picasso ne sortiront pas grandis de cette exhibition [...]. La jeunesse, en effet, n'a rien à apprendre dans cette salle, où tout n'est qu'abstraction. Froideur et abstraction. Cela sent la nécropole. [...] Nous désirons aujourd'hui un art d'ordre plus général et plus humain ; MM. Matisse et Picasso devraient s'en apercevoir s'ils veulent représenter leur époque et résister à l'oubli [56]. » L'Histoire tranchera.

A.B.

Exposition «Picasso-Matisse», Victoria and Albert Museum, Londres, 1946

Presque trente ans après, une seconde confrontation est organisée à Londres, dans un contexte on ne peut plus différent. L'exposition « Picasso-Matisse » présentée au Victoria and Albert Museum, du 5 décembre 1945 au 15 janvier 1946, s'inscrit au départ dans un projet essentiellement diplomatique, dans la stratégie d'immédiat après-guerre de la Direction générale des Affaires culturelles, associée pour la circonstance à l'Arts Council et au British Council. Le projet visait à présenter au public anglais une série de doubles expositions associant les productions récentes de peintres reconnus, de maîtres de l'« École de Paris ». À Picasso et Matisse, dont les noms semblaient s'imposer pour la première manifestation, devaient ainsi succéder Braque et Rouault (l'exposition eut lieu à la Tate Gallery en avril 1946), Dufy, Miró, etc. [57]. L'exposition fut préparée en quelques mois. Matisse fut contacté dès mai 1945, comme en témoigne son message du 12 mai à Picasso : « Je voudrais que vous m'écriviez, ou bien me fassiez écrire si vous acceptez, moi j'accepte [58]. » Sur le principe, tous deux furent d'ailleurs très vite d'accord, mais la mise au point du calendrier et des listes d'œuvres s'avéra plus difficile. Du côté de Matisse, l'exposition anglaise interfère avec deux autres projets, prévus à des dates voisines : l'hommage qui lui est rendu au Salon d'automne (du 25 septembre au 29 octobre), mettant aussi l'accent sur la peinture récente, et l'exposition « didactique » de sa méthode (quelques toiles des mêmes années quarante et les photographies de leurs états successifs), qui doit inaugurer l'installation parisienne de la galerie Maeght en décembre 1945. Picasso, lui aussi très sollicité, a du mal à mettre au point sa liste : les efforts conjugués de Frank McEwen, Fine Arts Officer au British Council à Paris, de Marie Cuttoli et de Henri Laugier n'aboutiront à l'établissement d'une liste d'œuvres définitive que le 29 octobre 1945 [59]. Encore quelques jours avant l'exposition, le 3 décembre 1945, Matisse envisage de demander à l'un de ses principaux collectionneurs d'avant-guerre, Alphonse Kann (qui réside alors à Londres), l'autorisation de présenter *Le Rideau jaune*, une toile de 1915, spoliée en 1942, qui vient d'être retrouvée et restituée à Kann avec l'aide de Matisse lui-même [60]. En définitive, c'est une petite « rétrospective » de vingt-quatre toiles de Matisse (de *Goulphar*, 1896, à *Jeune Fille à la pelisse*, 1944) qui sera présentée, dont la moitié environ se situe entre 1941 et 1944. Cet ensemble s'accompagne d'un certain nombre de photographies montrant les états successifs de quelques toiles, dans le souci, affiché alors par Matisse, de donner aussi à voir son processus de travail, le développement parfois sinueux qui mène à « l'apparente simplicité » du résultat final. Alors que, plus conformément au projet initial, Picasso n'expose que des tableaux peints entre 1939 et 1945, un ensemble plus compact et plus cohérent de vingt-sept toiles comprenant essentiellement des figures. En revanche, une « rétrospective » d'une soixantaine de photographies d'œuvres antérieures (de 1895 à 1939) permet de resituer le travail récent par rapport au reste de l'œuvre.

Inaugurée officiellement et en grande pompe, l'exposition obtient un immense succès public : 160 000 visiteurs en cinq semaines et des centaines d'articles. C'est aussi et surtout un succès de scandale, provoqué par les envois de Picasso : critiques ou simples lecteurs expriment vigoureusement leur incompréhension, sinon leur indignation, telle la fille du peintre préraphaélite Holman Hunt traitant la peinture de Picasso de « *garbage art* [61] »... Par rapport à la seconde « Post-Impressionnist Exhibition », organisée en 1912 par Roger Fry à Londres (Grafton Galleries), où déjà s'esquissait une polarisation Matisse-Picasso (voir notamment l'article du *Times* daté du 4 octobre 1912), la situation s'est inversée : jugé scandaleux en 1912, Matisse apparaît en 1946 comme « frisant la pure décoration » (Philip James),

aux côtés d'un Picasso dont les figures violemment décomposées suscitent « de plus fortes émotions », en ce qu'elles représentent « la misère couleur de cendre de notre civilisation et de sa guerre[62] ». Sans doute, les figures anguleuses, hérissées, peintes pendant les années de guerre par Picasso entraient-elles davantage en résonance (au risque de les choquer) avec les sentiments des Britanniques, eux-mêmes également éprouvés. Mais aussi le choix fait par Matisse, celui d'un semblant de rétrospective comportant peu d'œuvres de premier plan l'a-t-il desservi, de même que le volet didactique qu'il a tenu à y intégrer, rendu peu explicite par l'absence de certaines des toiles photographiées. L'exposition organisée par Paul Guillaume en 1918 a constitué de fait une confrontation symboliquement et réellement beaucoup plus chargée, même si, à l'évidence, elle n'a touché qu'un public très restreint.

Il reste à saluer l'initiative d'Yve-Alain Bois, qui a remis pour la première fois côte à côte un nombre significatif d'œuvres (peintures, sculptures et dessins) de Matisse et Picasso — non pas campées dans deux espaces distincts (c'était le cas à Paris en 1918 et à Londres en 1945) —, mais en les obligeant à redialoguer, en retressant les répliques, séquence par séquence. Son exposition [63] mettait l'accent sur les vingt dernières années (de la fin des années vingt à 1954-1955) de cette « *Gentle Rivalry* » (titre de la version américaine de son livre). L'exemplaire dossier constitué à cette occasion, avec l'exigence qu'on lui connaît, débordait cependant largement le cadre chronologique imposé pour aller reconnaître et tirer bon nombre des fils dont s'est tissée la relation complexe qui est aussi notre sujet.

Avec nos collègues anglais et américains, nous l'avons abordée sous des angles très différents — largement explicités dans le présent catalogue — et nous espérons avoir contribué avec eux à en éclairer d'autres aspects. Mais nous tenions tout particulièrement à rendre ici hommage aux recherches d'Yve-Alain Bois, comme à celles de tous nos prédécesseurs, qui ont nourri et soutenu la longue préparation de ce catalogue.

I.M.-F.

1. Pinturrichio (Louis Vauxcelles), *Le Carnet de la semaine*, rubrique « Le Carnet des ateliers », 3 février 1918.
2. Le Veilleur, *Excelsior*, 24 janvier 1918.
3. Étienne-Alain Hubert, « Was *Les Demoiselles d'Avignon* Exhibited in 1918 ? », dans *Studies in Modern Art*, « *Les Demoiselles d'Avignon* », The Museum of Modern Art, New York, 1994, p. 206-212, et « Une exposition des *Demoiselles d'Avignon* en 1918 », *Circonstances de la poésie, Reverdy, Apollinaire, surréalisme*, Paris, Klincksieck, 2000, p. 299-312.
4. Cette séquence de dix-neuf secondes était par erreur archivée comme datant de 1913. Je remercie vivement Martine Offroy, Manuela Padoan et Laurence Pontalier des Archives Gaumont d'avoir facilité notre accès à ces documents, d'avoir bien voulu en vérifier avec nous la datation et d'en permettre ici la reproduction.
5. Z. II**, 54.
6. Z. VI, 977.
7. Dans Pierre Daix, *Journal du cubisme*, Paris, Skira, 1982, p. 139.
8. Bissière, *Paris-Midi*.
9. Étienne-Alain Hubert a précisément établi dans *Circonstances de la poésie*, 2000, *op. cit.*, p. 300, les différentes variantes du texte d'Apollinaire et les emprunts qui en sont faits dans la presse.
10. Lettre de Henri Matisse à Amélie Matisse, le [27] janvier 1918, Archives Matisse.
11. Lettre du 2 mars 1918, dans Hanne Finsen, *Matisse Rouveyre, Correspondance*, Paris, Flammarion, 2001, p. 30.
12. Lettre de Barbazanges à Henri Matisse, [début] 1918, Archives Matisse. Barbazanges tenait une galerie à Paris.
13. Isabelle Monod-Fontaine, « Chronologie et documents », dans *Daniel-Henry Kahnweiler, marchand, éditeur, écrivain*, catalogue Centre Georges Pompidou, 1984.
14. Lettre du 15 juin 1916, Correspondance Léonce Rosenberg/Juan Gris, Documentation du MNAM, Paris.
15. Voir Chronologie.
16. *Nord-Sud*, octobre 1917.
17. Jack Flam, *Matisse and Picasso*, New York, Westview Press, 2003 (à paraître).
18. Note manuscrite commentant l'écho de Pinturricchio cité dans la note 1 *supra* :

« En réalité, il ne s'agissait pas de photo. La toile ne pouvait pas entrer dans la boutique », cité par Étienne-Alain Hubert, 2000, *op. cit.*, p. 308.
19. *Le Carnet de la semaine*, rubrique « Le Carnet des potins », 16 juin 1918. On notera cependant que cet écho est postérieur de plusieurs mois à la fermeture de l'exposition « Matisse-Picasso ».
20. En date du 7 février 1918. Abbé Mugnier, *Journal*, Paris, Mercure de France, « Le Temps retrouvé », 1995, p. 329.
21. 130 x 97 cm.
22. Ainsi, le sénateur Charles Jonnart, Henri Bergson reçu à l'Académie française, Mlle Leneru du Théâtre-Français, le général Peltier sont filmés en buste, devant un mur.
23. Clotilde Misme, *La Chronique des arts et de la curiosité*, janvier-mars 1918.
24. C. Chinet, *L'Éventail*, 15 février 1918.
25. Abbé Mugnier, 1995, *op. cit.*, p. 329.
26. Z. I, 298.
27. Respectivement, Z. I, 289 ; Z. I, 248 ; Z. VI, 718 ; Z. I, 123.
28. *La Chronique des arts et de la curiosité*.
29. Abbé Mugnier, 1995, *op. cit.*, p. 329.
30. Z. II, 485, collection Léonce Rosenberg.
31. Z. II, 530, collection Gertrude Stein.
32. Z. II**, 830, collection de l'artiste.
33. Z. II**, 535.
34. Z. II**, 523.
35. Lettre de Paul Guillaume à Pablo Picasso, 12 janvier 1918, voir Chronologie.
36. *L'Éventail*, 15 février 1918.
37. Étude pour *L'Étudiant en médecine*.
38. Z. II*, 169.
39. Z. I, 367.
40. Z. I, 228.
41. Voir *Homme assis accoudé à une table*, Z. II**, 550.
42. Z. II**, 845.
43. *La Vie*, avril 1918.
44. Inv. Bernheim-Jeune n° 188.
45. « Exposition de Peinture. Série D », 1917. Le tableau fut acquis par Alphonse Kann.
46. Inv. Bernheim-Jeune n° 183.
47. Berlin, Kunstsalon, Fritz Gurlitt, « Henri Matisse Sammlung des Herrn Michel Stein in Paris ».
48. Lettre de Paul Guillaume à Amélie Matisse, 24 janvier 1918, voir Chronologie.

49. Acquis par Paul Guillaume lors de la vente Pellerin.
50. Louis Aragon, *Henri Matisse, Roman*, Paris, Gallimard, 1971, p. 103.
51. Lettre de Félix Fénéon à Henri Matisse, 22 février 1916, Archives Matisse.
52. Reproduit sous le n° 11 du catalogue de la National Gallery of Art, Washington, *Henri Matisse. The Early Years in Nice, 1916-1930*, 1986. Huile sur toile, 49,5 x 34,3 cm, Museum of Fine Arts, Houston.
53. Lettre de Henri Matisse à Amélie Matisse, samedi, [26 janvier 1918], Archives Matisse. Georges B. est Georges Bernheim.
54. Carte postale de Henri Matisse à Amélie Matisse, dimanche 27 janvier 1918, Archives Matisse.
55. Lettre de Charles Camoin à Henri Matisse, 18 mars 1918, *Correspondance Matisse-Rouveyre*, *op. cit.*, p. 31.
56. *Paris-Midi*, rubrique « Les Arts à Paris », avril 1918.
57. Voir « Some Facts about the Picasso-Matisse Exhibition », dans *Monthly Overseas Bulletin Supplement*, n° 22 (31 décembre 1945). Je remercie vivement Sophie Clark, qui m'a communiqué ce document émanant du British Council, ainsi que plusieurs autres documents des archives cités ci-dessous concernant l'exposition du Victoria and Albert Museum.
58. Archives Picasso, musée Picasso, Paris. Voir aussi Chronologie, 12 mai 1945.
59. Voir une lettre d'Alfred A. Longden (29 octobre 1945), Director of Fine Arts au British Council, à Leigh Ashton, directeur du Victoria and Albert Museum (Archives du Victoria and Albert Museum).
60. Projet de lettre de Henri Matisse à Alphonse Kann, 3 décembre 1945, Archives Matisse, Paris.
61. Voir « Some Facts about the Picasso-Matisse Exhibition », *op. cit.*
62. Stephen Spender, « Lettre de Londres », *Terre des hommes*, 1946.
63. « Matisse and Picasso : A Gentle Rivalry » (Kimbell Art Museum, Forth Worth, 31 janvier-9 mai 1999). L'ouvrage a été publié la même année en français, par Flammarion, Paris, sous le titre *Matisse et Picasso*.

Chronologie

Anne Baldassari,
Elizabeth Cowling,
Claude Laugier et
Isabelle Monod-Fontaine

La chronologie qui suit couvre les années 1900-1954. Elle ne veut pas être un résumé exhaustif de la vie et de la carrière des deux artistes et s'est donné le double objectif suivant : rendre compte des rapports, artistiques et personnels, de Matisse et de Picasso, depuis l'époque de leurs premières rencontres jusqu'à la mort de Matisse, en évoquant brièvement le contexte général, tant historique que culturel et en citant extensivement ce qui reste de leur correspondance. Donner un aperçu de l'évolution critique concernant l'œuvre de Matisse et de Picasso, à travers un modeste choix représentatif de citations tirées des sources contemporaines, extraites en particulier des collections de coupures de presse françaises et étrangères conservées dans les archives des deux artistes.

Cette chronologie a été rédigée comme suit : 1900-1923 par Anne Baldassari ; 1924-1939 par Elizabeth Cowling ; 1940-1947 par Isabelle Monod-Fontaine ; et 1948-1954 par Claude Laugier. Pour leurs recherches et le soutien amical qu'ils ont reçu, les auteurs sont particulièrement redevables à Wanda de Guébriant, Isabelle Alonso, Georges Matisse et Claude Duthuit aux Archives Matisse, ainsi qu'à Christine Pinault, Sylvie Vautier et Claude Ruiz-Picasso de Picasso administration. Les informations jusque-là inédites qui sont présentées ici résultent dans leur majorité de recherches documentaires confiées à Ivan Conquéré de Monbrison, Emma Laurent et Colette Haufrecht sur les fonds du musée Picasso (bibliothèque et archives), de la bibliothèque de l'Arsenal et de la Bibliothèque nationale de France. Les auteurs souhaitent chaleureusement remercier pour leurs importantes contributions le personnel des Centres de documentation du musée Picasso et du Musée national d'art moderne, Centre Georges Pompidou : Véronique Balu, Laurence Camous, Pierrot Eugène, Sylvie Fresnault, Laurence Madeline, Paule Mazouet, Mélanie Petetin, Christiane Rojouan, Dominique Rossi, Jeanne Sudour, Vérane Tasseau et Brigitte Vincens. Le personnel des bibliothèques et des archives du Museum of Modern Art, du Tate Modern et du Victoria and Albert Museum a aussi été d'une aide précieuse, et les auteurs sont reconnaissants envers Sophie Clark du Tate Modern, et Claudia Schmuckli du Museum of Modern Art pour leur contribution au rassemblement des documents anglais et américains. Ils sont également reconnaissants envers Gavin Parkinson pour son aide. Les auteurs ont une dette toute particulière à l'égard des chercheurs et des conservateurs qui ont contribué par leurs éminents travaux sur la place de Matisse et de Picasso dans l'histoire de l'art moderne à établir la trame dans laquelle s'inscrit cette chronologie croisée : Marie-Laure Bernadac, Yve-Alain Bois, Éric de Chassey, Pierre Daix, Jack Flam, Dominique Fourcade, Rémi Labrusse, Brigitte Léal, Marilyn McCully, Josep Palau i Fabre, John Richardson, Hélène Seckel-Klein, Pierre Schneider et Hilary Spurling.

Enfin, les auteurs souhaitent tout particulièrement remercier Elaine Rosenberg et Paul Matisse, ainsi que Christine Nelson et Robert Parks de la Pierpont Morgan Library, New York, pour avoir autorisé un accès exceptionnel aux collections de documents de la galerie Paul Rosenberg et de la galerie Pierre Matisse, et pour leur avoir donné accès à la correspondance privée entre Pierre et Henri Matisse.

Abréviations :

A.K.-L. : Archives Kahnweiler-Leiris, Paris

A.M. : Archives Matisse, Paris

A.P. : Archives Picasso, musée Picasso, Paris

A.P.M. : Archives Pierre Matisse, Pierpont Morgan Library, New York

B.L. : Beinecke Library of Rare Book and Manuscript, Yale University

Bois, 1998 : Yve-Alain Bois, *Matisse and Picasso*, catalogue d'exposition, Kimbell Art Museum, Fort Worth, 1998

Brassaï, 1964 : Brassaï, *Conversations avec Picasso*, Paris, Gallimard, 1964

C.C./H.M. : *Correspondance entre Charles Camoin et Henri Matisse*, édition établie par Claudine Grammont, Lausanne, La Bibliothèque des arts, 1997

Gilot, 1965 : Françoise Gilot et Carlton Lake, *Life with Picasso*, Londres, 1965

Gilot, 1991 : Françoise Gilot, *Matisse et Picasso : une amitié*, Paris, Robert Laffond, 1991

Matisse, Couturier, Rayssiguier, 1993 : Henri Matisse, Marie-Alain Couturier, Louis-Bertrand Rayssiguier, *La Chapelle de Vence, journal d'une création*, Paris, Éditions du Cerf, Genève, Skira, Houston, Menil Foundation, 1993

MNAM : Fonds du Musée national d'art moderne, Paris

Olivier, 1933 : Fernande Olivier, *Picasso et ses amis*, Paris, Stock, 1933

Russell, 1999 : John Russell, *Matisse, Father and Son*, New York, 1999

Salmon, 1955 : André Salmon, *Souvenirs sans fin, première époque (1903-1908)*, Paris, NRF, 1955

Schneider, 1984 : Pierre Schneider, *Matisse*, Paris, Flammarion, 1984

Stein, 1934 : Gertrude Stein, *Autobiographie d'Alice B. Toklas*, Paris, 1934

Stein, 1947 : Leo Stein, *Appreciation : Painting, Poetry and Prose*, New York, 1947

Fig. 74
Matisse, Émile Jean et Jean Petit dans l'atelier d'Adolphe William Bouguereau, Paris, 1891-1892. Archives Matisse.

1900-1905, les prémisses d'une rencontre

L'Exposition universelle, inaugurée à Paris le 14 avril 1900, constituerait le premier acte virtuel de la confrontation de Matisse et de Picasso. Le jeune Pablo Ruiz fait en effet partie des artistes présentés dans la section espagnole de l'Exposition décennale des beaux-arts située au Grand Palais, tandis que Matisse se voit refuser la toile soumise au jury de la section française. Ce rendez-vous manqué peut être retenu comme le point de départ de cette chronologie croisée entre deux artistes qui, malgré une différence d'âge de quelque douze années, se trouvent chacun arrivé alors au terme de sa formation et de ses premières expériences artistiques.

Tardivement engagé dans la peinture, Matisse, né en 1869, étudie à Paris, en 1891 à l'académie Julian dans l'atelier de William Bouguereau, puis en 1892-1893 à l'École des arts décoratifs. Soutenu par Gustave Moreau, il est admis à l'École des beaux-arts en février 1895, dans l'atelier de Moreau d'abord, puis dans celui de Fernand Cormon. En 1899, il doit quitter les Beaux-Arts en raison de son âge ; il vient d'avoir trente ans. Durant ces quelques années, il a atteint une certaine notoriété à travers ses premières participations aux salons parisiens : Salon des Cent (avril 1896), contributions régulières en 1896, 1897 et 1899 au Salon de la Société nationale des beaux-arts,

dont il est élu membre associé dès 1896. Cette distinction lui est alors remise par Puvis de Chavannes. L'État acquiert en 1896 sa copie *La Chasse d'après Annibale Carrache* (1894), ainsi que sa toile, *La Liseuse* (1896), déposée dans la résidence du président de la République à Rambouillet, mais qui en 1900, sera refusée par le jury de la Décennale. Il noue de solides amitiés notamment avec Charles Camoin, Georges Desvallières, Henri Manguin, Albert Marquet, Georges Rouault et André Rouveyre, tous élèves de l'atelier Gustave Moreau et qui contribueront à divers titres au développement ultérieur de son œuvre. Rencontrant de sérieuses difficultés financières liées à sa situation familiale – Matisse est alors marié et père de deux jeunes enfants –, il doit s'engager dès octobre 1899 sur le chantier du Grand Palais où il est chargé, sous les ordres du décorateur Marcel Jambon, de réaliser les guirlandes de la frise décorative du « Transsibérien ».

Pablo Ruiz-Picasso, né en 1881, était entré dès 1892, à l'âge de onze ans, à l'École des beaux-arts de La Corogne, et fréquente en 1895-1897 l'École des beaux-arts de La Lonja à Barcelone, puis, de la fin 1897 à 1898, l'académie San Fernando à Madrid. Ses toiles sont précocement présentées dans des expositions officielles : *La Première Communion* figure à l'Exposition des beaux-arts et de l'industrie à Barcelone en 1896 ; *Science et Charité* reçoit une mention à l'Exposition générale des beaux-arts à Madrid en 1897, puis une médaille d'or à Malaga. Picasso appartient très tôt au milieu de l'avant-garde artistique où il entre en contact avec le critique d'art Eugenio d'Ors, les peintres Ignacio Zuloaga, Santiago Rusiñol et Ramón Casas, l'historien d'art Miguel Utrillo. Il participe à une première exposition de groupe en 1897 organisée par le café artistique *Els Quatre Gats* où se réunit à Barcelone le milieu intellectuel et artistique. Il collabore à la rédaction ou à l'illustration de revues d'art d'avant-garde (notamment *Pel y Ploma* créée en 1899), à des concours d'affiches (Carnaval 1900). Il est salué comme « un enfant prodige » lors de son exposition personnelle du mois de janvier 1900 à *Els Quatre Gats*. En février, le journal *La Vanguardia* publie la liste des artistes dont les œuvres ont été sélectionnées pour représenter l'Espagne à l'Exposition décennale de Paris. L'œuvre du jeune « Pablo Ruiz », *Derniers Moments*, y figurera sous le numéro 79 de la section espagnole.

Au cours des dix années suivantes, Matisse, le « refusé », réduit à faire de la « décoration au kilomètre » au Grand Palais, cherchera la reconnaissance de ses pairs au Salon des indépendants, puis au nouveau Salon d'automne. À l'inverse, sa première consécration parisienne paraît n'avoir laissé à Picasso qu'un faible attrait pour les manifestations publiques. Il n'y reviendra qu'à titre exceptionnel, en 1937, où dans une singulière symétrie sa toile *Guernica* sera présentée au pavillon de l'Espagne républicaine de l'Exposition internationale de Paris, puis en 1944, lors du Salon d'automne de la Libération, qui présentera une importante rétrospective de son œuvre.

L'Exposition universelle de 1900 ne sera pas sans impact artistique sur l'œuvre ultérieur de Matisse et Picasso. Figurait en effet à l'Exposition centennale de l'art français *La Toilette* (1883) de Puvis de Chavannes, qui sera la source directe des tableaux

Fig. 75
Picasso, Mañach et Fuster dans l'atelier du 130 ter, boulevard de Clichy, Paris, 1901. Photographie de Torres Fuentes. Archives Picasso.

La Coiffure (1906) pour Picasso et *La Toilette* (1907) pour Matisse. Manet, Monet, Pissarro, Renoir, Seurat, Sisley, Signac, Vallotton aussi bien que Cézanne, Gauguin, Lautrec, Bonnard et Vuillard sont également représentés au Grand Palais. Dès l'automne 1899, Matisse avait acheté à Ambroise Vollard des œuvres de Van Gogh, Gauguin et les *Trois Baigneuses* de Cézanne, dont l'influence sera sensible dans ses recherches picturales ultérieures comme dans celles de Picasso. À l'occasion du règlement de cette vente, Vollard acquiert douze toiles de Matisse. Peu après, le marchand rencontrera Picasso par l'intermédiaire de son homologue catalan Pedro Mañach et lui consacrera une importante exposition au printemps 1901. En cette fin 1900, Picasso voit sa peinture reconnue non seulement par les officiels mais aussi par les marchands et les amateurs comme Olivier Sainsère ou Arthur Huc, également collectionneurs de Matisse. Fort de ce premier succès, Picasso prendra la décision en mai 1901 de quitter Madrid et de venir tenter sa chance à Paris.

1901 – L'année voit se dérouler les deux premières expositions parisiennes de Matisse et de Picasso. En avril-mai, le premier expose douze œuvres au Salon des indépendants, dont le *Nu aux souliers roses (Étude)* et sans doute l'*Académie bleue*. Le Salon des indépendants, ancien Salon des refusés, est alors le lieu de ralliement de la contestation anti-académique. Il est donc probable que Picasso, tout juste arrivé à Paris, vit ces œuvres de Matisse. Se fondant sur cette conjonction, Alfred H. Barr a avancé l'hypothèse d'une origine matissienne de la « période bleue » de Picasso. Cependant, les prémisses de l'option monochrome étaient déjà notables dans son tableau *Femme en bleu*, présenté à l'Exposition nationale des beaux-arts à Madrid, avant même son départ de Barcelone. Cette innovation chromatique simultanée chez les deux artistes pourrait aussi bien être rapportée à l'influence d'Eugène Carrière et au caractère emblématique du bleu, couleur de ralliement des impressionnistes et postimpressionnistes. Pourtant, à cette étape, c'est l'emploi de la couleur pure par les deux artistes qui est remarqué par la critique.

Ainsi, dans *Le Journal* du 17 juin, Gustave Coquiot annonce l'exposition Vollard en insistant sur le polychromisme de Picasso, « nouvel harmoniste des colorations claires, qui met en œuvre les jaunes, les rouges, les verts, les bleus les plus rutilants ». Il est désormais établi que Matisse se trouve à Paris début juillet, très éprouvé par l'état de santé de sa fille Marguerite qui est hospitalisée et subit une trachéotomie dans des conditions dramatiques ; il a alors sans aucun doute vu l'exposition Picasso chez Vollard, où figure également Iturrino, ancien comme lui de l'atelier Gustave Moreau. À titre d'indice, on a pu souligner un emploi similaire des ombres vertes dans le *Portrait de madame Matisse* (1905) et *L'Autoportrait « Yo Picasso »*, présenté chez Vollard. De singulières analogies relieraient surtout au *Portrait de Mañach*, le *Portrait de Marguerite* que Matisse peint en 1906-1907 et offre alors à Picasso : larges aplats monochromes cloisonnés de noir, figure hiératique détourée sur un fond uni jaune cadmium, nom du modèle tracé en lettres bâtons en haut à gauche de la composition. Le ruban noir de Marguerite fait-il écho à la cravate rouge de Mañach ? La concomitance de la blessure subie par Marguerite et de la découverte par Matisse de la peinture de Picasso – qu'on a pu qualifier de proto-fauve – constituerait-elle le nœud traumatique, stylistique et chromatique d'une « rencontre » dont l'onde de choc traverserait l'histoire entière de leurs rapports ?

1902 – L'année est marquée par les expositions successives de Matisse et de Picasso à la nouvelle galerie Berthe Weill. Dès février, celle-ci consacre sa troisième exposition de groupe aux anciens de l'atelier Gustave Moreau, dont Matisse. Début avril, elle accueille, sur la proposition de Mañach, une exposition de Bernard-Lemaire et de Picasso. Mais, Berthe Weill organise également, en juin 1902, une « exposition récapitulative des six précédentes ». Ce « mélange de dessins, aquarelles et peintures » aurait donc été la toute première manifestation où des œuvres de Matisse et de Picasso furent exposées ensemble à Paris. Picasso, reclus à Barcelone depuis l'hiver précédent, ne put voir cette exposition et ne revint à Paris que fin octobre 1902, mais Matisse dut probablement y assister. Dès la mi-novembre à l'occasion d'une nouvelle exposition de groupe, Berthe Weill présente les derniers travaux de Picasso où se radicalisent les principes de la « période bleue ». Après quelques mois de noire cohabitation avec le poète Max Jacob, rencontré l'année précédente, la misère forcera Picasso à rentrer à Barcelone en janvier 1903.

1903 – Matisse quitte également la capitale et retourne à Bohain où la critique locale le surnomme le « barbouilleur impuissant ». Picasso écrit le 10 mai à Max Jacob son ambition de figurer aux Indépendants : « Je travaille pour fer quelque chose pour le salon mais ye crois que ye ne aures pas le temps. » Il prépare alors le grand tableau *La Vie* qu'il ne terminera qu'en mai et pour laquelle il choisit de réutiliser la toile de son envoi à l'Exposition de 1900. Matisse pour sa part expose aux Indépendants et participe au premier Salon d'automne créé par Frantz Jourdain. Pour *Le Guitariste*, exposé aux Indépendants, Amélie Matisse pose costumée en toréador, cliché espagnol évoquant délibérément Manet. Dans le même moment, Picasso avec son *Vieux Guitariste* affirme nettement sa référence au Greco.

1904 – Picasso s'installe à Paris et rejoint la colonie espagnole du Bateau-Lavoir, rue Ravignan. Il rencontre les poètes et critiques Guillaume Apollinaire et André Salmon. Clovis Sagot qui ouvre une galerie au 46, rue Laffitte, devient son principal marchand. Dès sa création, l'association « La Peau de l'Ours » achète plusieurs œuvres de Matisse et de Picasso. En avril, ce dernier peut voir chez Berthe Weill l'exposition des anciens de l'atelier Gustave Moreau où Matisse fait figure de chef d'école. En juin, Vollard consacre à Matisse sa première exposition avec des œuvres de 1897 à 1903. La revue *L'Occident* publie en juillet un article de Jacques-Émile Blanche sur Cézanne, en annonce de l'exposition rétrospective du Salon d'automne à laquelle Matisse prêtera ses *Trois Baigneuses*. Cézanne s'impose comme une référence commune aux deux artistes. En des termes voisins, Matisse pourra dire : « Cézanne, c'est notre maître à tous », et Picasso : « Cézanne ! Il était mon seul et unique maître ! Il était notre père à nous tous. » Le Salon d'automne expose quatorze toiles et deux sculptures (*Le Serf* et *La Madeleine*) de Matisse. Fin octobre, Picasso participe à une exposition de groupe chez Berthe Weill, « Aquarelles, pastels et dessins », à laquelle participent notamment Raoul Dufy et Francis Picabia.

Malgré les nombreux chassés-croisés de leurs itinéraires, plusieurs années s'écoulèrent avant que Matisse et Picasso ne se connaissent effectivement. Il est admis que leur rencontre eut lieu par l'intermédiaire des Stein, selon la chronologie s'échelonnant entre l'automne 1905 et le printemps 1906 établie par Gertrude et Leo Stein dans leurs ouvrages respectifs (*Autobiographie d'Alice B. Toklas* par Gertrude Stein, Paris, 1934, et *Appreciation : Painting, Poetry and Prose*, par Leo Stein, New York, 1947) : achat de *La Femme au chapeau* de Matisse, au Salon d'automne de 1905, puis rencontre de Matisse ; achat de *Famille d'acrobates au singe* de Picasso, chez Sagot, et de *Fillette au panier de fleurs*, puis visite chez Picasso ; rencontre de Matisse et de Picasso chez les Stein.

Pourtant, plusieurs faits peuvent nous conduire à modifier ce scénario. Leo Stein situe sa découverte de Picasso à une exposition que Clovis Sagot lui avait recommandé de visiter. Or, la seule exposition de Picasso qui eut lieu en 1905 remonte au début de l'année ; elle se tint du 24 février au 6 mars à la galerie Serrurier. Gertrude Stein précise que c'était « une petite boutique de meubles où l'on trouvait diverses toiles de Picasso ». Si les établissements Serrurier n'étaient pas une « petite boutique », ils étaient bien consacrés de manière atypique « à l'ameublement et à la décoration artistique ». Après avoir déposé une offre d'achat laissée sans réponse, Leo Stein acquiert, chez Sagot, *Famille d'acrobates au singe*. Cette œuvre figurait probablement chez Serrurier, car Guillaume Apollinaire évoque, en mai, dans son commentaire poétique de l'exposition publié par *La Plume*, les « futurs acrobates parmi les singes familiers, les chevaux blancs et les chiens comme des ours ». Peu après, Leo Stein fait l'acquisition de *Fillette au panier de fleurs*. Leo et Gertrude Stein s'accordent également pour indiquer que c'est par l'entremise de Pierre-Henri Roché que rendez-vous fut pris avec Picasso. Une lettre de Roché, conservée dans les archives Picasso, concorde avec leurs dires : « Je vous amènerai chez vous mercredi matin

à 10 heures cet Américain dont je vous ai parlé… » Bien que le cachet de la poste ne nous permette de lire que les deux premières lettres du mois concerné « 8 MA. 1905 », il s'agit très probablement du lundi 8 mai et le rendez-vous fixé au mercredi suivant s'avère ainsi matériellement possible. Si ce rendez-vous eut bien lieu, ce serait donc au cours du printemps et non pas à l'automne 1905 que remonterait la visite de Leo et Gertrude Stein au Bateau-Lavoir.

Pour ce qui est de la rencontre entre Matisse et Picasso, Fernande Olivier la situe lors d'un des dîners d'artistes que les Stein donnaient le samedi, rue de Fleurus. Mais dans un entretien avec Brassaï, Marguerite Duthuit, la fille de Matisse, la situait de manière aussi affirmative rue Ravignan. Le récit de Gertrude Stein date cette première rencontre du printemps 1906, peu avant le départ des Stein pour Fiesole et de Picasso pour Gósol. Mais cette précision est trompeuse, l'auteur confondant par exemple les divers déplacements qui furent effectués par les Matisse au cours des années 1905-1906-1907 à Collioure ou en Italie. Pour sa part, Leo Stein fait référence à un débat entre Matisse et Picasso qui se serait déroulé lors d'une exposition consacrée à Odilon Redon et à Édouard Manet. Or celle-ci se tint chez Durand-Ruel fin février 1906, et il fallait sans doute que Matisse et Picasso se soient déjà rencontrés auparavant pour engager une telle discussion. Par ailleurs, le 8 mai 1906, Leo Stein écrit un rapide mot à Matisse où il l'informe de l'acquisition par Vollard d'un lot de tableaux de Picasso. Le caractère de ce mot tend à prouver que Matisse connaissait déjà suffisamment ce dernier pour prendre un intérêt marqué à sa situation matérielle, fort difficile à l'époque.

Ces faits suggèrent que la rencontre entre Matisse et Picasso pourrait être antérieure de plusieurs semaines, voire de quelques mois, au Salon des indépendants de 1906, auquel Picasso lui-même la rapportait rétrospectivement, et que la première visite de Leo Stein à l'atelier de Picasso pourrait, quant à elle, s'être située dès avant l'été 1905. Un tel changement de chronologie rendrait plus vraisemblable les quelque « quatre-vingt-dix » séances de pose auxquelles, selon Gertrude Stein, aurait donné lieu l'exécution de son portrait par Picasso entre leur première rencontre et mars 1906, date de son abandon par l'artiste. Le portrait aurait été ainsi probablement engagé à l'automne 1905, au moment même où les Stein acquièrent *La Femme au chapeau* de Matisse. En toute hypothèse, il paraîtrait raisonnable d'admettre que les Stein ont acquis leurs premiers Picasso, non pas après le Salon d'automne de 1905, mais plutôt entre l'exposition Serrurier et l'été de cette même année. Cet achat serait donc intervenu avant et non pas juste après celui de leur premier Matisse.

1905

25 février-6 mars
Leo Stein découvre l'œuvre de Picasso à la galerie Serrurier et achète, à Clovis Sagot, *Famille d'acrobates au singe*.

Printemps
Matisse et Picasso fréquentent les soirées de la revue *Vers et Prose* à la Closerie des Lilas.

24 mars-30 avril
Salon des Indépendants. Matisse présente *Luxe, calme et volupté*. Louis Vauxcelles écrit dans *Gil Blas* (23 mars) : « Ce jeune peintre, encore un dissident de l'atelier Moreau qui est monté librement jusqu'aux cimes de Cézanne prend posture de chef d'école. »

6-29 avril
Exposition de groupe à la galerie Berthe Weill, avec Matisse.

8 [mai]
Henri-Pierre Roché, à la demande de Leo Stein, écrit à Picasso : « Cher Picasso, Je vous amènerai chez vous mercredi matin à 10 heures cet Américain dont je vous ai parlé. Si vous avez autre chose à faire prévenez-moi de suite par un pneumatique. Mais tâchez d'être là, car il va partir. Si vous avez un exemplaire de l'eau-forte qui m'a frappé (à gauche un homme et un chat) je serais content de l'emporter pour ce que je vous ai dit. À mercredi. Bien cordialement vôtre H. P. Roché » (A.P.). Pour l'œuvre citée, il s'agit de la pointe sèche sur cuivre *Le Bain*, appartenant à une série de quatorze gravures que Picasso tire au printemps avec Delâtre.

15 mai
Article de Guillaume Apollinaire sur Picasso dans *La Plume*.

18 octobre-25 novembre
Salon d'automne. Matisse expose *La Femme au chapeau*, que Leo et Gertrude Stein acquièrent. Louis Vauxcelles baptise le groupe d'artistes présents autour de Matisse « Les Fauves » (*Gil Blas*, 17 octobre). *Le Bain turc* présenté à la rétrospective Ingres du salon marque profondément Matisse et Picasso. Ceux-ci se rencontrent probablement à cette époque. Les Stein les convient à leurs soirées du samedi, rue de Fleurus : « Petits mécènes de cette curieuse époque, les Stein firent beaucoup pour populariser les artistes modernes. Un frère des Stein, qui vint avec sa femme s'installer à Paris, se prit aussi pour un amour immodéré, moins bien compris, pour la peinture. Il collectionna avec ardeur les Picasso et surtout les Matisse. Matisse, beaucoup plus âgé, sérieux, circonspect, n'avait pas les idées de Picasso. "Pôle Nord" et "Pôle Sud", disait-il en parlant d'eux deux. Le type du grand maître : visage aux traits réguliers à la forte barbe dorée, Matisse était sympathique. Il semblait cependant se dérober derrière ses grosses lunettes, réservant l'expression de son regard mais parlant longuement dès qu'on entreprenait sur la peinture. Il discutait, affirmait, voulait convaincre. Il avait déjà près de quarante-cinq ans, très maître de lui à l'encontre de Picasso, timide, toujours un peu maussade et gêné dans ces sortes de réunions. Matisse brillait et s'imposait. Ils étaient les deux artistes de qui on attendait le plus » (Olivier, 1933, p. 102-103). Matisse précise : « L'originalité de la famille Stein, comme amateurs, fut qu'elle avoua immédiatement ses achats et les exposa tout simplement sur les murs […]. Leo et Gertrude Stein, achetaient aussi des Picasso. La peinture de Picasso m'intéressait beaucoup » (A.M.). À ce moment, la collection de Picasso des Stein compte *Famille d'acrobates au singe*, *Jeune Fille au panier* et *Pierreuses au bar*.

Automne-hiver
Picasso engage la réalisation d'un portrait de Gertrude Stein auquel il travaillera jusqu'au mois

de mars suivant. Lors des « quatre-vingt-dix » séances de pose que lui consacre son modèle, une relation d'une importance décisive pour leur œuvre respective se noue entre le peintre et l'écrivain.

21 octobre-20 novembre
Exposition des « Fauves » à la galerie Berthe Weill. « Les Fauves commencent à apprivoiser les amateurs [...] Apollinaire, un assidu de ma Galerie, s'intéresse particulièrement aux œuvres de ces artistes révolutionnaires, lui, poète non moins révolutionnaire. Que ces Jeunes sont remuants ! Matisse l'aîné se tient cependant sur la réserve ; Picasso et Apollinaire, devenus très amis, excitent sa méfiance... pourquoi ? bientôt rassuré, il fait partie de leur clan » (Berthe Weill, *Pan !... dans l'œil...*, Paris, 1933, p. 119-121).

1906

Mi-janvier
Les sœurs Claribel et Etta Cone, originaires de Baltimore, commencent à acheter des œuvres de Matisse et de Picasso.
Matisse voit la collection de Gauguin appartenant à Gustave Fayet. Sous leur influence directe, il exécute une série de trois bois gravés (cat. 21-23).

28 février-15 mars
Les expositions Manet et Redon, à la galerie Durand-Ruel, sont le cadre d'un échange entre Matisse et Picasso : « Chez Durand-Ruel il y eut deux expositions à la fois, l'une d'Odilon Redon, l'autre de Manet. Matisse était alors particulièrement intéressé par Redon [...]. Quand j'arrivais, il était là et discutait longuement de Redon et Manet, en soulignant la supériorité du premier [...]. Il me dit qu'il avait vu Picasso plus tôt et qu'il était d'accord avec lui [...]. Plus tard ce même jour Picasso vint chez moi et je lui dis ce que Matisse disait de Manet et de Redon. Picasso explosa presque de colère : "Mais cela n'a pas de sens. Redon est un peintre intéressant, certainement, mais Manet, Manet est un géant." Je répondis : "Matisse m'a dit que vous étiez d'accord avec lui." Picasso plus fâché : "Bien sûr que j'étais d'accord. Matisse parlait et parlait, je ne pouvais placer un mot, alors je disais juste *oui oui oui*. Mais tout cela est absurde" » (Leo Stein, 1947, *op. cit.*, p. 171).

19 mars-7 avril
Rétrospective Matisse (1897-1906) à la galerie Druet.

20 mars-30 avril
Salon des indépendants. Matisse expose *Le Bonheur de vivre*.

15 avril
Charles Morice dans le *Mercure de France* : « Henri Matisse, soudainement épris de synthèse à outrance simplifiée, schématise et nous donne, sous prétexte d'art pictural, de pures figures théoriques. »
Leo Stein achète *Le Bonheur de vivre*, considérant que c'est l'œuvre « la plus importante de notre temps ».

Mi-avril
Introduit par Leo Stein auprès de Gustave Fayet, Picasso voit à son tour sa collection de Gauguin. Son bois gravé *Tête de femme*, ses hauts-reliefs et ses toiles de l'été-automne témoignent de leur influence.
Picasso peint *La Coiffure*.

8 mai
Lettre de Leo Stein à Matisse : « Je suis sûr qu'il vous fera plaisir de savoir que Picasso a conclu des affaires avec Vollard. Il n'a pas tout vendu mais il a vendu assez pour lui donner de la tranquillité pendant l'été et même plus longtemps. Vollard a pris 27 tableaux, pour la plupart des anciens, aussi quelques-uns de récents, mais aucun de très grand. Picasso est bien content du prix » (A.M.). « L'hiver avait été fructueux. Dans son long effort pour peindre Gertrude Stein, Picasso passa des Arlequins, charmante fantaisie italienne du début de sa carrière, à cette formule de combat que l'on devait nommer cubisme [...]. Matisse avait peint *Le Bonheur de vivre*, et avait créé une nouvelle formule de couleur qui devait laisser sa marque sur tous les peintres de l'époque. Puis tout le monde s'en alla » (Stein, 1934, p. 61).

Début mai-26 mai
Matisse visite l'Exposition coloniale de Marseille. Il s'embarque pour l'Algérie et visite Alger et Biskra.

21 mai-fin juillet
Picasso part pour Barcelone, puis pour le village de Gósol. Il peint de nombreuses toiles classicisantes à dominante rose ou ocre.

[Fin mai]
Première rencontre de Matisse avec Sergei Chtchoukine à Paris.

Juin-octobre
Matisse est à Collioure.

Fin juillet
Picasso rentre à Paris et achève le *Portrait de Gertrude Stein*.

6 octobre-15 novembre
Matisse rentre à Paris pour le Salon d'automne. Louis Vauxcelles dans *Gil Blas* (5 octobre) : « M. Matisse. Eh bien ! Il s'est ressaisi, et son voyage au pays des Ilotes ne lui a pas nui. Il revient au profond et laineux chatoiement de ses toiles d'il y a quatre ans. Plus d'abstraction, plus de peinture "en soi", dans l'absolu, de "tableaux-noumènes". » Matisse effectuerait alors l'achat d'une statuette Vili du XIXe siècle : « Je passais très souvent rue de Rennes devant une boutique de marchand de curiosités exotiques, chez « Le Père Sauvage », et je regardais les différentes bricoles qui étaient dans la montre. Dans le coin de gauche, il y avait en tas des petites statues en bois d'origine nègre. J'étais étonné de voir comme elles étaient conçues au point de vue du langage sculptural et comme elles étaient près des Égyptiens, des Assyriens, c'est-à-dire que, comparativement aux sculptures européennes qui dépendent toujours du muscle, de la description de l'objet d'abord, les statues nègres étaient faites d'après la matière, avec des plans et proportions inventées. Et une fin de journée, je suis entré pour acheter un petit bonhomme assis qui tirait la langue. Ensuite j'allais chez Gertrude Stein, rue de Fleurus. Picasso est arrivé comme je lui montrais la statue. Nous en avons causé. C'est là que Picasso a remarqué la sculpture nègre » (cité d'après le tapuscrit de *Bavardages/Conversations avec Henri Matisse*, Pierre Courthion, cinquième conversation, annoté par Matisse, conservé aux Archives Matisse).

Hiver
Matisse rentre à Collioure où il termine le *Nu debout* (cat. 18). Il travaille d'après les albums

Fig. 76
Portrait d'André Salmon devant *Trois Femmes* avec *Les Demoiselles d'Avignon* à demi cachées sur la gauche, Paris, Bateau-Lavoir, été-automne 1907. Photographie de Picasso. Archives Picasso.

photographiques *Mes modèles* ou *L'Humanité féminine* pour réaliser la sculpture *Nu couché* (cat. 14) et la toile *Nu bleu, Souvenir de Biskra* (cat. 15). Symétriquement, Picasso utilise des clichés photographiques ou des cartes postales de « types africains » pour travailler aux œuvres de la période protocubiste.

1907

Février
Picasso engage la réalisation des *Demoiselles d'Avignon* auxquelles il a consacré de nombreuses études durant l'hiver précédent.

Début mars
Retour de Matisse à Paris

20 mars-30 avril
Salon des indépendants. Matisse expose le *Nu bleu, Souvenir de Biskra*, acheté par Leo et Gertrude Stein.

30 mars-15 avril
Exposition de groupe chez Berthe Weill, avec Matisse.

Printemps
Picasso effectue sa première visite au musée d'Ethnographie du Trocadéro qui le conduit à modifier *Les Demoiselles d'Avignon*.

Printemps ?
Guillaume Apollinaire envoie une carte postale « Île de Chatou » à Picasso, dont le texte est composé de fausses signatures d'artistes, dont Puvis de Chavannes, Degas, Monet, Renoir, B. Morisot, Vlaminck, Derain... parmi lesquels figurent Matisse et Picasso lui-même (reproduite dans *Picasso/Apollinaire, Correspondance*, édition établie par Pierre Caizergues et Hélène Seckel, Paris, Gallimard, Réunion des musées nationaux, 1992, p. 64).

[21] avril-septembre
Matisse part pour Collioure.

27 avril
Carte postale de Picasso à Leo Stein : « Mes chers amis/voulez-vous venir demain (Dimanche) voir/ Le tableau/Picasso. » Cette invitation concernerait la présentation des *Demoiselles d'Avignon* dans leur premier état. À l'époque du Salon des indépendants, Guillaume Apollinaire, Félix Fénéon, Ambroise Vollard, Wilhelm Uhde, André Derain et Georges Braque, tous proches de Matisse, avaient déjà eu l'occasion de voir *Les Demoiselles d'Avignon* dans leur premier état.

14 juillet-14 août
Voyage de Matisse en Italie.

14 août
Matisse rentre à Collioure.
Il accepte la proposition de Mecislas Golberg d'écrire sur sa peinture. Golberg projetait au sommaire du même numéro des *Cahiers Mecislas Golberg* un article intitulé « Quelques-Uns » centré sur Matisse, Picasso et Derain.

1ᵉʳ septembre
Retour de Matisse à Paris.

10 septembre
Matisse remet à Golberg le manuscrit de ses « Notes d'un peintre ». Le projet restera sans suite, Golberg meurt le 28 décembre.

Automne
Walter Pach échange quelques mots avec Picasso au sujet d'une toile de Matisse accrochée par les Stein. Il pourrait s'agir du *Nu bleu, Souvenir de Biskra* ou de la figure centrale du *Bonheur de vivre* de Matisse : « – Est-ce que cela vous intéresse ? demanda Picasso. – D'une manière, oui… cela m'intéresse comme un coup entre les deux yeux. Je ne comprends pas à quoi il pensait. – Moi non plus, répondit Picasso. S'il veut faire une femme, laissons le faire une femme. S'il veut faire un schéma ("design"), qu'il fasse un schéma. C'est quelque part entre les deux » (Walter Pach, *Queer Thing, Painting*, New York et Londres, 1938, p. 125). Picasso et Matisse échangent des toiles récentes, *Cruche, bol et citron* (cat. 4) et *Portrait de Marguerite* (cat. 3) : « Matisse fit présent à Picasso, qui l'inquiétait tellement, d'un portrait de sa fille Marguerite ; une de ses moins bonnes toiles. En avait-il conscience et est-ce pour cela qu'il en faisait cadeau ? Tout aussitôt nous nous sommes rendus au bazar de la rue des Abbesses où, pauvres mais ne reculant devant aucun sacrifice à la joie, nous fîmes emplette d'un Tir Euréka. Et dans

Fig. 77
Séance devant le modèle vivant dans l'atelier de sculpture de l'académie Matisse, à l'hôtel Biron (couvent du Sacré-Cœur), Paris, vers 1909. Archives Matisse.

l'atelier les flèches à ventouse de faire merveille sur le tableau sans l'endommager, je dois le dire. "Pan ! dans l'œil de Marguerite !" "En plein sur la joue !" On s'amusait bien » (Salmon, 1955, p. 187-188). Salmon rappelle le climat du dîner au cours duquel l'échange eut lieu : « Quel jour ! Picasso, qui ne devait pas dire un mot, recevait ou, plus exactement, acceptait que l'on soit si nombreux chez lui. Il y avait là Max Jacob, Guillaume Apollinaire, Vlaminck, Matisse, Maurice Princet l'actuaire qui deviendrait le légendaire "mathématicien du Cubisme" ; il y avait Georges Braque encore fauve […]. Matisse n'a jamais abordé ses cadets, fussent-ils ses cadets immédiats, qu'avec infiniment d'inquiétude […] Une âme pure ? Pourquoi pas ? Comme Matisse valait qu'on le tint pour un grand artiste rien que sensible à une sorte de sensualité filtrée, hors de la vie telle qu'elle nous apparaissait et, en outre, imperméable, je ne dirai pas à l'humour, mais à la belle humeur, on lui a fait des blagues. Des blagues à distance respectueuse. […] On s'amusait bien. Et davantage quand on apprit que Matisse déjà classé grand homme menait une discrète enquête pour savoir quelle main ou quelles mains écrivait ou écrivaient sur les murs et palissades de Montmartre : "Matisse rend fou !…" "Matisse est plus dangereux que l'alcool…" "Matisse a fait plus de mal que la guerre !…" Ceci quand nous n'avions de la guerre que l'idée à s'en faire d'après la chronique de 1870 » (Salmon, 1955, p. 187-188).

1ᵉʳ-22 octobre
Salon d'automne. Le jury a refusé *La Coiffure* que Matisse peint en écho à celle de Picasso sur le même thème puvisien. Matisse expose *Le Luxe I* (cat. 6). Louis Vauxcelles dans *Gil Blas* (30 septembre) : « Abordons l'œuvre déroutante de Matisse […]. Hé ! Parbleu, je sens bien les mérites décoratifs que déploie Matisse dans son abasourdissant panneau de nus, voire dans son effigie de femme quasi caricaturale […Mais] pourquoi ce mépris haineux de la forme ? […] Dépouiller la peinture de ces éléments vitaux, pour la réduire à une abstraction, c'est faire œuvre de théoricien, de symboliste, de tout ce qu'on voudra, mais de peintre non pas. Quand ce vrai peintre sortira-t-il de l'impasse où il piétine depuis trois ans ? »

15 novembre
La revue *La Phalange* publie une étude de Michel Puy, « Les Fauves ».

Début décembre
Matisse s'installe au couvent des Oiseaux, boulevard des Invalides.

10-30 décembre
Exposition de groupe à la galerie Eugène Blot où sont présentés *Le Canapé* et *La Divette* de Picasso, *Paysage* et *Nature morte* de Matisse.

15 décembre
La Phalange publie une interview de Matisse par Guillaume Apollinaire : « Je n'ai jamais évité l'influence des autres… j'aurais considéré cela comme une lâcheté et un manque de sincérité vis-à-vis de moi-même. Je crois que la personnalité de l'artiste se développe, s'affirme par les luttes qu'elle a à subir… Si le combat lui est fatal, c'est que tel devait être son sort, dit Matisse […]. Le propre de l'art de Matisse est d'être raisonnable. Que cette raison soit tour à tour passionnée ou tendre, elle s'exprime assez purement pour qu'on l'entende […]. Il doit sa nouveauté plastique à son instinct ou connaissance de soi-même […]. »

Fig. 78
Pablo Picasso dans l'atelier du Bateau-Lavoir, mai 1908. Photographie de Gelett Burgess. Archives Picasso.

1908

Début janvier
Ouverture au couvent des Oiseaux de « l'académie Matisse », à l'initiative de Sarah Stein et Hans Purrmann.

24 janvier
André Level achète à Picasso *La Famille de saltimbanques* pour l'association « La Peau de l'ours ». Sergei Chtchoukine présente Ivan Morosov à Matisse. Picasso décrira à Daniel-Henry Kahnweiler, en juin 1912, une scène se situant alors : « Vous me dites que le tableau [*Trois Femmes*] genre Schukine [*L'Amitié*] vous l'aimez beaucoup je me rappelle cuand j'étais en train de le faire un jour sont venus Matisse et Stein et ils ont carrement rigolé devant moi. Stein me dit (je lui disais quelque chose pour tacher de lui expliquer) mais ce la cuatrième dimention et se mettant à rire à ce moment-là. »

Mars
Chtchoukine passe commande à Matisse de grandes toiles décoratives pour son hôtel à Moscou.

20 mars-20 avril
Salon des indépendants. « L'hostilité entre Picassoïstes et Matissistes s'envenima. Et ceci, vous le voyez, me ramène à ce Salon des Indépendants où […] deux toiles […] manifestaient, pour la première fois, que Derain et Braque étaient devenus des Picassoïstes et avaient cessé pour de bon d'être des Matissistes. […] Matisse exposait à tous les Salons d'Automne et à tous les Indépendants. Il commençait à avoir son école. Picasso, au contraire, de toute sa vie, n'a jamais exposé à aucun Salon. Ses tableaux, à cette époque, ne pouvaient en réalité se voir que rue de Fleurus. La première fois, pourrait-on dire, qu'il exposa, ce fut le jour où Derain et Braque, entièrement sous l'influence de ses dernières œuvres, exposèrent leurs toiles au salon. Après cela Picasso lui aussi eut son école » (Stein, 1934, p. 72).

Printemps
Matisse s'installe au couvent du Sacré-Cœur, rue de Varennes.

20-29 avril
Le journaliste et écrivain américain Gelett Burgess écrit un article sur la situation artistique à Paris. Il rend visite à Matisse le 20 avril, puis le 29 à Picasso, au Bateau-Lavoir.

14 juin
Picasso écrit aux Stein à Fiesole : « Touts ces peintres Independants [Matisse, Braque, Derain...] son partis au midi y nous sommes seuls. Fernande et moi nous ne voyons que les peintres du Champs-de-Mars. »

Mi-juin
Matisse revient à Paris.

Août-septembre
Picasso s'installe à La Rue-des-Bois.

Septembre
Sergei Chtchoukine rencontre Picasso : « Un jour, Matisse lui amena un important collectionneur de Moscou, M. Tchoukine, Juif russe, très riche, amateur d'art moderne [...]. Il acheta, fort cher pour l'époque, deux toiles dont une très belle, la *Femme à l'éventail* (cat. 45) et devint un amateur assez fidèle » (Olivier, 1933, p. 143).
Selon Matisse, c'est à son retour à Paris qu'il aurait « vu dans l'atelier de Picasso, qui en discutait avec des amis le premier tableau cubiste. Braque était revenu du Midi avec un paysage représentant un village au bord de la mer, vu d'en haut, *La Baie de l'Estaque*. » Matisse dit aussi « avoir vu *Le Grand Nu* dans l'atelier de Braque qui dérive des *Trois Femmes* et du *Nu à la draperie* de Picasso comme du *Nu bleu, Souvenir de Biskra* » (Henri Matisse, « Testimony against Gertrude Stein », *Transition*, n° 23, 1934-1935).

20 septembre
Matisse est en Espagne.

1er octobre-8 novembre
Salon d'automne. Matisse y est représenté par trente œuvres. Le « jury effectif » du salon, dont Matisse fait partie, refuse les peintures de Braque. Louis Vauxcelles rapportera, dans sa préface au catalogue de l'exposition « Les Fauves, l'atelier Gustave Moreau », les propos de Matisse : « Braque vient d'envoyer un tableau fait de petits cubes. Et pour mieux se faire comprendre il [Matisse] prend un bout de papier et dessine en trois secondes deux lignes ascendantes et convergentes entre lesquelles se trouvaient les petits cubes précités figurant une Estaque de Georges Braque. »
« Matisse et Picasso, assez liés, se heurtèrent, à la naissance du cubisme qui eut le don de faire sortir Matisse de son calme habituel. Il se fâcha. Il parlait de "couler" Picasso, de le réduire à merci, ce qui ne l'empêcha pas, quelques mois après, alors que cette nouvelle évolution du peintre espagnol s'affirma, de vouloir trouver une parenté dans leurs conceptions artistiques » (Olivier, 1933, p. 108).
Leo et Gertrude Stein cèdent la majeure partie de leur collection de Matisse à Sarah et Michael Stein. Gertrude décide de se consacrer exclusivement à collectionner Picasso. « Il se forme deux mondes dans le monde de l'art de Paris », écrit Harriet Levy (cité dans Hilary Spurling, *The Unknown Matisse, a Life of Henri Matisse, vol. 1, 1869-1908*, Londres, Hamish Hamilton, 1998, p. 403, note 115).

Automne-hiver
Picasso achève *Trois Femmes*. Le tableau rejoint la collection de Leo et Gertrude Stein.

Fig. 79
Henri Matisse travaillant à *La Serpentine*, Paris, automne 1909. Photographie d'Edward Steichen. Épreuve sur platine, 29,6 x 23,4. The Museum of Modern Art, New York. Don du photographe.

11-31 décembre
Exposition de groupe à la galerie Berthe Weill, avec Matisse.

21 décembre-15 janvier
Exposition de groupe à la galerie Notre-Dame-des-Champs, avec Picasso.

25 décembre
Les « Notes d'un peintre » de Matisse sont publiées dans *La Grande Revue* avec une préface de Georges Desvallières.

1909

7 février-début mars
Matisse est à Cassis.

25 mars-2 mai
Salon des indépendants. Matisse expose quatre œuvres dont *La Femme aux yeux verts*.
Charles Morice dans son compte rendu du salon dans le *Mercure de France* (16 avril) : « On se demande avec curiosité, mais avec inquiétude, où peut conduire le chemin dangereux et divers [qu'Henri Matisse] a choisi. C'est peut-être pourquoi les intransigeants, les absolus qui naguère agréaient sa tyrannie l'ont renié. »

12 avril
Charles Estienne publie un entretien avec Matisse dans *Les Nouvelles*.

12 mai-septembre
Picasso part pour Barcelone, puis Horta de Ebro. Il peint ses premiers portraits et paysages cubistes.

15 mai-mi-août
Matisse est à Cavalière.

Mi-août
Matisse s'installe dans la maison qu'il a louée à Issy-les-Moulineaux.

11 septembre
Picasso rentre à Paris.

13 septembre
Picasso écrit aux Stein pour les inviter à un accrochage des toiles peintes à Horta. « C'est en Aragon, à Horta, petit village près de Saragosse, que sa formule cubiste s'affirma définitivement. Ou plutôt en revenant de ce voyage. Il rapporta de là des toiles dont les deux meilleures (*Maisons sur la colline* et *Réservoir à Horta*) furent acquises par les Stein » (Olivier, 1933, p. 119). Picasso travaille à la sculpture *Tête de Fernande* (cat. 122).

18 septembre
Matisse signe un contrat de trois ans avec Bernheim-Jeune qui sera renouvelé jusqu'en 1921.

Fin septembre
Picasso s'installe au 11, boulevard de Clichy.

1er octobre-8 novembre
Salon d'automne. Matisse expose deux natures mortes.

1910

14 février-5 mars
Rétrospective Matisse chez Bernheim-Jeune (1895-1910).

27 février-29 mars
Exposition consacrée aux dessins de Matisse à la galerie 291, New York.

Mars
Matisse est à Collioure et Toulouse.

18 mars-1er mai
Salon des indépendants. Matisse expose *La Jeune Fille aux tulipes (Portrait de Jeanne Vaderin)*. Guillaume Apollinaire dans *L'Intransigeant* : « Parlons d'abord de Matisse, un des peintres les plus décriés du moment. N'a-t-on pas vu récemment la presse tout entière (y compris ce journal) le combattre avec une rare violence ? Nul n'est prophète en son pays, et tandis qu'en l'acclamant l'étranger acclame la France, celle-ci se prépare à lapider un des artistes les plus séduisants de la plastique contemporaine. »

Mai
Exposition de groupe à la galerie Notre-Dame-des-Champs, avec Picasso.
Léon Werth dans *La Phalange* (juin) : « De ces œuvres agréables et ingénieuses, M. Picasso aboutit à ce compotier et à ce verre qui manifestent leur structure, leur hypostructure et leur hyperstructure. »
Publication de l'article de Gelett Burgess rédigé en 1908, « The Wild Men of Paris », dans la revue *The Architectural Record* (portfolio).

19 juin
Picasso écrit à Leo Stein : « La revue américaine de New York qui publie les portraits des fauves a ce titre "The-Architectural-Record" [...] ils vous feront rire un moment » (B.L.).

1er juillet-5 septembre
Picasso est à Cadaquès.

16 juillet-9 octobre
Exposition « Ausstellung des Sonderbundes Westdeutscher Kunstfreunde und Künstler » à Düsseldorf, avec Matisse et Picasso.

1er octobre-8 novembre
Salon d'automne. Matisse expose *La Danse II* et *La Musique*, qui provoquent une violente polémique.

Guillaume Apollinaire défend Matisse dans *L'Intransigeant* (1er octobre) : « Les deux panneaux décoratifs de M. Henri Matisse sont d'un effet puissant. La richesse de la couleur, la sobre perfection du dessin sont cette fois indéniables et l'on peut croire que le public français ne boudera plus un des peintres les plus significatifs de ce temps. »

8 novembre-15 janvier 1911
Matisse et Picasso participent à l'exposition « Manet et les Post-Impressionnistes », à la Grafton Gallery, Londres. Picasso est représenté par neuf œuvres et Matisse par vingt-trois.

16 novembre 1910-17 janvier 1911
Matisse entreprend un long voyage en Espagne. Il écrit à Charles Camoin : « Je me chauffe le ventre au soleil, mon cher ami. Pourquoi ne viens-tu pas ici au lieu de rester sur la Butte en butte aux luttes ? Je pars demain pour Grenade » (C.C./H.M.).

Avant le 22 décembre 1910-février 1911
Rétrospective Picasso à la galerie Ambroise Vollard.

1911

17 janvier
Matisse rentre en France.

28 mars-25 avril
Exposition Picasso à la galerie 291, New York. *Camera Work* publie une interview de Picasso par Marius de Zayas.

16 avril
Guillaume Apollinaire publie deux portraits de Picasso et de Matisse dans le *Mercure de France* : « Au contraire, Picasso, qui est espagnol, cultive avec délices le désordre de son atelier où l'on voit pêle-mêle des idoles océaniennes et africaines, des pièces anatomiques […] et beaucoup de poussière. Le peintre y travaille lentement, pieds nus, en fumant une pipe de terre. Autrefois, il travaillait la nuit […]. Le docte Henri Matisse peint avec

Fig. 80
Portrait de Frank-Burty Haviland, Paris, atelier du 11, boulevard de Clichy, Paris, 1910 (automne-hiver). Photographie de Picasso. Archives Picasso.

gravité et solennellement comme si des centaines de Russes et de Berlinois le regardaient. Il travaille un quart d'heure à une toile et passe à une autre. Si quelqu'un se trouve dans son atelier, il l'endoctrine et cite Nietzsche et Claudel, mentionnant encore Duccio, Cézanne et les Néo-Zélandais. » Le 30 avril, Apollinaire enverra ces textes à Picasso.

21 avril- 15 juin
Salon des indépendants. Matisse expose *Madame Matisse au châle de Manille* qu'il remplacera après le vernissage par *L'Atelier rose*, « encore tout humide, et dont les visiteurs du Dimanche ont essuyé la peinture tout fraîche » (Allard, *La Rue*, 5 mai). Les critiques soulignent « l'assagissement du fauve Matisse », qui « rentre ses griffes et ses crocs » (*Fantasio*, 1er mai).
Au Salon, c'est la salle cubiste qui fait scandale. Louis Vauxcelles dans *Le Petit Parisien* (23 avril) : « Qu'est-ce qu'un cubiste ? C'est un peintre de l'école Picasso-Braque. »
Guillaume Apollinaire dans L'*Intransigeant* (21 avril) : « Les fauves du temps jadis. Ils se sont groupés dans la salle 27, très loin de leurs jeunes rivaux (les cubistes). Il y a quelque coquetterie de leur part à se vieillir ainsi. Jamais le talent d'Henri Matisse n'a été plus jeune. »

10 juillet-4 septembre
Picasso est à Céret.

29 août
Une semaine après le vol de *La Joconde*, *Paris-Journal* publie le témoignage d'un proche d'Apollinaire, Gery Pieret, qui raconte comment il a dérobé en mars 1907 deux sculptures ibériques qu'il a vendues à un amateur d'art. Picasso, ainsi désigné, mesure aussitôt la gravité de ces révélations.

Début septembre-13 octobre
Matisse est à Collioure.

5 septembre
Picasso et Apollinaire restituent les deux sculptures achetées à Gery Pieret.

8 septembre
Seul, Apollinaire est inculpé de complicité et de recel ; il passe six jours à la prison de la Santé avant d'être disculpé.

Mi-septembre-début octobre
Alfred Stieglitz rencontre Picasso et Matisse.

21 septembre-1er octobre
André Salmon signe, dans *Paris-Journal*, deux portraits de Picasso et Matisse : « Pablo Picasso. Il a quitté son logis de sapeur, juché sur la Butte, pour un atelier plus académique […]. Sur tous les meubles, de singuliers personnages de bois, pièces les mieux choisies de la statuaire africaine et polynésienne. Picasso bien avant de vous montrer ses œuvres, vous fera admirer ces merveilles primitives. Accueillant et narquois, Picasso, vêtu en navigateur, indifférent à l'éloge comme à la critique, montre enfin ses toiles que les collectionneurs recherchent et qu'il a la coquetterie de n'exposer à aucun Salon » (21 septembre). « Henri Matisse s'est retiré à Issy-les-Moulineaux, abandonnant son académie et ses élèves […]. Dès l'aube, Henri Matisse monte à cheval, fait un tour de bois et regagne, au galop, son atelier. Il ne suffit plus aux commandes ; c'est sans doute pour ce motif qu'il n'achève aucune toile » (1er octobre).

30 septembre
Paris-Midi (anonyme) : « Les cubistes sont ces jeunes farceurs, disciples de Picasso qui fut un coloriste bien doué et est maintenant un pince-sans-rire également bien doué. Ils construisent des nus géométriques, pyramidaux, romboédriques […]. Ils réagissent, disent-ils, contre la "débauche colorée" de Matisse. »

1er octobre-8 novembre
Salon d'automne. Matisse expose *Vue de Collioure* et *Nature morte aux aubergines*.

12 octobre
Guillaume Apollinaire dans L'*Intransigeant* écrit à propos de la salle des « Fauves » : « Un portrait très ressemblant d'Henri Matisse par Mme Merson donne à cet ensemble la signification d'un hommage au chef des couleurs puissantes et suaves. »

16 octobre
Apollinaire dans le *Mercure de France* : « Les cubistes, dont on se moque avec tant d'injustice, sont des peintres qui essaient de donner à leurs ouvrages le plus de plasticité possible, et qui savent que si les couleurs sont des symboles, la lumière est la réalité. […] Le nom de cubisme a été trouvé par le peintre Henri Matisse, qui le prononça à propos d'un tableau de Picasso. »

5 novembre
Louis Vauxcelles dans *L'Art décoratif* : « Ces évadés, ces "rescapés" ne s'en vont pas rue Bonaparte, mais à Montparnasse, Montrouge et Vaugirard, dans les ateliers libertaires et les académies académicides où l'on prêche l'évangile selon saint Henri Matisse […]. Derain, et l'énigmatique Picasso tentèrent de réagir. »

1er décembre
Guillaume Apollinaire dans L'*Intransigeant*, sous le titre « Le Kub » : « De nos jours, on plaisante facilement sur les œuvres d'art quand elles sont nouvelles. Cela dispense de les comprendre. Aujourd'hui, on se moque des cubistes, hier on se moquait du grand peintre Henri Matisse. Lui-même donnerait dans ce travers moderne : il se moque, dit-on, du cubisme ; c'est lui qui a trouvé ce nom. Quel ne fut pas son dépit, cet été, en arrivant à Collioure où il passe la belle saison, de lire sur sa maison le mot "Kub" en lettres énormes. L'extérieur de l'un des murs de sa maison est loué à une entreprise de publicité qui y affiche la réclame d'un produit alimentaire à la mode. On venait de jouer ainsi au maître des couleurs puissantes et suaves un tour qui lui a gâté ses vacances. »

1912

Janvier
Exposition « Valet de Carreau » à Moscou, avec Matisse et Picasso.

27 janvier-mi avril
Matisse part pour le Maroc.

4 mars-6 avril
Exposition de sculptures de Matisse à la galerie 291, New York.

20 mars-16 mai
Salon des indépendants. Juan Gris expose un *Portrait de Picasso*. Cet hommage fait écho au *Portrait d'Henri Matisse* par Olga Merson, présenté au précédent Salon d'automne dans la salle des « Fauves ».

L'Occident, sous le titre « La main passe » :
« Il y a trois ou quatre ans Matisse était Prince
des Fauves. Nouvel Attila, il comptait avec sa horde
de Tongouses, de Ruthènes, de Bouristes, sur les
territoires de la peinture. Là où il passait l'herbe
académique ne repoussait plus […]. Hélas, la roue
de la fortune a tourné. Aux Indépendants de 1912
plus ou si peu d'élèves de Matisse. La faveur
est au cubisme… le maître est abandonné ;
sa peinture est doublement lâchée.
C'est une chute : ô Matisse quelle descente ! »

14 avril
Matisse rentre à Paris.

15 avril
Des Gaschons dans *Je sais tout* : « Paris a vu
ces temps-ci plusieurs manifestations picturales :
futuristes, cubistes, picassistes dont *Je sais tout*
ne pouvait pas se désintéresser. » Reproduction
de natures mortes de Braque et Picasso et
d'un détail de *La Musique* de Matisse bien que
ce dernier ne soit pas cité.

18 mai
Picasso part pour Céret.

25 mai-30 septembre
« Internationale Kunst-Ausstellung
des Sonderbundes Westdeutscher Kunstfreunde
und Künstler » à Cologne. Picasso est représenté
par seize œuvres (1903-1911) et Matisse par cinq,
dont le *Portrait de Marguerite* prêté par Picasso.

Été
Matisse passe l'été à Issy-les-Moulineaux.

4 juillet
Picasso est à Sorgues.

15 juillet
Picasso écrit à Daniel-Henry Kahnweiler : « Pourquoi
les tipes de Sonderbund ont reproduit mon tableaux
celui de Haviland avant au lieu de un autre mieux
et plus récent et dans le catalogue ont aurait
pu mettre dans le tableau de Matisse (Marguerite)
appartenant à Monsieur Picasso » (A.K.-L.).

Août
Numéro de *Camera Work* consacré à Matisse
et Picasso avec deux « word-portraits »
de Gertrude Stein (portfolios).

18 septembre
Picasso écrit à Gertrude Stein : « Ma chère
Gertrude, j'ai reçu votre livre [*Camera Work*] […].
En tout cas, les reproductions des tableaux sont
très belles. Je vous remercie de tout ça et de votre
dédicace » (B.L.).

23 septembre
Picasso s'installe au 242, boulevard Raspail.

30 septembre
Guillaume Apollinaire dans *L'Intransigeant* :
« Le vernissage du Salon d'automne aura lieu
demain lundi. Il n'a pas cette année cet aspect
de champ de bataille qu'il avait en 1907, en 1908
et l'an dernier. Henri Matisse, Van Dongen et Friesz
admis maintenant par le grand public, occupent
les places d'honneur des salles où ils sont […]
Les cubistes massés au bout de la Rétrospective
de portraits, dans une salle sombre, ne sont
plus moqués comme l'an dernier. Maintenant,
ils suscitent des haines. »

30 septembre-février 1913
Matisse est à Tanger.

1er octobre-8 novembre
Salon d'automne. Matisse expose *Capucines
à la « Danse » II* (cat. 72).

4 octobre
« The Second Post-Impressionist Exhibition »
à la Grafton Gallery, Londres. Matisse est représenté
par trente œuvres et Picasso par seize.
Roger Fry, dans la préface au catalogue, souligne
que Matisse et Picasso représentent « deux extrêmes »
entre lesquels nous « pouvons placer presque tous
les autres artistes ». Tandis que Picasso dans son
œuvre cubiste récent « cherche à créer un langage
des formes purement abstrait, une musique visuelle…
Matisse veut nous convaincre de la réalité de ces
formes par le cours continu de sa ligne rythmique,
par la logique de ses relations spatiales, et surtout
par un usage entièrement nouveau de la couleur. »
La presse britannique, américaine et française,
plutôt hostile, souligne la polarité Matisse/Picasso.
Le *Times* titre : « A Post-Impressionist Exhibition :
Matisse and Picasso ». The *Pall Mall Gazette*,
sous la signature G. R. H. : « Les deux géniteurs
de la nouvelle période sont Henri Matisse,
un grand décorateur et une force vive en art, et
Pablo Picasso, le peintre intellectuel qui pourrait
détruire la pratique de la peinture par la théorie. »
Matisse remporte le plus grand succès de scandale
avec les sculptures *Tête de Jeannette* et *La Danse I*,
reproduite dans le *New York Times* (10 novembre).
Le quotidien français *Excelsior* écrit, le 6 octobre :
« Actuellement les cubistes font fureur – c'est le mot
qui convient car la plaisanterie est assez mal accueillie
– à Londres, MM. Picasso et Matisse exposent
chez nos voisins leurs toutes dernières productions.
Et il paraît que c'est à devenir cubiste soi-même. »

6 octobre-7 novembre
Matisse et Picasso exposent au « Modern Kunst
Kring », Stedelijk Museum, Amsterdam.

21 octobre
André Salmon publie *La Jeune Peinture française*.
Commentaire de Louis Vauxcelles dans *Gil Blas* :
« Que vaut-il ce mouvement cubiste ? Est-ce le
départ obscur de quelque chose ? Est-ce – je le crois
pour ma part – un avortement ? Qu'il y ait un peu
trop d'Allemands et d'Espagnols dans l'affaire fauve
et cubiste, et que Matisse se soit fait naturaliser
berlinois, et que Braque ne jure plus que par l'art
soudanais, et que le marchand Kahnweiler ne soit
pas précisément un patriote du père Tanguy, et que
ce paillard de Van Dongen soit natif d'Amsterdam
ou Pablo de Barcelone, cela n'a guère d'importance
en soi. Vient ensuite le chapitre des "Fauves". Leur
chef fut Matisse que nous aimions dès 1899 […].
André Salmon […] restitue à César ce qui lui
appartient. César c'est Picasso, chercheur sincère
venu de Gréco et Lautrec. Picasso pose le principe
de la peinture équation. »

23 octobre
Louis Vauxcelles dans *Paris-Journal* :
« Le mot "cubisme", inventé par Matisse et
qui n'est un mouvement de pas de sens si vous
le prenez en tant qu'épithète d'école : il n'y a pas
d'école cubiste. »

Novembre-décembre
Picasso réalise une série de « papiers collés »
(cat. 54) et photographie leur accrochage
dans l'atelier du boulevard Raspail (fig. 38).

3 décembre
Intervention à la Chambre des députés de Jules-
Louis Breton contre le cubisme : « Il est en effet,
messieurs, absolument inadmissible que nos palais
nationaux puissent servir à des manifestations
d'un caractère aussi nettement anti artistique
et anti national. »
Réplique du député Marcel Sembat, grand
collectionneur de Matisse : « Mon cher ami,
quand un tableau vous semble mauvais, vous avez
un incontestable droit : c'est de ne pas le regarder,
d'aller en voir d'autres ; mais on n'appelle
pas les gendarmes » (Journal officiel).

18 décembre
Picasso signe avec Daniel-Henry Kahnweiler
une lettre-contrat valable pour trois ans.

23 décembre 1912-mi-janvier 1913
Picasso est à Céret et à Barcelone.

1913

Janvier-février
Picasso et Matisse participent à l'exposition
« Die neue Kunst », à la galerie Miethke, Vienne.

À partir du 13 février
Matisse et Picasso participent à l'exposition
« Neue Kunstsalon », à Munich.

Mi-février
Matisse rentre à Paris.

17 février-15 mars
« International Exhibition of Modern Art » à l'Armory
Show, New York.
Picasso est représenté par huit œuvres,
Matisse par douze.
Aloys P. Levy dans *The New York American*
(22 février) : « Paul Picasso expose deux
merveilleuses créations futuristes. L'une s'intitule
"Nature morte n° 1" et l'autre "Nature morte n° 2".
La première nous montre la nature en plein combat
avec la mort. La seconde nous montre ce que Paul
a éprouvé lorsqu'il lui a donné le coup de grâce. »
Royal Cortissoz dans *The Century Magazine*, sous
le titre « The Post-Impressionist Illusion » (16 avril) :

Fig. 81
Henri Matisse travaillant à *Femmes à la rivière* dans son atelier
d'Issy-les-Moulineaux, Paris, 1913. Photographie d'Alvin Langdon
Coburn. George Eastman House, New York.

« Pour ce qui est de Matisse et Picasso l'Espagnol, leur empêtrement dans les excentricités du genre Barnum est visible au premier coup d'œil. » L'exposition ira à Boston et à Chicago, où des étudiants brûlent en effigie le *Nu bleu, Souvenir de Biskra* et *Le Luxe II* de Matisse sur une musique « cubo-futuriste ».

24 février
Exposition rétrospective de la galerie Berthe Weill, avec Matisse et Picasso.

Fin février
Exposition rétrospective Picasso (1901-1912) à la galerie Thannhauser, Munich.

Mars
Guillaume Apollinaire publie *Méditations esthétiques. Les Peintres cubistes*. « La nouvelle école de peinture porte le nom de cubisme ; il lui fut donné par dérision en automne 1908 par Henri Matisse qui venait de voir un tableau dont l'apparence cubique le frappa vivement [...]. Le cubisme instinctif forme un mouvement important qui rayonne déjà à l'étranger. [...] Il englobe de nombreux artistes comme Henri Matisse, Rouault, André Derain [...] »

Vers le 10 mars
Picasso part pour Céret.

12 mars
Picasso envoie à Gertrude Stein une carte postale représentant un groupe de Cérétans : « Je vous envoi ce portrait de Matisse en Catalan » (B.L.).

14 mars
Guillaume Apollinaire écrit un article intitulé « Pablo Picasso », dans *Montjoie !*

18 mars
Salon des indépendants. *L'Intransigeant* (19 mars) : « Dès 10 heures du matin, le Salon des indépendants était plein... On entend le nom de Matisse. On parle de cubisme, du pointillisme, de discipline. »

14-19 avril
Exposition Matisse chez Bernheim-Jeune. Marcel Sembat publie un article dans *Cahiers d'aujourd'hui*.

20-22 juin
À son retour à Paris, Picasso contracte la typhoïde.

22 juillet
Eva Gouel, compagne de Picasso, écrit à Gertrude Stein : « Pablo va presque tout à fait bien. Il se lève tous les jours les après-midis. M. Matisse est venu souvent prendre de ses nouvelles et aujourd'hui il a apporté des fleurs à Pablo et a passé presque l'après-midi avec nous. Il est très agréable. »

9-19 août
Picasso est à Céret. Le 19 août, de retour à Paris, il s'installe au 5 bis, rue Schoelcher.

29 août
Picasso écrit à Gertrude Stein : « Nous faisons des promenades dans le bois de Clamart à cheval avec Matisse » (B.L.).

Fin août
Matisse écrit à Gertrude Stein : « Picasso est un .... [...]. .... Ce qui étonne beaucoup de monde [...] » (B.L.).

À propos de cette période, Matisse confiera à André Verdet : « Peu avant la guerre, en 12 ou 13. Nos oppositions étaient amicales. Parfois nos points de vue étrangement se rejoignaient. Picasso et moi étions en confiance. Nous nous donnions mutuellement beaucoup dans les échanges. Nos problèmes de techniques respectifs nous passionnaient. Sans doute tirions-nous avantage l'un de l'autre. Je pense que finalement il y a eu interpénétration réciproque de nos voies différentes. C'était, il faut le souligner, c'était le temps où les découvertes de l'un ou de l'autre s'offraient à tous généreusement, le temps d'une fraternité artistique. Tenez, quand je pense au cubisme, ce sont les visages jumelés de Braque et de Picasso qui apparaissent ensemble avec leurs travaux en commun [...]. J'aimais beaucoup Picasso en ces moments où, paraissant se faire l'avocat du diable, il essayait de combattre en moi, avec insistance, quelque chose qu'en réalité il aimait au fond de lui-même, éveillait sa curiosité... Puis il se mettait soudain à rire du piège qu'il m'avait si malicieusement tendu ! Finalement, vous savez, j'étais très près des cubistes puisqu'un des plus rigoureux d'entre eux, Juan Gris, était aussi devenu pour moi un grand ami. Nous avons passé ensemble des vacances d'été à Collioure » (André Verdet, *Entretiens, notes et écrits sur la peinture, Braque, Léger, Matisse, Picasso*, Paris, 1952, p. 127). Il faut peut-être situer à la même époque cette anecdote relatée par Matisse à Pierre Courthion : « Un jour, ayant rencontré Max Jacob sur les boulevards, je lui dis : – Si je ne faisais pas ce que je fais, je voudrais peindre comme Picasso. – Tiens, dit Max, comme c'est curieux ! Savez-vous que Picasso m'a fait la même remarque en ce qui vous concerne ? »

Août-septembre
Matisse et Picasso participent à l'exposition « II. Gesamtausstellung », à Munich.

12 octobre-16 janvier
Matisse et Picasso participent à l'exposition « Post Impressionist and Futurist Exhibition », à la galerie Doré, Londres.

14 novembre
Salon d'automne. Matisse expose le *Portrait de madame Matisse*.

15 novembre
Guillaume Apollinaire dans *Les Soirées de Paris* : « Le *Portrait de Femme* d'Henri Matisse est la meilleure chose du Salon [...]. C'est à mon sens, avec *La Femme au chapeau*, de la collection Stein, le chef-d'œuvre de l'artiste [...]. Henri Matisse a toujours une conception hédoniste de l'art, mais en même temps il a porté très haut l'enseignement de Gauguin [...]. Son art est tout sensibilité. Ce peintre a toujours été voluptueux [...]. La figure qu'il expose, chargée de volupté et de charme, inaugure pour ainsi dire une nouvelle époque de l'art matissien et peut-être même de l'art contemporain d'où la volupté avait presque entièrement disparu, puisqu'on ne la retrouvait plus guère que dans les magnifiques et charnelles peintures du vieux Renoir. » En vis-à-vis de cet article sont reproduites cinq « constructions » de Picasso qui provoquent la résiliation de la majorité des abonnements à la revue.

Décembre
Matisse loue à nouveau un atelier au 19, quai Saint-Michel.

1914

Janvier
Matisse et Picasso exposent à la galerie Flechtheim, à Düsseldorf.

10 janvier
Robert Rey fait le récit d'une visite à Matisse, dans *L'Opinion*.

29 janvier
Gaston Migeon dans *Le Journal des débats* décrit les collections Matisse et Picasso de Sergei Chtchoukine à Moscou.

1er février
The Sun (New York) : « Une des plus belles collections au monde de quatre maîtres français vivants, Cézanne, Picasso, Matisse et Renoir, sera dispersée lorsque Leo Stein aura quitté Paris. Gertrude reste rue de Fleurus, tandis que Leo va s'installer à Settignano en avril 1914, après le partage de leur collection. »

2 mars
Vente aux enchères de la collection de « La Peau de l'ours » à l'hôtel Drouot, dont dix peintures de Matisse et douze de Picasso. Guillaume Apollinaire dans le *Mercure de France* (16 mars) : « À côté d'œuvres d'artistes des générations précédentes, on voyait les œuvres des peintures de la génération actuelle : Henri Matisse, Pablo Picasso [...]. C'était la première fois que les œuvres des peintres nouveaux, fauves ou cubistes, affrontaient la vente aux enchères. »

15 mai
Apollinaire reproduit sept toiles de Matisse dans *Les Soirées de Paris*.

Fig. 82
Autoportrait devant *Homme accoudé sur une table*, Paris, atelier de la rue Schoelcher, 1915-1916. Donation Sir Roland Penrose. Archives Picasso.

25 mai
Ardengo Soffici écrit à Giuseppe Prezzolini qu'il a déjeuné avec Picasso, rue Schoelcher, et que Matisse était présent (Ardengo Soffici, *Ricordi de vita artistica e litteraria*, Opere, VI, 1968, p. 212). Matisse entre également en contact avec Carlo Carrà et Gino Severini qui connaissent Picasso depuis plusieurs années.

Juin
Gustave Coquiot publie, chez Ollendorff, son ouvrage *Cubistes, Futuristes, Passéistes, essai sur la jeune peinture et la jeune sculpture*. « Avec les dons les plus instinctifs et les plus incontestables, je le répète, Monsieur Henri Matisse était déjà bien trop raisonneur et bien trop ergoteur pour s'en tenir aux formules qui avaient constitué son succès. S'inquiéter toujours : chercher encore ; faire autre chose ; expliquer la peinture comme on explique une science ; la transformer en équation algébrique ; philosopher à perte de vue […] ; prendre des recettes aux nègres, aux canaques, aux fuégiens […]. Aussi amateurs, marchands, critiques, vous n'avez pas fini d'en voir de toutes sortes, avec lui ! Il inventera demain une foule de raisonnements, tant de nouvelles façons de peindre, que cubisme et synthétisme seront jeux puérils et bons tout au plus pour les "petits ménages". M. Henri Matisse ne peint pas seulement […] – il prêche ! Aussi, a-t-il des succès considérables […]. Il s'est retiré à Issy-les-Moulineaux, dans une villa somptueuse, afin de mieux penser ! Il est presque là-bas, dans ce centre aéronautique, comme une sorte d'aviateur de la peinture. L'inconnu l'enivre toujours ; les prouesses le sollicitent ! »
« Pablo Picasso ou Picasso tout simplement, autrement dit : le Chef des Cubistes ; et nous ne sommes pas au bout de ses continuelles évolutions. Il a une extraordinaire virtuosité. Il ignore tout et il s'assimile tout ; mais rien ne reste en lui. […] Aussi bien, je n'ai pas à commenter les triomphes du Cubisme. Il est maintenant familier à tous. Il a même toute une suite qui escorte Picasso. Aussi celui-ci, copié en Allemagne, mais toutefois confortablement renté par les Munichois et autres Berlinois, songe aujourd'hui à une totale transformation du Cubisme, déjà commencée par le collage de véritables morceaux d'objets : journal, étoffe, cheveu, bout d'ongle, etc… – et il peut se faire – tellement Picasso est adroit ! – qu'il reste longtemps sans imitateur possible dans l'art des collages d'objets divers sur la toile ou sur le papier ; dans l'art, en un mot, de la présentation des "panoplies" […] »

Mi-juin
Picasso part pour Avignon.

Été
Matisse et Picasso participent à l'exposition « Sommerschau 1914 », à Munich.

2 août
Déclaration de guerre. Gertrude Stein est alors en Angleterre et Daniel-Henry Kahnweiler à Rome. Guillaume Apollinaire fait une demande de citoyenneté française pour rejoindre l'armée. Picasso accompagne à la gare d'Avignon Georges Braque et André Derain mobilisés. Matisse est à Paris, âgé de quarante-quatre ans, il tente en vain de s'enrôler et sera maintenu dans le service auxiliaire. André Level raconte : « Puis c'est la fin de juillet, la guerre, les premiers jours d'août… Je me souviens d'un déjeuner chez moi, au lendemain de Charleroi, avec Matisse et Apollinaire qui attend d'être convoqué pour signer son engagement » (André Level, *Souvenirs d'un collectionneur*, Paris, 1959, p. 38).

10 septembre-23 octobre
Matisse est à Collioure.

Fin octobre
Picasso rentre à Paris.

Novembre-décembre
Matisse est à Paris.

1915

Printemps
Georges Braque est grièvement blessé.

24 avril
Lettre de Picasso à Guillaume Apollinaire : « Derain à été à Paris il a été voir Matisse il ne est pas venu me voir » (A.P.).

17 octobre
Léonce Rosenberg écrit à Matisse qu'il s'intéresse à sa toile *Poissons rouges et palette* (cat. 61) (A.M.).

3 novembre
Lettre de Léonce Rosenberg à Picasso : « Cher ami. Pour la bonne règle, j'ai le plaisir de vous confirmer mon achat de ce jour, savoir : vos deux grands tableaux "Arlequin" et "Homme assis dans les frondaisons" [*Homme accoudé à une table*] » (A.P.).

Novembre
Matisse vend *Nature morte d'après La Desserte de Jan Davidsz. de Heem* à Léonce Rosenberg. Il admire à la galerie l'*Arlequin* de Picasso.

25 novembre
Lettre de Léonce Rosenberg à Picasso : « Cher ami, Le maître des "poissons rouges" a été, comme moi, un peu interloqué à première vue. Votre "Arlequin" est une telle révolution sur vous-même que ceux qui étaient habitués à vos compositions antérieures, sont un peu déroutés en présence de "Arlequin". Level était présent, mais une fois qu'il fut parti, j'ai pu obtenir de Matisse le fond de sa pensée. Après avoir vu et revu votre tableau, il a honnêtement reconnu qu'il était supérieur à tout ce que vous aviez fait et que c'était l'œuvre qu'il préférait à toutes celles que vous aviez créées. J'ai mis à côté de "Arlequin" votre nature morte à fond vert [*Nature morte sur fond vert* (cat. 134)] ; vous ne sauriez imaginer combien ce dernier tableau, tout en conservant de magnifiques qualités de matière, paraissait petit de conception, un peu "jeu de construction" traité avec tact et sensibilité. Dans l'arlequin, Matisse a trouvé que les moyens concouraient à l'action, qu'ils étaient égaux à cette dernière, alors que dans la nature morte, il n'y avait que des moyens, de très belle qualité mais sans objet. Enfin il a exprimé le sentiment que "ses poissons rouges" vous ont conduit à l'arlequin. Pour me résumer, quoique surpris, il n'a pu cacher que votre tableau était très beau et qu'il était obligé de l'admirer. Mon sentiment c'est que cette œuvre va influencer son prochain tableau » (A.P.). L'anecdote rapportée par André Salmon, où il se met en scène avec Picasso et Rosenberg, se rapporte à cette même période : « En pleine guerre un illustre andalou et un poète en permission visitent un marchand en uniforme, lequel les introduit en son arrière-galerie, ce *no man's land* des marchands. Exhibition d'un Matisse. Le marchand : "Hein ! Est-ce assez décoratif !" L'Andalou au Poète : "Et nous qui avons tant fait pour que ce ne soit plus jamais décoratif !" » (*Der Querschnitt*, n° 2-3, fin mai 1921).

Début-6 décembre
Matisse effectue un voyage à Marseille et à l'Estaque.

9 décembre
Lettre de Picasso à Gertrude Stein : « J'ai fait pourtant un tableau de un arlequin que je crois à mon avis et de l'avis de plusieurs personnes être le mieux que j'ai fait » (B.L.).

28 décembre 1915-6 janvier 1916
Matisse et Picasso souscrivent à une tombola artistique organisée par Bernheim-Jeune au profit des artistes polonais victimes de la guerre.

Fin 1915
André Level note : « Reprise de l'activité artistique. Germaine Bongard, sœur du couturier Paul Poiret accroche dans "la boutique", rue de Penthièvre, des toiles de Matisse et Picasso aux côtés de celles de Léger, Derain et Modigliani… » (André Level, 1959, *op. cit.*, p. 57).

1916

Début janvier
Henri Matisse est à Martigues.

Fin février
Matisse écrit à André Derain : « J'ai vendu à Rosenberg mon tableau d'après David de Heem […]. J'ai vu chez lui un nouveau Picasso un arlequin, d'une manière nouvelle, sans collage et rien que de la peinture, peut-être le connaissez-vous ? » (Archives Derain, collection G. Taillade).

2 mars-avril
Matisse expose à la « Triennale de l'art français » organisée au musée du Jeu de paume. Léonce Rosenberg écrit à Picasso : « Vu hier la "Triennale" ! Hélas ! Ou plutôt tant mieux ! Le dégoût viendra plus vite qu'on ne le croit ! Ça c'est de l'art boche !! Tous les philistins sont des boches ! À part Matisse et un tableau par Degas, il y a de quoi dormir debout… ! (A.P.).

17 mars
Guillaume Apollinaire est blessé.

Mai
Jean Cocteau présente Serge Diaghilev, directeur des Ballets russes, à Picasso.

10 mai-1er juin
Matisse et Picasso sont donateurs à la vente organisée par la galerie Georges Bernheim au profit de l'association « Pour le foyer du soldat aveugle ».

15 mai
Lettre d'Erik Satie à Mme Edwards : « Matisse, Picasso & autres bons messieurs donnent, le 30 Mai, chez Bongard, un concert "Granados-Satie" » (Erik Satie, *Correspondance presque complète*, édition établie par Ornella Volta, Paris, 2000, p. 242).

16 mai
Lettre d'Erik Satie à Léon-Paul Farge : « Envoyez-moi – immédiatement – un truc *très court* & *terriblement cynique*… C'est pour la soirée Matisse-Picasso-Bongard » (Erik Satie, 2000, *op. cit.*, p. 242).

20 mai
Lettre de Jacques Lipchitz à Léonce Rosenberg : « Il y a quelques jours, j'ai eu la visite improviste de toute une bande : Picasso, Matisse, Rivera,

Ortiz et Brener et alors ils ont vu la sculpture que vous venez de me prendre. Matisse s'est intéressé beaucoup de ce que je fais, au point même (selon Rivera) d'ennuyer Picasso... » (Correspondance Léonce Rosenberg/Jacques Lipchitz, MNAM).

13-30 juin
Exposition de groupe à la galerie des Indépendants, avec Matisse et Picasso.

15 juin
Lettre de Juan Gris à Léonce Rosenberg au sujet des « expositions organisées par les couturiers » : « J'ai moi-même montré à Picasso mon étonnement pour sa nouvelle manière de se faire voir. Il m'a répondu que pendant la guerre il n'a rien refusé à aucune manifestation d'art français de peur d'être mal vu. Pour lui, comme pour Matisse, étant donné leur célébrité la raison est assez plausible. Refuser ici leur concours ayant vendu tant de tableaux à l'étranger ça paraîtrait drôle » (Correspondance Léonce Rosenberg/Juan Gris, MNAM).

19-30 juin
Exposition à la galerie Bernheim-Jeune, avec Matisse (*Tête blanche et rose*).

16-31 juillet
Matisse et Picasso participent à l'exposition, « L'Art moderne en France » (Salon d'Antin), organisée par André Salmon, à la galerie Barbazanges. Le catalogue mentionne : « Henri Matisse (français), Peinture : *Marocaine*, *Nature morte* et Dessins ; Picasso (espagnol), *Les Demoiselles d'Avignon* » (dont c'est la première présentation en public).
L'Intransigeant (16 juillet) : « – Aurions-nous cru jamais que nous verrions un vernissage en temps de guerre ? – Convenez, Madame que cette fête de la couleur est d'une tenue assez austère... Les artistes doivent vivre, comme les autres. Et la France a, plus qu'une autre nation, besoin de l'art [...] – Ce Picasso !... – Vous préfériez ces Arlequins ? – Oui, mais cette grande toile me retient ; on dirait qu'elle m'accable [...] – Et Matisse ? – Il est séduisant. Comment a-t-on pu dire d'un tel art qu'il n'était pas français ? »

30 juillet
Le Cri de Paris (anonyme) : « Un jeune cubiste regardait une odalisque à la figure vert pomme, sans nez, sans bouche, et pourvue de mains qui ressemblent à des râteaux. C'est un chef-d'œuvre audacieux du fameux Matisse, le chef, le prince des fauves. "Bon Dieu ! ce que c'est pompier ! murmura le cubiste écœuré... !" Fauves et cubistes protestent très fort contre le grief d'avoir exploité des formules d'art en honneur chez les Boches. Si les Boches n'ont pas inventé le cubisme, nous le regrettons. Nous savons seulement que certains d'entre eux ont collectionné les œuvres de notre nouvelle école. Mais il n'est pas prouvé que ce fut par passion. Ils étaient peut-être poussés par une arrière-pensée machiavélique. Un peu avant la guerre, dans la boutique d'un marchand de tableaux de la rue Laffitte, entra le Herr Conservateur de la Pinacothèque de Munich : – Je voudrais, disait-il, des tableaux de fauves et de cubistes. – Je ne tiens pas ces articles, répondit le marchand... Comment pouvez-vous témoigner du goût pour les horreurs de nos rapins en goguette ? Alors Herr Conservateur ajustant ses bésicles d'or : – Gombrenez-moi bien ! Je veux dans une dizaine d'années ouvrir à la Pinacothèque de Munich une salle très instructive Et j'écrirai sur la porte : Décadence française. »

Été
Matisse se rend à Marseille et à Nice.
Picasso s'installe à Montrouge, 22, rue Victor Hugo.

24 août
Picasso accepte de participer au ballet *Parade* par les Ballets russes sur une musique d'Erik Satie et un argument de Jean Cocteau.

18 novembre-10 décembre
Matisse et Picasso participent à l'« Exposition d'art français » au Kunstnerforbundet, Oslo.

19 novembre-5 décembre
Matisse et Picasso participent à l'exposition « Lyre et Palette », à la salle Huygens, organisée par Cocteau.

1er décembre
Le *Portrait de Max Jacob* (1915) par Picasso est reproduit dans *L'Élan*, revue dirigée par Amédée Ozenfant.

4 décembre
Lettre de Jacques Lipchitz à Léonce Rosenberg : « On sent un grand besoin d'une vie artistique et même une exposition plus ou moins moche qui a lieu en ce moment à Montparnasse est excessivement fréquentée. *L'Élan* vient de reparaître avec dessins de Picasso, Matisse, poésie de Max Jacob, Georges [Guillaume] Apollinaire, Reverdy, etc. et un article sur le cubisme, c.. comme la lune, de Mr Ozenfant où le pauvre Sire s'efforce de démontrer que tout ce qui n'est pas de lui, de Picasso et de Braque ne vaut rien » (Correspondance Léonce Rosenberg/Jacques Lipchitz, MNAM).

31 décembre
Publication du *Poète assassiné* de Guillaume Apollinaire. Un banquet est organisé notamment par Gris, Picasso.
Lettre de Juan Gris à Léonce Rosenberg : « Hier a eu lieu le déjeuner Apollinaire. Ça a été un grand succès car il y avait plus de 100 personnes. Des gens très importants sont venus manifester leur sympathie pour Apollinaire. Il y a eu à la fois des incidents légers qui n'ont fait que donner un piquant d'avant-garde au banquet » (Correspondance Léonce Rosenberg/Juan Gris, MNAM).

1917

14 janvier
Matisse, Picasso participent au comité d'organisation du « Dîner Braque » dans l'atelier de Marie Vassilieff.

16 janvier
Picasso se rend à Barcelone.

17 février-fin mars
Picasso part à Rome pour rejoindre la troupe des Ballets russes, il réalise les décors et costumes de *Parade*.

15 mars
Nord-Sud publie un texte de Pierre Reverdy, « Sur le Cubisme ».

Mai
La revue *SIC* publie un texte de Guillaume Apollinaire sur Picasso.

Fig. 83
Marionnettes de Matisse et de Picasso par Marie Vassilieff, Paris, 1917. Archives Picasso.

1er-11 mai
« Exposition de peintures série D » à la galerie Bernheim-Jeune, avec *L'Italienne* de Matisse (cat. 44).

18 mai
Première du ballet *Parade* (argument de Jean Cocteau, musique d'Erik Satie, chorégraphie de Léonide Massine, rideau, décor et costumes de Picasso), au théâtre du Châtelet, sous la direction d'Ernest Ansermet, programme de Guillaume Apollinaire.
Cette représentation est la scène de manifestations violentes. Picasso, fuyant sa loge en criant, à l'unisson de la salle particulièrement vindicative à son encontre, « Picasso ! Picasso ! », tombe sur Matisse et lui dit : « Ah ! Que je suis content de rencontrer un vrai ami dans ces circonstances-là ! » (Schneider, 1984, p. 735).

27 mai
Jacques Lipchitz écrit à Léonce Rosenberg : « Paris aura bientôt deux expositions cubistes, chez Madame Bongard et chez Chéron, rue La Boétie, avec Picasso, Matisse, etc. » (Correspondance Léonce Rosenberg/Jacques Lipchitz, MNAM).

Printemps-été
Matisse travaille à Issy-les-Moulineaux.

Début juin
Picasso accompagne la troupe des Ballets russes à Madrid et à Barcelone.

24 juin
Manifestation *SIC*. Présentation des *Mamelles de Tirésias*, « Drame sur-réaliste en deux actes et un monologue » de Guillaume Apollinaire.
Victor Basch dans *Le Pays* (15 juillet) : « Avant que se levât le rideau, on sentait que la "Manifestation SIC" [...] – ainsi que le clame le programme orné d'un dessin suggestif de Picasso et d'un puissant bois d'Henri Matisse – serait jeune, turbulente et tumultueuse à souhait. Elle ne le fut pas, à mon sens, suffisamment [...]. C'était une grande manifestation d'art, la révélation d'un canon dramatique nouveau, le drame sur-réaliste, cubiste et simultanéiste... »

Fin octobre-début novembre
Matisse est à Marseille.

Novembre
Exposition « Noir et blanc » à la galerie Berthe Weill, avec Matisse et Picasso.

Fin novembre
Picasso rentre à Paris.

15 décembre
Dans *L'Éventail* : « M. Paul Guillaume, en sa galerie du faubourg Saint-Honoré, ouverte aux artistes d'avant-garde, nous invite […] à contempler d'admirables portraits signés Matisse où le grand peintre, ennemi des redites, se révèle maître dans l'art d'exécuter des tableaux variés. Cette diversité d'ailleurs n'est qu'apparente. Toute œuvre de Matisse est comme marquée d'un chiffre. »

20 décembre
Matisse s'installe à Nice.

1918

12 janvier
Lettre de Paul Guillaume à Picasso : « L'exposition ouvrira le 23. Voyez-vous parmi les gens aimables que vous connaissez quelqu'un ou quelques-uns pouvant prêter de bonnes ou d'importantes choses de vous ? » (A.P.).

14 janvier
Lettre de Paul Guillaume à Matisse : « Le 23 de ce mois va ouvrir chez moi une exposition d'œuvres de vous et de PICASSO. Je tiens à présenter d'excellentes choses et mes précautions sont prises en partie […]. PICASSO me prête une ou deux choses en plus de ce que je me suis procuré en dehors de lui » (A.M.).

[16 janvier]
Lettre de Paul Guillaume à Matisse : « Vous savez que je possède un certain nombre de vos œuvres importantes. J'ai pensé qu'il ne vous déplairait pas de les voir exposées, non dans une exposition particulière qui pourrait avoir l'air d'être organisée par vous et par conséquent paraître une manifestation personnelle dont vous vous souciez sans doute peu pendant la guerre, mais au contraire, en même temps qu'un certain nombre d'œuvres de Picasso. Ce voisinage n'a, je crois, rien qui puisse vous déplaire. J'ai le consentement de Picasso. Il ne manque plus que le vôtre que je sollicite. J'ajoute que votre autorisation donnée, j'aurai de très belles choses de vous qui m'ont été promises notamment par Monsieur Hesse. Le programme sera vendu au profit de mutilés de la guerre. Nous comptons sur une belle recette et nous sommes certains que vous ne voudrez pas en diminuer l'importance en déclinant la simple autorisation que je sollicite » (A.M.).

18 janvier
Lettre de Paul Guillaume à Picasso : « Je vais avoir un nombre suffisant d'œuvres importantes de Matisse et désire que vous soyez aussi dignement représenté » (A.P.).

23 janvier-15 février
Exposition Matisse-Picasso à la galerie Paul Guillaume. Matisse est représenté par quinze toiles, dont *Nature morte à la corbeille d'oranges* (cat. 40) et *L'Atelier, quai Saint-Michel*, et Picasso par seize toiles, dont *Femme en vert (Portrait de jeune fille)* (cat. 46). Guillaume Apollinaire consacre des textes en miroir aux deux artistes : « Si l'on devait comparer l'œuvre

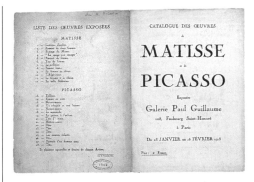

Fig. 84
Catalogue de l'exposition « Matisse-Picasso » à la galerie Paul Guillaume (préfacé par Guillaume Apollinaire), Paris, 1918. Bibliothèque du musée Picasso, Paris.

d'Henri Matisse à quelque chose, il faudrait choisir l'orange. Comme elle, l'œuvre d'Henri Matisse est un fruit de lumière éclatante […]. Ce peintre n'a cessé de suivre son instinct. Il lui laisse le soin de choisir entre les émotions, de juger et de limiter la fantaisie et celui de scruter profondément la lumière, rien que la lumière. »
« Picasso est souvent un peintre lyrique. Il offre encore à la méditation mille prétextes qu'animent la vie et la pensée et que colore avec netteté une lumière intérieure au fond de laquelle gît pourtant un gouffre de mystérieuses ténèbres. Ici, le talent se multiplie par la volonté et par la patience. Les expériences aboutissent toutes à dégager l'art de ses entraves. Ne serait-ce pas le plus grand effort esthétique que l'on connaisse ? »
Louis Vauxcelles dans *Le Pays* : « Picasso et Matisse ont, depuis vingt ans, cherché fiévreusement, évolué souvent, comme tous ceux que taraude l'inquiétude. »
Bissière dans *L'Opinion* : « MM. Matisse et Picasso ont été considérés jusqu'ici comme les chefs de la jeunesse actuelle, ceux qui représentaient le mieux les deux faces de la peinture d'avant-garde […]. Il n'y a plus [dans leur peinture] qu'abstraction, théorie et procédé. »

24 janvier
Lettre de Paul Guillaume à Amélie Matisse : « Au catalogue 12 œuvres seulement sont inscrites, mais à l'exposition figurent en plus les trois grandes toiles de Hessel. Le malentendu à propos de quoi vous vous êtes alarmée n'existe pour personne. Tout a été parfaitement compris et je n'ai qu'à me louer du vernissage d'hier qui a réveillé l'intérêt pour les belles œuvres parmi un public vraiment choisi » (A.M.).

Février ou mars
Matisse est à Nice.

11 mars
Lettre d'Ary Leblond à Matisse : « J'ai vu les œuvres qu'a exposées Guillaume […]. Les salles étaient seulement trop étroites, et cela se sentait d'autant plus que, vous, vous construisez *dans de l'espace*. Ainsi votre *Atelier* [*L'Atelier, quai Saint-Michel*, 1916] paraissait plus large que tout le magasin Guillaume » (A.M.).

18 mars
Lettre de Charles Camoin à Matisse : « Dufy m'a prié de faire mon possible pour t'engager à envoyer à l'exposition Manzi où l'on comptait sur toi. J'ai là quelques bons amis qui vont y participer, tu aurais tort de croire que c'est encore un traquenard dans le genre de chez Guillaume [exposition Matisse-Picasso], j'ai l'impression que c'est plutôt le contraire, et c'est bien plutôt du genre "anti-métèque" qu'autre chose » (C.C./H.M.).

2 mai
Mariage de Guillaume Apollinaire et Jacqueline Kolb. Picasso et Vollard sont témoins.

Début juillet
Matisse rentre à Paris.

9 juillet
Picasso est à Montrouge.
Matisse et sa famille se replie à Maintenon.

12 juillet
Picasso épouse Olga Kokhlova à l'église russe de la rue Daru. Départ immédiat pour Biarritz, chez Eugenia Errazuriz, à la villa « La Mimoseraie ». Il y rencontre Paul Rosenberg.

16 juillet
Matisse rentre à Paris.

9 septembre
Léonide Massine écrit de Londres à Picasso : « Nous avons offert à Matisse de monter *Shéhérazade* ou *Rossignol* ; il a accepté tous les deux, de quoi nous sommes ravis – enfin on verra Matisse au théâtre. Nous travaillons toujours le ballet de *Pulcinella* et j'espère que ce personnage reste aussi dans vos pensées » (A.P.).

Fin septembre
Picasso rentre à Paris. Paul Rosenberg devient son marchand.

9 novembre
Mort de Guillaume Apollinaire.

11 novembre
Armistice.

Fin novembre
Picasso s'installe au 23 bis, rue La Boétie.

1919

Février
Jean Cocteau publie *Ode à Picasso* (Paris, Bernouard).

2-16 mai
Exposition monographique de Matisse chez Bernheim-Jeune (1914-1919).

Début mai-juillet
Picasso va à Londres réaliser les décors et costumes du *Tricorne* pour les Ballets russes.

12 mai
Jean Cocteau dans *Paris-Midi*, sous le titre « Déformation professionnelle », à propos de la rétrospective Matisse chez Bernheim-Jeune : « Voici le fauve ensoleillé devenu un petit chat de Bonnard […]. Il avait librement, joyeusement et bravement peint des tableaux qui donnent le goût de vivre […]. Que se passe-t-il ? »

Mi-juin
Matisse passe l'été à Issy-les-Moulineaux. Igor Stravinski et Serge Diaghilev lui rendent visite pour discuter de sa participation au ballet *Le Chant du rossignol*.

22 juillet
Première représentation du *Tricorne* (d'après Pedro de Alarcon, chorégraphie de Léonide Massine, décors et rideau de Picasso, musique de Manuel de Falla) au théâtre de l'Alhambra, à Londres.

Août
Picasso est à Saint-Raphaël.

Septembre
Matisse est à Nice.

Automne
Picasso accepte de collaborer à *Pulcinella*
avec les Ballets russes.

12 octobre
Matisse arrive à Londres pour travailler aux décors
et costumes de l'opéra d'Igor Stravinski, *Le Chant
du rossignol*, pour les Ballets russes. Lettre de
Serge Diaghilev à Picasso : « Deux mots pour vous
dire que le *Tricorne* suit sa carrière triomphale et
que dans deux semaines nous donnons la "Parade"
[...]. Ce soir nous attendons Matisse qui vient
pour quelques jours. Pour nous c'est de l'air
de Paris qui nous manque tellement ici » (A.P.).

17 octobre
De Londres, Matisse écrit à sa femme Amélie :
« Me voilà en plein travail. Je crois que le ballet
sera bien, aussi bien j'espère que celui de Derain
[*La Boutique fantasque*], qui est tout à fait bien
et obtient un très gros succès qui se reproduira
sûrement à Paris. Celui de Picasso quoique
plus raffiné est moins bien établi, beaucoup moins
réussi pour l'ensemble » (A.M.).

20 octobre-15 novembre
Exposition de dessins et d'aquarelles (167 œuvres)
de Picasso, à la galerie Paul Rosenberg.

24 octobre
Lettre de Léonide Massine à Picasso : « Je commence
à répéter *Parade* qui passe au commencement de
novembre [...]. Matisse est en plein dans les Polunin
et il est dans une période gaie. J'ai reçu une carte
postale de Stravinsky où il dit qu'il travaille avec
enthousiasme et qu'il est amoureux de Pergolesi » (A.P.).

1er novembre-10 décembre
Le Salon d'automne, supprimé pendant la guerre,
réouvre. Matisse expose sept œuvres dénigrées
par Georges Ribemont-Dessaignes dans la revue
dadaïste *391*.

5-20 novembre
Exposition Matisse, Dufy et Luc-Albert Moreau
à la galerie Berthe Weill.

15-29 novembre
Exposition de dessins et d'aquarelles de Picasso,
Gris et Laurens, chez Paul Rosenberg.

21 novembre
De Londres, Matisse écrit à sa femme Amélie :
« Le rideau est prêt d'être fini. Je n'ai pas suivi
l'esquisse pour les couleurs. Je crains que Diagh.
le trouve insuffisant. Il est très bien dessiné. Mais
il ne doit pas y avoir autant de couleur que Diagh.
en désire. C'est un homme qui ne sent rien, il a des
idées préconçues. Il veut de l'or. Il veut faire riche
avec de l'or. Il faut que ça soit Ballet Russe. Il a peur
qu'on dise à Paris qu'il n'a plus le sou. Il m'a même
entrepris hier vaguement à ce sujet, il voudrait
commencer la saison par le Rossignol parce qu'il
sera riche. Le ballet de Picasso est pauvre. Celui de
Derain est vulgaire. (il ne me l'a pas dit comme ça)
et le mien sera riche. (je suppose qu'il changera
d'avis quand il verra le rideau, car il n'y a pas autant
de rouge qu'il le voudrait et je crois qu'il n'y aura
pas de jaune » (A.M.).

1920

Janvier
Marcel Sembat publie *Henri Matisse*, la première
monographie consacrée à l'artiste, illustrée
d'œuvres de 1897 à 1919.

27 janvier
De Nice, cartes postales de Paul Rosenberg à Picasso :
« Quel succès, quels rappels [*Le Tricorne*] [...].
Pourquoi ne viendriez-vous pas vous reposer
de votre succès. Cela a dû vous fatiguer. J'ai vu ici
Matisse, il a peint des belles choses. Il doit revenir.
Venez avant qu'il ait tout peint. L'année 1919-1920
aura été une année à fenêtre ! Fenêtres de Picasso,
fenêtre de Matisse » (A.P.).

28 janvier-12 février
Exposition de groupe à la galerie Devambez,
avec Matisse et Picasso.

Février-juin
Matisse est de retour à Nice.

2 février
Première du *Chant du rossignol* (musique
de Stravinski, chorégraphie de Massine, rideau et
décors de Matisse) à l'Opéra de Paris. Matisse
assiste à la représentation.

3 février
Michel Georges-Michel dans *L'Intransigeant* :
« Quelques mots sur... Trois fauves. Les trois grands
fauves de la peinture sont entrés dans la cage
de l'Opéra [...]. Mais il est arrivé que ce sont
les cages qui en ont paru grandies. Car aucun
des fauves n'a voulu rogner ses griffes ou baisser
la tête. Picasso a gardé sa pipe à la bouche.
Derain, son feutre sur la tête, et Henri-Matisse
n'a pas mis d'habit noir. Vous entendez bien ce
que je veux dire : les dorures du style Napoléon III
n'ont pas impressionné ces républicains de l'art.
Picasso est demeuré jovial, ironique et aventureux
en brossant les décors du *Tricorne*. [...] Et Henri-
Matisse, sans même sourire, a composé des
harmonies telles que le vieil et pompeux monument
semblera plus fragile que ses décors de toile.
Car ce sont trois honnêtes gens, car ce sont
trois hommes libres. Honnêtes envers leur art
et leur époque. Libres dans leur conscience. »

10 et 16 février
L'Opéra de Paris présente, dans les mêmes soirées,
Le Chant du rossignol et *Le Tricorne*, au répertoire
des Ballets russes.

22 février
Daniel-Henry Kahnweiler rentre en France après
son exil forcé des années de guerre. Il publie
durant l'année *Der Weg zum Kubismus* (Munich,
Éditions Delphin).
Venderpyl dans *Le Petit Parisien* à propos de
l'exposition « Peinture moderne », à la galerie
Devambez : « À part Matisse, représenté surtout
par quelques bronzes, Matisse qui se trouve
à cheval sur deux époques, l'effort nouveau
s'extériorisait là avec [...] le déjà célèbre Picasso. »

16 mars-3 avril
Matisse et Picasso participent à l'exposition
« Nus », à la galerie d'art des Éditions Crès.

Avril
Florent Fels publie les résultats de l'enquête « Opinions
sur l'art nègre », dans la revue *Action*, avec une

introduction de Guillaume Apollinaire. On y trouve
la réponse de Picasso : « L'art nègre ? Connais pas ! »

11 avril
Pinturrichio (pseudonyme de Louis Vauxcelles)
dans *Le Carnet de la semaine* : « Je viens de
recevoir l'Album de M. Georges de Zayas [...].
Les victimes de Marius de Zayas sont MM. Matisse,
Picasso, Metzinger, Marcel Duchamp, Erik Satie,
et divers autres moins notoires ou inconnus. »

20 avril
« Salon d'Art moderne » à la Maison Watteau,
avec Matisse et Picasso.

20 avril-8 mai
Exposition de « Portraits » à la galerie d'art
des Éditions Crès. Matisse et Picasso y participent
respectivement avec *Femme au chapeau à plumes*
et *Portrait de Gertrude Stein*.

28 avril-8 mai
Exposition de groupe à la galerie des Feuillets d'art,
avec Matisse et Picasso.

8 mai-13 octobre
À la douzième Biennale de Venise, Matisse expose
deux toiles, *Carmelina [La Pose du nu]* et *Le Thé
dans le jardin*.

15 mai
Première de *Pulcinella* à l'Opéra de Paris (musique
de Stravinski d'après Pergolèse, chorégraphie de
Massine, décors et costumes de Picasso). La version
finale du décor est « cubisante », les costumes
sont plus proches de la tradition de la commedia
dell'arte. Picasso assiste à la représentation.
Le *Bulletin de la vie artistique* publie une interview
(signé F. F.) d'Ivan Morosov concernant
les conditions de la nationalisation de sa collection
d'œuvres d'art comme de celle de Sergei
Chtchoukine. L'article est notamment illustré par
Les Deux Saltimbanques de Picasso et *La Nature
morte* de Matisse.

Juin-juillet
Matisse est à Étretat.

Mi-juin-juillet
Picasso est à Saint-Raphaël, puis à Juan-les-Pins.

Fin juillet
Publication de *L'Art vivant* d'André Salmon,
aux Éditions Crès. Salmon y nuance les critiques
formulées à l'encontre de Matisse dans son ouvrage
La Jeune Peinture française, 1912.

2 août-11 septembre
Exposition aux Galleries of the Société Anonyme,
New York, avec des œuvres de Matisse et Picasso
prêtées par des collectionneurs privés.

Septembre
Matisse est à Paris.
Berheim-Jeune publie l'album *Cinquante dessins
par Henri Matisse*, préfacé par Charles Vildrac, et
Henri-Matisse, ouvrage illustré contenant des essais
par Faure, Romain, Vildrac et Werth.

Fin septembre
Picasso rentre à Paris.

15 octobre
André Salmon dans *L'Esprit nouveau*, essai
sur Picasso : « Picasso ne se fixe pas. Il est tout

mouvement, plus que les Fauves, menacés par l'amorphe au jour même du premier triomphe, et que son art condamne, atteint et frappe dès 1906... De la triple aventure, c'est le péripatéticien Matisse qui sort glorieux dans la tradition de la Peinture la plus peinture, de la tradition d'atelier, glorieux mais abandonné jusqu'à l'injustice. Et voici, enfin, Picasso et Derain face à face. »

15 octobre-6 novembre
Exposition Matisse (1919-1920) chez Bernheim-Jeune, catalogue par Charles Vildrac.

23 octobre
Vente de tableaux et dessins impressionnistes à l'hôtel Drouot.
La *Gazette de l'hôtel Drouot* signale que le plus haut prix a été atteint par un pastel de Matisse (1 200 francs), *Le Pont Saint-Michel*. Adjudication de 380 francs pour un dessin de Picasso, *Arlequin*.

10 novembre
Clive Bell, dans *The New Republic*, publie un article intitulé « Art and Politics », fondé sur l'exemple conjoint de Matisse et Picasso.

15 décembre 1920-1ᵉʳ février 1921
Nouvelle exposition aux Galleries of the Société Anonyme, New York, avec Matisse et Picasso.

1921

Début 1921
Le poète William Carlos Williams publie « A Matisse », dans *Contact*.

2-21 janvier
« Exposition internationale d'art moderne » à Genève, avec Matisse et Picasso.

15 janvier
Mercure de France : « Un comité vient de se constituer pour ériger sur la tombe de Guillaume Apollinaire, au Père-Lachaise, un monument de Pablo Picasso. »

4 février
Naissance du fils de Picasso et Olga, Paulo.

21 février
Centième exposition de la galerie Berthe Weill, avec Matisse et Picasso.

27 mars-25 avril
Exposition « Modern French Art » au Brooklyn Museum, New York ; près de deux cents peintures, dont une trentaine de Cézanne, Matisse et Picasso.

Avril
Première monographie consacrée à Picasso par Maurice Raynal, publiée à Munich, aux Éditions Delphin (cent reproductions) : « L'on voit dans le courant de l'histoire de la peinture deux tendances générales se manifester, et ce souvent simultanément : le culte de la couleur et celui de la ligne. Il est même à remarquer que ces deux dispositions se rapportent aux considérations ethnographiques. La couleur et le dessin sont le Nord et le Sud. Le Nord qui manque de couleur l'aime plus que le Sud qui en a trop. Dans ces catégories pourraient figurer Rubens d'une part et Le Greco de l'autre, Rembrandt et Raphaël, plus près de nous Delacroix et Ingres, et enfin Matisse et Picasso » (Maurice Raynal, *Picasso*, éd. fr., Paris, Crès et Cie, 1922, p. 70).

3-21 mai
Exposition de groupe « Soixante Nus » à la galerie Bernheim-Jeune, avec Matisse et Picasso.

3 mai-5 septembre
Matisse et Picasso sont représentés à la « Loan Exhibition of Impressionist and Post-Impressionist Paintings », au Metropolitan Museum of Art, New York.

22 mai
Première représentation de *Cuadro Flamenco* au théâtre de la Gaîté-Lyrique, à Paris, musique traditionnelle adaptée par Manuel de Falla, chorégraphie de Léonide Massine, décors et costumes de Picasso.

30 mai
Vente, organisée à l'hôtel Drouot par Mᵉ Bareiller-Fouché et Léonce Rosenberg, de la collection de Wilhelm Uhde, mise sous séquestre en 1914 (16 œuvres de Picasso). La vente rapporte 247 000 francs, soit trois fois le montant de l'estimation. Le jour de la vente, dans une salle de l'hôtel Drouot, un violent incident oppose Georges Braque à Léonce Rosenberg. Gertrude Stein assiste au pugilat, ainsi qu'Henri Matisse. Informé des raisons de la querelle, Matisse tranche : « Braque a raison, cet homme a volé la France et on sait bien ce que c'est que de voler la France » (Pierre Assouline, *L'Homme de l'art, Daniel-Henry Kahnweiler*, Paris, Balland, 1988, p. 224).

Mai-juin
Exposition Picasso chez Paul Rosenberg (39 œuvres), qui publie un portfolio des dessins de Picasso pour *Le Tricorne*.

13-14 juin
Vente, organisée à l'hôtel Drouot par Mᵉ Zapp et Léonce Rosenberg, des œuvres de la galerie Kahnweiler, mises sous séquestre en 1914 (36 œuvres de Picasso).

1ᵉʳ-25 juillet
Exposition « Œuvres d'après-guerre par les peintres cubistes d'avant-guerre », galerie de L'Effort moderne, avec Picasso.

Juillet-septembre
Picasso est à Fontainebleau. Il peint en parallèle de grandes compositions néoclassiques (*Trois Femmes à la fontaine* ; cat. 94) ou d'un cubisme synthétique (*Les Trois Musiciens* ; cat. 64).

Début septembre
Matisse est à Nice.
Publication, quelques jours avant la fermeture de la « Loan Exhibition of Impressionnist and Post-Impressionnist Paintings », d'un pamphlet signé par un comité de citoyens et supporters du musée : *Protest Against the Present Exhibition of Degenerate « Modernistic » Works in the Metropolitan Museum of Art*. Ce pamphlet veut dénoncer « la philosophie bolchevique et le culte du "Satanisme" manifesté par cette exposition où le corps humain se trouve délibérément mutilé ». Un débat dans la presse s'engage à ce propos. John Quinn, l'un des organisateurs de l'exposition, répond : « C'est le Ku Klux Klan critique d'art. On ne discute pas avec des dégénérés qui ne voient que dégénérescence autour d'eux. »

17-18 novembre
Deuxième vente Kahnweiler à l'hôtel Drouot, organisée par Mᵉ Zapp et Léonce Rosenberg (50 œuvres de Picasso).

7 décembre
Élie Faure écrit à Matisse : « Nous avons renoncé à la tombola Iturrino [...]. Je suis convaincu que votre geste et celui de Picasso suffiront à faire honte aux autres exposants » (A.M.).

12 décembre 1921-7 janvier 1922
Rétrospective 1900-1921 de la galerie Berthe Weill, avec Matisse et Picasso.

Décembre
Matisse est représenté à « The Carnegie International Exhibition » à Pittsburgh, avec *Portrait sur fond rouge*.

1922

23 février-15 mars
Matisse expose chez Bernheim-Jeune (39 œuvres de 1921), album avec un texte de Charles Vildrac.

Mars
Le musée du Luxembourg acquiert *Odalisque au pantalon rouge* de Matisse.

28 mars-8 avril
Exposition de groupe « Tableaux » à la galerie Bernheim-Jeune, avec Matisse.

28 mai-16 juillet
Exposition internationale d'art de Düsseldorf.

2-20 juin
Exposition « Essai d'une collection » à la galerie Bernheim-Jeune, avec Matisse.

Fin juin
Matisse rentre d'Aix-les-Bains à Paris.

4 juillet
Troisième vente Kahnweiler à l'hôtel Drouot (10 œuvres de Picasso).

14-15 juillet
Picasso dessine un portrait de l'une des sœurs Cone. Départ pour Dinard.

Juillet-septembre
« Exposition d'été » à la galerie Bernheim-Jeune, avec Matisse.

Été
Claribel et Etta Cone acquièrent quatre bronzes et six peintures de Matisse chez Bernheim-Jeune.

1ᵉʳ septembre
André Breton écrit dans la revue *Littérature* : « Bon gré, mal gré, il est des hommes qui participèrent plus ou moins de cette angoisse. Leur grand souci est aujourd'hui de n'en rien laisser paraître : à les croire ils ont toujours exercé l'art comme un métier. Il y a quelques jours j'ai rencontré chez un photographe de mes amis M. Henri-Matisse. Nul peintre ne veut passer pour en avoir pris avec la nature moins à son aise. Ses œuvres anciennes ? des essais dont à ses yeux le seul mérite est d'avoir permis ses réalisations actuelles. Ils sont comme cela aujourd'hui une dizaine, les Valéry, les Derain, les Marinetti, au bout du fossé la culbute, qui reçoivent en plaisantant vos doléances et vous quittent après vous avoir donné sentencieusement rendez-vous dans dix ans. »

Fin septembre
Picasso rentre à Paris.

17 novembre
André Breton donne une conférence à
Barcelone : « N'oublions pas que le principe
de cette déformation plus ou moins lyrique
que Matisse et Derain tenaient, je crois,
des nègres était loin de libérer la peinture de
cette convention représentative avec laquelle
Picasso ne craignit pas de rompre le premier »
(André Breton, *Les Pas perdus*, Paris, NRF,
1924, p. 192-193).

Décembre
Décor de Picasso pour l'adaptation
d'*Antigone* par Jean Cocteau, jouée au théâtre
de l'Atelier.

18-30 décembre
Exposition « Peinture moderne, Groupe II »
à la galerie Bernheim-Jeune, avec Matisse.
Publication de l'ouvrage de Roland Schacht,
Henri Matisse.

1923

Début 1923
Amédée Ozenfant et Charles-Édouard Jeanneret
(Le Corbusier) dans *L'Esprit nouveau* (n° 22) :
« Matisse sentit que le lyrisme avait encore
des brancards ; il sut faire le pas nécessaire que
personne n'avait osé [...]. Il fut un grand libérateur
[...]. On entrevit le moment où le cubisme
deviendrait possible, nous libérant de la dernière
contrainte, celle du sujet même, qui chez Matisse,
n'est plus déjà qu'une trace et que Picasso
et Braque vont délibérément éliminer... Mais sans
Matisse, on peut admettre que le cubisme n'aurait
pu être ce qu'il a été. »

Janvier-février
Les œuvres de Matisse achetées par
Albert C. Barnes sont exposées à la galerie
Paul Guillaume.

27 février
Exposition « On propose... » à la galerie Bernheim-
Jeune, avec Matisse.

18 mars
Picasso et Matisse sont donateurs à la vente
organisée au profit des artistes russes nécessiteux.

16-30 avril
Exposition Matisse chez Bernheim-Jeune.

6 mai
Paris-Journal : « Ainsi, M. Ambroise Vollard a
voulu que les peintres fussent désignés pour
décerner à leur tour un prix aux écrivains [...].
Déjà l'*Excelsior* a publié le nom des artistes qui
ont accepté de faire partie du jury : MM. Picasso
et Henri Matisse. »

7-8 mai
Quatrième et dernière vente des œuvres de
la galerie Kahnweiler.
Au total, les quatre ventes Kahnweiler rapporteront
un montant de 47 819 francs.

Mai
Exposition d'art français à la Maison des
Représentations, à Prague, avec Matisse et Picasso.

19 mai
Interview de Picasso par Marius de Zayas dans
The Arts : « Picasso Speaks. A Statement by the
Artist » (portfolio).

19-31 mai
Exposition de groupe « Peintures, aquarelles,
gouaches et dessins » à la galerie Léonce
Rosenberg, avec Picasso.

14-30 juin
Exposition « Études et Portraits de femmes » à la
galerie Marcel Bernheim, avec Matisse et Picasso.

Juillet-septembre
Picasso est à Royan puis au Cap d'Antibes.

Automne
Matisse part à Nice.

3-18 octobre
Exposition de groupe chez Bernheim-Jeune,
avec Matisse.

8 octobre
Les Arts à Paris : « L'État de Pensylvanie a donné à
la Fondation Barnes une Charte en vertu de laquelle
elle est reconnue comme Institut d'Éducation [...].
Parmi les peintres français contemporains, il faut
citer Picasso représenté par 22 toiles et Matisse
représenté par 12 toiles. »

20-31 octobre
Exposition « Gravures d'Henri Matisse »
chez Bernheim-Jeune.

Novembre
Jacques Doucet, sur le conseil d'André Breton,
acquiert *Poissons rouges et palette* de Matisse.
Andrew Dasburg publie « Cubism, its Rise and
Influence », dans *Arts*.

17 novembre
Ouverture de l'exposition « Picasso Recent Work »,
organisée par Paul Rosenberg à la Wildenstein
Gallery, New York.

22 novembre-5 décembre
Exposition « Peinture moderne, Groupe II »
à la galerie Bernheim-Jeune, avec Matisse.

18 décembre 1923-21 janvier 1924
Exposition Picasso au Chicago Art Institute,
introduction de Clive Bell.

22 décembre-29 décembre
Exposition de groupe à la galerie de L'Effort
moderne, avec Picasso.

1924

Mars-17 avril
« Exposition d'œuvres nouvelles (peintures et
dessins) » de Picasso à la galerie Paul Rosenberg
(12 huiles et 36 dessins).

6-20 mai
Exposition Matisse à la galerie Bernheim-Jeune
(39 huiles et des dessins).

Mai-juin
Grand succès de Picasso en tant que décorateur.
Pendant la saison des Ballets russes de Monte-Carlo
au théâtre des Champs-Élysées, figurent des

reprises à succès de *Parade* et de *Pulcinella* ;
le rideau (exécuté par le prince Schervachidze) se
fonde sur la gouache de Picasso intitulée *La Course*,
1922, et est utilisé comme un « prélude figuré »
dans toutes les représentations (voir Louis Laloy,
« La Saison des Ballets russes », *Le Figaro*, 16 mai 1924).

15 juin
Première de *Mercure* au théâtre de la Cigale, dans
le cadre des « Soirées de Paris » du comte Étienne
de Beaumont (rideau, décors et costumes de
Picasso, musique d'Erik Satie et chorégraphie
de Léonide Massine). Malgré le rejet théorique
du ballet par les surréalistes, ces derniers admirent
publiquement les créations de Picasso dans
un « Hommage » publié par *Le Journal littéraire*
du 21 juin 1924.
À l'inverse, Matisse refuse la proposition de
Massine qui l'invite à collaborer aux « Soirées
de Paris », en prétextant que cela le distrairait
de sa peinture. De même, en 1928, il refusera
la proposition de Serge Diaghilev de concevoir les
décors et les costumes d'une nouvelle production
de *Schéhérazade* (A.M.).

21 juin
Des œuvres d'art offertes pour financer
un monument à Guillaume Apollinaire – qui
devrait être conçu par Picasso –, au cimetière du
Père-Lachaise, sont vendues aux enchères à l'hôtel
Drouot, Paris. Un paysage donné par Matisse se
vend 3 000 francs et un nu de Picasso 4 600 francs
(le prix le plus élevé atteint durant la vente).
Picasso travaillera activement sur cette commande
entre 1927 et 1932, avec l'aide de Julio González
pour les sculptures en métal soudé. Incapable
de satisfaire le Comité Apollinaire, il renoncera
à ce projet en novembre 1934.

28 juillet
Mort du collectionneur américain John Quinn.
Son testament implique la liquidation de toute
sa collection.

15 octobre
Publication du *Manifeste du surréalisme* par André
Breton (Éditions Sagittaire). Dans une note en bas
de page, Breton dresse la liste des peintres qui
« ne sont pas toujours surréalistes », mais qui
sont « surréalistes », selon tel ou tel aspect, entre
autres Matisse « dans *La Musique* par exemple »,
et Picasso « de beaucoup le plus pur »
(*Les Manifestes du surréalisme*, suivi de *Prolégomènes
à un troisième manifeste du surréalisme ou non*,
Paris, 1946, p. 47-48).

18 octobre
Jeanne Robert Foster, la compagne de John Quinn
récemment décédé, écrit à Thomas Curtin, l'un de
ses exécuteurs testamentaires, pour le dissuader
d'inonder le marché avec des ventes hâtives :
« Qui va actuellement acheter vingt Picasso...
dans ce pays ? Qui va acheter quinze Matisse ? »
(Judith Zilczer, « *The Noble Buyer* » : *John Quinn,
Patron of the Avant-Garde*, Hirshhorn Museum and
Sculpture Garden, Washington, 1978, p. 58-61).

1er décembre
Parution du premier numéro de *La Révolution
surréaliste*, qui témoigne de l'association de
Picasso avec les surréalistes : l'artiste apparaît
dans le montage des portraits photographiques
des membres du groupe, réalisé par Man Ray
(p. 17), et *Guitare* (cat. 69) est reproduit à l'intérieur
d'un texte poétique de Pierre Reverdy (p. 19).

1er-20 décembre
Exposition « Quelques peintres du XXe siècle »
à la galerie Paul Rosenberg : Matisse et Picasso
sont représentés chacun par quatre œuvres.
C'est probablement la première manifestation
organisée par Rosenberg qui inclut des tableaux
de Matisse (lequel est sous contrat avec la galerie
Bernheim-Jeune). Paul Rosenberg organisera des
expositions collectives similaires avec des tableaux
de Matisse et de Picasso, en juin-juillet 1927,
avril-mai 1929 et janvier-février 1931.

2 décembre
André Breton écrit à Jacques Doucet pour le féliciter
de son achat (par l'entremise de Breton) des
Demoiselles d'Avignon (fig. 3) à Picasso : « On ne
songe jamais assez que Picasso est le seul génie
authentique de notre époque, et un artiste comme
il n'en a jamais existé, sinon peut-être dans
l'antiquité » (Bibliothèque littéraire Jacques Doucet,
B-IV-6, 7210-59 ; voir fig. 86).

1925

Juin
Durant la saison des Ballets russes au théâtre
de la Gaîté-Lyrique, à Paris, sont présentés *Pulcinella*,
avec la chorégraphie originale de Léonide Massine,
et *Le Chant du rossignol*, avec les décors et
les costumes de Matisse, mais avec une nouvelle
chorégraphie de Georges Balanchine.

10 juillet
Matisse est nommé chevalier de la Légion d'honneur.

15 juillet
Première livraison du « Surréalisme et la Peinture »
d'André Breton, *La Révolution surréaliste*, no 4
(p. 26-30), qui acclame Picasso comme « un puissant
projecteur » et « un des nôtres ». Cinq de ses
tableaux y sont reproduits, dont *Les Demoiselles
d'Avignon* (fig. 3) et *La Danse* (cat. 73).
Dans la seconde livraison de l'essai de Breton,
qui sera publiée le 1er mars 1926, un autre tribut au
« génie » de Picasso précède une dénonciation des
derniers travaux de Matisse et de Derain : « Matisse
et Derain sont de ces vieux lions décourageants
et découragés. De la forêt et du désert dont ils
ne gardent même pas la nostalgie, ils sont passés
à cette arène minuscule : la reconnaissance pour
ceux qui les matent et les font vivre. Un *Nu* de
Derain, une nouvelle *Fenêtre* de Matisse, quels
plus sûrs témoignages à l'appui de cette vérité
que "toute l'eau de la mer ne suffirait pas à laver
une tache de sang intellectuelle" ? » (André Breton,
Le Surréalisme et la Peinture, no 6, p. 31).

19 juillet
Francis Poulenc écrit à Picasso, alors à
Juan-les-Pins : « La nouvelle version du *Rossignol*
n'a guère porté. Situation assez tendue entre
Igor [Stravinski] et Serge [Diaghilev] sans
en avoir l'air bien entendu » (Francis Poulenc,
Correspondance 1910-1963, Paris, Éditions Myriam
Chimènes, 1994, p. 259).

25 juillet
À l'instigation de Matisse, Christian Zervos écrit
– sans succès – à Picasso pour l'inviter à donner
un texte destiné aux « Hommages à Maillol »,
qui doivent être publiés dans le numéro suivant
d'*Art d'aujourd'hui* (A.P.). Dans son propre bref
« hommage », Matisse décrit Aristide Maillol
comme étant « notre plus grand sculpteur » (p. 46).

13 novembre
Picasso fait partie de la première exposition
de peinture surréaliste à la galerie Pierre.

13-28 novembre
Une exposition des dessins de Matisse est organisée
à la galerie des Quatre-Chemins pour coïncider avec
la publication de Waldemar George, *Henri Matisse :
dessins* (Éditions des Quatre-Chemins, Paris).
Un ouvrage similaire, *Picasso : dessins*, également
par Waldemar George, sera publié le 1er juin 1926.
Chaque recueil est illustré de soixante-quatre planches.

1926

Janvier
Fondation de *Cahiers d'art*, édités par Christian
Zervos. Bien que surtout connu pour sa promotion
de l'œuvre de Picasso, Zervos soutiendra activement
Matisse pendant toute l'existence du périodique.
Le cinquième numéro (mai 1926) contiendra
« Œuvres récentes de Picasso » par Zervos,
et le septième (septembre 1926) « Œuvres récentes
de Henri Matisse » par Georges Duthuit.
Paul Rosenberg achète quelque cinquante tableaux
de Picasso directement à la succession Quinn.

Mai
Parution par Adolphe Basler de *La Peinture…
religion nouvelle* (Bibliothèque des Marges, Paris).
L'auteur rapporte une conversation récente à la
galerie Bernheim-Jeune, pendant laquelle Picasso
ne ménage guère les tableaux montrés de Courbet,
Renoir, Cézanne, Utrillo, Modigliani, Bonnard
et Braque : « Matisse seul a l'heur de trouver grâce
devant Picasso. "En voilà un au moins qui a du
talent, les autres ne sont rien à côté" » (p. 11-12).

Mai-juin
Salon des Tuileries. Matisse expose *Figure décorative
sur fond ornemental* (cat. 104). Le tableau provoque
la controverse, la plupart y voient un tournant, pour
le meilleur ou pour le pire, dans la carrière de Matisse.

Fig. 85
Henri Matisse dessinant un modèle au 1, place Charles-Félix, Nice,
vers 1927-1928. Archives Matisse.

13 juin
Matisse écrit à sa fille, Marguerite Duthuit, de Nice :
« J'ai vu [Walther] Halvorsen […]. Dans la conversation,
il m'a dit : "Il paraît que Picasso et vous êtes tombés
dans les bras l'un de l'autre." Je lui ai répondu
que je n'avais pas vu Picasso depuis des années
et ne lui avais pas écrit, et je m'en veux d'avoir pris
l'habitude de ne pas sortir, ce dont je ne prévois
pas immédiatement les conséquences » (A.M.).

15 juin-10 juillet
Exposition d'œuvres récentes de Picasso à la galerie
Paul Rosenberg (58 œuvres à partir de 1918, dont
La Danse (cat. 73), prêté par Picasso). Dans
« Lendemain d'une exposition », Christian Zervos
résume la réaction hostile à l'éclectisme de l'œuvre
de Picasso, puis ajoute : « À bout d'arguments contre
l'œuvre de Picasso, les juges et les soi-disant amis
lui reprochent son passeport espagnol, et l'accusent
d'avoir perdu la notion de la mesure française
à laquelle il avait réussi de s'accrocher péniblement :
pour avoir montré une force qui nous dépasse, une
ardeur qui surprend, une joie de courir constamment
à l'abîme au bord duquel il s'arrête et se rétablit.
On n'aime pas les gens qui font peur sans se faire
du mal » (*Cahiers d'art*, no 6, juillet 1926, p. 119-121).

8 octobre-début novembre
Paul Guillaume provoque des commentaires en
exposant *La Leçon de piano* (cat. 62), 1916, et *Femmes
à la rivière* (fig. 13), 1916, de Matisse ; aucun de
ces deux tableaux – récemment achetés à l'artiste –
n'a jamais été vu en public.
Dans un article, Sylvain Bonmariage se rappelle que,
vers 1909, Matisse, debout devant un tableau de
Picasso, décrivit le cubisme comme « un pas immense
vers la technique pure » et qu'il ajouta : « Nous y
viendrons tous. » Bonmariage fait ce commentaire :
« Picasso eut l'honneur de l'action. Mais il est
indéniable… que Matisse, artiste déjà notoire en 1909,
eut le mérite de comprendre le premier ce que Picasso
voulait » (« Henri Matisse et la peinture pure »,
Cahiers d'art, I, no 9, novembre 1926, p. 239-140).
Georges Duthuit note la référence suivante faite
par Matisse au sujet de Picasso, au cours de la fin
des années vingt : « Dès la surprise passée, le
spectateur se sauve. Il ne peut être ravi s'il cherche
à analyser son émotion… La surprise ne dure pas
d'ailleurs : les mannequins sans visage de Picasso
nous sont vite familiers, simplement plus
intelligents et plus directs qu'une cire » (Georges
Duthuit, *Écrits sur Matisse*, Paris, 1992, p. 291, 295).

28 octobre
Nu bleu, Souvenir de Biskra (cat. 15) est l'un
des deux tableaux de Matisse vendus aux enchères
à la vente Quinn, hôtel Drouot, Paris (lot 61).
Il est acheté 101 000 francs par le Dr Claribel Cone
(troisième prix le plus élevé de la vente).

1927

Janvier
Date communément admise de la première rencontre
entre Picasso et Marie-Thérèse Walter. Sa grossesse
aboutira à la séparation entre Picasso et Olga en
juin 1935. Leur fille Maya naîtra le 5 septembre 1935.

3-31 janvier
« Retrospective Exhibition of Henri Matisse, the first
painting 1890, the latest painting 1926 », organisée
par Pierre Matisse à la Valentine Dudensing Gallery,
New York. Forbes Watson profite de l'occasion pour
opposer Picasso à Matisse : « À moins que l'artiste

ne donne à ce public particulier [qui apprécie l'art moderne] quelque chose de neuf, au sens d'une chose qui ne serait pas encore comprise, d'une idée inattendue à laquelle se confronter, ce public est parfaitement capable de tiédeur envers l'artiste. Ce point critique dans l'appréciation du public hautement spécialisé de l'artiste contemporain lui fournit l'épreuve suprême de son tempérament de peintre. Picasso n'a pas réussi à affronter calmement cette épreuve ; il a attendu le signal qui allait lui indiquer que son public disait : "Oh, nous connaissons tout ça !" Croyant entendre ce signal, il saute en tous sens, change son art encore et encore jusqu'à perdre toute séquence logique. Matisse, menacé par le même signal, a calmement été de l'avant selon sa propre logique, intensifiant son motif, peignant avec des couleurs de plus en plus pures, quand la couleur n'était plus à la mode, s'en tenant à la chose que lui-même désirait faire et l'accomplissant régulièrement de mieux en mieux » (« Henri Matisse », *The Arts*, janvier 1927).

13 octobre-4 décembre
« Twenty-Sixth International Exhibition of Painting », au Carnegie Institute, Pittsburgh. Matisse, représenté par cinq tableaux récents, tous prêtés par Bernheim-Jeune, remporte le premier prix de mille cinq cents dollars pour *Fruits et fleurs*, 1924. Cette récompense est largement répercutée dans la presse et contribue à sa notoriété croissante aux États-Unis.

Fig. 86
L'appartement de Jacques Doucet à Neuilly avec *Les Demoiselles d'Avignon* de Picasso, vers 1928-1929. Daniel Wolf Inc., New York.

1928

Septembre
Dans « Sculptures des peintres d'aujourd'hui » (*Cahiers d'art*, III, n° 7, p. 277-289), Christian Zervos accorde une attention particulière à la sculpture de Matisse. Il illustre également plusieurs sculptures de Picasso, dont *Métamorphose*, une baigneuse grotesque modelée en plâtre, sans doute la première maquette exécutée par l'artiste en vue du monument à Guillaume Apollinaire.

15 octobre
Publication de *Picasso et la tradition française : notes sur la peinture actuelle* de Wilhelm Uhde (Édition des Quatre-Chemins, Paris), où Matisse

et Picasso sont associés respectivement à « la passion purement cérébrale », et à « la vie » et « l'amour ». Uhde commente : « L'amour de Picasso avait une autre portée que l'intelligence d'Henri Matisse. L'amour, en effet, est une source inépuisable, tandis que les combinaisons de l'intelligence sont limitées » (p. 21-24).

4 novembre-16 décembre
Salon d'automne. Matisse expose le tableau inspiré de Cézanne et intitulé *Nature morte au buffet vert*. Début 1929, il le vendra pour un franc à l'Association des Amis des artistes vivants, afin d'assurer sa donation au musée du Luxembourg.

1929

Avril
Parution du texte de Carl Einstein, « Pablo Picasso : quelques tableaux de 1928 », dans le premier numéro de *Documents : Doctrines, Archéologie, Beaux-Arts, Ethnographie*, la revue des surréalistes dissidents publiée par Georges Bataille (p. 35-47). Picasso est souvent cité dans cette revue, Matisse jamais. Le numéro de mars 1930 sera composé d'« Hommages à Picasso », mais aucun des auteurs ne fera avec Matisse des comparaisons qui sont pourtant la norme dans la critique journalistique contemporaine.

25 mai-juin
Exposition de la collection Paul Guillaume à la galerie Bernheim-Jeune. Adolphe Basler décèle une bataille pour la suprématie entre les artistes représentés : « Ce fut une mauvaise journée pour ce génie ibérique [Picasso] que le vernissage de cette exposition. Le suffrage unanime des visiteurs condamna d'emblée les métamorphoses d'un esthétisme aussi prolifique. Les tableaux de cet Espagnol prodige s'enfonçaient dans le mur. Chacun était le témoin d'une secousse ressentie au contact de quelque pièce d'archéologie ou d'ethnographie. Ce n'était que de l'esthétique, en marge de la vie comme de la peinture. Le tragique du cas Picasso s'est trouvé encore accentué par le vis-à-vis du lot de Derain et par les Matisse éparpillés aux environs. À la vérité, le match n'opposait que ces deux derniers peintres. Picasso restait *knock out*. "La victoire est aux Français !" crièrent à l'envi artistes et critiques » (« M. Paul Guillaume et sa collection de tableaux », *L'Amour de l'art*, juillet 1929, p. 255-256).

1er juin
Dans son journal intime, le marchand René Gimpel résume une conversation avec Jacques Mauny, artiste et agent français du collectionneur américain A. E. Gallatin : « Il est allé chez Doucet, il a vu

Fig. 87
L'appartement de Jacques Doucet à Neuilly avec *L'abondance rouge et palette* de Matisse, vers 1928-1929. Daniel Wolf Inc., New York.

sa nouvelle installation moderne, entièrement faite par Legrain, le relieur... La collection Doucet l'émerveille aussi. Personne n'a su choisir comme lui... Le Louvre a refusé son Picasso, qui serait le plus beau du monde. Au Louvre, au Luxembourg, personne du monde officiel ne veut entendre parler de Picasso. Il est honni. Un nouveau groupement, une société s'est formée pour faire entrer les modernes au Louvre et ne pas renouveler les erreurs d'antan, mais les premiers achats ont déjà été lamentables, à part le Matisse, qu'en vérité l'auteur a donné [*Nature morte sur une desserte verte*]. Mauny ne jure que par Picasso, un des plus grands maîtres, dit-il, que le monde ait vus. L'Espagnol ferait trois tableaux par jour. Mauny doit exagérer. En tout cas, c'est prodigieux ce qu'il travaille, et même la nuit avec des réflecteurs électriques. Mauny a passé deux heures à Nice avec Matisse qu'il place très haut. Matisse, dont les toiles ne semblent être que de rapides esquisses, les travaillerait des jours et des jours ; il ne se repose pas. En ce moment, il est très occupé et préoccupé par la sculpture. Mauny l'a vu pétrir la glaise et jure que c'est le plus grand sculpteur moderne. Il se lève de très bonne heure et modèle jusqu'à onze heures ; puis se livre au sport, déjeune, et l'après-midi il peint. Il s'entoure d'étoffes anciennes et modernes, mettra un fragment copte à côté d'une de ses toiles et s'en inspirera pour ses harmonies de couleurs. L'amour de la couleur le dévore. Il dessine et peint d'après le modèle. Son éternelle odalisque de ces dernières années est une Basque » (*Journal d'un collectionneur marchand de tableaux*, Paris, 1963, p. 384-385).

7-25 novembre
Exposition de peintures et de dessins de Matisse à la galerie du Portique. Cet événement coïncide avec la publication par Florent Fels de *Henri Matisse* (Éditions des « Chroniques du jour », Paris). En 1930, les illustrations du livre de Fels accompagneront le texte de Roger Fry (*Henri Matisse*, A. Zwemmer, Londres, et *Les Chroniques du jour*, Paris). Un recueil analogue sur Picasso par Eugenio d'Ors paraîtra en décembre 1930.

1930

19 janvier-16 février
Exposition « Painting in Paris from American Collections » au Museum of Modern Art, New York, incluant onze tableaux de Matisse et quatorze de Picasso.
Inauguré le 7 novembre 1929 sous la direction d'Alfred H. Barr, le Museum of Modern Art promeut l'œuvre de ces deux artistes par le biais d'expositions majeures et d'une politique d'acquisition dynamique.

27 février
Matisse part pour Papeete, via New York. Le 15 juin, il quittera Tahiti, pour atteindre Marseille (par la Martinique, Panama et la Guadeloupe) le 31 juillet. Son voyage est largement commenté par la presse française.
Interrogé par Albert Junyent qui veut savoir s'il aime les voyages, Picasso répond : « Cela dépend. Du point de vue personnel, oui. Mais professionnellement, il me semble que ça doit être très embêtant d'aller à l'autre bout du monde, comme le fit Matisse suivant la route de Gauguin, pour découvrir enfin qu'après tout, la lumière de là-bas et les éléments essentiels du paysage que l'œil du peintre choisit ne sont guère différents de ceux qu'il pouvait trouver sur les bords

de la Marne ou dans la région de l'Ampurdán »
(« Una vista a Picasso, senyor feudal », *Mirador*,
Barcelone, 16 août 1934 ; cité dans Pablo Picasso,
Propos sur l'art, édition établie par Marie-Laure
Bernadac et Androula Michael, Paris, Gallimard,
1998, p. 31). La réponse de Picasso laisse penser
qu'il connaissait le récit, par Matisse, de son voyage
à Tahiti, paru dans « Entretien avec Tériade »,
L'Intransigeant, 20 et 27 octobre 1930.

Mars
Publication de *La Peinture au défi* de Louis Aragon,
pour coïncider avec une exposition de collages à la
galerie Goemans, Paris. Picasso est représenté par
six œuvres et loué dans le texte d'Aragon comme
l'instigateur de la révolte contre les techniques
artistiques traditionnelles. Évoquant les bas-reliefs
de Picasso exécutés en 1926 à partir de chutes de
tissus, Aragon écrit : « Je l'ai entendu alors se plaindre,
parce que tous les gens qui venaient le voir […]
croyaient bien faire en lui apportant des coupures
d'étoffes magnifiques *pour en faire des tableaux*.
Il n'en voulait pas, il voulait les vrais déchets de la
vie humaine, quelque chose de pauvre, de sali,
de méprisé » (p. 26). La référence aux « tableaux »
composés d'« étoffes magnifiques » est sans doute
une allusion voilée au travail de Matisse.

5 mars
Dans son compte rendu d'une récente visite
à l'atelier d'André Derain, Paul Morand rapporte
l'opinion de ce dernier sur ses deux principaux
rivaux : « Picasso ? C'est un démon de l'orgueil.
Un Espagnol hautain. Il n'essaie jamais de faire bien
quoi que ce soit ; il essaie de faire mieux que les
autres. Matisse ? Il peint bien ; pourtant il ne peint
pas la structure intime des choses, mais leur aspect
extérieur. De ce point de vue, néanmoins, c'est un
maître ; il a immensément multiplié nos approches
visuelles » (« The Truth about Modern Painters »,
Vogue, Londres, 5 mars 1930, p. 59).

Avril
Matisse signe un contrat avec Albert Skira pour une
nouvelle édition illustrée des *Amours de Psyché*
de La Fontaine. Ce texte sera ensuite remplacé
par les *Poésies* de Stéphane Mallarmé, qui paraîtront
en octobre 1932. Skira s'est déjà assuré la promesse
de Picasso d'illustrer *Les Métamorphoses* d'Ovide,
qui seront publiées le 25 octobre 1931.

12 juin-fin juillet
Exposition de sculptures de Matisse à la galerie
Pierre. Essayant d'obtenir un contrat d'exclusivité
pour la sculpture de Matisse, Pierre Loeb organise
l'exposition avec la fille de l'artiste, Marguerite Duthuit.
Picasso se rendit très certainement à cette exposition.
Christian Zervos commente leur attitude similaire
envers la sculpture : « Ainsi, Matisse et Picasso
attachent à la sculpture une importance
considérable. Elle n'est pas chez eux un simple
divertissement. Elle est même davantage qu'une
sorte de contrôle efficace qui accomplit le dressage
de l'esprit, réprime ou ordonne ses mouvements
immédiats. Elle permet à ces artistes de réaliser
ce à quoi se refusent les lois de la peinture.
Matisse sacrifie, par moments, à la sculpture,
le meilleur de son temps. Et j'ai vu dernièrement
Picasso dans un état de merveilleuse exaltation
parce qu'il venait de commencer la réalisation
de sa nouvelle vision sculpturale. "Depuis
Les Demoiselles d'Avignon, me confia-t-il, je n'ai
pas été aussi ému que je le suis avec mes nouvelles
sculptures." » (« Sculptures de Matisse
(galerie Pierre) », *Cahiers d'art*, n° 5, 1930, p. 275).

Fig. 88
Banquet donné lors de la rétrospective Matisse à la galerie
Georges Petit en 1931, Paris. Archives Matisse.

14 septembre-mi-octobre
Matisse est aux États-Unis. Il accepte une commande
d'Albert Barnes pour des peintures murales destinées
à sa Fondation de Merion, en Pennsylvanie (fig. 12).
À Pittsburgh, il fait partie du jury qui décerne le prix
du Carnegie Institute : les 1 500 dollars du premier
prix vont à Picasso pour *Portrait de madame
Picasso*, 1923. Dans un entretien avec Tériade,
publié en plusieurs livraisons dans *L'Intransigeant* à
la fin octobre 1930, Matisse remarque que, puisque
le jury est composé « par des artistes de tendances
si irrémédiablement différentes », le résultat
« ne comporte aucune signification » (Henri Matisse,
Écrits et propos sur l'art, édition établie par
Dominique Fourcade, Paris, Hermann, 1972, p. 112).
Malgré le caractère sobre et classique du portrait
qui remporte le prix, la plupart des critiques
américains sont stupéfiés par le triomphe de Picasso.
Henry McBride affirme que le succès de Matisse en
1927 était une indispensable étape intermédiaire :
« Le gain de ce prix, une fois la fureur dissipée, rend
possible d'inviter Matisse à venir dans ce pays en
qualité de juré. Cela fut fait – et il vint cette année.
Avec Matisse dans le jury, il devient parfaitement
naturel et simple d'accorder le prix de cette année
à Picasso ! Voyez-vous, maintenant, comment tout
cela fonctionne ? Il n'y a pas de quoi se scandaliser,
d'aucune manière, il s'agit d'une séquence
naturelle, qui aboutit à… quoi donc ? Eh bien, je ne
prétends pas avoir le don de prophétie, mais je ne
serais guère surpris de voir le grand Pablo lui-même
arriver à Pittsburgh en qualité de juré d'ici un an ou
deux, et lorsque Picasso aura fait son entrée dans
cette salle des jurés, qui sait ce qui pourrait arriver
en matière de remise de prix ? » (« The Palette
Knife », *Creative Art*, novembre 1930, p. 78).

2 novembre
Dans un article sur le Salon d'automne, publié dans
Le Carnet de la semaine, Louis Vauxcelles résume
les conséquences généralement catastrophiques
du krach de Wall Street du 29 octobre 1929 sur le
marché de l'art : « Il y a crise, et crise inquiétante.
Les industries du luxe sont paralysées ; les peintres
chôment, pâtissent. Les galeries de tableaux
vendent bien un Manet ou un Renoir, mais pas de
jeunes… Les confidences que je reçois sur ce sujet
sont navrantes… Seuls un Matisse, un Derain, un
Picasso, continuent à gagner des grosses sommes,
leur peinture étant prétexte à spéculation. »

Décembre 1930-3 janvier 1931
Matisse effectue un troisième voyage aux États-Unis.
Il séjourne à Merion pour procéder à des études
préparatoires destinées à *La Danse*, la peinture
murale de la Fondation Barnes. Son départ et sa
commande prestigieuse font l'objet de nombreux
articles dans la presse française.

À son retour en France, il se consacrera à ce projet,
excluant la peinture pour développer la composition
au moyen de papiers découpés. La seconde version
achevée de la peinture murale sera installée à Merion,
sous la supervision de l'artiste, en mai 1933 (fig. 12).

1931

Avril
Parution de « Pour ou contre Henri Matisse :
Enquête, Opinions, Documents », édité par
Raymond Cogniat (*Les Chroniques du jour*, n° 9),
dans l'attente de la rétrospective imminente de
Matisse à la galerie Georges Petit. Un ouvrage similaire
consacré à André Derain est déjà paru. Un autre
sur Picasso est prévu, mais ne sera jamais publié.

1er juin
Élie Faure cite Matisse et Picasso comme des
exemples majeurs dans un résumé pessimiste
de la crise morale qui toucherait la culture
contemporaine : « Seuls Picasso d'un côté,
Matisse de l'autre, représentaient les deux pôles
des esthétiques en lutte, l'un cherchant dans la
sensation colorée une sorte d'alchimie concrète
qui pût extraire de la forme le maximum de richesse
chromatique qu'elle enferme, l'autre demandant
à ses arabesques linéaires de le conduire à des
édifices abstraits – qu'il baptisait poésie, et qui
sont en effet poésie – dont le premier souci était de
ne plus rien devoir à la "nature", mais tout à l'esprit
désormais maître absolu d'inventer, de construire,
de donner la vie aux idées. D'un côté, un Occidental
parvenu à l'extrémité de la longue enquête
européenne. De l'autre, un Oriental désensualisé
par le génie sémitique et parvenu à l'extrémité de
la rêverie asiate […] Je n'ai pas à me demander ici ce
qui restera de ces maîtres – car ce sont des maîtres
jusque dans leurs erreurs et leurs recherches
outrancières –, ni à apprécier les désastres qu'ils
ont provoqués dans la peinture elle-même et les
voies qu'ils ont ouvertes dans l'esprit désintéressé
de ses fins. Il semble qu'ils soient l'un et l'autre

En haut : Une des toiles du peintre Henri Matisse (collection de Miss Etta Cone) exposée
à Paris, et M. Henri Matisse. — *En bas* : Une des dernières œuvres de M. Pablo
Picasso : Les trois musiciens ; à droite : La célèbre danseuse Argentina.

Fig. 89
Montage paru dans *Le Mois* du 1er juillet 1931 : en haut à droite,
Henri Matisse à côté d'un de ses tableaux ; en bas à gauche,
les *Trois Musiciens* de Picasso et, en bas à droite, la danseuse
Argentina. Archives Matisse.

parvenus au bout de la voie qu'ils ont ouverte et qui est peut-être bien une impasse, comme toutes les fois qu'une intention par trop systématisée guide la main » (« L'Agonie de la peinture », *L'Amour de l'art*, 1er juin 1931, p. 235-236).

16 juin-25 juillet
Exposition Henri Matisse à la galerie Georges Petit, organisée par Josse et Gaston Bernheim-Jeune et Étienne Bignou, « au profit de l'orphelinat des arts ». Matisse montre cent quarante et un tableaux, une sculpture, un choix de gravures et une centaine de dessins, la plupart de ces œuvres datant de son installation à Nice. Christian Zervos consacre un numéro spécial de *Cahiers d'art* à Matisse (n° 3-5). Le vernissage somptueux est largement commenté dans la presse et plusieurs journalistes, dont Helen Appleton Read, remarquent la présence de Picasso dans l'assistance : « Matisse refusa d'être porté en triomphe et s'éclipsa en début de soirée, préférant que ses tableaux parlent à sa place. Mais Picasso, qui, avec Matisse, partage la distinction d'être à la pointe de la peinture du vingtième siècle, resta très en vue » (« Matisse, accepted at last », *Brooklyn Eagle Magazine*, 26-31 juillet 1931 ; voir fig. 88). Il est probable que les contacts entre Matisse et Picasso reprirent à cette époque. Une version réduite de l'exposition est visible à la Kunsthalle de Bâle (9 août-15 septembre).

23 juin-11 juillet
Exposition d'œuvres de Picasso (peintures, gouaches, pastels, dessins, d'époques diverses) à la galerie Percier. Le moment choisi pour cette manifestation, ainsi qu'une exposition commune à la galerie Paul Rosenberg (1er-21 juillet), où une salle entière est consacrée à Picasso, conforte encore la comparaison avec Matisse (voir fig. 89). Waldemar George, autrefois ardent partisan de Picasso, associe maintenant ce dernier à « une névrose moderne, à une soif du mystère, à une obscure volonté d'évasion propre aux époques sans dieu », et il ajoute : « Ce ne sont pas les dominantes de l'époque, des constantes de l'art européen, par qui la race blanche s'assure dans l'histoire sa survie et son identité » (« Les cinquante ans de Picasso et la mort de la nature morte », *Formes*, n° 14, avril 1931, p. 56). À l'inverse, il défend Matisse comme « la fine fleur de la peinture française » et poursuit en ces termes : « Matisse a accompli son œuvre de rédemption dans les frontières de l'art de notre temps [...]. Un tableau de Matisse n'est jamais un problème posé et résolu. Ce n'est pas un caprice traduit en chiffres plastiques » (« Dualité de Matisse », *Formes*, n° 16, juin 1931, p. 94). L'idée selon laquelle la rivalité entre les deux artistes n'interdit nullement des influences réciproques commence à faire son chemin à partir de cette époque. Ainsi, Pierre de Colombier suggère que « dans ces dernières années, [Matisse] a multiplié – à l'exemple de Picasso, qu'il surveille toujours du coin de l'œil – les dessins au stylo, les dessins purement linéaires ». Mais tandis que les dessins au trait de Picasso semblent « froids » dans leur « exaltation concertée de la forme », Matisse « se laisse aller avec aisance à son goût voluptueux, à son goût aussi de garnir sa feuille de papier de lignes gracieuses » (« Henri Matisse », *Candide*, 9 juillet 1931). Jacques-Émile Blanche, le portraitiste de la société, raille l'« ardeur méditative » des « fidèles fanatisés » de chaque artiste, et remarque : « Que les fraîches esquisses de l'enchanteur coloriste touchent un public tant soit peu entraîné n'est que justice...

À son meilleur, Matisse n'est que charme, joie, légèreté. On sait peu de toiles plus ravissantes que tels de ses intérieurs niçois, avec, et encore mieux, quand ils sont sans figures... Mais la peinture abstraite de Picasso est tout à l'opposé de la peinture sensuelle, aphrodisiaque, de Matisse. Combien de gens formuleraient-ils une opinion pertinente sur le sens de l'inquiétude métaphysique que trahissent ses récentes productions ? Le versatile virtuose catalan est de ceux qui vont au bout et même au-delà de leurs possibilités » (« La peinture et la canicule », *Le Figaro*, 17 juillet 1931).

25 octobre
L'ouverture de la galerie Pierre Matisse à New York est annoncée dans *The Art News*. Cette galerie devient l'un des principaux débouchés pour le travail de Matisse aux États-Unis. La première exposition (15 novembre-5 décembre) inclut des tableaux de Braque, Derain, Dufy, Lurçat, Rouault et Rousseau, en plus d'œuvres de Matisse et de Picasso. Au cours des années trente, Pierre Matisse organisera plusieurs expositions collectives similaires, incluant des œuvres de son père et de Picasso, en mars 1933, janvier 1937, janvier 1938 et janvier 1939.
Publication par Albert Skira des *Métamorphoses d'Ovide*, accompagné de trente gravures de Picasso.

3 novembre-6 décembre
« Henri Matisse : Retrospective Exhibition » au Museum of Modern Art, New York. Organisée par Alfred H. Barr, cette exposition montre soixante-dix-huit tableaux, onze sculptures et de nombreux dessins et gravures, l'accent étant mis sur le travail de Matisse antérieur à 1918. Henry McBride approuve vigoureusement cette réorientation : « À Paris, on a constaté un certain refroidissement dans l'enthousiasme de ceux qui avaient été auparavant très enthousiastes. Il leur semblait que la réputation de Matisse avait souffert. Et maintenant, tout à coup, voici une nouvelle exposition et, oui, Matisse est de nouveau le peintre important qu'il est en réalité » (« The Museum of Modern Art gives a Matisse exhibition with special success », *New York City Sun*, 7 novembre 1931).
Le projet de Barr qui veut organiser une rétrospective Picasso tout aussi importante au Museum of Modern Art, durant l'automne 1931, échoue en juin lorsque Picasso retire son accord pour coopérer à cette entreprise (voir Michael Fitz Gerald, *Making Modernism*, New York, 1995, p. 204-213). La rétrospective de Picasso voulue par Barr aura finalement lieu en 1939-1940.

1932

Juin
Tériade cite Picasso sur Matisse : « Au fond, tout ne tient qu'à soi. C'est un soleil dans le ventre aux mille rayons. Le reste n'est rien. C'est uniquement pour cela, par exemple, que Matisse est Matisse. C'est qu'il porte ce soleil dans le ventre. C'est aussi pour cela qu'il y a, de temps en temps, quelque chose. L'œuvre qu'on fait est une façon de tenir son journal » (« En causant avec Picasso », *L'Intransigeant*, 15 juin 1932).
Parution par Christian Zervos du premier volume de son catalogue complet de l'œuvre de Picasso, *Pablo Picasso : « Œuvres de 1895 à 1906 »* (Éditions des « Cahiers d'art », Paris).

Fig. 90
L'exposition Picasso à la galerie Georges Petit, Paris, 1932, avec des annotations de Margaret Scolari Barr et Alfred H. Barr. The Museum of Modern Art Archives, New York.

16 juin-30 juillet
Exposition Picasso à la galerie Georges Petit, présentant deux cent vingt-cinq tableaux (dont une série de grands nus achevés peu de temps avant l'ouverture), sept sculptures et six livres illustrés (fig. 90). Pierre Matisse fait partie des personnalités remerciées pour leur collaboration. Une version élargie de l'exposition sera visible à la Kunsthaus de Zurich (11 septembre-30 octobre).
Matisse, qui a évidemment vu cette rétrospective à Paris, écrit une lettre à Pierre Matisse, en date du 10 août 1933 : « Je n'ai pas à répondre à l'exposition de Picasso, puisqu'elle a été faite en réponse à la mienne » (Bois, 1998, p. 248).
Les critiques français – dont bon nombre sont hostiles – s'attachent volontiers à la variété stylistique de l'œuvre de Picasso, à sa dette envers d'autres artistes et au caractère monstrueux de ses représentations récentes de la figure humaine. Louis Mouilleseaux remarque dans *Le Cahier* : « Il y a au moins trois manières dans ce maître curieux. La première, la bleue, comme on l'appelle, est sur la grand'route. Art divin qui s'égale à tout ce qui est de plus grand. La seconde, cubiste, sur le chemin de côté, géniale, expérience inégalable sur le rythme, sur le souci de découvrir les secrets et la synthèse de la forme, toute simple et naturelle, quoiqu'on la pense, faussement spiritualiste et transcendantale. [...] Mais Picasso a une troisième manière. Ce maître, en vérité, nous eût donné une autre opinion de lui, homme, en choisissant de s'arrêter au moins derrière un buisson pour se débonder de cette dernière manière. Fabrication de très mauvais sous-Matisse, de très mauvais faux Diego-Rivera, vulgarité monumentale. Toute une salle, la plus grande, chez Petit, est tapissée de ces... erreurs » (« Expositions : Manet-Picasso », juin-juillet, 1932, p. 44, 46).
Dans une critique largement favorable, André Lhote soutient que le travail de Picasso, contrairement à celui de Matisse, reflète judicieusement « l'inquiétude » de l'époque : « Les grandes natures mortes de Picasso [du milieu des années vingt] (il y en a une dizaine d'indiscutablement admirables) réalisent à ce point de vue, avec les grandes toiles de Matisse (je pense aux très beaux *Marocains en prière*), le dernier mot de l'art moderne, dont les effets, selon Matisse, doivent être comparables à ceux d'un bon fauteuil. Ceci, il est vrai, se disait durant les trente premières années d'un siècle qui s'annonce fertile en événements extraordinaires. Je serais fort étonné si les inquiétudes actuelles, les révolutions de demain, n'inclinaient pas le public à demander bientôt aux œuvres d'art un peu plus qu'une *petite secousse* » (« Chronique des arts », *Nouvelle Revue française*, 1er août 1932, p. 288).

Comme il l'avait fait pour Matisse en 1931, Christian Zervos consacre un numéro spécial de *Cahiers d'art* à Picasso (VII, n° 3-5).

7 août
Matisse écrit à Pierre Matisse pour évoquer une récente rencontre avec Albert Barnes : « Il m'a dit que le livre était fini, qu'il était très content, car en sortant du bateau, il le donnera à l'éditeur. [...] Il m'a dit que dans son livre, il avait dit, comme dans sa conférence, que Picasso ne voyait pas la couleur et qu'il avait fait un *travesti de Matisse*. [Georges] Keller [le marchand] a transmis à Barnes une invitation à un déjeuner au château de Picasso, et il a refusé. Il paraît que Picasso est tout à fait abattu de ce que B. ne s'intéresse pas à son œuvre. Bignou voudrait lui faire acheter un grand tableau bleu, un homme et une femme nus l'un contre l'autre ; la femme a l'air enceinte et le tableau s'appelle *La Vie*. B. me dit qu'il avait près de dix Picasso et c'était bien suffisant » (Russell, 1999, p. 67). Dans une lettre non datée de 1932, Matisse écrit à Albert Barnes : « La petite collection de photos prises pendant l'exécution de la décoration [*La Danse*], et que je vous ai donnée, sera d'un grand intérêt au point de vue pédagogique, au point de vue de la création d'une œuvre imaginative. Je viens de lire un article sur Picasso dans lequel il fait dire qu'il est en train de faire un dessin sur une plaque de cuivre et qu'il tire des épreuves au fur et à mesure de son travail, de sorte qu'une fois son dessin fini, il aura une série montrant la genèse de l'œuvre. C'est ce que je fais depuis deux ans avec la décoration. J'espère que Picasso n'a pas entendu que je travaille ainsi, et que c'est par une heureuse coïncidence que nous nous rencontrons dans la même idée » (A.M.).

11 septembre-30 octobre
Pendant l'exposition de Picasso à la Kunsthaus de Zurich, Gotthard Jedlicka prononce une conférence où il tente de définir le rapport artistique entre Matisse et Picasso : « Cette exposition a prouvé que la peinture de Picasso constitue l'attaque la plus dangereuse menée contre la peinture française : on ne saurait le souligner suffisamment. C'est à tous égards l'invasion d'une force barbare dans un monde sûr de lui, avec toute la puissance et le danger que cela suppose. Aujourd'hui déjà elle a initié une révolution aux graves conséquences, qui s'est répandue dans le monde entier. La peinture de Matisse est le barrage que la peinture française a construit, ou tenté de construire, contre cette invasion. Les deux forces artistiques incarnées par ces deux artistes sont en proie à un combat passionné. J'ai l'impression que Matisse et Picasso en sont très conscients, et que leurs différences de personnalité, qui sont légions, se combinent avec leurs différences d'artistes... Mais ces deux artistes sont non seulement des chefs – ce sont aussi des séducteurs. Chez l'un, le Français, c'est la clarté qui séduit. Chez l'autre, l'Espagnol, c'est le mystère... L'œuvre de Matisse ressemble à une victoire de la raison pure ; l'œuvre de Picasso au jeu d'un démon. Matisse est un classique – aujourd'hui le dernier classique de la peinture française. Et comme maints classiques avant lui, c'est aussi un constructeur. Mais Picasso est un romantique, le romantique le plus inquiet et le plus fascinant que la peinture ait jamais produit. L'un est avant tout un peintre, l'autre un artiste d'idées... Matisse se bat toujours pour arriver à l'objectivité, tout comme jadis les maîtres du classicisme français. Il travaille à partir de l'objet et crée le sujet sous une forme visuellement ordonnée. Même dans les natures mortes bleues, presque abstraites [par exemple, fig. 27], qui semblent

tellement éloignées de la réalité, il représente une expérience factuelle de manière presque dogmatique... Picasso, à l'inverse, a toujours travaillé à partir d'une humeur. Il est l'exemple parfait de l'artiste égocentrique. Il cherche, dans toutes ses entreprises, à réaliser une sensation indépendante de l'objet qui l'a suscitée. Il ne recherche pas la qualité de l'objet, mais la qualité de la sensation. Il recherche avec une détermination sans cesse croissante. Même les figures qui semblent fondées sur des modèles réels naissent d'une humeur et sont arrachées à la réalité. Finalement, le monde entier n'est rien d'autre à ses yeux que la somme de stimuli différents » (Gotthard Jedlicka, *Picasso*, Zurich, 1934, p. 46-55).

Fin septembre
Dans un échange de lettres, Francis Picabia et Léonce Rosenberg commentent les conséquences de la dépression sur les valeurs du marché.

Fig. 91
Picasso, maquette de couverture de la revue *Minotaure*, mai 1933.
Techniques mixtes, 48,5 x 41. The Museum of Modern Art, New York.
Don de M. et Mme Alexandre P. Rosenberg.

Le 24 septembre, Picabia écrit à Rosenberg : « Je crois bien que pour Matisse et Picasso l'ascenseur ne remonte jamais, c'est plus difficile que cela de faire de la peinture et cela n'a rien à voir avec le BACCARAT » (« Francis Picabia : lettres à Léonce Rosenberg 1929-1940 », édition établie par Christian Derouet, *Les Cahiers du Musée national d'art moderne*, Paris, 2000, p. 92). Le 27 septembre, Rosenberg écrit à Picabia : « Bignou m'a avoué l'autre jour qu'il avait vendu, il y a trois ans, à un Américain un grand tableau de Matisse pour 600 000 francs ! Et que dans une vente prochaine, on verrait les tableaux de ce peintre atteindre péniblement vingt-cinq pour cent de leur ancienne valeur. [...] Bruxelles, Londres, Stockholm, Berlin et New York, qui ont acheté des Matisse. Quelle agréable surprise pour elles quand elles verront que leurs tableaux ne valent plus que vingt-cinq pour cent de la somme déboursée ! Je ne crois pas que Picasso baisse dans la même proportion (car il est extrêmement populaire), sauf pour les tableaux au-dessus de 100 000 francs ; cependant, une baisse sensible se fera sentir, 50 % je crois, sur les prix moyens. Le tableau de Picasso, autrefois à 50 000 francs, se vendra, le temps aidant, 20 000 francs environ » (*ibid.*).

Octobre
Publication par Albert Skira des *Poésies de Mallarmé*, accompagnées de vingt-neuf gravures de Matisse.

Mai
Jean Cassou, qui publiera par la suite des monographies sur les deux artistes, soutient l'opinion générale selon laquelle Matisse est le Français modéré, rationnel, et Picasso l'Espagnol excessif : « Ces deux grands lyriques, Matisse et Picasso, ont croisé leurs regards. Mais Matisse laisse passer à portée de sa main, sans y toucher, les philtres et les charmes austères de la spéculation. "Nous cherchons, aurait-il dit à Picasso, la même chose par des moyens opposés." Et ces moyens, par lesquels il poursuit de son côté la libération de l'esprit, il en est depuis longtemps déjà le maître. Les variations de méthode ne sont pas dans son tempérament. Il n'a donc qu'à persévérer dans sa voie. Pour essentielles que soient les figures auxquelles il aboutit, elles ne sauraient verser dans l'abstraction. Son génie décoratif le garde de cette extrémité. Et aussi, sans nul doute, ce goût du naturel qui est propre au génie français. Picasso, Espagnol paradoxal et héroïque, entraînait la peinture vers la tentative exceptionnelle et l'attitude forcée, vers le monstre. Matisse, s'il se dépouille, ce ne sera jamais par esprit de renoncement, mais par économie. Parvenu à la lisière de l'hermétique, il recule. Ce n'est pas là ce qu'il cherchait. Provoquer et déplaire, cela n'entre nullement dans son jeu ; et d'abord, il ne joue pas. Ce qu'en réalité [...] il a cherché à retrouver, c'est l'aisance, l'agrément et le charme. C'est la grâce. Et c'est ici que la décoration le sauve de l'abstrait. L'abstrait, chez Picasso, se présente toujours comme une proposition, une hypothèse, une formule magique, ou une revendication, une protestation violente, un cri de guerre. Jamais, ou presque jamais, il ne s'épanouit en combinaison décorative » (« L'histoire de l'art contemporain : Matisse », *L'Amour de l'art*, vol. XIV, n° 5, mai 1933, p. 108-110).

Début de l'été
Parution de l'ouvrage d'Albert C. Barnes et Violette de Mazia, *The Art of Henri Matisse* (Charles Scribner's Sons, New York et Londres). Même s'ils affirment qu'« en centrant son intérêt sur la décoration, il manque les valeurs suprêmes de la peinture », les auteurs décrivent les œuvres de Matisse comme « inégalées par celles de tout autre peintre de sa génération » (p. 210-211). Le cubisme est défini comme un désastre « pour toute la peinture ultérieure », et les toiles cubistes peintes par Picasso après la guerre comme des échecs parce qu'elles combinent « des structures plus ou moins cubistes avec des couleurs brillantes et exotiques qui imitent manifestement celles de Matisse. Le résultat est un travestissement à la fois de sa propre forme et de celle de Matisse » (p. 215-216).

Juin
Le numéro inaugural de la luxueuse revue *Minotaure*, publiée par Albert Skira, est largement consacré à l'œuvre de Picasso, qui en conçoit la couverture (fig. 91). Il inclut l'essai d'André Breton sur sa sculpture, « Picasso dans son élément », illustré par des photographies de Brassaï.

Août
Malgré les efforts acharnés de Picasso pour obtenir une injonction, les mémoires intimes de Fernande Olivier concernant sa liaison avec lui sont publiées à Paris par la Librairie Stock, sous le titre *Picasso et ses amis*. (Des extraits ont déjà été publiés dans *Le Soir*, en septembre 1930, et dans le *Mercure*

de France, en mai-juillet 1931.) Ce livre aborde les rapports personnels entre Matisse et Picasso en 1906-1911 (p. 363, 365).

30 août
Publication du livre de Bernhard Geiser, *Picasso : Peintre-Graveur. Catalogue illustré de l'œuvre gravé et lithographié 1899-1931*, Imprimerie Union, Berne. Cet ouvrage est un complément au catalogue complet des tableaux et des dessins de Picasso, publié par Christian Zervos. Aucun catalogue de l'œuvre de Matisse ne sera publié de son vivant.
Mme Coquiot fait don du *Portrait de Gustave Coquiot* de Picasso au musée du Jeu de paume : c'est la première œuvre de Picasso à entrer dans une collection publique à Paris.

1934

Février-mars
George Macy commande des illustrations aux deux artistes, pour le Limited Editions Club, New York : à Picasso pour *Lysistrate* d'Aristophane et à Matisse pour *Ulysse* de James Joyce. *Lysistrate* sera publié à l'automne 1934 (6 eaux-fortes et 34 lithographies), *Ulysse* en 1935 (6 eaux-fortes sur cuivre avec vernis mou).
Parution des mémoires de Gertrude Stein, *Autobiographie d'Alice B. Toklas*, Paris (traduit par Bernard Faÿ à partir de *The Autobiography of Alice B. Toklas*, Londres, 1933). Matisse figure parmi ceux qui réagirent avec colère dans *Testimony against Gertrude Stein* (« Pamphlet n° 1 », *Transition*, février 1935). Il proteste violemment contre le « sans-gêne et l'irresponsabilité » (p. 7) du récit et il réfute en détail des passages précis, y compris l'affirmation selon laquelle Picasso « créa le cubisme » : « D'après mes souvenirs, ce fut Braque qui créa la première toile cubiste » (p. 6). Il explique le préjugé favorable de Stein pour Picasso, à son propre détriment : « Gertrude Stein avait un attachement sentimental pour Picasso. En ce qui me concerne, elle a donné libre cours dans son livre à une vieille rancœur qui trouvait son origine dans le fait que m'ayant promis d'aider Juan Gris, qui avait été rattrapé par la guerre à Collioure où il était obligé de rester, elle ne tint pas parole, et ce fut pour cette raison que je cessai de la voir » (p. 6-7). Picasso, qui continue de fréquenter périodiquement Gertrude Stein, ne fait aucune déclaration publique. Néanmoins, dans une lettre du 23 septembre 1934 à Simon Bussy, Matisse déclarera : « Picasso est fâché avec elle » (B.L.). Le 2 novembre, Albert Barnes écrira à Leo Stein : « Picasso et Matisse m'ont dit tous les deux quelle sacrée menteuse elle [Gertrude Stein] est, et je lui ai également reproché ce qu'elle dit sur moi dans son livre. Votre explication est meilleure que la leur ou la mienne – elle est tellement éloignée de la réalité qu'elle ne fait pas la différence entre l'affabulation et les faits. Elle est une proie toute désignée pour les journalistes locaux et elle excède presque toujours les limites du ridicule. Mais bien sûr, c'est une comédienne et une exhibitionniste tellement douée qu'elle ne laisse rien filtrer derrière son masque hautain. En lisant son livre, j'ai souvent pensé à votre réponse, en 1913 ou 14, à ma question – Pourquoi quittez-vous Paris pour vivre en Italie ? – Gertrude est folle. Je ne la supporte plus » (B.L.). Selon Christian Zervos, lorsqu'on demanda à Picasso s'il avait lu le livre de Gertrude Stein, il répondit : « Non, car si c'est vrai ce qu'elle dit je le connais, si ce n'est pas vrai, elle n'a pas d'invention pour m'intéresser » (lettre à Matisse, 8 mars 1935, A.M.).

1er octobre
Mort de Paul Guillaume.

4 décembre
Matisse écrit à Pierre Matisse : « Waldemar George fait une société des amis de… P. Guillaume ! Picasso, Derain, Max Jacob, Vollard, etc. et je m'y suis trouvé englobé et naturellement malgré moi. » Il poursuit par la description d'une visite à Paul Rosenberg, qui l'a « chauffé à blanc » d'excitation : l'escalier de Rosenberg est couvert « de bas jusqu'en haut de grands Picasso et des grands Braque – avec beaucoup de lumière, ça faisait très bien » (P.M.L.).

1935

Janvier-février
Cahiers d'art traverse une grave crise financière. Le 23 janvier, Christian Zervos écrit à Matisse en lui demandant de lui offrir une toile, qui sera vendue aux États-Unis, « pour pouvoir continuer encore cette année ». Picasso figure en tête de sa liste d'artistes qui ont déjà fait don d'un tableau. Le 28 février, Matisse répond : « On vous remettra la toile en question avant la fin de la semaine » (A.M.).

Mars-avril
Exposition « Les Créateurs du cubisme » organisée par Raymond Cogniat (38 œuvres de Picasso), à la galerie des Beaux-Arts. Le 22 mars, Matisse écrit à Pierre Matisse, de Nice : « J'irai dans deux semaines à Paris pour la grande exposition cubiste dans laquelle il y a deux Picasso extraordinaires, qu'on dit être deux coups de canon » (P.M.L.), et le 26 avril : « L'expo. cubiste a l'air triste et sans jeunesse. C'est l'avis de gens que j'ai vus et qui reflète des milieux intéressants – et Picasso est, dit-on, d'une humeur massacrante – malgré tout (c'est-à-dire qu'il est désagréable), j'ai été peiné de voir si peu de bonheur dans cette expo. J'ai vu Picasso chez [Roger] Lacourière [l'imprimeur] ; il m'a dit avec amertume qu'on trouvait l'expo. Braque la meilleure » (P.M.L.).
Le dégoût de Picasso se manifeste dans une conversation avec Kahnweiler le 9 mars 1935 : « Il n'y a pas de cubisme dans tout ça. Tout me dégoûte, mes propres choses les premières » (Daniel-Henry Kahnweiler, « Entretiens avec Picasso », *Quadrum*, n° 2, novembre 1956, p. 74).

Juillet
Dans sa campagne entreprise pour faire renaître l'industrie française de la tapisserie, Marie Cuttoli commande à Matisse le dessin d'un carton de tapisserie. Il réagit avec la peinture à l'huile, *Fenêtre à Tahiti I*. Le premier carton de Picasso pour Mme Cuttoli, *Confidences*, est réalisé en 1934 selon la technique du collage. Les deux tapisseries, tissées en 1935-1936, seront exposées à la galerie Bignou, New York, en avril 1936 (*Modern French Tapestries from the collection of Madame Cuttoli*, n° 8-9).

12-30 novembre
Exposition « Henri Matisse : Dessins » à la galerie Renou et Colle, incluant aussi des sculptures de l'artiste. L'exposition parallèle – « Picasso : Dessins » – sera organisée dans la même galerie, quelques mois plus tard (14 février-11 mars 1936).

Décembre
Publication de « Picasso 1930-1935 », *Cahiers d'art*, X, n° 7-10. Christian Zervos rapporte les remarques suivantes de Picasso : « Il serait très curieux de

---

fixer photographiquement, non pas les étapes d'un tableau, mais ses métamorphoses. On s'apercevrait peut-être par quel chemin un cerveau s'achemine vers la concrétisation de son rêve. Mais ce qui est vraiment très curieux, c'est d'observer que le tableau ne change pas au fond, que la vision initiale reste presque intacte malgré les apparences » (« Conversation avec Picasso », p. 173-178.)
Cela suggère que Picasso connaissait la pratique de Matisse consistant à enregistrer photographiquement l'évolution graduelle, ou les « états » de ses tableaux. (Huit des vingt états successifs du *Nu rose* sont reproduits dans la deuxième édition du livre de Roger Fry, *Henri Matisse*, Londres, New York, Paris, 1935, pl. 57).
Alexander Romm analyse en termes marxistes les principales différences des deux artistes : « Considérée en rapport avec le développement d'un style artistique de la bourgeoisie moderne, la somme des nombreuses années de travail de Matisse n'est pas très grande quand on la compare au rôle majeur joué par le cubisme. Car, quelle que soit notre évaluation du cubisme, une chose est certaine – c'est un style spécifique qui s'harmonise à la réalité capitaliste contemporaine, c'est un style aussi dynamique, déséquilibré et disharmonieux que le capitalisme pourrissant lui-même. [...] Ainsi, le cubisme reflète la réalité complexe du stade impérialiste du capitalisme. L'art harmonieux et décoratif de Matisse n'exprime pas ces fortes tendances. Picasso voit clairement la profondeur de ce phénomène, il s'identifie aux rythmes tempétueux et aux dissonances de l'époque, à sa cacophonie et à sa laideur ; Matisse glisse à la surface des choses. Jouissant d'une grande popularité, il ne crée pas une école unifiée – il fait partie des fauves individualistes – gens d'une époque passée pour qui le plus grand bien est une liberté abstraite, comprise comme l'affirmation extrême de l'ego » (*Henri Matisse*, Moscou, 1935, traduction anglaise par Chen-I-Wan, Moscou, 1937, p. 69-70).

1936

Début 1936
L'artiste japonais Riichiro Kawashima se rappelle ses entretiens avec Matisse et Picasso : « À un certain moment, j'ai eu envie de leur demander ce que chacun pensait du travail de l'autre. C'était il y a longtemps, quand Picasso vivait dans un atelier à la mode qui donnait sur le cimetière de Montparnasse [1913-1916]. Un jour, je lui ai rendu visite et j'ai bavardé avec lui dans une pièce décorée de nombreuses sculptures africaines. Je lui ai demandé : "Aimez-vous Matisse ?" Ses grands yeux brillants se sont écarquillés et il m'a répondu : "Eh bien, Matisse peint de beaux tableaux élégants. Il comprend." Il a refusé d'en dire plus. Lorsque j'ai rendu visite à Matisse à Nice il y a quatre ans, je lui ai demandé : "Que pensez-vous de Picasso ?" Après un moment de silence, il m'a répondu : "Il est capricieux et imprévisible. Mais il comprend les choses" » (*Matisse*, Tokyo, 1936, p. 8-9).

14 février-11 mars 1936
Exposition « Picasso : Dessins » à la galerie Renou et Colle.

Mars
Matisse et Picasso figurent parmi les artistes, écrivains et critiques qui signent une lettre ouverte (publiée dans *Le Petit Démocrate*, 22 mars 1936) pour protester contre la démolition de l'ancien palais du Trocadéro, afin de faire place au nouveau

musée d'Art moderne, en vue de l'Exposition internationale à venir. Ces protestations n'auront aucun effet. Ni Matisse ni Picasso ne recevront la moindre commande de l'État français pour l'exposition.

Printemps
Paul Rosenberg organise des expositions personnelles successives des dernières œuvres des deux artistes : « Exposition d'œuvres récentes de Picasso » (3-31 mars) ; « Expositions d'œuvres récentes d'Henri Matisse » (2-20 mai). C'est la première exposition individuelle de Matisse dans cette galerie. Les critiques se montrent divisés quant à l'audace du nouveau style abstrait de Matisse. Claude Roger-Marx décèle l'influence dommageable de Picasso : « La galerie Rosenberg est-elle encore tout imprégnée des derniers Picasso ? C'est à lui que nous songeons dès le premier regard jeté aux vingt-sept toiles chargées de résumer l'activité d'Henri Matisse depuis deux ans. Pour traduire le malaise éprouvé devant la tératologie de Picasso, devant ses inventions maléfiques, j'ai parlé d'une "atmosphère de crime". Et voici qu'on nous montre un nouvel attentat : attentat d'un artiste contre lui-même. Nous tolérions de Picasso, peintre spécifiquement espagnol, une attitude que nous avons peine à admettre d'un peintre français, d'un des maîtres du vingtième siècle, auquel nous restons fidèles, si j'ose dire, malgré lui. On voudrait préciser le drame actuel, remonter à ses origines. Voici longtemps que Matisse, désireux de combattre au premier rang parmi les novateurs, fait violence à sa vraie nature, et parallèlement à des œuvres exquises, détruit son plaisir, ou du moins le nôtre, dans des coups de force, dans des aventures où certaine vanité – ayons le courage de l'écrire – semble dominer l'inspiration » (« Œuvres récentes d'Henri Matisse », *Le Jour*, 9 mai 1936).

17 juin
Réunion préliminaire de l'Union pour l'art au Grand Palais, à Paris. Selon André Bloc dans son discours d'ouverture, le but essentiel de l'association – dont Matisse et Picasso figurent parmi les membres fondateurs – est de faciliter une collaboration mutuellement bénéfique entre les meilleurs architectes, peintres, sculpteurs et décorateurs, et non pas de fournir un soutien aux artistes sans emploi. Contrairement à Picasso, Matisse assiste à cette réunion ; il est élu vice-président, avec Maillol et Le Corbusier. (Cette initiative restera sans lendemain.)

Juillet
La première version de la peinture murale intitulée *La Danse*, de Matisse, 1931-1933, est achetée par la Ville de Paris.
Matisse est promu au rang d'officier de la Légion d'honneur.
Après la victoire électorale du Front populaire mené par Léon Blum le 5 juin 1936, Matisse et Picasso participent à une exposition organisée sous les auspices de la Maison de la culture (secrétaire général : Louis Aragon), au théâtre de l'Alhambra, à Paris. Matisse prête *Les Marocains* (cat. 63). Cette exposition coïncide avec la représentation, le jour de la fête nationale, de la pièce antifasciste de Romain Rolland, *Le 14 juillet*, avec un rideau conçu par Picasso. Le peintre russe Boris Taslitsky se souvient : « Dans le hall du théâtre, nous avions organisé une grande exposition avec la participation de Matisse, Léger, Picasso, Lurçat, Lipchitz, Goerg, Gromaire et Lhote. Pignon, Amblard

et moi accrochions les tableaux. Nous étions remplis d'embarras : fallait-il mélanger les œuvres des aînés avec celles des jeunes ? Nous accrochions et décrochions sans cesse lorsque Matisse et Picasso arrivèrent. Matisse hésitait sur ce qu'il convenait de faire. Picasso assura qu'il aimait "la charcuterie" et qu'il fallait tout mélanger. Ce fut une drôle d'exposition, pas décousue pour un sou, sans centres de panneaux, où rien n'était mis en évidence et où tout se voyait. Il est vrai qu'aucun marchand de tableaux, aucun comité de Salon n'y avait mis le doigt. La représentation de l'œuvre de Romain Rolland fut un triomphe, le public ovationna le rideau de scène de Picasso, la salle délira de joie lorsque les danseurs venus de la scène envahirent les couloirs et que *La Marseillaise* éclata » (*La Nouvelle Critique*, décembre 1955).

16 juillet
Matisse signe un contrat de trois ans avec Paul Rosenberg, stipulant 30 000 francs pour une toile standard « paysage-50 » (116 x 89 cm).

15 août
Après le début de la guerre civile espagnole le 18 juillet, Matisse et Picasso figurent parmi les nombreux signataires d'un télégramme émanant de la Maison de la culture et adressé à Luis Companys, président du gouvernement catalan, et à la Casa del Pueblo, à Madrid : « Saluons fraternellement héroïques combattants pour la liberté de l'Espagne. Espérons fermement victoire finale du peuple espagnol contre criminelle tentative des aventuriers. Vive l'Espagne populaire, gardienne de la culture et des traditions auxquelles un indestructible attachement nous lie. »

19 septembre
Picasso est nommé directeur du Prado, à Madrid. Bien que soutenant les efforts de la République pour protéger l'héritage artistique espagnol, il ne retourne pas en Espagne.

Octobre
Matisse conçoit la couverture du numéro 9 de *Minotaure*, qui inclut de nombreuses reproductions de son œuvre et l'essai de Tériade, « Constance du fauvisme ». Il élabore également la couverture

Fig. 92
Henri Matisse, couverture de la revue *Verve*, nº 1, 1937.

du numéro inaugural de *Verve*, la revue périodique somptueusement illustrée de Tériade, qui sera publié en décembre 1937 (fig. 92).

1937

20 avril
Publication de la première monographie de Raymond Escholier sur Matisse dans la série « Anciens et Modernes », Librairie Floury, Paris. Le volume jumeau, sur Picasso, par Gertrude Stein, sera publié en 1938.

Mai-juin
En sa qualité d'émissaire de l'Artists International Association, basée à Londres, Quentin Bell obtient la signature de Picasso sur une pétition destinée à rassembler des fonds pour les réfugiés républicains espagnols. Il s'attend à des difficultés pour obtenir la signature de Matisse, car « on pouvait faire confiance [à ce dernier] pour se tenir à l'écart de tout ce qui risquait d'être inspiré par les communistes ». Matisse est d'abord réticent : « Je lui ai vainement fait remarquer que les enfants que nous essayions d'aider étaient beaucoup trop jeunes pour avoir des opinions politiques, puis j'ai vainement protesté en lui affirmant que je n'étais pas communiste et que la réunion prévue à l'Albert Hall ne tenait aucun compte des partis politiques. Mais il restait de glace. Enfin, alors que j'avais perdu tout espoir de l'émouvoir, je lui ai révélé que Picasso avait signé. Il a sursauté, il a regardé, pris son stylo et ajouté son nom » (Quentin Bell, *Elders and Betters*, Londres, 1997, p. 17-18).

17 juin-10 novembre
Exposition « Les Maîtres de l'art indépendant 1895-1937 », au Petit Palais. Dans cette manifestation d'ampleur, dont le commissaire est Raymond Escholier, Matisse et Picasso occupent chacun une galerie entière ; ils ont l'occasion de choisir et d'accrocher eux-mêmes leurs œuvres. Le catalogue annonce soixante et un tableaux de Matisse, ainsi que trente tableaux et deux sculptures de Picasso. Les deux artistes montrent également de nombreux dessins et gravures ne figurant pas dans le catalogue. L'exposition provoque une controverse animée, qui concerne surtout la définition de « l'art indépendant », le mélange d'artistes français et non français de l'École de Paris, le rôle des marchands et l'état de l'art contemporain en cette période de grande tension politique et d'incertitude économique. Dans un article en deux parties, Louis Gillet, de l'Académie française, définit ce qu'il considère comme les limites émotionnelles de l'art « irrésistible » de Matisse, et le caractère funeste du « génie » de Picasso : « M. Henri Matisse paraît être le premier qui nous ait montré l'art comme une chose où le lendemain est indépendant de la veille, et qui se soit fait une loi du conseil de Zarathoustra, c'est-à-dire du risque et de vivre dangereusement. [...] Sans doute, nous n'avons là [dans cette exposition] encore que la moitié de ce grand maître, un Matisse amputé de toute son œuvre décorative et des résultats les plus hautains et les plus généraux de son art et de sa méthode. Sans doute aussi, on peut regretter certaines limites de son système, le parti pris qui lui interdit, non seulement le drame, l'anecdote, mais simplement l'émotion, la tendresse, la sympathie humaine. Tout le pathétique de Matisse se réduit au drame personnel du praticien, au problème de l'artiste aux prises avec son art. [...] En vain se demande-t-on si la peinture ne déroge pas en se réduisant à lutter

avec le charme d'une faïence, la beauté d'un tapis. Qu'importe ! Quoi qu'il fasse, M. Henri Matisse est toujours l'irrésistible, l'enchanteur » (« Trente ans de peinture au Petit Palais », *Revue des deux mondes*, 1re partie, 15 juillet 1937, p. 331-332, 336). « C'était le fils d'un Catalan et d'une mère italienne, qui était elle-même d'origine israélite, un de ces "sangs mêlés" comme il y en a eu de tout temps sur cette côte orientale de la péninsule ibérique, entre Valencia et Malaga. [...] M. Picasso semble avoir pris à tâche de renverser toutes nos idées. Il repousse toute loi. Il prétend échapper à toute nécessité. À l'antique notion terrienne, humble, quasi maraîchère, que nous nous faisions de l'artiste, attaché à un lieu et s'y mettant en espalier, il a substitué la figure de l'aventurier. [...] Plus tard, dans les derniers ouvrages que nous ayons de lui, la tempête se déchaîne : ce ne sont plus que des caricatures pénibles, d'une outrance folle, une dérision, des injures à la forme humaine, qui passent de bien loin les hallucinations et les grotesques de Goya, dans les fresques de la *Quinta del Sordo*. [...] Dans tout cela se fait jour une espèce de désespoir et comme une malédiction, ce malheur qui n'était jamais arrivé à un artiste, et qui est proprement la peine de l'enfer : le malheur de ne pas aimer et de peindre sans amour. La rencontre d'un génie plastique de premier ordre, de dons inouïs de virtuose, et d'un nihilisme absolu, telle est la tragédie de M. Picasso. Ce mélange unique de talents et de facultés contraires, de passion et de sécheresse, de force créatrice et de pouvoir destructeur, explique assez le prestige extraordinaire qui l'entoure, la fascination qu'il exerce, et son auréole redoutable de bon ou de mauvais ange. Il est bien difficile de dire quel sera son rang dans l'avenir, non plus qu'on ne sait si on l'admire ou si on le déteste. On hésite devant ce monstre d'égotisme, d'orgueil et d'impersonnalité » (*ibid.*, 2e partie, 1er août 1937, p. 564, 577-578).

Été
Le journal de Matisse (A.M.) fournit la preuve de nombreux contacts entre les deux artistes. Le 27 mai, « P. P. » (Picasso) rend visite à Matisse. Le 1er juin (jour du vernissage de l'exposition « Œuvres récentes de Henri Matisse » à la galerie Paul Rosenberg), Matisse rend visite à Picasso dans son atelier sis au 7, rue des Grands-Augustins, où ce dernier travaille sur une peinture murale inspirée par le bombardement nazi de la ville basque de Guernica, une toile commandée pour le pavillon espagnol de l'Exposition internationale. Matisse rendra de nouveau visite à Picasso le 25 juin et le 3 juillet. Le 9 août, il ira voir *Guernica* au pavillon espagnol.

18 juillet
Hitler prononce un discours où il fustige « der entartete Kunst » (« l'art dégénéré ») pour l'ouverture du « Grosse Deutsche Kunstausstellung », au Haus der deutschen Kunst, Munich. Pendant l'été, des tableaux « dégénérés » de Matisse et Picasso figurent parmi les œuvres confisquées aux musées allemands et entreposées à Berlin.

30 juillet-31 octobre
Exposition « Origines et développements de l'art international indépendant » orchestrée par Christian Zervos, au musée du Jeu de paume. Cette manifestation constitue une alternative aux « Maîtres de l'art indépendant » de Raymond Escholier (17 juin-10 novembre). Des artistes originaires de trente-six pays différents sont

représentés, y compris l'Afrique et la Polynésie. Matisse et Picasso font partie du comité honoraire, le premier montrant six tableaux (1905-1916), le second onze tableaux (1908-1925) et une sculpture. Matisse prête également certaines de ses sculptures africaines.

1938

11 janvier
Ouverture de l'exposition « Matisse, Picasso, Braque, Laurens » au Kunstnernes Hus, Oslo. Organisée par Walther Halvorsen, un ancien étudiant de Matisse, l'exposition voyagera ensuite au Statens Museum for Kunst, Copenhague, au Liljevalchs Konsthall, Stockholm, et au Konsthallen, Göteborg, où elle s'achèvera en avril suivant. Matisse montre trente et une œuvres de 1896 à 1937, Picasso trente-trois de 1908 à 1937, dont *Guernica*. Cette manifestation est largement commentée par la presse dans toutes les villes où elle se tient, les critiques scandinaves accordant nettement plus d'attention à Matisse et à Picasso qu'à Braque ou Laurens. *Guernica* fait l'objet d'un intense intérêt et, comme d'habitude, la diversité stylistique de Picasso éveille la controverse. Le travail de Matisse est admiré pour ses qualités picturales abstraites, mais décrit comme quasiment vide de signification.

10 février
Dans sa seule lettre connue à Matisse (fig. 93), Picasso écrit : « Mon cher Mattisse [*sic*], Soyez le premier à mettre votre nom sur la liste des peintres voulant offrir un véritable musée au peuple espagnol et donnez-nous une toile importante. Nous sommes tous prêts à vous suivre et donner le meilleur de notre travail à cette œuvre. Avec toute mon amitié, Picasso. Salut. » Matisse ne recevra cette lettre qu'à son retour à Paris, le 16 juin 1938. Et, le 17 juin, il se rend à l'atelier de Picasso (A.M.) et, le trouvant absent, laisse un billet : « Mon cher ami, Aussitôt arrivé à Paris, je viens répondre à votre lettre qui m'a profondément touché. Je vous dirai pourquoi je n'ai pu le faire avant mon retour à Paris. Bien à vous, Henri Matisse. »

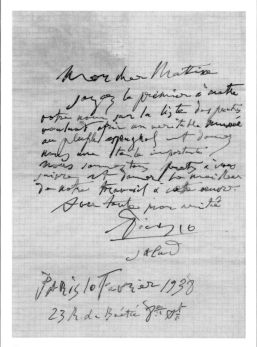

Fig. 93
Lettre de Pablo Picasso à Henri Matisse, datée du 10 février 1938.
Archives Matisse.

Matisse fera don d'un tableau, tout comme Picasso et quatre-vingt-dix-huit autres artistes. Ces œuvres seront exposées à la galerie Jeanne Bucher (vers les 10-16 juillet) et vendues pour aider les enfants espagnols (voir *Ce Soir*, 13 juillet 1938).

12 mars
Publication du livre de Gertrude Stein, *Picasso*, Paris et Londres : « Un jour, on demandait à Matisse si, quand il mangeait une tomate, il la voyait comme il la peignait. "Non, dit Matisse, quand je la mange, je la vois comme tout le monde." [...] Mais Picasso était totalement différent. Quand il mangeait une tomate, la tomate n'était pas celle de tout le monde, pas du tout, et son effort n'était pas d'exprimer à sa manière des choses vues par tout le monde, mais comme lui seul les voyait [...]. Matisse et tous les autres ont un des yeux du vingtième siècle, mais leur réalité est du dix-neuvième, Picasso est seul, et par conséquent sa lutte est terrifiante pour lui et pour tous ceux qui y assistent » (Gertrude Stein, *Picasso* (1938), Paris, Christian Bourgois, 1978, p. 37-40).
Dans un passage suivant, Stein associe une phase prétendument atypique et matissienne de la peinture de Picasso à une crise personnelle : « Entre 1927 et 1935, il [Picasso] se console par la conception de la couleur de Matisse. Mais Picasso est de nouveau assailli par un grand désespoir qui ne prend fin que lorsqu'il cesse de peindre, en 1935 » (*ibid.*).

Automne
Matisse a deux expositions personnelles et consécutives où sont montrées des œuvres exécutées depuis 1917 : à la galerie Paul Rosenberg, Paris (24 octobre-12 novembre) et à la Pierre Matisse Gallery, New York (15 novembre-10 décembre). Les critiques français et américains évaluent son travail en termes similaires, conservant la tradition qui consiste à voir le volatile Picasso comme son opposé naturel. Louis Cheronnet définit Matisse, surtout dans ses tableaux d'odalisques, « à la fois comme un héritier de la tradition française et comme un prince de la liberté et de l'individualisme », et le félicite d'éviter « l'anarchie », « l'illogisme » et « le trucage » (« Leçon de Matisse », *Marianne*, 9 novembre 1938).
Emily Genauer l'admire parce qu'« il ne fait pas des détours absurdes », et poursuit : « On n'aimera peut-être pas ce genre d'univers à la Omar Khayyam, où toutes les idées et la réalité sont répudiées, où l'hédonisme devient un perpétuel ordre du jour. Mais même si vous choisissez un univers de pensée, créé par des peintres comme Picasso, ou par des douzaines d'Américains provocateurs et dotés d'une conscience sociale, vous devez reconnaître que c'est la maîtrise de nombreuses leçons enseignées par Matisse lui-même, sa couleur intense et expressive, sa forme superbement rythmique, son sens de l'unité picturale, qui ont permis aux peintres de la pensée de s'exprimer » (« Matisse Paintings at Son's Gallery », *The New York World Telegram*, 19 novembre 1938).

19 octobre-11 novembre
Exposition « Picasso, Henri Matisse », au Boston Museum of Modern Art. Dans cette manifestation consacrée aux deux artistes – la première depuis 1918 –, Matisse est représenté par quinze tableaux (1906-1937), Picasso par vingt-trois et un papier collé (1901-1937). Toutes les œuvres sont prêtées par des sources américaines. Parallèlement, une

exposition d'œuvres sur papier est organisée à la Grace Horne Gallery, Boston. Les journalistes locaux ont tendance à se focaliser sur l'évolution des compositions individuelles de Matisse et sur la diversité stylistique de l'œuvre de Picasso.

1939

Janvier
Fondation de l'Académie française du cinéma, sur le modèle de la Motion Picture Academy of America. Matisse et Picasso sont élus pour faire partie d'un jury composé d'écrivains, d'artistes et d'intellectuels célèbres, dont le travail consiste à juger la production cinématographique française (reportage dans la *Gazette de Lausanne*, 15 janvier 1939).

17 janvier-18 février
Exposition « Picasso (Œuvres récentes) » à la galerie Paul Rosenberg. C'est le pendant de l'exposition personnelle de Matisse dans la même galerie à l'automne précédent.

Printemps
Picasso achète *Bouquet de fleurs dans la chocolatière* (vers 1902) de Matisse, à Ambroise Vollard (aujourd'hui au musée Picasso, Paris).

11 mai
Première de *Rouge et Noir* (ancien titre : *L'Étrange farandole*) à Monte-Carlo avec une chorégraphie de Léonide Massine, une musique tirée de la *Première Symphonie* de Dimitri Chostakovitch, des décors et des costumes de Matisse. Les créations de Matisse, inspirées de sa peinture murale *La Danse* (fig. 12), datent de février à avril 1938.

5 juin
Rouge et Noir est présenté à Paris, au Théâtre national du palais de Chaillot. Matisse et Massine envisagent un second ballet sur le thème de Diane chasseresse, avec une musique de Luigi Dallapiccola et un livret de Matisse lui-même, mais la guerre interrompra ce projet. À plusieurs reprises au cours des années trente, Léonide Massine tentera de convaincre Picasso de travailler sur un nouveau ballet avec lui, la dernière fois en 1937, sur un ballet tirant son inspiration de la vie de saint François d'Assise (A.P.).

30 juin
Theodor Fischer, de la galerie Fischer, à Lucerne, vend aux enchères cent vingt-cinq des plus précieux tableaux et sculptures « dégénérés » confisqués aux musées allemands par les nazis. Quatre œuvres de Matisse sont ainsi vendues, dont *Baigneuses à la tortue* (cat. 7) et un moulage en terre cuite de *Nu couché I* (cat. 14), ainsi que quatre tableaux de Picasso. Cette vente aux enchères, comme les prix atteints par les œuvres éveillent un intense intérêt dans la presse internationale. Raymond Escholier commente ironiquement : « Picasso et Matisse transformés en boulets de canon, voilà qui dépasse tous les ersatz connus jusqu'à ce jour ! » (*Le Journal*, 19 juin 1939).

14 juillet
Ram Gopal, « danseur sacré des temples indous », et d'autres danseurs indiens et javanais se produisent à la salle Pleyel, à Paris. Selon Michel Georges-Michel, Matisse et Picasso assistent au spectacle, en compagnie du « tout-Paris » (« Au Balcon du Club », *Cri de Paris*, 16 juillet 1939).

28 juillet
Picasso se rend aux funérailles d'Ambroise Vollard, à Paris, et fait une visite à Matisse dans son atelier de la villa Alésia, rue des Plantes, qu'il occupe depuis mai dernier (A.M.).

3 septembre
La France et la Grande-Bretagne déclarent la guerre à l'Allemagne. Picasso part de Paris et s'installe à Royan avec sa compagne, Dora Maar. Matisse quitte Paris pour Rochefort-en-Yvelines, près de Rambouillet. Après avoir mis toutes ses œuvres à l'abri à la Banque de France, il retourne à Nice-Cimiez en octobre.

15 novembre-décembre
Ouverture de l'exposition « Picasso : Forty Years of His Art » au Museum of Modern Art, New York. Organisée par Alfred H. Barr, elle présente un catalogue où apparaissent trois cent soixante œuvres créées entre 1898 et mars 1939, mais, comme l'explique l'avant-propos, la guerre empêche des pièces majeures de quitter l'Europe. Cette manifestation est une entreprise conjointe du Chicago Art Institute, où elle se rend pour la deuxième étape d'un tour des États-Unis (Saint Louis, Boston, Cincinnati, Cleveland, La Nouvelle-Orléans, Minneapolis et Pittsburgh). L'exposition attire des foules énormes à New York. Le 5 décembre, Barr câble à Picasso : « Succès colossal 60 000 visiteurs beaucoup plus que l'exposition Van Gogh [1935] » (A.P.). Bien que presque tous les articles de la presse américaine insistent sur l'événement social représenté par cette exposition, pour quelques critiques, dont George L. K. Morris, elle fait de Picasso le plus grand artiste vivant : « Le peintre qui se présente devant nous aujourd'hui est peut-être le seul artiste vivant capable de passer avec succès une épreuve qui a terni tant de réputations. On se rappellera comment un artiste aussi important que Henri Matisse devint la victime de ses propres limites lorsque ses œuvres furent rassemblées en une exposition personnelle majeure [en 1931]. » Néanmoins, Morris critique le travail de Picasso depuis 1931 : « Ses œuvres ultérieures se modèlent sur celles – incroyable, mais vrai – de Henri Matisse. Quoi que puissent dire les tableaux de Matisse à un observateur, leur expression est toujours merveilleusement unifiée et, afin de créer cette expression très directe, il a entrepris un long effort pour "se penser rétrospectivement à l'âge de cinq ans". Les formes plates dérivées des miniatures persanes conviennent admirablement aux odalisques, aux fleurs, aux vues de la Riviera aperçues par une fenêtre. Picasso a commencé avec des sujets similaires et il y eut une longue succession de femmes avec des miroirs et des fleurs. Ses lignes ont maintenant renoncé à l'angle ; de larges courbes enferment des zones éclatantes, tapageuses, de couleur plate. Il ne s'agissait plus des délicats demi-tons impressionnistes, tout était devenu explicite et direct ; l'impression tactile a diminué et, avec elle, la qualité mystérieuse de Picasso » (« Picasso : 4 000 [sic] Years of his Art », *Partisan Review*, janvier-février 1940). Matisse s'intéresse de très près à cette exposition et il écrit à Pierre Matisse le 17 décembre : « Je sais que la vie artistique est ardente à New York car l'expo. Picasso a fait plus d'entrées que celle de Van Gogh, qui a en eu 232 000 » (P.M.L.).

1940

5-29 février
Picasso est à Paris. Il y reviendra de la mi-mars au 17 mai.

24 avril
Matisse à Christian Zervos : « Ce que vous me dites de mes derniers tableaux me fait plaisir. Vous les verrez le 14 mai. Rosenberg les exposera avec d'autres de Picasso et Braque » (Archives Zervos, Vézelay).

Fin avril
Retour de Matisse à Paris.

2-19 mai
Matisse se rend tous les jours à son coffre de la Banque de France pour procéder, en compagnie de sa fille Marguerite, aux partages rendus nécessaires par la matérialisation de sa séparation avec Amélie Matisse. Il prévoit également de se rendre au Brésil début juin. C'est en sortant de l'Office du Brésil qu'il rencontre Picasso, rue La Boétie, tandis que la défaite française, devant l'avance allemande, semble imminente ; quelques jours plus tard, il rapporte à son fils Pierre les propos de Picasso, qui l'ont beaucoup frappé : « J'ai rencontré Pablo rue de la Boétie, en levant les bras il m'a dit : "c'est l'École des Beaux-Arts, quoi !" Il est à Royan » (Henri Matisse à Pierre Matisse, Ciboure, [mi-juin] 1940). Il fera de nombreuses allusions par la suite à ce constat ironique et désabusé de Picasso et redonnera un récit plus circonstancié de la rencontre, le 6 avril 1941, dans une « conversation » avec Pierre Courthion : « Sur le point de partir pour un mois pour m'aérer l'esprit, dit Matisse, je rencontre *Picasso* [biffé par Matisse, remplacé par *un peintre ami*], rue La Boétie, comme je sortais de l'Office du Brésil d'où je venais de me chauffer l'esprit. Il me voit la mine réjouie : – Mais qu'est-ce que vous avez, *mon vieux* [biffé par Matisse]. – Eh bien voilà je pars pour le Brésil. – Mais vous ne savez donc pas ce qui *est arrivé* [biffé par Matisse, remplacé par ce qui *se passe*]. Les Allemands sont à Reims. – À Reims ? Eh bien et notre armée ? *Et Picasso fait un geste* [biffé par Matisse]. – Mais oui, *mon vieux* [biffé par Matisse], voilà : c'est l'École des Beaux-Arts, mon cher ! » (cité d'après le tapuscrit de *Bavardages/Conversations avec Henri Matisse*, Pierre Courthion, première conversation, annoté par Matisse, conservé aux Archives Matisse).

20 mai
Matisse quitte Paris avec Lydia Delectorskaya. Il ne rejoindra Nice, via Bordeaux, Ciboure, puis Saint-Gaudens que fin août. Il renonce bien entendu à partir au Brésil, et refusera aussi les offres (transmises par Pierre Matisse) de venir aux États-Unis.

14 juin
Entrée des Allemands à Paris.

30 juin
Début des saisies des stocks et collections de marchands juifs (parmi lesquels Paul Rosenberg, Bernheim-Jeune, Alphonse Kann...) par les Allemands.

14 juillet
Matisse écrit à Picasso (toujours à Royan), de Saint-Gaudens : « Entre autres souvenirs, il me revient que lorsque dernièrement m'avez dit avoir acheté une nature morte de moi chez Vollard [il s'agit de *Bouquet de fleurs dans la chocolatière*, 1902], je l'ai tout à fait confondu

avec une peinture qui est à Moscou. Paul [il s'agit de Paul Rosenberg], quand je l'ai vu à Bordeaux, m'en a parlé et j'ai fait la même confusion. Où est-il ? Comme cette toile vous a intéressé je voudrais bien savoir ce qu'elle est. N'est-ce pas trop vous demander de bien vouloir en me donnant de vos nouvelles me faire un croquis qui me renseignera ? » (A.P.).

15 juillet
Matisse écrit à son ami Raymond Escholier, de Saint-Gaudens. Il s'inquiète du destin de la collection de Paul Rosenberg, restée ou abandonnée à Bordeaux, alors que celui-ci est parti aux États-Unis : « [...] Mais il s'agit d'œuvres d'artistes qui ont une grande importance. Il n'y a pas que mes tableaux, car je les ai vus en passant à Bordeaux : il y a là deux très importants Corot : une figure et un paysage ; des Courbet, de très beaux dessins et deux tableaux de Renoir ; des Cézanne ; de beaux Bonnard, des tableaux de Braque, des Picasso très beaux [...]. Voyez que ces tableaux à la traîne, abandonnés, soient perdus ou confisqués par les Allemands » (Raymond Escholier, *Matisse ce vivant*, Paris, 1956, p. 195-196).

25 août
Matisse retrouve son atelier niçois, à l'hôtel Regina. Picasso revient à Paris.

1er septembre
Longue lettre de Matisse à son fils Pierre. Il se rappelle une fois de plus la phrase de Picasso et mentionne « l'incertitude dans laquelle on vit et la honte — la honte de subir une catastrophe dont on n'est pas responsable. Comme m'a dit Pablo : c'est l'École des Beaux-Arts. Si tout le monde avait fait son métier comme Picasso et moi faisons le nôtre, ça ne serait pas arrivé » (A.P.M.).

17 septembre
Élargissement des pouvoirs de l'ERR (Einsatzstab Reichleiters Rosenberg) en matière de pillage des collections juives ou franc-maçonnes. Installée au musée du Jeu de paume, cette instance, avec le soutien de Goering, procédera à la saisie et à l'inventaire systématique de plus de deux cent cinquante stocks et collections, soit quinze mille œuvres ou objets pillés.

22 septembre
Achevé d'imprimer du volume 2 (tome I) du catalogue raisonné des œuvres de Picasso par Christian Zervos. Intitulé *Œuvres de 1906 à 1912*, le tome I comprend trois cent soixante planches, imprimées en héliotypie sur les presses de l'imprimerie Grouradenez à Paris. Il est précédé d'une introduction de Zervos, tout comme le tome II, intitulé *Œuvres de 1912 à 1917*, qui paraîtra plus tard et comprendra neuf cent soixante-quatre planches. Le texte introduisant le tome II sera daté de Vézelay, 2 juillet 1942.

Automne
Picasso est convoqué pour l'inventaire de ses coffres. Matisse semble lui avoir demandé de bien vouloir le représenter pour la vérification du sien, à la Banque de France (voir Alfred H. Barr, *Matisse, his Art and his Public*, The Museum of Modern Art, New York, 1951, p. 256 ; et lettre à Pierre Matisse, du 5 juin 1941 : « Tu sais probablement que je peux y aller comme je veux [à ses coffres]. C'est Pablo à qui j'ai donné un pouvoir qui a fait ça avec un de ses amis. Il en a été de même pour lui »).

11 octobre
Matisse décline le poste d'enseignant proposé par le Mills College (lettre à Pierre Matisse, A.P.M.). Dans la même lettre, il mentionne qu'il a appris par une carte de Borès « que Pablo est à Paris ». Ses problèmes de santé (troubles intestinaux) s'aggravent. Picasso quitte son atelier de la rue La Boétie et s'installe rue des Grands-Augustins.

10 novembre
Matisse écrit à Pierre Matisse : « Un jeune homme est venu au nom du comité américain de Marseille me proposant d'aller à New York. Le directeur est un ami de Barr [...]. Il m'a dit aussi qu'il voudrait le faire à Pablo — mais il est à Paris — et surtout il n'aurait pas le visa de son pays. Je trouve amusant que chacun trouve des raisons pour rester en France. Quand on m'a dit un moment que Pablo était au Mexique, ça m'a fait de la peine. J'ai senti que la France s'en trouverait appauvrie » (A.P.M.).

28 novembre
Matisse écrit à Pierre Matisse : « J'ai eu des nouvelles de Pablo, par Max Pellequer [...]. Pablo lui avait remis pour moi une photo d'une toile qu'il a achetée chez Vollard il y a quelques mois, ou même un an. Il en a même fait un croquis avec indications des couleurs. Il lui a bien recommandé de me le remettre. Pellequer m'a dit qu'il était toujours le même, bohème mangeant à droite et à gauche ; seul, il semble, Dora Maar n'est plus là. Il est toujours inquiet nerveux, il se demande si le bouleversement ne va pas désintéresser du cubisme. J'ai oublié de lui demander comment il peignait. Il était très ennuyé par son coffre où il ne pouvait pas aller. Cet ennui a cessé car il en a obtenu la disposition. Il peut revoir ses tableaux. Les autres nouvelles que Pellequer m'a données ne me donnent pas envie d'y retourner, sans cependant qu'elles soient mauvaises. J'oublie de te dire que Pablo ne veut quitter la France à aucun prix, ça m'a fait plaisir » (Russell, 1999, p. 198).

10 décembre
Matisse écrit à Picasso, sur une carte interzone : « Mille mercis [s'agit-il de remercier Picasso de lui avoir obtenu l'accès à son coffre ?]. J'apprends que vous avez une exposition à Cleveland où Paul [Rosenberg] a fait conférence Peinture française grand succès » (A.P.).

1941

7 ou 8 janvier
Matisse quitte Nice pour être opéré d'un cancer à Lyon (le 7, dans une lettre à Charles Camoin ; le 8, dans une lettre à Albert Marquet datée du 22 mai 1941).

14 janvier
Matisse écrit à Picasso, sur une carte interzone : « Ai vu Max [Pellequer] Merci cordialement. Suis clinique Lyon pour petite intervention prochaine sans danger » (A.P.).

16 janvier
Matisse est opéré à la clinique du Parc, où il restera jusqu'au 31 mars. Sa convalescence se poursuivra au Grand Nouvel Hôtel, jusqu'à la fin mai.

10 avril
Pierre Courthion (accompagné d'Albert Skira) entreprend une série d'entretiens avec Matisse, retours sur sa vie et son travail. Ces dix conversations – elles se poursuivront jusqu'à

la mi-juin – sténographiées, puis revues et corrigées par Matisse, ne seront finalement pas publiées, comme prévu par Skira, Matisse en trouvant le ton trop anecdotique.

12 mai
Matisse rapporte à Pierre Matisse : « J'ai reçu des nouvelles artistiques assez directes de Paris. Picasso sculpte un chat [voir la description du plâtre du chat (Spies 195) dans Brassaï, 1964, p. 75]. Derain fait de la sculpture et peint d'immenses cartons de tapisserie pour Aubusson. Braque a laissé la sculpture pour les natures mortes » (A.P.M. ; voir Russell, 1999, p. 222).

23 mai
Retour de Matisse à Nice, au Regina.

Août
Matisse se remet au travail, sur l'illustration de *Pasiphaé* d'Henry de Montherlant d'une part, et sur une série de dessins qui préparent *Nature morte au magnolia* (terminé en octobre), d'autre part. L'une de ces études sera par la suite dédicacée à Picasso (voir Bois, 1998, p. 134, n° 123).
Dans une lettre à Charles Camoin du 12 août, Matisse évoque une anecdote ancienne (qui lui est revenue à la mémoire lors des conversations avec Courthion) : « Jean Puy m'a raconté qu'à la guerre de 14, il y avait dans les deux sections du camouflage, l'une dirigée par Segonzac et l'autre... par qui ? en tout cas, chacun avait un lapin comme mascotte appelé, l'un Picasso, et l'autre Matisse. Dans les discussions comparatives sur les deux bêtes, il n'était plus question de lapins, on disait : "Notre Picasso est plus beau que votre Matisse !" Qui dirigeait la seconde section ? » Camoin lui répond le 17 août, sur une note toute différente, mais terriblement évocatrice du climat de l'époque : « [...] Je sais, moi, une autre histoire : celle d'une conférence par M..., représentant le directeur des Beaux-Arts, et j'ai entendu dire par ce juif que Picasso était "le plus grand peintre français de notre temps", "français" a-t-il ajouté, "parce qu'il nous a fait l'honneur de venir travailler en France". J'ai été assez lâche pour ne pas sortir immédiatement de la salle en manière de protestation, mais je n'ai pas tout de même attendu la fin. C'est une preuve de plus de l'emprise du juif sur notre époque, d'où est sorti le style judéo-métèque dont Picasso est l'inspirateur, et qui a fini par se dénommer dans son ensemble "l'École de Paris". Quelle ironie [...] » (C.C./H.M., p. 161 et 163).
À la requête de Varian Fry, Matisse rejoint le comité français du Emergency Reserve Committee.

Septembre
Picasso travaille sur *L'Aubade*.
Matisse commence les séries de dessins *Thèmes et variations*.

30 octobre
Visite d'Albert Skira à Matisse : le projet des *Conversations* ou *Bavardages* est définitivement abandonné. Matisse lui propose d'illustrer les *Amours* de Ronsard.

10-30 novembre
Exposition de dessins récents de Matisse à la galerie Louis Carré. Picasso la visite et signe le livre d'or (A.M.). Deux dessins sont acquis par l'État, à la suite de l'exposition.

12 novembre
Tériade écrit à Matisse, de Souillac (Lot) : « Mme Lamotte vient de rentrer de Paris, elle attendait votre coup de téléphone. Elle a vu Picasso

qui lui a raconté des histoires. Au début, il recevait la visite de jeunes étrangers qui demandaient à voir ses toiles. Il les montrait. Cela finissait toujours de la même façon : ils sortaient de leurs poches des photographies de leurs propres œuvres et sollicitaient un avis ! Le froid est là-bas la grande terreur. Picasso est réduit à travailler dans une toute petite pièce chauffée par un faible radiateur. [...] N'ayez pas de regret d'avoir différé votre voyage, la température est paralysante. » (Il semble en effet que Picasso ait transformé la salle de bains de la rue des Grands-Augustins en atelier.) Louis Aragon et Elsa Triolet, installés à Nice, rendent visite à Matisse. Ces rencontres nourriront plusieurs textes du poète, et d'abord « Matisse-en-France », préface à l'édition de *Thèmes et variations*. Un voyage d'artistes français en Allemagne réunit, à l'initiative d'Arno Breker, des sculpteurs (Despiau, Belmondo, Bouchard, Maillol...) et des peintres (Legueult, Oudot, Dunoyer de Segonzac, Friesz, Van Dongen, Derain, Vlaminck...). « Quelle caravane ! — ... pitoyable — ça a été mauvais pour eux ils ne savent comment expliquer ça — ils essayent disant qu'ils ont été ferrés... tu parles », commente Matisse pour son fils Pierre, le 11 mars 1942 (A.P.M.).

1942

Janvier
Matisse participe à un (ou deux) entretien(s) radiophonique(s) (voir extraits dans Alfred H. Barr, 1951, *op. cit.*, et dans ses lettres à Pierre Matisse). Il y affirme son opposition au rétablissement des prix de Rome (interrompus par la guerre) dont les lauréats seront désormais accueillis à Nice, à la villa Paradisio.

11 mars
Matisse indique à Pierre Matisse que Louis Aragon a rédigé un texte d'introduction « qui est ma foi très bien » [« Matisse-en-France »], destiné à présenter les séries de dessins *Thèmes et variations* que s'apprête à publier Martin Fabiani. Il ajoute que son traité avec Fabiani — ancien avocat du neveu d'Ambroise Vollard, qui a repris la part du stock Vollard de ce dernier, et dispose de moyens financiers conséquents — « finit en septembre » (A.P.M.). Martin Fabiani jouera un rôle important, comme marchand et comme éditeur, pendant ces années de guerre et sera à ce double titre un des principaux interlocuteurs de Matisse comme de Picasso durant cette période.

28 mars
Suite de la polémique sur les prix de Rome, dans *Le Rouge et le Bleu*, avec un petit article, non signé, confrontant deux listes de noms : celle des peintres, tous à peu près inconnus, distingués par l'académie des Beaux-Arts, et celle des peintres reconnus, où figurent Picasso et Matisse... en compagnie de Van Gogh, Cézanne, Gauguin, etc.

3 avril
Dans une lettre à son fils, Matisse mentionne « l'effort énorme en dessin » accompli depuis son opération, il y a un an. « Je dis effort [...] c'est une floraison après 50 ans d'efforts. J'ai à faire la même chose en peinture — je m'y mettrai en revenant de Suisse [?] plein de force j'espère, et si je fais en peinture ce que j'ai fait en dessin je pourrai mourir content. »

25 avril
Pierre Matisse raconte à son père : « On vient de me rapporter que Pablo était dans un asile. Encore un de ces bruits ! » (A.P.M.).

4 mai
Parution d'*Histoires naturelles* de Buffon, illustrées de trente et une aquatintes, eaux-fortes et pointes sèches de Picasso, aux Éditions Martin Fabiani. Entrepris dès 1936, à l'initiative d'Ambroise Vollard, ce projet n'aboutira donc que par les soins de son « successeur », Martin Fabiani. Matisse en acquiert un exemplaire.

26 mai
Dans son *Journal*, Michel Leiris note : « Ce matin chez Picasso avec Limbour. Nombreuse assemblée chez lui ; cela fait chambre de grand *matador* qu'une cour de familiers entoure tandis qu'il est en train de se raser. [...] Je n'avais jamais perçu comme cela le côté espagnol – et particulièrement taurin – de tout cela » (Michel Leiris, *Journal 1922-1989*, Paris, Gallimard, 1992, p. 362-363).
Le témoignage de Françoise Gilot corrobore ce besoin d'être entouré, au moins à certains moments de la journée, qui caractérise Picasso, bien différent en cela de Matisse : « Si personne ne venait me voir, je serais à plat pour travailler l'après-midi, me dit-il par la suite. Les contacts rechargent ma batterie, même si ce qui se passe semble n'avoir aucun rapport avec mon travail. C'est comme la flambée d'une allumette, et cela éclaire toute ma journée » (Gilot, 1965, p. 40). À comparer avec ce qu'indique Marguerite Duthuit à Brassaï : « Mon père n'avait pas besoin de s'entourer d'un cercle d'amis, comme Picasso. Plus réservé, plus solitaire que lui, il m'a souvent dit : "La conversation avec les gens ne m'apporte rien. Elle vole mon temps, me vide..." » (Brassaï, 1964, p. 301).

6 juin
Parution d'un article venimeux de Maurice de Vlaminck dans *Comœdia*, « Opinions libres... sur la peinture », attaquant violemment Picasso, l'homme et l'œuvre. Le même jour (est-ce un hasard ?), Matisse répond à Pierre Matisse : « Pablo n'est pas dans un asile, au contraire il se porte très bien et travaille beaucoup. [...] C'est infâme. Ça vient des ennemis de la peinture de Pablo. Le bruit a déjà été lancé il y a vingt ans quand il a commencé ses extraordinaires recherches, le cubisme. [...] Ce pauvre homme paie bien cher ce qu'il a d'exceptionnel. Il vit très dignement à Paris, travaille, ne veut pas vendre, ne demande rien. Il a pris pour lui toute la dignité que les confrères ont abandonnée d'une façon incroyable — exemple : avant ce voyage [il s'agit du voyage en Allemagne de novembre 1941] il y a eu un grand dîner au Ritz où Derain est devenu fou furieux apercevant Vlaminck parmi les invités. Il s'est levé, a été grossier avec la femme du haut personnage qui présidait. On l'a rattrapé, et on les a réconciliés devant tous en leur tapant la main dans le dos comme on calme les chevaux. Ils se sont certainement saoulés ensemble cette nuit-là. Ils ont donc, ennemis de vingt ans, pu faire le voyage sans difficultés, avec tous les artistes valides

Fig. 94
Article diffamatoire intitulé « La Cacade à l'honneur », paru dans *Le Pilori*, 16 juin 1942. Archives Picasso.

de l'Institut. En revenant du voyage, ils ont eu pas mal de grises mines. Pablo a dit à André quand il l'a rencontré : "comme tu as changé !" C'est un mot qui s'est répété et que d'autres ont servi à André. [...] J'ai fait la connaissance de Max Pellequer un bon ami à Pablo. Il est venu me voir déjà plusieurs fois chaque fois qu'il vient à Nice. Comme lui et Pablo ont été très gentils avec moi, je leur ai donné à chacun un beau dessin [s'agit-il, en ce qui concerne Picasso, de l'étude pour *Nature morte au magnolia* dédicacée « à mon ami Pablo Picasso » et datée « 9/10 41 » ?] Picasso m'a renvoyé une peinture sur papier assez importante [s'agit-il du *Portrait de Dora Maar* ?] — qu'il a portée comme un fou à Max à la gare PLM. Il dit toujours que nous sommes les deux seuls peintres » (cité en partie dans Russell, 1999, repris et complété d'après l'original, A.P.M.).

13 juin
André Lhote répond (mais de façon ambiguë) dans *Comœdia* au pamphlet de Maurice de Vlaminck paru la semaine précédente. Le jeune peintre Jean Bazaine fait également paraître un « Post-Scriptum » à ce sujet dans la *Nouvelle revue française*, p. 634, juin 1942.

16 juin
Dans *Le Pilori*, une violente attaque (signée R. M. Fechy) contre « l'art décadent » — il s'agit de rendre compte d'un ouvrage de John Henning Fry, intitulé *Art décadent sous le règne de la démocratie et du communisme* — reproduit côte à côte *La Serpentine* de Matisse (légendée « celle que nous voudrions tous étreindre ») et une *Tête de femme* de Picasso (légendée « celle que nous ne voudrions même pas à l'œil »). L'article est intitulé « La Cacade à l'honneur ».

15 juillet
Dans *Présent* (journal publié à Lyon, en zone libre), parution d'un entrefilet sur « L'affaire Vlaminck Picasso » : « Les attaques sans mesure de Vlaminck contre Picasso ont causé partout une vive surprise. Matisse a fait savoir au comité du Salon des Tuileries qu'il refuserait désormais d'exposer à la même cimaise que l'auteur du *Chemin qui ne mène à rien*. Et les jeunes ont protesté par un manifeste. Picasso, très digne, garde le silence. »

Août
André Ostier photographie Matisse ; on aperçoit en fond le *Portrait de Dora Maar*.

6 août
Ouverture du Musée national d'art moderne : six cent cinquante œuvres de trois cent vingt-sept artistes sont exposées. Matisse est représenté (par dix œuvres), mais pas Picasso... dont le musée possède pourtant, depuis 1933, le *Portrait de Gustave Coquiot*, 1901 : c'est une preuve supplémentaire de l'interdit posé par les occupants sur l'œuvre de Picasso.

18 août
Dans *Le Figaro*, parution de « L'ami des peintres », chapitre des *Souvenirs* de Francis Carco. L'article est illustré de photographies de Picasso (par Rogi André) et de Matisse (doc. *Le Figaro*).

Octobre
Ni Picasso ni Matisse n'exposent au Salon d'automne (où Vlaminck, Derain, Dunoyer de Segonzac, Dufy sont représentés).

11 novembre
La zone dite libre est occupée à son tour.

12 novembre
Picasso acquiert, par échange auprès de Martin Fabiani, un très important tableau de Matisse, *Nature morte à la corbeille d'oranges* (1912). Cette toile avait appartenu à la collection de Carl et Thea Sternheim (au moins jusqu'en 1937), puis était passée dans le fonds Vollard. Matisse est immédiatement informé de l'événement, puisqu'il écrit à sa fille Marguerite dès le 15 novembre : « Pablo vient de changer à Fabiani le tableau n[ature] m[orte] du Maroc [appartenant] à Mme Sterner [*sic*] jadis et dont Fabiani avait refusé des sommes énormes contre un grand de la période bleue ou rose » (voir Hélène Seckel-Klein, *Picasso collectionneur*, Paris, Réunion des musées nationaux, 1998, p. 166-170).

1943

1er janvier
Tériade propose à Matisse de consacrer un numéro de *Verve* à son œuvre (avec douze planches en couleurs et une vingtaine de dessins « pour harmoniser les passages de la couleur au texte ») : « [...] Je voudrais faire une très belle édition d'autant plus que ce serait le premier "numéro hommage" de *Verve* et que je n'ai pas accepté en 1939 la proposition de Picasso de faire un numéro de ses "natures mortes" » (A.M.).

Février
Dans la revue *Confluences* (Lyon), parution en français du chapitre premier d'*Autobiographies* de Gertrude Stein, texte écrit en 1937, « une sorte de journal qui fait suite à l'*Autobiographie d'Alice Toklas*, parue en France en 1934 ». Elle y fait allusion à la réaction de Matisse à l'époque : « Henri Mac Bride m'écrivait qu'il avait vu Matisse à New York à qui il disait que tous les peintres devraient se réjouir parce que je les avais fait revivre à une époque où tout le monde ne pensait pas à la peinture. Henry Mac Bride écrivait que, tandis qu'il disait ces mots, Matisse frissonna. Dans la suite, ils écrivirent en anglais, c'était écrit en anglais dans la revue *Transition* et ce ne fut jamais écrit en français. Matisse disait que Picasso n'était pas le grand peintre de l'école que sa femme ne ressemblait pas à un cheval et qu'il était sûr que l'omelette était une omelette. »

2 mars
Francis Carco évoque un entretien [récent ?] avec Matisse dans *Présent* (Lyon) : « Une question que je m'étais promis de poser à Matisse au cours de notre entrevue, maintenant, m'embarrassait. Je voulais demander comment il pouvait vivre dans un si grand isolement et conserver aux yeux de ses confrères et des collectionneurs un tel prestige. Il n'y a pas que le travail. L'émulation entre, elle aussi, pour une large part, dans la vie d'un artiste. Picasso qu'on rencontre dans les galeries les plus humbles où des "jeunes" accrochent leurs tableaux, aurait pu me servir de prétexte. Il s'est toujours tenu scrupuleusement au courant des manifestations de ses contemporains et, pour fastidieux que soit souvent cet exercice, il entretient chez celui qui le pratique une curiosité d'esprit qui n'est point négligeable. Comment faire entendre à Matisse que la véritable jeunesse consiste à conserver cette flamme qui brûlait encore chez le Tigre [Clemenceau], à soixante-treize ans ? Comment surtout lui parler

de Picasso ? Il m'aurait répondu que ce dernier ne hantait les galeries qu'afin de renchérir, comme à son habitude, sur tous les procédés. La vieille inimitié qui, depuis le Cubisme, n'avait fait que grandir entre eux, aurait peut-être troublé la fin de notre conversation. Pareille incompatibilité d'humeur ne s'altère pas si aisément. Du reste je n'avais pas à me mêler de cette histoire. Eh bien qu'il ne m'eût point été désagréable d'apprendre de Matisse lui-même ce qu'il pensait de Picasso ou plutôt de cette curiosité d'esprit qu'il ne cesse de manifester pour tout ce qui concerne son art, je n'avais aucune chance d'obtenir ce renseignement. »

30 mars
Parution de *Portraits avant décès* de Vlaminck (Flammarion) qui contient, selon *Présent* (Lyon), « [une] tirade injuste et violente contre Picasso, [des] banderilles contre Matisse ».

Mai
Première visite de Françoise Gilot à l'atelier de Picasso. Elle y voit la *Nature morte à la corbeille d'oranges* de Matisse, placée en évidence.

27 mai
Rose Valland rapporte avoir assisté à la destruction de cinq cents à six cents œuvres d'« art dégénéré » (marquées E. T., « entartete Kunst ») sur la terrasse du jardin des Tuileries, jouxtant le musée du Jeu de Paume. Elle mentionne des Picasso (et Masson, Ernst, Léger), mais pas de Matisse. (Rose Valland, *Le Front de l'art*, 1961, réédité en 1997, Paris, Réunion des musées nationaux, p. 178). Aucun autre témoignage sur cet événement.

Juin
Parution de Henri Matisse, *Dessins. Thèmes et variations*, précédé de « Matisse-en-France » par Louis Aragon, aux Éditions Martin Fabiani. À noter que l'éditeur aurait souhaité, compte tenu de l'engagement politique d'Aragon, que celui-ci utilise un pseudonyme, mais le poète insiste au contraire pour signer ce texte « infiniment trop particulier et personnel » pour paraître sous un autre nom (Louis Aragon à Henri Matisse, 11 juillet 1942, A.M.). Picasso choisit une toile de Matisse, *Jeune Fille assise, robe persane*, 1942, en échange du tableau offert l'année précédente (*Portrait de Dora Maar*).

24 juin
Max Pellequer écrit à Matisse : « J'ai remis à Picasso le tableau qui lui était destiné. Il a été ravi mais comme, en même temps, conformément à votre lettre, je lui ai indiqué qu'il pouvait s'il le désirait en choisir un autre chez Lejard, nous sommes allés ensemble à l'atelier qui fait les reproductions et Picasso a choisi une autre toile, une femme sur un fauteuil avec une robe mauve » (A.M.). Selon Françoise Gilot, « Picasso se demandait [face à ce tableau] s'il parviendrait jamais à assortir un tel mauve avec un tel vert » (Gilot, 1991, p. 36).

Fin juin ou début juillet
Nice étant menacée de bombardements, Matisse s'installe à Vence, dans la villa « Le Rêve ».

27 juillet
Première lettre de Marcelo Fernandez Anchorena, diplomate argentin, à Matisse, au sujet de la commande d'une porte : « Cher maître, Je suis un enthousiaste admirateur de vos œuvres et je désire que votre grand talent soit représenté dans ma maison ; y ont contribué déjà : Braque, Dufy, Jean Cocteau, Chirico, en pourparlers. Picasso a une

porte à nous dans son atelier, il doit la peindre directement à même le bois, sans marouflage » (A.M.).

Juillet-août
Matisse travaille sur le *Pasiphaé : chant de Minos*, de Montherlant, qu'il conçoit en noir, blanc, rouge, tout comme le fera Picasso quelques années plus tard avec *Le Chant des morts* de Pierre Reverdy. Il écrit ainsi à son ami André Rouveyre, le 20 juillet (voir *Matisse Rouveyre, Correspondance*, édité par Hanne Finsen, Flammarion, 2001, p. 276) : « [...] devant mes yeux sur le mur du fond, face à mon lit, les gravures de Pasiphaé, car il faut en finir. Maintenant je pense à mettre des lettrines rouges : dans Minos à chaque mouvement passionnel une majuscule, il y en a 4. Pour Pasiphaé, à chaque interlocution d'elle et de sa nourrice. Ce qui fait des pages blanches, noires et rouges. » Il s'agissait cependant de trouver un rouge « gai comme un coquelicot, aussi monté de couleur que possible et tout de même lumineux et clair, grâce à la transparence de l'impression » (lettre à Fequet et Baudier, 25 novembre 1945, A.M.), bien différent du rouge dense couleur sang inventé par Picasso pour les signes ponctuant les poèmes de Reverdy.

21 août
Dans une autre lettre à Matisse, faisant également allusion à Picasso et à une commande semblable, Marcelo Fernandez Anchorena écrit : « Je suis heureux de vous lire et d'apprendre qu'en principe, vous acceptez. Voici, à part, des photos de la pièce, le plan de la chambre, les mesures de la porte, les échantillons des couleurs de la tenture murale et des rideaux. Si vous acceptiez résolument, je vous enverrai la porte elle-même, comme j'ai agi vis-à-vis de Picasso qui l'a voulu ainsi. Je connais quelqu'un qui se chargerait de porter par chemin de fer jusqu'à votre atelier ladite porte. Si vous voulez bien, j'attendrai votre réponse définitive et le prix de vos conditions. Dans l'impatience de votre prochaine lettre, votre très grand admirateur » (A.M.).

Septembre-octobre
Brassaï rend souvent visite à Picasso, pour photographier ses sculptures. Il remarque aussitôt la nature morte de Matisse – « le premier tableau que l'on aperçoit est un Matisse » – et rapporte plusieurs propos de Picasso sur ce dernier : « Matisse fait un dessin, puis il le recopie... Il le recopie cinq fois, dix fois, toujours en épurant son trait... Il est persuadé que le dernier, le plus dépouillé, est le meilleur, le plus pur, le définitif ; or, le plus souvent, c'était le premier... En matière de dessin, rien n'est meilleur que le premier jet » (Brassaï, 1964, p. 81).

23 septembre-31 octobre
Salon d'automne. Un hommage particulier est rendu à Georges Braque qui occupe une grande salle, avec vingt peintures récentes. Matisse expose quatre (ou cinq) toiles, dont *Tulipes et huîtres sur fond noir*, peint en février 1943 (et remarqué par Picasso), ainsi que *Le Luth*, *Nature morte au magnolia*, *Nature morte au coquillage*. Lucien Rebatet en rend compte, dans « À propos du Salon d'automne. Révolutionnaires d'arrière-garde », *Je suis partout* (29 octobre) : « Le Salon d'automne de 1943 a fait la part royale aux tarabiscotages et au faisandé. Ce sont des panneaux entiers consacrés à des épigones plus ou moins orthodoxes du cubisme, tel Jacques Villon, et de la vieille anarchie judaïque dans toutes ses contorsions, ou encore à des pasticheurs exaspérés du Matisse dernière manière, qui est, hélas ! d'une bien affligeante sénilité »

20 octobre

Brassaï demande à Picasso pourquoi il a adopté le nom de sa mère (et pas celui de son père : Ruiz) : « Il était plus étrange, plus sonore que Ruiz. Et c'est probablement pour ces raisons que je l'ai adopté. Savez-vous ce qui m'attirait dans ce nom ? Eh bien, sans doute le s redoublé, assez inusité en Espagne [...] or le nom qu'on porte ou qu'on adopte a son importance [...] Avez-vous remarqué d'ailleurs le s redoublé dans le nom de Matisse, de Poussin, du Douanier Rousseau ? » (Brassaï, 1964, p. 86).

3 novembre

Marcelo Anchorena annonce à Matisse l'envoi du « triptyque » – la porte en trois éléments : il s'agit d'une double porte, une sorte de sas entre la chambre à coucher et la salle de bains (A.M.).

13 novembre

Matisse écrit à Picasso, lui proposant un nouvel échange : « Mon cher Picasso, J'ai déposé chez Fabiani le tableau que vous avez aimé (*Tulipes et huîtres sur fond noir*). Il sort du Salon d'A. Vous plaît-il toujours ? Si oui, il est à vous et Fabiani peut vous le remettre. Par contre j'attends ce que Pellequer m'a proposé pour son premier voyage à Nice. Je souhaite que votre santé est bonne, et que vous travaillez. Sachez que je ne suis pas fixé pour un coq, j'en ai parlé parce que j'ai vu de ces bêtes inventées par vous et que je croyais être votre sujet préféré en ce moment. Je veux un beau Picasso. Cordialement. H. Matisse. »
Matisse commence alors ses premières recherches pour *Jazz* — à partir de découpages de papiers préalablement colorés à la gouache.
Achevé d'imprimer de l'album *Matisse, seize peintures 1933-1943*, préfacé par A. Lejard et publié par les Éditions du Chêne. Il contient la reproduction de *Jeune Fille assise, robe persane*, « retenu » en juin par Picasso.
Parallèlement, les Éditions du Chêne font paraître (en décembre) un album *Picasso, Seize peintures 1939-1943*, préfacé par Robert Desnos.

25 décembre

Tériade signale à Matisse que Jean Le Merrer, l'un des meilleurs chromistes du clicheur Mansat, « qui est peintre à ses heures et qui a travaillé beaucoup pour Picasso ces derniers temps ! » viendra le voir en janvier – à propos vraisemblablement du numéro de *Verve* qu'il projette de réaliser (A.M.).

1944

Février

Compte rendu sur les deux albums parus aux Éditions du Chêne, l'un sur Matisse, l'autre sur Picasso, dans *Aujourd'hui*, 5-6 février 1944.

7 février

Matisse note dans son carnet, après une promenade : « Villa Céleste un olivier robuste — âgé, dont les maîtresses branches ont été très rabattues — porte de jeunes branches qui font aussi la danse et expriment la promesse d'une nouvelle vie. Je passe près de lui tous les jours et souvent je pense à un tableau de Picasso représ[entant] une ville ou les abords d'une ville de Provence. Au premier plan un gros arbre, olivier il me semble, olivier qui a été aussi très rabattu. La différence entre les jeunes pousses et l'importance du tronc m'a frappé et jusqu'ici paru invraisemblable. Je sais l'attrait qu'il a pu avoir à le représenter » (A.M., cité par Bois, 1998, p. 130-133). Ces remarques éclairent

Fig. 95
L'exposition Picasso au Salon d'automne de 1944, aussi appelé « Salon de la Libération ». Photographie de Marc Vaux.

aussi sa fascination — en 1951 — pour le *Paysage d'hiver* aux troncs tourmentés que Picasso lui confiera pendant quelques semaines.

5 mai

Matisse informe Charles Camoin : « Pour moi je viens de recevoir la plus grande secousse de ma vie, et je m'en sortirai, je crois, par le travail : ma femme et ma fille ont été arrêtées séparément et dans des endroits différents. Je l'ai su deux jours après, sans autre détail, et depuis, plus de nouvelles » (C.C./H.M., p. 200). Mme Matisse et Marguerite avaient été arrêtées par la Gestapo. Amélie a été internée six mois à la prison de Fresnes. Marguerite, torturée puis déportée, est parvenue à s'évader lors du transport.

20 mai

Parution de *Pasiphaé : chant de Minos* d'Henry de Montherlant, illustré de linogravures (dix-huit hors textes, lettrines et bandeaux) par Matisse, aux Éditions Martin Fabiani. Matisse le considère comme « son second livre » (*Comment j'ai fait mes livres*). Dans la bibliothèque de Picasso figure un exemplaire (n° 195, sur vélin).

12 juin

Matisse écrit à Picasso, au sujet du nouvel échange entre eux : « Savez-vous qu'il y a dans le coffre de Martin Fabiani une nature morte pour vous. Elle a été exposée au Salon d'automne dernier, et reproduite par Lejard [il s'agit de l'album publié par les Éditions du Chêne], chez qui vous l'avez choisie (ou chez ses imprimeurs). Elle représente des huîtres, une fleur sur une table jaune brun, et tout ça sur un fond noir à carreaux [il s'agit de *Tulipes et huîtres sur fond noir*, peint en février 1943]. [...] Elle devrait être échangée contre une de vos œuvres. J'avais dit à Pellequer qu'un beau coq me ferait plaisir, mais je pensais bien que s'il n'était pas fait, vous ne pourriez pas le faire pour moi. Une toile à votre choix me suffirait. J'ai déjà une toile sévère très belle qui m'intéresse toujours [il s'agit du *Portrait de Dora Maar*]. Cette fois une toile en couleur qui vous plairait bien me satisferait. En tout cas vous pourrez prendre ma toile. Comment supportez-vous Paris en ce moment. Je ne vous demande pas de me répondre à ce sujet sachant combien vous détestez écrire [sic]. Faites-moi, tout de même, écrire par quelqu'un dans le cas où cette lettre vous parviendrait » (A.P.).

16 juin

Picasso et Brassaï conversent devant la collection de Picasso et un Greco qu'on lui propose : « Il demande alors à Marcel de placer la nature morte aux oranges et aux bananes de Matisse à côté du Greco. Il regarde, il compare les deux tableaux. [Picasso déclare alors] : Décidément je préfère mon Matisse ! le sujet ne m'importe

guère. Je les juge en tant que morceaux de peinture. Ce Matisse est tout de même autre chose que ce Greco ! » (Brassaï, 1964, p. 200).

Juillet-août

Matisse travaille au projet de la porte peinte qui lui a été commandée par les Anchorena. Il envisage alors de reprendre le motif du faune et de la nymphe endormie.

15-26 août

Combats pour la libération de Paris.

27 août

Libération de Nice.

Septembre

Picasso reçoit de nombreux visiteurs, particulièrement des Américains ou des Anglais, GI's, journalistes, artistes ou simples curieux, dans son atelier de la rue des Grands-Augustins (voir Gilot, 1965, p. 69).

3 octobre

Réunion du Comité directeur du Front national des arts (d'inspiration communiste) présidé par Picasso. Il demande l'arrestation et la mise en jugement d'un certain nombre d'artistes collaborateurs (pour la plupart ceux qui avaient participé au voyage de 1941). Picasso semble s'être désolidarisé très rapidement de ces premières initiatives (voir Laurence Bertrand Dorléac, *L'Art de la défaite*, Paris, Éditions du Seuil, 1993, p. 292).

5 octobre

À la une de *L'Humanité*, annonce de l'adhésion de Picasso au Parti communiste.

6 octobre-5 novembre

Salon d'automne, dit de la Libération. Une grande salle est consacrée à Picasso, avec soixante-quatorze peintures et cinq sculptures, pour la plupart réalisées après 1939. Cette exposition provoque de violentes polémiques et même des menaces d'agression contre les œuvres : elles seront gardées par un « service d'ordre » composé de jeunes artistes. L'article de Georges Limbour (paru dans le premier cahier de la revue *Le Spectateur des arts*, daté de décembre 1944), intitulé « Picasso au Salon d'Automne », constitue le plus intelligent commentaire de l'effet de choc produit par ces œuvres. Extraits : « Les toiles peintes par Picasso au cours de ces cinq ou six dernières années et exposées au Salon d'Automne produisent sur le visiteur le choc le plus violent que spectacle artistique puisse provoquer. [...] Ce qui frappe, en effet dans cette peinture, c'est son caractère d'universalité, issue du réel. Elle recrée un univers complet auquel ne manque aucune forme vivante ou inanimée, exprimée dans son essence. [...] Il faut, pour nous y enfoncer, audace et courage. C'est ce qui explique que, parmi le public nombreux qui en prenait connaissance (puisque durant ces cinq années de guerre toute exposition de Picasso avait été interdite par le nazisme qui sentait que ce monde lui était irrémédiablement hostile et fatal), les poltrons et les imbéciles ont, au premier choc, reculé et dissimulé leur effroi sous un éclat de rire [...] » Alors que René Barotte, dans *Carrefour* (7 octobre 1944), décrivait Picasso pendant l'accrochage : « Picasso est venu quelquefois pendant l'accrochage. Il ne fallait pas lui parler de ses tableaux : il n'avait rien à en dire. Il ne voulait pas non plus qu'on lui demande le moindre détail sur les cinq années durant lesquelles il a répondu aux continuelles menaces allemandes par la création patiente, sûre, calme, des tableaux

exposés aujourd'hui. Au milieu des autres artistes, cependant, Picasso éprouvait une joie immense en retrouvant ceux qu'il n'avait pas revus depuis si longtemps. Il s'arrangea pour que ses toiles fussent accrochées exactement comme dans un atelier. Sans cadres trop lourds, sans colifichets. [...] » Picasso a également prêté sa *Nature morte à la corbeille d'oranges* de Matisse, exposée, contrairement à la légende, dans une autre salle (voir l'article de Frank Elgar, « Nouvelle visite au Salon d'Automne », dans *Carrefour* du 14 octobre 1944 : « Dans la deuxième salle [...] la joie triomphante du Matisse suffit à réchauffer la salle tout entière » ; et celui d'André Lhote, « Cette vertu oubliée : la subtilité », dans *Les Lettres françaises* du 18 novembre 1944 : « La nature morte de Matisse, si malencontreusement accrochée dans la salle que l'on sait, où sombrent également Marquet, Braque et Dufy [...] »). Le Salon d'automne comprend aussi une importante section de livres illustrés, où figurent les dernières réalisations de Picasso et de Matisse (le Buffon de l'un, les *Thèmes et variations* de l'autre).

24 octobre
Picasso s'explique sur son engagement communiste dans le magazine américain marxiste *New Masses*, déclarations reprises dans *L'Humanité* le 29 octobre (voir Laurence Bertrand Dorléac, 1993, *op. cit.*, p. 287) : « Je n'ai jamais considéré la peinture comme un art de simple agrément, de distraction ; j'ai voulu par le dessin et par la couleur, puisque c'étaient là mes armes, pénétrer toujours plus avant dans la connaissance du monde et des hommes, afin que cette connaissance nous libère chaque jour davantage [...]. Oui j'ai conscience d'avoir toujours lutté par ma peinture en véritable révolutionnaire [...]. Je suis allé au Parti Communiste sans la moindre hésitation, car, au fond, j'étais avec lui depuis toujours. Si je n'avais pas encore adhéré officiellement, c'était par "innocence" en quelque sorte, parce que je croyais que mon œuvre, mon adhésion de cœur étaient suffisantes ; mais c'était déjà mon parti. Ces années d'oppression terrible m'ont démontré que je devais combattre non seulement par mon art, mais par ma personne. [...] » Sans doute peu de temps après, Albert Marquet écrit à Matisse (d'Alger) : « Je viens de lire et tu as probablement lu les déclarations politiques de Picasso, bien que l'époque soit assez terrible, il y a encore de beaux jours pour la rigolade [...] » (A.M.).

16 novembre
Matisse écrit à Charles Camoin : « As tu vu la salle Picasso [au Salon d'automne]. On en parle beaucoup, il y a eu des manifestations dans la rue contre elle. Quel succès ! [...] » Il s'exprime dans la même lettre sur « l'épuration » : « Au fond je trouve qu'on n'a pas à tourmenter ceux qui ont des idées divergentes des vôtres. Mais c'est aujourd'hui ce qu'on appelle la Liberté » (C.C./H.M., p. 211).

Décembre
La correspondance de Matisse avec son fils Pierre reprend peu à peu. Dans une des premières lettres, Pierre remarque : « C'est avec regret que j'ai appris que le tableau qui m'avait le plus frappé dans les reproductions du Chêne est à Picasso, mais il ne pouvait tomber dans de meilleures mains ! Ici nous sommes naturellement privés de nouveauté et les regards se tournent anxieusement de votre côté. » Le 6 décembre, il mentionne les albums de reproductions en couleurs parus fin 1943 aux Éditions du Chêne, qui font l'objet d'une exposition au Museum of Modern Art : « L'album entier

[il s'agit bien entendu de celui consacré à Matisse] ainsi que celui de Picasso et de Bonnard ont été exposés au Musée moderne et très bien. Les reproductions étaient alignées l'une à la suite de l'autre et avec un peu de recul on pouvait se rendre compte de l'ensemble qui avait grande tenue. Ça a du reste beaucoup plu ici et on espère beaucoup voir des originaux naturellement » (A.P.M.).

23 décembre
Christian Zervos écrit à Matisse : « Pour le numéro des "Cahiers" en préparation j'imprime 21 photographies des tableaux dont les unes communiquées par Fabiani et les autres par ma femme qui a acheté quelques beaux tableaux de vous pour des amis américains, qui lui avaient laissé une grosse somme pour acheter des tableaux de vous et de Picasso, de son choix [...] » (A.M.). Zervos fait bien entendu allusion ici au numéro de *Cahiers d'art, 1940-1944*, qui paraîtra en avril 1945, marquant la reprise de la publication et comportant deux dossiers, l'un sur Matisse (31 œuvres reproduites, 1940-1944) et l'autre sur Picasso (avec plus de 60 œuvres reproduites, 1940-1942, et des textes de Christian Zervos, Jacques Lacan, Michel Leiris, Georges Bataille..., ainsi que des poèmes de Jacques Prévert, René Char et Tristan Tzara).

28 décembre
Toujours dans le contexte de l'épuration, Matisse écrit à Picasso une lettre significative sur ses positions, à tous points de vue : « Mon cher Picasso, On m'a rapporté la signification politique que vous avez cru voir dans la pétition au sujet d'une statue de Maillol [Maillol est mort le 16 septembre 1944]. Je suis l'initiateur de cette pétition. En me prêtant des intentions politiques, vous ne vous êtes pas représenté que je suis trop vieux et trop mal portant pour prendre une part quelconque à la politique de mon pays. Mon tribut à l'actualité ne peut se manifester que par des gestes de charité. Toutefois, connaissant par expérience la vie de lutte d'un artiste (ne m'avez vous pas dit en 14 : "Matisse il y a longtemps que nous sommes dans les tranchées") et me plaçant exclusivement à ce point de vue, j'ai voulu profiter de l'occasion qui se présentait pour rendre un tout petit hommage à un artiste qui a travaillé pendant sa vie, comme nous deux, du reste, tête baissée, et au sujet d'une œuvre que je lui ai vu faire, que j'ai moulée avec lui, à la dure époque de Collioure. Comme la chose se complique, et que j'ai besoin de mon reste d'énergie pour mon travail quotidien, je renonce à mon idée dans laquelle j'ai entraîné Bonnard qui avait les mêmes raisons que les miennes pour me céder. La statue suivra sa destinée. Je désire que par cette lettre vous vous rendiez compte de la simplicité de mon geste. Enfin je vous adresse, mon cher Picasso, mes meilleurs vœux pour 1945. Affectueusement » (A.P.).

1945

15 janvier
Marcelo Fernandez Anchorena écrit à Matisse, au sujet de sa porte, sur laquelle celui-ci continue à travailler : « J'ai bien été heureux de vous lire, lors de votre dernière lettre datée 18 septembre et d'apprendre que vous donniez la toute dernière main à la très belle œuvre que j'ai hâté d'admirer. Il y a quelques jours Picasso est venu déjeuner

avec ses amis ; en entrant il me demanda : "Je veux voir la porte de Matisse." Tout Paris attend avec impatience » (A.M.).

18 janvier
Un vieil ami de Matisse, des années d'avant 1914, Thomas Whittemore, reprend contact avec lui : « L'autre jour, j'ai vu au studio de Picasso votre merveilleux tableau du dernier Salon d'Automne et il me semble que vous avez porté votre interprétation de la Vie au plus haut sommet » [il s'agit bien sûr de la *Nature morte à la corbeille d'oranges*, exposée en évidence rue des Grands-Augustins] (A.M.).

2 février-2 mars
La galerie Martin Fabiani (26, avenue Matignon) présente quelques toiles de Bonnard, Cézanne, Degas, Matisse, Picasso, etc., au profit du Cabaret des Troupes alliées (Stage Door Canteen). À ce propos, Louis Aragon écrit à Matisse le 25 février : « L'exposition Fabiani est assez drôle. Pas exactement ce que j'aurais voulu. J'aurais aimé qu'il y eût un Matisse récent (un de 42, un de mes Matisse), et le portrait de Mme Éluard par Picasso. J'aurais mis un Renoir de moins (non pas que je n'aime pas ce Renoir, un portrait typique, mais parce que c'est le seul tableau typique d'un peintre dans l'exposition, et qu'il dément le système). Malgré cela, l'exposition a fait grand effet sur les gens avisés. Ils ne sont pas nombreux. Avez-vous eu le catalogue et ma préface ? » (A.M.). Pendant toute cette période, Picasso comme Matisse offrent fréquemment des œuvres pour des ventes destinées à aider les associations d'anciens prisonniers ou déportés (par exemple, le 17 février, vente de cent vingt œuvres contemporaines au profit des ex-prisonniers de guerre et déportés soviétiques, à la galerie René Drouin : un *Coq* offert par Picasso est vendu 500 000 francs et un petit *Intérieur* offert par Matisse est adjugé 480 000 francs).

12 février
Dans une longue et belle lettre à son fils Pierre, envoyée de Vence, Matisse résume ce que furent sa vie et son travail en 1943 et 1944, années sans courrier : « J'ai fait un travail énorme depuis mon opération — tu en seras étonné. Et je crois ce travail tout à fait essentiel [...] J'ai peint et surtout beaucoup dessiné – j'ai été au bout de mon expression dessinée – et elle me gêne pour la peinture car avec elle je m'exprime entièrement avec des subtilités qui m'étonnent tous les jours [...] Picasso a acheté une nature morte importante de Tanger qui a appartenu à Mme Sternheim, une Allemande. Il en est très fier – et comme il vient de remplir une salle du haut en bas dit-on au Salon d'Automne de ses tableaux *sans cadres* [souligné par Matisse], il a exposé d'autorité cette nature morte » (A.P.M.).

21 avril
Durant un court séjour à Paris, Matisse rencontre Picasso.

7 mai
L'Allemagne se rend aux Alliés. L'armistice est signé le 8 mai.

12 mai
Matisse se préoccupe d'harmoniser les cadres de leurs tableaux bientôt destinés à voisiner à Londres. Il écrit dans ce sens à Picasso : « Vence 12 mai 1945, Cher Picasso, J'apprends qu'avec vous seulement M. Erlanger de la Direction des B[eaux] Arts m'a invité à une exposition à Londres

– exposition de propagande – je voudrais que vous m'écriviez ou bien me fassiez écrire, si vous acceptez, moi j'accepte – et dans ce cas, quels cadres pensez-vous mettre à vos tableaux de façon que nos tableaux paraissent dans le même genre d'encadrement – pour moi le plus simple, quelque chose comme des caches clous m'irait. Prêterez-vous la N[ature] morte la grande [*Nature morte à la corbeille d'oranges*] 1912 ou bien les deux nature morte [*Tulipes et huîtres sur fond noir*, 1943] et figure féminine assise [*Jeune Fille en vert, robe persane*] que vous avez eu dernièrement. À bientôt, je vais rentrer bientôt à Paris. Cordialement. H. Matisse » (A.P.) (il s'agit de l'exposition « Matisse Picasso » au Victoria and Albert Museum de Londres, qui s'ouvrira en décembre 1945.) À noter ce souci du cadre, ou plutôt du « non cadre » qui apparaît alors chez Matisse, peut-être à la suite du Salon d'automne de 1944, où Picasso avait exposé ses tableaux « sans cadres »).

20 juin-13 juillet
Exposition « Picasso. Peintures récentes » organisée au profit des œuvres du Secours du comité France-Espagne, à la galerie Louis Carré. Sont présentées vingt et une peintures de 1940 à 1945. Le catalogue édité à cette occasion est intitulé *Picasso Libre*, d'après le titre du poème de Paul Éluard qui sert d'introduction.

1er juillet-mi-novembre
Matisse est à Paris (voir la lettre datée « 7.45 » à Pierre Matisse, sur papier à en-tête de l'hôtel Lutétia), dans son appartement du boulevard du Montparnasse. Picasso et lui se rencontrent certainement à plusieurs reprises pendant l'automne.

Juillet
Picasso séjourne chez les Cuttoli, au Cap d'Antibes.

25 juillet
Premiers articles sur les restitutions d'œuvres d'art volées par les Allemands : dans *Nouvelles du matin*, parution d'une interview de M. Henraux, président de la Commission de récupération des œuvres d'art, indiquant que « jusqu'à présent, 150 toiles, des Cézanne, Renoir, Matisse, Braque, Picasso, volées par les Allemands, ont été rendues à leurs propriétaires ».

3 ou 4 août
À propos du projet d'exposition qui va les réunir, et préparant un rendez-vous avec Picasso le 5, Matisse note : « Demain dimanche 5 août 45 à 4 h, visite de Picasso. Comme je m'attends à le voir demain mon esprit travaille. Je fais avec lui cette exposition de propagande à Londres. Je me représente la salle avec mes tab[leaux] d'un côté et les siens de l'autre. C'est comme si j'allais cohabiter avec un épileptique. Que je vais avoir l'air sage (ou un peu cucul pour certains) à côté de ses pyrotechnies, comme disait Rodin de mes œuvres. Je marche quand même, je n'ai jamais repoussé un voisinage lourd ou bien gênant. La justice viendra un jour, me suis-je toujours dit. Et puis, est-ce qu'il ne pourrait pas avoir raison ? Les gens sont si bracs » (A.M., cité par Bois, 1998, p. 180). Ces remarques inquiètes s'avéreront parfaitement justifiées...

22 septembre
Martin Fabiani est inculpé de recel, puis écroué, sur plainte du Comité de récupération des œuvres d'art. Les noms de Matisse et de Picasso sont cités incidemment dans la presse : « Parmi les victimes, inscrivons M. Picasso dont la bonne foi fut surprise et qui échangea en toute simplicité et modestie une

de ses toiles contre un Douanier Rousseau », indique *Franc-Tireur*, le 25 septembre 1945. Martin Fabiani sera remis en liberté provisoire le 10 novembre 1945, après paiement d'une importante amende, et confiscation de ses « profits illicites ».

25 septembre-29 octobre
Salon d'automne. Symétriquement à l'hommage rendu l'année précédente à Picasso, la même grande salle est consacrée en 1945 à Matisse : trente-sept œuvres y sont exposées, de 1890 à 1944, mais ce n'est pas une rétrospective, seuls sept tableaux étant antérieurs à 1937. La presse relève bien entendu le parallèle et les différences entre les deux hommages, opposant « la quarantaine de toiles éblouissantes » de Matisse au « démoniaque Picasso » de l'an passé (*Nouvelles du matin*, 27 septembre 1945) ou « la virulence des tourments et l'éternelle insatisfaction » de Picasso à « l'apaisante certitude » proposée par Matisse (Gaston Diehl, dans *Le Vingtième Siècle*, Bruxelles, 11 octobre 1945). L'article de Guy Dornand, paru dans *La Femme* (20 octobre 1945), illustré par une reproduction de *La Blouse roumaine*, 1940, résume à peu près l'impression des visiteurs : « Cette année ? ... Ah ! Nous voici loin de l'atmosphère passionnée du salon précédent, vrai Salon de Libération, où exultait la joie de pouvoir, hors de toute contrainte, se livrer à toutes les recherches, les plus grisantes, les plus excessives même. L'art de Picasso auquel était réservé l'hommage d'une salle entière agissait comme un explosif ; la passion politique se mêlait aux considérations esthétiques — à tort, semble-t-il bien ; une frénésie éclatait dans les tableaux de jeunes qui libéraient, sur leurs toiles, le prurit, le besoin fou de couleurs qu'avaient quatre ans opprimé le vert-de-gris et le black-out de l'occupant. Rien de semblable en 1945. La fièvre est tombée. Seule, une salle flambe de l'incendie polychrome des tableaux de Pignon, d'Estève, de Fougeron, de Gischia, d'André Lhote, de Tal-Coat, de Goerg, qui poursuivent leur recherche d'un art "non figuratif" (mieux vaudrait dire : abstrait) où le souci des volumes et de la perspective s'efface derrière une débauche de couleurs pures, mais violentes. Mais — et c'est peut-être la leçon à tirer de ce Salon — la vraie fête de la couleur n'est pas là : on la trouve bien plutôt dans la salle consacrée tout entière à Henri Matisse. Quelque quarante toiles évoquent tout l'œuvre de ce coloriste heureux, au dessin elliptique, dont les différentes "manières" constituent une montée permanente vers la lumière, obtenue par l'usage de la couleur pure et des juxtapositions de tons. Oui, Matisse est bien le plus jeune exposant du Salon. »

Fig. 96
Visiteurs de l'exposition « Picasso-Matisse » qui ouvrit ses portes en décembre 1945, au Victoria and Albert Museum de Londres.

8 novembre
Parution du numéro 13 de *Verve*, consacré à Matisse et intitulé « De la couleur », avec un texte d'André Rouveyre et dix-neuf reproductions en couleurs de peintures de 1941-1944. La couverture est faite d'après une maquette en papiers découpés (1943).

5 décembre 1945-15 janvier 1946
Une double exposition « Picasso-Matisse » est présentée au Victoria and Albert Museum à Londres, ou plutôt deux expositions parallèles, avec deux catalogues (préface de Jean Cassou, récemment nommé directeur du Musée national d'art moderne, pour Matisse ; préface de Christian Zervos pour Picasso). L'exposition, un peu modifiée, circulera ensuite jusqu'en mai 1946 à Manchester et Glasgow, puis Amsterdam et Bruxelles. Matisse est représenté par vingt-quatre œuvres (de 1896 à 1944, une minirétrospective), ainsi que par des séries de photographies montrant les différents états de cinq toiles récentes. Picasso l'est par vingt-sept œuvres récentes (1939-1945) et un ensemble de soixante-trois photographies en forme de rétrospective, avec des œuvres allant de 1895 à 1939.
À Londres, l'exposition attira en cinq semaines quelque cent soixante mille visiteurs et provoqua dans le public anglais « de profonds remous » et des centaines d'articles (Philip James, « Picasso et Matisse à Londres », *Psyché*, n° 1, 1946). Ces réactions virulentes, émotionnelles, furent suscitées avant tout par les œuvres de Picasso, « toutes peintes à Paris et la plupart d'entre elles dans les ténèbres d'une ville occupée par l'ennemi », poursuit le même critique, alors que dans « l'éblouissante atmosphère méditerranéenne [...] » des plus récents tableaux de Matisse exposés, il relève : « On y sent un peu trop d'aisance, à mon avis, il frise la pure décoration. » L'article d'Eric Newton, « Storm over Picasso » (*The Manchester Guardian*, 22 décembre 1945), illustré des reproductions en vis-à-vis de *L'Aubade* et de *Figure décorative*), reprend la même dialectique et montre à quel point la critique a réagi davantage à Picasso qu'à Matisse (au contraire de ce qui s'était passé en 1912...) : « Le pauvre Matisse a été ignoré ou traité pas mieux qu'un peintre pour boîtes de chocolats dans cette tempête dans la tasse de thé du British Council. Picasso est le méchant. Il est celui qui a adultéré les valeurs de l'art et a produit "une poussée insidieuse qui va déchausser les racines de tout ce qui est bon en peinture", "une caricature démente d'humanité" dont il faut protéger nos écoliers. Pour ma part, je n'éprouve rien de cette indignation. Mais je ressens un profond malaise. [...] La plupart des gens, je suppose, sont prêts à accepter sa violence affective, sa forme impitoyable et sa couleur sinistre, tout comme ils acceptent celles de Grünewald ou de Goya. Cependant, ils ne peuvent accepter l'habitude qu'a Picasso de réduire en pièces l'humanité pour la réassembler d'une manière aussi peu désirable que possible. [...] Pour rien au monde je n'accrocherais ces peintures chez moi. Vivre avec, ce serait vivre avec une tempête. Mais les voir exposées au public dans une galerie reste, pour moi, une expérience artistique de première grandeur. »
Brassaï rapporte d'ailleurs la réaction de Matisse, pas dupe de la mansuétude des critiques à son égard : « Au moment de leur exposition commune à Londres, dans le "Victoria and Albert Museum", Matisse, m'ayant montré un volumineux paquet de critiques et d'articles anglais consacrés à cet événement, m'avait dit avec quelque tristesse et amertume : "Ce n'est pas moi, c'est lui qui reçoit

la plupart des injures... Moi, on me ménage... Évidemment, à côté de lui, je fais toujours figure de jeune fille. » (Brassaï, 1964, p. 266).

5 décembre 1945-11 janvier 1946

Picasso réalise les onze états successifs de plus en plus dépouillés, de la lithographie *Taureau* (Z. XIV, 130) – non sans rapport avec les « états » photographiques des toiles de Matisse montrés simultanément à Londres et à Paris.

7-29 décembre

Exposition « Henri Matisse : peintures, dessins, sculptures » à la galerie Maeght, qui inaugure du même coup ses locaux, 13, rue de Téhéran, à Paris. Picasso a certainement vu l'exposition, selon le témoignage de Charles Camoin (lettre du 20 décembre à Matisse : « Je n'ai pas encore vu ton exposition dont Marquet m'a parlé, il s'y est trouvé avec Picasso »). Cinq tableaux sont exposés, entourés des photographies de leurs différents états. Il s'agit de *La France*, 1939 (et huit « états ») ; *La Blouse paysanne* [*La Blouse roumaine*], 1940 (et treize « états ») ; *Dormeuse sur table violette* [*Le Rêve*], 1940 (et douze « états ») ; *Nature morte au magnolia*, 1941 (et trois « états ») ; et *Jeune Fille à la pelisse*. Matisse tient beaucoup à l'aspect didactique de cette présentation. On notera que le choix de ces œuvres avec dossier photographique recoupe en partie celui de l'exposition « Picasso-Matisse » à Londres, et que Matisse a privilégié l'exposition de la galerie Maeght : *La France*, *La Blouse roumaine*, *Le Rêve* et *Nature morte au magnolia* sont accrochés rue de Téhéran ; des photographies en témoignent.

1946

Janvier

Exposition « Sur quatre murs » à la galerie Maeght : présentation d'œuvres monumentales dont *Les Marocains*, 1916, de Matisse (la toile lui appartenait encore) et *Homme assis au verre*, 1913-1914, de Picasso.

4 janvier

Christian Zervos écrit à Matisse. Il prépare un dossier de dessins pour *Cahiers d'art* (« 30 pages pour les 30 dessins ») et soumet à Matisse un projet de livre, en pendant à celui qui est en préparation sur Picasso : « J'aimerais publier un livre sur votre œuvre en utilisant tous les clichés des "Cahiers d'Art" et en ajoutant de nouveaux de manière à donner une idée aussi complète que possible de votre œuvre. Le texte ne serait pas long mais suffisamment documenté. Pour cela, je viendrais passer une semaine à Vence. J'aimerais aussi avoir des photographies de vous à différentes périodes de votre vie et, si possible, des vues extérieures et intérieures de vos ateliers. Toutes les fois que vous n'avez pas des photos, je les ferais faire sur vos indications. J'espère ainsi réaliser le pendant du livre sur Picasso qui est en préparation à Londres. J'ai idée que c'est le moment de faire un tel livre sur vous, car nous nous connaissons suffisamment, je pense, pour qu'il y ait une certaine intimité et que nous arrivions à faire un livre bien » (A.M.).

Début février

Françoise Gilot part pour Golfe-Juan. Elle viendra voir Matisse à Vence, avec Picasso, dans les semaines qui suivent (début mars). Matisse travaille alors sur *L'Asie* et aborde la série des *Intérieurs de Vence*.

15 février-15 mars

Exposition « Art et Résistance » au Musée national d'art moderne. Picasso, « le seul qui ait su s'inspirer des événements en les traduisant dans un langage valable : le sien », y expose *Le Charnier* et *Hommage aux Espagnols morts pour la France* [pas au catalogue], et Matisse « un de ces petits chefs-d'œuvre nés sous le signe du plaisir » (M.N., « Art et Résistance », dans *Confluences*, Lyon, n° 10, avril 1946).

6 mars

Matisse annonce aux Anchorena que leur porte est enfin terminée : « J'attends qu'un certain bleu soit sec, bien sec, pour vous prier de le faire reprendre [...] Je l'ai conçue nouvellement [...] elle sort directement de la Couleur » (cité dans *Derrière le miroir*, n° 107/108/109, juin-juillet 1958).

10 mars

Dans une lettre à Pierre Matisse, Matisse évoque la récente reprise de « l'exposition didactique de Maeght » à Nice, au casino de la Méditerranée : « Les étudiants, les peintres de Nice ont protesté, répétition de la protestation qui a eu lieu à Paris à l'occasion de l'exposition de Picasso [au Salon d'automne de 1944]. Il y a beaucoup de visiteurs, et beaucoup de véritable intérêt. [...] Maeght a fait son exposition "Sur 4 murs" très grand succès. Les journaux ont écrit que c'était le plus gros événement de la saison. Il y avait quatre grandes toiles de 1913 de Picasso, [*Homme assis au verre*, 1914], de Braque, de Bonnard (celle-là de cette année) et Léger et de moi, *Les Marocains*. On a écrit que les peintres en 1913 étaient armés pour la décoration murale — on a écrit un article ayant pour titre "Le Paradis perdu". La Galerie Maeght a été le centre de l'activité artistique [...]. J'écoute quelquefois à la radio À vos ordres, reportage de N[ew] Y[ork] Mr Onze enfants [Ozenfant] comme l'a appelé longtemps Picasso, y parle toutes les semaines sur les arts à New York. Il me donne une place de patriarche non discuté. Il parle de Picasso comme d'un révolutionnaire qui sera remplacé par un autre (on peut croire qu'il pense à lui) » (A.P.M.).

19 mars

Matisse continue la chronique épistolaire adressée à Pierre Matisse : « J'ai vu arriver Picasso il y a 3 ou 4 jours avec une très jolie jeune fille [Françoise Gilot]. Il a été chaleureux en diable. Il devait revenir me raconter des tas de choses. Il n'est pas revenu. Il avait vu ce qu'il voulait : mes papiers découpés, mes tableaux nouveaux, la porte, etc. Ça va fermenter dans son esprit à son profit. Il n'en demande pas davantage » (A.P.M., et cité dans Russell, 1999, p. 245).

22 mars

Pierre Matisse annonce à son père : « On dit que "La Musique" de chez Guillaume, moi au piano avec fond gris et vert, 1916, a été acheté par le Musée moderne. Je vérifierai » (A.P.M.).

Avril

Tournage du film de François Campaux sur Matisse. Il comporte une célèbre séquence au ralenti, montrant l'artiste au travail sur la toile *Jeune Femme en blanc, fond rouge* (MNAM).

Fin avril

Picasso et Françoise Gilot reviennent de Golfe-Juan. Françoise s'installe quai des Grands-Augustins.

Fig. 97
Couverture du catalogue de l'exposition « Matisse-Picasso », Stedelijk Museum d'Amsterdam en 1946. Archives Picasso.

Fig. 98
Couverture du catalogue de l'exposition « Matisse-Picasso », palais des Beaux-Arts de Bruxelles, mai 1946. Bibliothèque du musée Picasso, Paris.

1er mai

Lili Brik, dans une lettre à sa sœur Elsa Triolet, émet un vœu : « Comme j'ai envie que Matisse ou Picasso fasse notre portrait à toutes les deux "Les deux sœurs" ! [...] Tant que tout le monde est encore en vie [...] » (*Correspondance Lili Brik/Elsa Triolet*, Paris, Gallimard, 2000).

5 mai

Picasso peint *La Femme-Fleur*, un portrait de Françoise Gilot assez visiblement influencé par Matisse... selon Françoise elle-même qui témoigne : « Il se mit à simplifier et à allonger les lignes de mon corps. Il se souvint alors que Matisse avait parlé de faire mon portrait avec des cheveux verts [...] "Matisse, dit-il, n'est pas le seul qui puisse vous peindre avec des cheveux verts." Dès ce moment les cheveux furent changés en feuilles » (Gilot, 1965, p. 142).

10 mai

Beaux-Arts (Paris) rend compte d'une exposition de « Grands peintres contemporains » au palais de la Méditerranée à Nice, à laquelle Matisse a prêté non seulement un tableau récent [sans doute *L'Asie*], mais aussi le *Portrait de Dora Maar* qui lui a été donné par Picasso.

Début juin

Matisse quitte Vence pour Paris. Il y séjournera jusqu'en avril 1947.

Juin

Importante exposition sur « La Tapisserie française », au Musée national d'art moderne. Il s'agit d'une grande rétrospective, depuis le xve siècle jusqu'aux réalisations contemporaines. La présence des « magnifiques » tapisseries de Picasso et de Matisse (et de Fernand Léger, Georges Rouault, Joan Miró), commandées à la fin des années trente par Mme Cuttoli, est saluée par la presse (*Tel quel*, 18 juin 1946 ; *Libertés*, 28 juin 1946). Matisse a passé deux heures dans l'exposition (en fauteuil roulant ; attesté par une lettre à Simon Bussy, du 7 juillet, citée dans Schneider, 1984, p. 730).

14 juin-14 juillet
Il a sans doute eu aussi la curiosité de voir,
à la galerie Louis Carré, l'exposition Picasso,
« Dix-neuf peintures » (de 1939 à 1946) où figure
La Femme-Fleur de mai 1946.

Juin-août
Exposition « Les Chefs-d'œuvre des collections
françaises retrouvés en Allemagne par la
Commission de récupération artistique »,
au musée de l'Orangerie. Elle comprend deux
œuvres de Matisse, choisies par Goering pour
sa collection particulière : *La Pianiste et les Joueurs
de dames*, 1920, et un dessin, *Odalisque aux
babouches*, 1929, mais aucun Picasso.

Début juillet
Picasso et Françoise partent dans le Midi
(Menerbes, puis le Cap d'Antibes, Golfe-Juan).
L'artiste visite cet été-là la poterie Madoura
à Vallauris (exploitée par les Ramié) et s'essaye
immédiatement à cette nouvelle activité.

Août
Parution de l'importante monographie d'Alfred
H. Barr, *Picasso : Fifty Years of His Art*, The Museum
of Modern Art, New York, 1946.

8 septembre
Romuald Dor de la Souchère, conservateur du
château d'Antibes, propose de mettre une grande
salle à la disposition de Picasso. D'octobre à fin
novembre, l'artiste y réalisera une vingtaine
d'œuvres sur panneaux de fibrociment, avec de la
peinture pour bateau, dont certaines restées *in situ*.

15 septembre
Dans *Paris-Presse*, parution d'une interview de
Giorgio De Chirico qui, malgré son mépris pour l'art
contemporain en général – « Il faut en finir avec
toutes ces blagues » –, concède que « le seul
d'entre eux qui ait du talent c'est Picasso. Celui-là,
au moins, sait ce qu'il fait. Il peut peindre et dessiner ».
En revanche, il n'a que mépris pour Matisse :
« Il ne fait tout simplement rien. Il dort et vend [...]. »

19 septembre
Pierre Matisse transmet à son père certaines
questions d'Alfred H. Barr (en vue de la monographie
qu'il prépare, et qui paraîtra en 1951). Deux d'entre
elles mentionnent Picasso : « *L'Homme nu* (le *Serf*)
a-t-il été peint en 1899 ou en 1900 ? Pourrait-on savoir
quelles peintures furent envoyées au Salon des
Indépendants 1901. Y avait-il une de ces académies
bleues ? Ceci est important parce que les académies
bleues semblent être à la source de la période bleue
de Picasso qui a commencé en fin 1901. Il serait
possible que Picasso les ait vues aux Indépendants
ou chez Berthe Weill. Est-ce que Berthe Weill a eu
ces études bleues dans sa galerie [...]. Picasso a-t-il
vu *La Joie de vivre* dans ton atelier avant de le voir
aux Indépendants. Barr pense que Picasso avec
Les Demoiselles d'Avignon a été inspiré par l'idée de
faire un tableau qui dépasse *La Joie de vivre*. Il demande
si "La Joie de vivre" est le titre exact » (A.P.M.).

4 octobre-10 novembre
Salon d'automne (il ne comporte plus d'hommage
comparable à ceux rendus à Picasso, en 1944, et à
Matisse, en 1945). Matisse y montre trois peintures.

23 octobre
Impression des *Lettres d'une religieuse portugaise*,
illustrées par des lithographies de Matisse — tirées
par Mourlot —, éditées par Tériade.

24 novembre
Matisse fait part à son fils Pierre d'un projet
de catalogue général de son œuvre : « C'est Skira
l'éditeur. C'est une affaire très importante (peintures,
dessins, gravures et sculptures) qui va nécessiter
des frais importants. Il était nécessaire d'avoir
un éditeur qui marche, et Skira marche à fond dans
ce qu'il fait. Duthuit pour la littérature nécessaire.
Déjà une annonce est faite dans le journal de Skira
qui paraît dans quelques jours [*Labyrinthe*]. Je reste
là-dedans le grand patron et j'aurai à donner des
bons à tirer pour ce qui sera fait » (A.P.M.).
Ce projet (à mettre bien entendu en relation avec
l'entreprise de Zervos sur Picasso) n'aboutira pas :
il n'y a pas encore aujourd'hui de catalogue
raisonné des peintures de Matisse. En revanche,
ceux des gravures (1983), livres illustrés (1987)
et sculptures (1997) ont été publiés après sa mort.

Fin novembre
Retour de Picasso à Paris.

Décembre
Parution de *Picasso. Portraits et souvenirs* par
son vieux complice Jaime Sabartès, aux Éditions
Louis Carré et Maximilien Vox.

9 décembre
Dans *Lundi matin* (Paris), parution sous le titre
« Elle a découvert Picasso et Matisse... » d'un article
de N. Diera sur Berthe Weill, désormais âgée et
sans ressources, et annonce d'une vente d'œuvres
— à partir des dons de ses peintres et de ses
collègues — à son profit (elle aura lieu le 12 décembre).

13 décembre
Aux Écoutes (Paris) publie un entrefilet intitulé
« Picasso et Matisse » : « Il y a une amicale et féroce
compétition entre ces deux grands artistes et qui
se joue serrée. Aux premières années de gloire de
Picasso, Matisse lui demanda s'il ne voudrait pas
échanger une de ses peintures contre un tableau
de lui. Picasso accepta et dit à Matisse :
— Choisissez ce que vous trouverez de plus beau.
Matisse remercia et emporta une toile magnifique.
Puis, à son tour, il demanda à Picasso : — Venez
chez moi et prenez la toile que vous préférez.
Ce jour venu, Picasso plissa son œil noir et
malicieux, avisa au mur une toile où s'estompait
vaguement une ébauche : — Ça, dit-il. — Non,
dit Matisse, vous êtes trop discret. Il n'y a là qu'un
"monstre" inachevé, à peine indiqué, sans couleur.
— Ça, insista Picasso. — Mais non, mon cher,
prenez une grande toile, soignée, finie. — Non ça,
dit toujours Picasso en indiquant, têtu, la petite
toile où bataillaient quelques touches sans forme.
Matisse lui remit ce qu'il désirait. Picasso accrocha
l'ébauche dans son atelier. »

20 décembre
Brassaï rencontre Matisse à la Coupole, puis
l'accompagne boulevard du Montparnasse, où il
découvre le projet des tentures Ascher, de petits
éléments découpés piqués au mur. La conversation
reprend sur Picasso : « Mais Matisse, toujours
si avide de nouvelles, frémit d'impatience de me
demander les derniers faits et gestes de Picasso [...].
Depuis quarante ans il est son camarade et son
rival, sa bête noire et son frère d'armes. [...]
Il m'interroge donc : "Comment va-t-il ? Que fait-il ?
Comment vont ses amours ?" Le moindre de ses
gestes, des boutades tombées de ses lèvres, des
événements de sa vie, l'intéresse, le passionne [...].
À Vence, il m'avait dit : "Tous les ans, j'envoie une
caisse d'oranges à Picasso. Il les expose dans son

Fig. 99
Henri Matisse peignant dans le film *Matisse* de François Campaux,
réalisé en 1946.

atelier et dit à chaque visiteur : – Regardez et admirez
ce sont des oranges de Matisse... Personne n'ose
les toucher, les manger... En échange, Picasso
m'envoie des acheteurs... Récemment j'ai eu la
visite de deux individus avec sa recommandation.
[...] À propos, avez-vous vu mon film ? [...] Je me suis
[Matisse, en se voyant projeté à l'écran] senti
déculotté, nu, parmi l'assistance... Mais c'était une
inoubliable leçon pour moi... J'ai été bouleversé par
le ralenti... Quelle chose étrange ! Soudain, on voit
le travail de la main, tout à fait instinctif, surpris
par la caméra et décomposé... Cette séquence
m'a consterné... Je me suis demandé tout le temps :
"Mais est-ce bien toi qui fais ça ? Que diable puis-je
faire en ce moment ?" J'ai été sans aucun repère...
Je ne reconnaissais ni ma main, ni ma façon...
Et anxieux je m'interrogeais : "Va-t-elle s'arrêter ?
Va-t-elle continuer ? Quelle direction va-t-elle
prendre ?" J'ai été stupéfié de voir ma main
continuer encore et encore jusqu'à un point final...
D'habitude lorsque j'entame un dessin, j'ai le trac,
sinon l'angoisse. Mais je n'ai jamais eu autant
la frousse qu'en voyant au ralenti ma pauvre main
aller à l'aventure, comme si j'avais dessiné les yeux
fermés..." "Les yeux fermés..." La spontanéité,
l'obscur pouvoir de la main soustraite au contrôle
des yeux et même du cerveau, préoccupait
beaucoup Matisse. Il voulait savoir ce qu'elle peut
faire abandonnée à son sort et comme retranchée
du corps. Peut-être que les exercices de Picasso y
étaient pour quelque chose... Ces dessins faits vers
1933 dans l'obscurité ou les yeux fermés, où les
organes – yeux, nez, oreilles, lèvres – n'occupaient
plus leurs places habituelles, ont été sans doute
à l'origine des visages disloqués apparus quelques
années plus tard. Un jour, en 1939, dans son atelier
rue des Plantes, Matisse me fit un dessin les yeux
bandés. C'était un visage tracé avec un morceau
de craie. Il l'exécuta d'un seul trait. Dans ce portrait
très expressif, les yeux, la bouche, le nez, les
oreilles se chevauchaient comme dans les visages
distordus de Picasso. Matisse en était si enchanté
qu'il me demanda de prendre une photo de lui
devant ce dessin. Sans doute cette œuvre de
Matisse n'existe plus que sur ma photo » (Brassaï,
1964, p. 306-307).

À noter que selon Roland Penrose, en visionnant
le film de François Campaux sur Matisse, Picasso
aurait dit : « Ces singeries, très peu pour moi »,
et affirmé ne vouloir jamais se prêter à aucun film
de ce genre (Pablo Picasso, *Picasso : His Life and
Work*, 1971, p. 418). Pourtant, dès 1956, il permettra
à Henri-Georges Clouzot de tourner *Le Mystère Picasso*,
le montrant au travail lui aussi, pour la circonstance.

Parution aux Éditions Bordas du livre de Pierre Loeb, *Voyages à travers la peinture*. Dans ces réflexions sur la peinture, rédigées entre novembre 1944 et février 1945 à La Havane (où il s'était réfugié en 1942), le grand marchand et amateur d'art fait de nombreuses allusions, pour les opposer, à Picasso et à Matisse. Extraits de ce double portrait : « À tous ceux qui étaient impatients de voir ce que les peintres avaient pu faire pendant la guerre, on pouvait sans grands risques répondre que ce qui est écrit, s'écrira en formes et en couleurs et que, très certainement, on reverrait chez Matisse des femmes dans des intérieurs luxueux, des formes toujours plus tourmentées chez Picasso. [...] Matisse était resté à Nice, dans cet hôtel fantôme où il occupait un bel appartement, aux volières remplies d'oiseaux des îles, auxquels il demandait le secret de certaines associations de couleur. Et je me le représente tel que je le vis à la fin de 1941, élégant, courtois et réservé, posant sur une toile les noirs et les roses savoureux de Manet, dans cette tour d'ivoire où il s'était depuis longtemps retiré. J'avais revu quelques mois plus tôt Picasso, toujours aussi jeune, alerte, mordant, et bien que nos conversations roulassent cette fois sur la nourriture plus que sur la peinture, il allait chaque jour à son atelier, comme d'habitude. Et Picasso, que son instinct ne trompe jamais, resta à Paris » (p. 63).
« [...] Contrairement à Matisse qui dit : "Je veux", "Je cherche", Picasso dit : "Je m'exprime", "Je ne cherche pas, je trouve", marquant ainsi sa conception, et surtout la confiance qu'il a dans son instinct et ses moyens » (p. 131).
« [...] Tandis que Matisse n'accepte les influences extérieures qu'avec précaution, ne pénètre sur ce territoire enchanté et troublant qu'avec précaution, tandis que Picasso les pénètre en profondeur comme pour le drame cézannien et les mêle parmi tout ce que son œil a saisi, Derain sait que l'Occident a besoin de sang frais, mais il espère le trouver dans son proche passé » (p. 133).

1947

Début janvier
Matisse devient commandeur de la Légion d'honneur (il avait été fait chevalier en 1925). Pierre Matisse écrit à Matisse : « Un marchand américain a fait un coup ! Il a pris l'avion et a rapporté à New York une dizaine de Picasso tout chaud de l'atelier et le tambour bat son plein ! Dans deux semaines le grand Paul [Rosenberg] va également ouvrir une exposition Picasso, entre-temps j'ouvre celle de Marchand ! Comme par hasard ! J'ai un peu peur. Ça va être le mois Picasso [...] »

2 février
Matisse lui répond : « Celui qui a fait le coup sur Picasso n'est ce pas Samuel M. Kootz Gallery ? Il aurait voulu en faire autant chez moi » (A.P.M.).

17 février
Pierre Matisse à son père : « En effet, le coup Picasso a été fait par le dénommé [Sam] Kootz, mais comme disent ici les amis de Picasso, [les tableaux] "pas choisis par lui, ni par Kootz, mais par Sabartès ; que Picasso ne voulant pas s'en donner la peine, en a chargé". En tout cas ils sont dans le goût américain, dur et sec comme le champagne extra-brut » (A.P.M.).

15 avril
Dans *Apollo*, Léon Gard signe une attaque en règle (intitulée « Dictature anonyme ») contre

l'Association française d'action artistique (AFAA), à l'origine notamment de l'exposition itinérante « Picasso-Matisse » : « L'exposition Picasso-Matisse que la République Française a officiellement promenée de Londres à Amsterdam et à Bruxelles, et qui n'a récolté, surtout du côté Picasso, qu'une franche défaveur partout, aurait été subventionnée sur les suggestions de cette toute puissante Société. [...] Parmi ces projets de subvention, on nous signale une autre exposition Picasso-Matisse, mais cette fois à New York [?]. Entre parenthèses, il est permis de s'étonner que des personnalités telles que MM. Matisse et Picasso ne puissent faire leurs propres expositions à leurs frais. »

Vers le 25 avril
Retour de Matisse à Vence. Outre son travail de papiers découpés, il poursuit la série des *Intérieurs de Vence* et dessine au pinceau et à l'encre de Chine.

1er mai
Yvonne Zervos écrit à Matisse pour lui reparler du projet d'une importante exposition d'été dans la chapelle du palais des Papes, à Avignon.

15 mai
Naissance de Claude Picasso.

19 mai
Yvonne Zervos sollicite de nouveau Matisse : « Lorsque je vous ai vu la dernière fois je vous avais dit que j'exposerai 12 tableaux de vous et 12 de Picasso. Parmi vos 12 tableaux il devait y avoir un grand, les "Marocains", or dans votre télégramme et dans votre lettre il n'est question que des "Marocains" ; où sont les autres tableaux ? que vous deviez choisir vous-même et me les laisser à l'appartement ? » (A.M.).

27 mai
Yvonne Zervos remercie Matisse de son accord et de sa diligence : « Je savais bien que pour vous cela constituait un grand dérangement. J'ai néanmoins insisté car une exposition de cette importance ne pouvait se faire sans une large participation des meilleurs artistes d'aujourd'hui » (A.M.).

6 juin
Arts rapporte les propos de Jean Cassou, directeur du Musée national d'art moderne, qui saluent la générosité de Picasso à l'égard de son musée (« Picasso offre dix de ses tableaux au musée d'Art moderne ») : « Les musées nationaux étaient aussi pauvres en œuvres de Picasso qu'ils l'étaient en œuvres de Braque, Matisse et Rouault. Il n'existait guère, au Jeu de paume, que le portrait de Coquiot, œuvre très ancienne de l'une des toutes premières manières de Picasso. Celui-ci nous a aidés lui-même à combler la lacune qui le concernait, et ceci par le geste le plus généreux, le plus magnifique, le plus espagnol. Il a offert au musée d'Art moderne dix de ses œuvres, choisies parmi les plus importantes et les plus caractéristiques de son œuvre, parmi celles qui lui tenaient le plus particulièrement au cœur [...]. » De cet ensemble en effet exceptionnel, on peut citer *L'Atelier de la modiste*, 1925, *La Muse*, 1935, *L'Aubade*, 1942, *La Casserole émaillée*, 1945.

9 juin
Grâce à cette donation parmi d'autres et à un budget d'achats spécialement concédé par la Direction des arts et lettres (sept tableaux de Matisse, dont *Le Luxe*, 1907, *Le Peintre dans son atelier*, 1916-1917, et *Nature morte au magnolia*, 1941, 1945, ont été ainsi directement achetés à l'artiste en 1945), le Musée national d'art moderne est inauguré.

Une cinquantaine de salles déroulent un panorama inégal de l'art du XXe siècle, où subsistent d'énormes lacunes, malgré l'énergie déployée par Jean Cassou pour compléter les collections, avec la complicité du directeur des Musées de France, Georges Salles, lui-même ami personnel de Picasso. La presse salue cependant ces premiers efforts : Matisse (salle XI) et Picasso (salle XIX) occupent chacun une salle — où manquent certes des jalons essentiels (aucune toile cubiste de Picasso, aucune toile fauve de Matisse), mais qui reflète au moins la reconnaissance « officielle » que leur accordent désormais les institutions françaises. Le retard pris sur les musées américains en particulier est néanmoins considérable.

Mi-juin
Picasso, Françoise et leur bébé arrivent à Golfe-Juan. Ils resteront dans le Midi presque un an, jusqu'en juin 1948. Matisse vient voir Picasso le 12 (attesté par son agenda, A.M.).

27 juin-30 septembre
Ouverture de l'« Exposition de peintures et de sculptures contemporaines », organisée par Yvonne Zervos au palais des Papes, à Avignon ; elle comprend cent cinquante œuvres, dont douze toiles anciennes et récentes de Matisse (*La Blouse roumaine*, *La Dormeuse*, *Le Fauteuil rocaille*) et onze toiles récentes de Picasso (1941-1947). Dans *Arts*, le 11 juillet, Albert La Bastie titre son compte rendu (illustré d'une photographie de l'accrochage) : « Picasso et Matisse dans la chapelle du Palais des Papes ».

À partir d'août
Picasso travaille quotidiennement à la poterie Ramié (Madoura) à Vallauris : il décore des centaines de pièces que, progressivement, il se met aussi à modeler lui-même.

11 août
Dans *La Pravda* (Moscou), violent réquisitoire contre les influences démoralisantes de l'art moderne occidental, qui met nommément en cause Picasso (inscrit au Parti communiste) comme Matisse : « Il ne peut pas être toléré que côte à côte avec notre sain réalisme soviétique, il puisse encore exister chez nous un courant représenté par les adorateurs de l'art décadent bourgeois qui considèrent les formalistes français Picasso et Matisse comme leurs maîtres spirituels » (rapporté par *France Dimanche* du 31 août 1947). Une intense polémique se développe aussitôt dans la presse, notamment autour du rôle d'Aragon, en posture difficile puisque proche de l'un comme de l'autre, et tout à la fois rédacteur en chef des *Lettres françaises*, organe culturel du PC (voir les explications embarrassées de Claude Morgan, dans *Les Lettres françaises* du 17 septembre 1947, « À propos de Picasso, de Matisse et de l'École de Paris », et celles d'Aragon lui-même, dans *Ce soir* du 8 octobre 1947, « La liberté selon Saint Aubin »).

16 août
Picasso et Françoise (avec Claude) rendent visite à Matisse à Vence.

17 août
Matisse écrit à Picasso : « Mon Cher Picasso, C'est bien gentil ce que vous m'avez proposé hier, de m'apporter des plats à décorer. Je n'aurai pas le temps avant de partir le 5 septembre et comme vous le disiez il faut en faire un certain nombre, comme des dessins – aussi je crois que le mieux est que j'aille à mon retour chez le céramiste dont vous voudrez bien me donner l'adresse, et que

je puisse en faire tant que je voudrais avec la liberté de casser les moches. Mais promettez de venir tout de même en fin de journée me voir avant mon départ, n'attendez pourtant pas que tout soit emballé. Mes meilleurs vœux à tous deux, tous trois (hier vous étiez magnifiques) – à tous les points de vue : physique et morale). De votre ami. H. Matisse » (A.P.).

7 septembre
Visite de Picasso à Vence.

8 septembre
Un message pressant de Matisse à Picasso : « Mon cher ami, Je me suis persuadé cette nuit que Picasso devait faire une vraie fresque au Musée d'Antibes. On vous trouvera un maçon sachant préparer le mortier. En tout cas l'Italie pays de la fresque n'est pas loin. Je suis persuadé que vous ferez une chose épatante et très simplement. Je voudrais que vous fassiez ce travail parce qu'il m'est impossible de le faire, et je sais que vous le feriez mieux que moi. Pensez-y. C'est important pour tous. Excusez mon insistance c'est un devoir pour moi. Merci pour votre visite d'hier. À vous. H. Matisse » (A.P.).

30 septembre
Parution de *Jazz*, publié par Tériade, aux Éditions « Verve ». Les vingt planches imprimées au pochoir ont été réalisées d'après des maquettes en papiers gouachés et découpés élaborées en 1943 et 1944. Les textes manuscrits imprimés en fac-similé ont été réalisés pendant l'été 1946. Un exemplaire (n° 250) signé figure dans la bibliothèque de Picasso.

Octobre
Matisse fait un court séjour (trois à quatre semaines) à Paris. Il y visite le Salon d'automne, l'accrochage du Musée national d'art moderne et les Gobelins, où s'achève la réalisation de ses tapisseries *Polynésie, le ciel* et *Polynésie, la mer* (voir la lettre de Matisse à Pierre Matisse du 2 novembre 1947, A.P.M.).
Picasso et Françoise décident de rester pendant l'automne et l'hiver à Golfe-Juan.

13 octobre
Parution d'un long dossier sur Picasso, « Portrait of the artist. At 65 [*sic*] Picasso has a new art style and a young new love », dans *Life* (New York).

20 octobre
Tristan Tzara, de passage pour l'été à Saint-Jeannet, mentionne à Roger Galizot : « J'ai visité dans les environs mes amis Matisse à Vence, et Picasso à Golfe-Juan. Si Matisse a terminé ici ses œuvres les plus admirables, les toiles de Matisse rassemblées au Musée d'Antibes – en dépit de l'actuelle municipalité – sont une richesse enviable pour notre région » (*Patriote de Nice*).

19 novembre
Dans une lettre à son fils Pierre, Matisse fait état d'une nouvelle visite de Picasso : « Picasso est toujours à Golfe-Juan – dans les céramiques. J'ai eu il y a quelques jours sa visite avec Françoise – Tériade – Prévert et Adam. Picasso a décoré 501 ou 2 plats et ça n'est pas fini. L'après-midi a été joyeuse » (A.P.M.).
Est-ce au cours d'une de ces visites – sûrement plus fréquentes encore que ne l'attestent les lettres — que Matisse offrit à Pablo et Françoise deux découpages, dont l'un, rose et noir sur fond vert, évoque certaines planches de *Jazz* ? (voir sa

description et la conversation à son sujet, datée par Françoise Gilot, de décembre 1947, qu'elle rapporte tout au long, dans Gilot, 1991, p. 84-86). Picasso de son côté a offert à Matisse un tesson symbolique, un morceau de tuile recouvert de pigment bleu, signé au dos : « P à M 47 » (musée Matisse, Nice).

3-20 décembre
Dans la librairie de Pierre Berès à Paris, exposition des planches de *Jazz*. Elles seront ensuite présentées à New York (du 20 janvier au 3 février 1948).

4 décembre
Première visite du frère Rayssiguier à Vence et premières conversations sur le projet de reconstruction de la chapelle des Dominicaines de Vence – qui constituera le principal chantier de travail de Matisse jusqu'en 1951.

1948

Début 1948
Françoise Gilot semble encourager Picasso à se rendre plus souvent chez Matisse à Cimiez : « Un jour, au début de l'année 1948, nous rendîmes visite à Matisse… Pablo étant de bonne humeur, la conversation s'engagea allègrement sur le thème du dessin. Le dessin linéaire n'était-il pas la plus exigeante et aussi la plus pure des formes d'expression puisque chaque trait, en s'accomplissant, se définit lui-même et se doit de définir simultanément l'espace positif et négatif de part et d'autre ? Ils conclurent que mieux valait éviter la complexité angulaire du gothique allemand et lui préférer l'ouverture et la précision fluide de l'école italienne, mais ils louèrent surtout la perfection précise d'Ingres et l'extrême concision de Cézanne » (Gilot, 1991, p. 99).

9 mars
À la suite de la visite de Teeny Duchamp, sa belle-fille, Matisse écrit à son fils Pierre : « Elle a vu les 600 plats décorés par Picasso (une partie seulement). Je les ai vus et je dois dire que c'est quelque chose d'extraordinaire. Il y a 7 mois qu'il y travaille toutes les après-midi » (Russell, 1999, p. 302). « […] Je vois Breton à peu près toutes les semaines et nous causons de 4 à 6, 7 ou 8 heures. […] Breton a l'air un peu lâché par tous depuis son arrivée. Il a été voir Picasso – au moment où Picasso partait en voiture à Nice – il était sorti de chez lui. Il s'est excusé mais ne l'a pas invité à revenir. Breton dit qu'il n'avait pas à revenir le voir. Il dit ça avec un petit air de regret. Il m'a dit que lorsqu'à New York on a annoncé avec beaucoup de déploiement dans les journaux les déclarations de Picasso au sujet de son entrée au Parti – ou bien ce qu'on lui faisait dire – il avait dû réagir et les copains ne l'ont pas excusé auprès de Picasso » (A.P.M.).
Dans un article paru dans *Partisan Review*, intitulé « Le déclin du cubisme », le critique Clement Greenberg pose la question : « Finalement pourquoi Matisse, par son style somptueux mais de transition, qui ne se compare pas avec le cubisme du point de vue importance historique, peut-il se reposer sans danger dans sa position du plus grand maître du vingtième siècle, une position dont Picasso n'est plus sûr et jamais menacé ? » Le peintre et collectionneur George L. K. Morris, commissaire de la rétrospective Matisse à Philadelphie, qualifie l'article de Greenberg d'« irresponsable ».

3 avril-9 mai
Rétrospective Matisse à Philadelphie, organisée en collaboration avec l'artiste (93 peintures, 19 sculptures, 86 dessins, gravures et 11 livres

illustrés). Dans *The New York Times* daté du 4 avril, Howard Devree écrit : « Il [Matisse] est l'une des figures réellement dominantes du mouvement moderne et, pour ce qui est de l'étendue de son influence, seul, peut-être, Picasso peut rivaliser avec lui […]. Il est probablement le plus grand coloriste de notre époque. » L'exposition remporte un succès considérable : 100 000 visiteurs en un mois, écrit Matisse à Jean Cassou.
Dans *France Amérique* du 2 mai, le peintre Amédée Ozenfant publie une lettre ouverte à Matisse, à la suite de sa visite de l'exposition : « Aujourd'hui tous ceux qui ont visité votre exposition de Philadelphie vous considèrent comme le plus grand artiste vivant […]. Votre message social est d'une particulière importance aujourd'hui car il y en a trop qui croient, répètent […] que l'œuvre profonde et sociale doit être triste et laide […]. Picasso a peint des araignées féminines, vous Matisse vous pensez que ce que l'on appelle le beau monstre n'est jamais aussi beau que le beau-beau […]. »

5 avril
André Breton en séjour chez Marie Cuttoli à Cap d'Antibes depuis deux mois est sollicité par Tériade pour un texte destiné au prochain numéro de la revue *Verve* consacré à Matisse ; celui-ci écrit à son fils : « Il est entendu avec Tériade qu'il [Breton] va faire un texte assez important pour le prochain numéro de *Verve* sur moi. C'est une drôle de mentalité chez tous ces surréalistes maintenant. Ils boudent tous Breton, même Picasso. Si je ne l'avais pas fait venir, il n'aurait pu voir personne… Ils me font très pitié car tout le monde est vache avec eux. Et tout le monde sauf moi en a profité. Car s'il a toujours aimé mon travail, comme Aragon, ils ne m'ont jamais défendu quand j'ai été attaqué, au contraire. Ils ne s'intéressaient pas à ceux qui n'avaient pas leur uniforme » (A.P.M.). « Je crois que Breton a tort de vouloir faire survivre le surréalisme. Je suppose que son texte ne sera pas une polémique et qu'il n'attaquera personne en mon nom. Je suppose que son texte ne sera pas publié sans être vu auparavant. Tériade ne veut lui parler qu'à Paris. Il se méfie, il est en train de travailler avec Picasso, il ne veut pas le mécontenter. Il y a eu Mme Cuttoli ces jours-ci, elle a profité de la voiture que j'ai envoyée à Breton pour venir me voir, je ne sais si elle a vu Picasso. Elle n'aura peut-être pas osé, ayant hébergé les Breton. Tous ces gens sont si petits » (Russell, 1999, p. 307). En post-scriptum, Matisse ajoute : « J'ai passé cette après-midi avec Breton. Je me demande ce qu'il pourra écrire sur moi. Je suis si loin de Matta. J'ai l'air d'un gros paysan à côté d'eux qui sont surtout intelligents. Picasso a dit : "En peinture l'intelligence c'est de la connerie". […] J'ai dit quelques mots en glissant que Tériade ne voudrait pas de polémique. Il ne veut surtout pas qu'il engueule Picasso […] » (Russell, 1999, p. 307-308).

14 avril
Matisse écrit à Pierre Matisse : « Breton a quitté Antibes. Il prétend que je suis responsable des surréalistes. Que fait-il de Picasso ? J'ai vu le musée d'Antibes. Il y a des Picasso tout à fait extraordinaires. […] Picasso va exposer ses dernières toiles et un choix de plats décorés à la Biennale de Venise […]. Picasso continue à Vallauris où il va acheter une petite maison. Il fait des grosses têtes en ce moment » (Russell, 1999, p. 309).

15 avril
Le numéro 19-20 de *Verve*, entièrement consacré à Picasso, porte le titre *Couleur de Picasso*,

peintures et dessins de Picasso, sous-titré
« Antipolis (nom grec d'Antibes), 1946 », et
concerne le travail exécuté au château d'Antibes
à la demande de son ami Dor de la Souchère.
La couverture reprend un dessin au trait
de *La Joie de vivre*.

16 avril
Lors d'un entretien avec le frère Rayssiguier au
sujet du coût des vitraux prévus pour la chapelle
des Dominicaines de Vence que Matisse souhaite
réaliser, ce dernier donne en exemple les recettes
du musée d'Antibes : 45 000 francs en un an,
depuis qu'on peut y voir les fresques de Picasso.

22 avril
À la suite d'un échange récent de dessins entre
Matisse et Françoise Gilot, l'artiste lui écrit de
Vence : « Je pensais vous voir quelques jours après,
soit ici où vous êtes toujours attendue ainsi
que Picasso, soit à Vallauris, et vous parler
de générosité. Il a fallu que Picasso m'en parle hier
pour savoir si le dessin était arrivé. Pourtant hier,
avant de quitter Vence, je me voyais vous en
causant à la poterie si vous y aviez été. J'aurais bien
pu ne pas le faire comme je n'ai pas dit à Picasso
que j'ai été, il y a une semaine, au musée où
je suis resté une heure et demie devant ses œuvres,
tellement elles m'ont intéressé. J'ai souffert hier
à la poterie d'un malaise qui m'enlevait toute idée.
J'ai pourtant goûté les poteries que j'y ai vues [...].
J'espère vous voir bientôt, car Picasso doit venir
avec Mᵐᵉ Ramié un de ces matins [...] » (Gilot, 1991,
p. 114-115). Matisse fait ici référence au travail
de Picasso chez Madoura à Vallauris qui, selon
Françoise Gilot, aurait pu avoir quelque influence
sur les céramiques de la chapelle de Vence.

29 avril
Matisse à son fils Pierre : « Braque est par ici [...].
Il est venu me voir après avoir rencontré par hasard
Picasso [...]. Picasso vient d'acheter une maison
à Vallauris dans le haut avec 10 000 mètres de
jardin sans arbres. C'est le double d'Issy. Il est
toujours emballé de céramiques. Il fait maintenant
(déjà depuis longtemps) des statues avec de grands
pots déformés. Il enfonce la main dedans à la place
des creux. C'est original mais je crois que jusqu'à
un certain point il se trompe. Quand on pense
à ses panneaux du musée qui sont si décolorés,
si anémiques. Ils sont très intéressants mais
c'est une sorte d'époque analogue à l'époque bleue
ou rose. Celle-ci est grise. Dans les couleurs
vernissées, la matière se fait seule. Il fait toujours
sur sa forme de plat des sortes de tableaux.
Pourquoi prendre des plats et non des plaques ? [...]
J'ai été deux fois au musée d'Antibes seul sans lui.
J'y ai été ce matin étudier crayon en main
ce qu'il y a fait. Il a une femme couchée que
j'appelle *le faux col*, car c'est ce qui apparaît au
premier aspect. Après avoir passé une demi-heure
à la dessiner, en repassant devant j'ai encore vu
un faux col. C'est (Pic) une sorte de clown supérieur
comme Grock (sans méchanceté de ma part) » (A.P.M.).
Matisse réalise en effet plusieurs croquis d'après
les panneaux de fibrociment et notamment *Nu couché
au lit bleu* (novembre 1946) sur contreplaqué.
Tériade travaille avec Picasso sur *Le Chant des
morts* de Pierre Reverdy, illustré de cent vingt-cinq
lithographies en rouge ; l'ouvrage sera édité fin
septembre.

Mai
Louis Aragon est dans le Midi chez Picasso, qui
travaille sur les illustrations de *Carmen* de Mérimée.

Elsa Triolet écrit à sa sœur Lili Brik : « Quant
à Matisse, figure-toi qu'il peint une madone pour
je ne sais quelle chapelle ! [...] Aragon l'a désaimé,
pas à cause de la chapelle, mais parce que Matisse
n'est pas loin de se considérer lui-même comme
un être divin (d'une essence divine). Mais ses
tableaux sont de plus en plus beaux. Breton
s'est installé là-bas à proximité de lui et lui tourne
autour » (*Correspondance Lili Brik/Elsa Triolet*,
2000, *op. cit.*, p. 248).
Picasso et Françoise Gilot s'installent à la villa
« La Galloise », à Vallauris.
Avant le départ de Matisse pour Paris, Picasso
lui rend visite et accepte de prendre en charge ses
pigeons blancs, qu'il ne peut ni laisser au Regina,
ni emporter à Paris. Françoise Gilot relate leurs
échanges « autour du fauteuil de Matisse » :
« – J'avoue que j'ai un faible pour les fauteuils,
j'aime leur présence amicale dans mes tableaux,
mais aujourd'hui j'essaye simplement d'être
un hôte attentif et de vous offrir ce qui vous
va le mieux : à elle les courbes, à vous les lignes
droites. Mais puisque nous parlons de fauteuils,
pourriez-vous nous expliquer pourquoi l'on voit
aussi souvent dans vos tableaux ce monstrueux
fauteuil rouge dont vous avez fait l'acquisition
il y a longtemps, quand vous avez emménagé
rue de Clichy ? Pourquoi vous en servez-vous dans
vos tableaux alors que, la plupart du temps, vous
ne travaillez pas d'après nature ? [...] – À cause des
lois de la gravité, répond Picasso, les corps ne sont
pas suspendus dans l'air. Ils doivent être debout,
assis ou allongés, j'ai donc recours à des supports
pour satisfaire à la logique intime de la pose.
Pendant ma période néo-classique, par exemple,
je me suis seulement servi de grosses pierres
cubiques comme supports pour mes silhouettes
assises » (Gilot, 1991, p. 162-163).

Début juin
Matisse revient à Paris, boulevard
du Montparnasse, où il travaille sur les projets de
vitraux de la chapelle de Vence. Il y restera jusqu'à
la mi-octobre.

Été
À la demande de Matisse, Picasso découvre
la première maquette de la chapelle du foyer
Lacordaire, qui deviendra la chapelle du Rosaire
des Dominicaines à Vence. Lorsqu'il se rendit
compte qu'il s'agissait d'un vrai projet architectural
et non pas d'une simple décoration, « Picasso était
furieux que je fasse une église », raconte Matisse
au père Couturier. Picasso rétorque à Matisse :
« – Pourquoi est-ce que vous ne feriez pas plutôt
un marché ? Vous y peindriez des fruits,
des légumes. – Mais je m'en fiche pas mal j'ai
des verts plus verts que les poires et des oranges
plus orange que les citrouilles. Alors à quoi bon ?
Il était furieux » (Journal du père Couturier, 9 août
1948, dans Matisse, Couturier, Rayssiguier, 1993,
p. 78).
Picasso « fut ahuri de la décision de Matisse
et plutôt choqué [...] Picasso demanda à Matisse
s'il était devenu croyant. Matisse répondit que
la chapelle lui donnait l'occasion de travailler à tous
les différents aspects d'un environnement complet
et que, pour lui, c'était un projet artistique »
(Gilot, 1991, p. 207).

1ᵉʳ octobre
Livraison du numéro 21-22 de la revue *Verve*
consacré à *Matisse : Vence 1944-1948*, couverture
illustrée de papiers découpés de l'artiste
et publication de vingt-quatre tableaux de la série

dite « Intérieurs de Vence », en alternance avec
des dessins de fruits et de feuillage. Aucun texte
n'accompagne les illustrations : André Breton,
sollicité pour écrire un article sur Matisse, l'avait
rencontré en janvier et février à Vence, mais
renonça au dernier moment : « Quant au texte de
Breton, je crois maintenant qu'il n'a jamais existé !
Je n'ai jamais reçu que le petit pneumatique
de Breton m'informant qu'il ne pourra pas écrire
le texte sur Matisse et ceci à la dernière minute.
Nous étions alors très désolés et nous avons décidé
avec votre père de ne rien mettre » (lettre de Tériade
à Pierre Matisse, 14 avril 1949).
Dans le journal du frère Rayssiguier à la date
du 10 novembre, à la réception de la revue,
Matisse précise : « Ce livre a une histoire, Breton
devait faire un long texte que j'ai remplacé par
des dessins. Il était venu au début de l'année
près d'Antibes, pour plusieurs mois. Nous avions
beaucoup parlé, il me comprenait très bien [...].
Pour cet article de *Verve*, il a fini par dire qu'étant
donné ce que nous avions dit lors de sa dernière
visite, il n'y avait pas besoin que lui, Breton, fasse
le texte, qu'Aragon suffirait » (Matisse, Couturier,
Rayssiguier, 1993, p. 93).

9 octobre
À la suite de sa visite chez Matisse, le père Couturier
note dans son journal : « Je lui dis que Picasso
l'aime bien, qu'il a été touché de voir sa photographie
épinglée à la bibliothèque tournante juste
au chevet du lit. "Oui il n'y a que lui qui ait le droit
de dire du mal de moi." Un jour, il entend quelqu'un
dire derrière lui : "Je viens de voir un Matisse qui
est assez moche." Il se retourne brusquement :
"Ce n'est pas vrai. Matisse n'a jamais rien fait de
moche" » (Matisse, Couturier, Rayssiguier, 1993, p. 82).

17 novembre
Matisse, soucieux de la céramique de la future
chapelle, écrit au père Couturier : « Il s'agit de
trouver le céramiste qui doit s'occuper des carreaux
faïences [sic]. Il y a Vallauris, il y a aussi Biot [...].
Celui qui sert Picasso n'est pas libre si Picasso
continue ses céramiques. Qui peut nous dire ça ?
Picasso le sait-il lui-même ? Où est Picasso ? [...]
Je crois que les céramistes de Picasso,
Mᵐᵉ et M. Ramié, conviendraient si notre Picasso
n'était pas tourné du côté de la céramique pendant
quelque temps, ils seraient très convenables.
Si vous aviez l'occasion de voir Picasso il
pourrait peut-être, en lui posant la question
catégoriquement, il pourrait vous donner une
réponse qui l'engagerait un peu, ne croyez-vous
pas ? » (Matisse, Couturier, Rayssiguier, 1993, p. 104).

20 novembre
Matisse, dans une lettre à son fils Pierre, écrite
de Vence, énumère les visites qu'il reçoit : « J'ai eu
Chagall en visite. Je l'ai trouvé très convenable.
Il paraît dit-on qu'il est très jaloux parce que Picasso
et moi vendons plus cher que lui [...]. Dernier bruit
parisien : on dit que Picasso a donné sa démission
du parti communiste. Ne le raconte pas, ce doit être
une blague. Cela ne doit pas être vrai, mais
vraisemblable » (Russell, 1999, p. 312, et A.P.M.).

24 novembre
Dans son journal, le frère Rayssiguier rapporte
des propos de Matisse sur Picasso : « Ses périodes
de sérénité sont apparentes ; ayant fait deux mille
plats, il était prêt à tout casser car il trouvait que
cela ne rimait à rien. C'est un dessinateur pur.
Il y a quelque temps, je l'ai trouvé faisant des
tableaux avec des carrés de différentes couleurs ;

il m'a dit qu'il cherchait sa palette, que moi j'en avais une, qu'il y avait des bleus Matisse et que pourtant j'employais les bleus de tout le monde [...]. Le travail de céramique était une réaction à ce manque. Puis Matisse cite une réplique de Picasso : "Ce n'est pas vrai, Matisse n'a jamais rien fait de moche." Picasso est un inquiet, très soucieux de ce qu'on dit de lui. "Il n'est pas capable de se réaliser. Il veut être le premier. Moi j'aime mieux être le second", dit Matisse » (Matisse, Couturier, Rayssiguier, 1993, p. 113).

26 novembre
Ouverture de l'exposition de cent quarante-neuf céramiques (sur les deux mille fabriquées en une année) et de la sculpture *L'Homme au mouton* (février 1943) de Picasso, à la Maison de la Pensée française (organe culturel du Parti communiste français créé après la Libération à Paris, auquel Picasso adhéra en 1944).

Décembre
Réalisation de vingt sept états lithographiques de *Femme au fauteuil*, représentant Françoise Gilot vêtue d'un manteau brodé (motif de *La Blouse roumaine* peinte par Matisse), rapporté de Pologne où Picasso s'est rendu fin août à un Congrès pour la défense de la paix.

1949

16 janvier
Dans son journal, le frère Rayssiguier note cette réflexion de Matisse sur le problème religieux et Picasso : « Moi aussi j'ai prétendu que si on était heureux on ne ferait pas de peinture. Je suis d'accord avec Picasso en cela. Il vous faut être sur un volcan. Picasso a des tracs fous : il voulait tout casser à Vallauris. Moi je lui disais que je n'étais pas croyant mais que lorsque cela ne va pas, je redis mes prières du temps que j'étais enfant, de ma première communion, et cela me remet dans un monde où tout est mieux [...]. Picasso, c'est un Espagnol, vous savez. Il dit qu'il a tout balancé, mais [...] » (Matisse, Couturier, Rayssiguier, 1993, p. 132).

21 février
Matisse écrit de Nice au père Couturier : « J'ai eu peur en apprenant que chez le céramiste on avait vu une dalle de terre cuite de la dimension de mes compartiments du grand double vitrail. Peut-être notre Pablo veut faire un mur babylonien ? Je suis un peu rassuré sur les céramistes qui ne doivent plus être sous la coupe de notre terrible malaguénien, car les journaux l'ont distingué à l'enterrement de Christian Bérard. Il a dû quitter la région il y a très peu de jours » (Matisse, Couturier, Rayssiguier, 1993, p. 155).

Mars
Louis Aragon choisit un dessin de colombe par Picasso, pour l'affiche du Premier Congrès mondial des partisans de la paix qui se tiendra à la salle Pleyel, à Paris, du 20 au 23 avril.

11 mars
Matisse montre au frère Rayssiguier son exemplaire du *Chant des morts* de Pierre Reverdy illustré par Picasso. « Une réplique de *Jazz* », note le frère Rayssiguier auquel Matisse répond : « Moi je l'ai déjà regardé trois fois, et plus je vais, plus je vois que c'est remarquablement composé et que tout est à sa place, que toutes les pages sont très bien équilibrées. Il n'y a que Picasso qui pouvait le faire ;

comme il n'y a que moi qui peux faire cela (il désigne les vitraux en face de son lit). Picasso voit tout » (Matisse, Couturier, Rayssiguier, 1993, p. 159).

21 mars
Le père Couturier écrit de Paris à Matisse : « J'ai vu deux fois Picasso, et vous raconterai cela en détail : il parle toujours de vous dans les termes les plus affectueux » (Matisse, Couturier, Rayssiguier, 1993, p. 163).
De retour à Vallauris, Picasso installe ses ateliers de peinture, de sculpture et de céramique dans une ancienne distillerie de parfums, au Fournas.

Fig. 100
L'appartement de Matisse à l'hôtel Regina, Nice, 1949. Le *Portrait de Dora Maar* par Picasso y est accroché au-dessus d'un vase en forme de chouette, également de Picasso. Photographie Hélène Adant.

Avril
Matisse, qui travaille sur la composition du Chemin de croix destiné à la chapelle de Vence, retourne le 29 au château d'Antibes, voir les tableaux et fresques récemment réalisés par Picasso, comme le raconte Françoise Gilot qui occupe à cette époque une position d'intermédiaire entre les deux artistes dont les rencontres semblent fréquentes. Picasso avouera plus tard que c'est le Chemin de croix qu'il préfère dans cette chapelle, ainsi que les chasubles. Matisse dira de ce panneau une fois achevé qu'il est « une sorte de grand drame dans lequel les scènes s'entremêlent [...]. L'exécution en est rude, très rude même [...] » Au moment de sa réalisation, Matisse accroche près de son lit le *Portrait de Dora Maar* de Picasso.

19 mai
Matisse écrit à Françoise Gilot après la naissance de Paloma : « Toutes mes félicitations que je vous prie de partager avec Picasso au sujet de la certainement toute charmante colombe qui doit déjà se faire entendre. Comme les choses sont parfois curieuses. Je travaille depuis quelques semaines à la représentation d'une jeune mère et de son enfant qu'elle porte sur les genoux, car elle est assise, et quoique assise elle mesure 3 mètres 50 de hauteur » (Gilot, 1991, p. 214).

9 juin-25 septembre
Exposition « Henri Matisse : œuvres récentes 1947-1949 » organisée par Jean Cassou, directeur du Musée national d'art moderne, en collaboration étroite avec l'artiste, pour son 80e anniversaire : treize peintures d'« Intérieurs de Vence », vingt et un papiers découpés, vingt-deux dessins à l'encre, les deux tentures *Polynésie, le ciel* et *Polynésie, la mer*, ainsi que des livres illustrés dont *Jazz*. Le 15 février, Matisse avait demandé à son fils Pierre de le remplacer au musée pour l'accrochage de l'exposition. Dès le 23 février, il se préoccupait du plan et de la présentation en « assemblages circulaires ».

Pierre Cabanne raconte que la veille du vernissage, Cassou reçut un coup de téléphone de Picasso, lui demandant de venir voir l'exposition immédiatement. Accueilli par Jean Cassou, Pierre Matisse et Lydia Delectorskaya, Picasso parcourut les salles en disant : « C'est bien », puis s'adressant à l'assistante de Matisse, il demanda : « Alors, à quoi travaille Matisse en ce moment ? – Il travaille à une chapelle », répondit-elle. Et Picasso de lancer : « Il a accepté une commande ! Il fait le trottoir ! » Dans la livraison de *Cahiers d'art*, Christian Zervos critique les papiers découpés de Matisse exposés, les qualifiant de « boutades en papier [qui] n'ont rien en commun avec les papiers collés qui avaient incarné si expressément les recherches esthétiques du cubisme ».

22 juin
À la suite de sa visite au Regina chez Matisse, le frère Rayssiguier écrit dans son Journal : « Picasso doit venir le [Matisse] voir pour donner suite à sa conversation de l'année dernière. (Que Matisse ne fasse pas la chapelle sans doute) » (Matisse, Couturier, Rayssiguier, 1993, p. 208).

23 juin
Matisse écrit au père Couturier : « J'ai vu dans les journaux que Picasso va faire une grande exposition de grandes toiles à la Pensée française. Est-ce une exposition d'été, comme celle du Musée moderne. Sur le ring nous allons donc devenir inséparables, à Paris comme à la Côte d'Azur. J'attends son offensive qui m'est annoncée de plusieurs endroits. Certains craignent pour moi, sauf Mme Lydia. Je vous tiendrai au courant du match » (Matisse, Couturier, Rayssiguier, 1993, p. 209-210).

Début juillet-30 septembre
Exposition de soixante-quatre peintures récentes et d'une sculpture de Picasso à la Maison de la Pensée française. On remarque certaines allusions matissiennes dans quelques toiles. Christian Zervos prend la défense de Picasso, dans un commentaire paru dans *Cahiers d'art* (1949, n° 2) : « Il est faux de déclarer que Picasso a copié Matisse. [...] Il est non moins faux de prétendre que Picasso s'est donné mission et qualité pour redresser Matisse sur ses parties manquées ou faibles. Il ne s'est jamais proposé de surclasser Matisse. [...] L'essentiel pour Picasso [...] est de vérifier ses recherches esthétiques en s'aidant de celles de Matisse, en essayant de les éclairer de sa propre lumière, de les soumettre à ses réactifs, de les retourner et comme les refondre dans son moule à lui pour y chercher des incitations au développement de son génie. »

20 juillet
Matisse, dont les essais de céramiques pour la chapelle sont problématiques et nécessitent des déplacements fréquents à Vallauris chez les Ramié, écrit à Picasso : « Jacqueline [fille de Pierre Matisse] que vous avez vue au vernissage Ramié m'a dit que vous étiez contrarié parce que je n'allais pas vous voir étant quelquefois si près de vous quand je viens à Vallauris. Il faut que vous sachiez que je fais un très gros effort lorsque je vais à Vallauris et qu'après avoir fait avec les Ramié le minimum de station, je rentre à Nice bien vidé. N'oubliez pas que je suis dans mon 80e été, et infirme [...] et rien que ça n'est pas peu de chose. Ne croyez donc pas que c'est parce que je suis très "vieille France" comme vous l'a dit quelqu'un qui ne sait pas ce que ça veut dire. Je ne sais ce que je vais faire – je suis assez empoisonné par les circonstances. Mon cher Picasso, venez m'engueuler si ça peut vous

soulager – entre vieilles connaissances comme nous quelle importance ça a-t-il, on se connaît bien. Mes bonnes amitiés à votre famille dont je vous félicite et à vous cordialement. H. Matisse » (A.P.).

21 juillet
Le frère Rayssiguier note que, pour la décoration de la chapelle, Matisse retient la céramique et non le fibrociment comme Picasso à Antibes.

31 juillet
Visite de Picasso, Françoise et Jaime Sabartès à Cimiez chez Matisse (Matisse, Couturier, Rayssiguier, 1993, p. 221).

17 août
Nouvelle visite de Picasso, Françoise et les Ramié chez Matisse, celui-ci cherche le moyen de peindre en noir pur les grands panneaux de terres cuites émaillées blanches.

19 août
Picasso apporte à Matisse une poterie – un vase en forme de hibou, en « la tenant sur son ventre ». Matisse remarque que « Picasso brise les formes », alors que lui « en est le serviteur [...] » (Matisse, Couturier, Rayssiguier, 1993, p. 234).

10 septembre
Paul Léautaud note, dans son *Journal*, cette réflexion de Jean Dubuffet : « Toute la peinture française avant Matisse et Picasso est à rejeter. »

16 septembre
Dans la presse américaine, Jerome Mellquist commente les expositions récentes de Picasso et de Matisse à Paris, à la Maison de la Pensée française et au Musée national d'art moderne. Il semble déçu par les dernières productions de Picasso ; par contraste, le travail de Matisse révèle une meilleure qualité d'exécution, notamment dans les papiers découpés destinés à l'illustration de *Jazz*. « Peut-être cette exposition [au musée d'Art moderne] n'augmentera-t-elle pas la réputation de Matisse, mais au moins on ne la rangera pas, comme celle de Picasso, parmi les choses regrettables. Reste que même si l'un et l'autre maître se relâchent, il faut se rappeler que, comme pour les crus, une année peut fort bien être meilleure qu'une autre » (Jerome Mellquist, « Picasso and Matisse shows called not up to Masters'best », *New York Herald Tribune*). Outre son travail sur la céramique, Picasso se livre à des constructions en bois ou en métal avec des objets trouvés.

Fig. 101
Henri Matisse dans son atelier de l'hôtel Regina à Nice, devant une maquette de la chapelle de Vence, août 1949. Au second plan on distingue *L'Arbre de vie*, papier découpé préparatoire au vitrail destiné à la nef de la chapelle. Photographie de Robert Capa.

THE OLD MEN
OF MODERN ART

Their passing will mean the end of a memorable era

Fig. 102
« The Old Men of Modern Art », article paru dans le magazine *Life*, 12 décembre 1949, illustré de photographies de Matisse et de Picasso par Gjon Mili. Archives Picasso.

12 décembre
Pose de la première pierre de la future chapelle du Rosaire à Vence par Mgr Rémond, évêque de Nice. Matisse n'y assiste pas.
Le même jour paraissent, dans la revue *Life*, des photographies prises par Gjon Mili : Matisse assis dans son atelier à Nice, devant un papier découpé, et Picasso, une fleur à l'oreille, sur la plage de Golfe-Juan, illustrent un article intitulé « The Old Men of Modern Art » ! À ce sujet, Matisse écrira au père Couturier, le 12 janvier 1950 : « Vous avez vu *Life* au sujet des peintres français. C'est affreux vraiment » (Matisse, Couturier, Rayssiguier, 1993, p. 287).

1950

14 février
Visite de Picasso, accompagné de Solange Morin, avocat et directrice de la Maison de la Pensée française, chez Matisse : « Une grosse nouvelle : hier après midi, visite inattendue de Picasso accompagné d'une dame inconnue. Cette dame représente la Pensée française et venait me demander si je voulais bien faire une exposition de peintures, dessins, bronzes à la Pensée française. » Matisse veut aussi montrer ses travaux de la chapelle, mais « il ne peut être question de ne mettre que la chapelle – mais mon travail en général, la chapelle ne pouvant être considérée que comme un travail sérieux mais exceptionnel. Il ne faut pas que ça fasse exposition d'art religieux. Mon exposition serait celle de MATISSE. J'ai accepté en principe – la date est à décider. [...] Picasso m'a dit qu'il était chargé depuis longtemps de m'en parler. [...] Il était bien gêné chez moi car il ne pouvait trouver pour poser ses yeux un point qui ne fût pas relatif à la chapelle » (Matisse, Couturier, Rayssiguier, 1993, p. 298).

27 février
Matisse raconte au père Couturier : « J'ai eu la visite de personnes importantes de la Pensée française – j'ai oublié leurs noms mais leurs costumes étaient éloquents, élégants. Picasso et sa femme

les accompagnaient. Avec ardeur, ils parlèrent de l'exposition de la Pensée française mais dans le sens d'une exposition Matisse, et puis il y a la chapelle par accident [...] » (Matisse, Couturier, Rayssiguier, 1993, p. 308).

Fin février
Matisse – comme le père Couturier – espérait pouvoir récupérer quelques subsides pour le financement des travaux. Un projet de publication par Matisse sur la chapelle a été envisagé avec Tériade qui ne propose qu'un numéro de *Verve*. Les ateliers Mourlot impriment les *Poèmes de Charles d'Orléans*, manuscrits et illustrés par Henri Matisse pour l'éditeur Tériade, ouvrage élaboré en 1943 suivant les conseils de son ami André Rouveyre, comme en témoigne leur correspondance.

24 mai
Solange Morin de la Maison de la Pensée française écrit à Lydia Delectorskaya, assistante de Matisse : « Avant de reparler à Picasso de sa promesse de prêter des toiles de Monsieur Matisse et avant de solliciter d'autres réponses de personnes déjà pressenties, nous voudrions connaître votre avis. »

15 juin
Lettre de Matisse à Picasso qui n'a sans doute pas répondu à la demande de prêt de Solange Morin : « Mon cher Picasso, Je sais que la Maison de la P. Française vous a écrit ou va vous écrire pour vous prier de prêter les tableaux que vous avez de moi pour mon exposition. Je me joins à sa demande. J'espère que vous voudrez bien faire exception à votre flatteuse habitude de ne pas vous défaire même momentanément de mes œuvres. Cordialement. J'espère que vous allez tous bien, je vous vois comme un triton crachant les flots que vous avez humé en nageant. Amitiés à tous deux. H. Matisse » (A.P.).

5 juillet-24 septembre
Exposition « Henri Matisse : chapelle, peintures, dessins, sculptures », à la Maison de la Pensée française, avec cent treize œuvres de Matisse

(51 sculptures, 27 peintures, 32 dessins, 3 gouaches découpées, 2 maquettes pour la chapelle de Vence). Picasso prête deux peintures : *Nature morte à la corbeille d'oranges*, 1912, et *Tulipes et huîtres sur fond noir*, 1943. Présence forte et exceptionnelle de la sculpture de Matisse. Louis Aragon rédige la préface du catalogue intitulé *Au jardin de Matisse*. Le compte rendu donné dans *Cahiers d'art* (n° 2) par Christian Zervos déplore l'absence des œuvres des collections soviétiques.

6 août

Inauguration, en présence de Paul Éluard, Jean Cocteau, Laurent Casanova (représentant du Parti communiste), sur la place du marché à Vallauris, de *L'Homme au mouton*, bronze donné par Picasso à la ville, installé jusqu'alors dans le chœur de la chapelle située près du château. L'artiste, déclaré citoyen d'honneur de la ville de Vallauris par le conseil municipal au mois de janvier, est sollicité pour décorer cette chapelle, désaffectée depuis la Révolution, par des peintures en l'honneur de la paix. En premier lieu, Picasso souhaite utiliser la céramique, matériau dominant dans la chapelle du Rosaire de Vence à laquelle travaille toujours Matisse, mais les courbes des murs l'en empêchent. Il envisage ensuite la peinture à fresque ou sur fibrociment, comme au château d'Antibes. Finalement, c'est la solution de panneaux d'isorel qui sera retenue en 1952.

29 novembre

Inauguration de l'exposition « Picasso : sculptures, dessins » à la Maison de la Pensée française, avec quarante-trois sculptures et quarante-trois dessins (essentiellement de 1942-1943) réalisés entre 1914 et 1950. Louis Aragon signe la préface du catalogue et les reproductions des sculptures reviennent à Brassaï.

Décembre

À l'occasion d'une visite de Picasso en compagnie de Françoise Gilot à l'hôtel Regina, que Lydia Delectorskaya situe à la fin de l'année 1950 ou au début de 1951, Matisse veut lui faire cadeau d'un objet océanien fait de fougère arborescente et de fibres végétales peintes, coiffe cérémonielle provenant de Vanuatu. Il s'agit de l'ogresse Nevimbumbao (1,20 m de haut), autrefois offerte à Matisse par un officier de marine marchande, « une assez terrifiante figure de femme assise, les yeux saillants, un os monté transversalement sous un gros nez, au-dessus d'une bouche qui montre les dents, les mains en avant, les jambes ouvertes sur un sexe proéminent, l'ensemble bariolé de couleur [...]. Picasso fut réticent à accepter le cadeau et prétexta que le coffre de sa voiture était trop petit pour l'emporter », raconte Françoise Gilot, qui ajoute : « Ce truc de Nouvelle-Guinée me fait peur, lui aurait confié Picasso. Il doit aussi faire peur à Matisse, et c'est pour cela qu'il veut tellement me le donner. [...] Ah naturellement, Matisse s'imagine que je n'ai pas de goût. Il me prend pour un barbare et se dit que, pour moi, cette statue tribale de seconde classe suffira ! Cette caricature n'est pas assez bien pour lui ni pour son appartement de grand bourgeois mais elle l'est assez pour moi, le pauvre type de Malaga ! [...] L'absurdité de nos demeures fait partie de notre excentricité mais si j'accepte ce cadeau hideux de mon soi-disant ami, je suis contraint de l'installer à la place d'honneur, sinon notre relation en sera menacée. Je suis coincé : que faire ? » (Gilot, 1991, p. 278-285). Picasso réclamera l'objet après la mort de Matisse

et Pierre Matisse le lui apportera à l'été 1957, à « La Californie » (lettre de Pierre Matisse à Picasso, 13 mai 1957, A.P.). Il est aujourd'hui conservé au musée Picasso à Paris.

1951

Janvier

Salon de mai : *Massacre en Corée*, peinture réaliste liée aux récents événements, mais aussi marquée par l'œuvre de Goya, constitue l'envoi de Picasso. Reproduite dans le catalogue du salon et surtout en première page des *Lettres françaises* du 10 mai, cette toile est cependant assez mal reçue par le Parti communiste.

Février

Séjour de Picasso à Paris. Il y rencontre Tériade pour préparer un numéro de la revue *Verve* consacré à son travail à Vallauris entre 1949 et 1951. Exposition « Pictures for a picture of Gertrude Stein as a collector and writer on art and artists » à l'University Art Gallery, Yale (11 février-11 mars), puis au musée de Baltimore (21 mars-21 avril), dans laquelle figurent trois peintures (dont *Nu bleu, Souvenir de Biskra*, 1907) et une sculpture en bronze de Matisse, ainsi que huit œuvres de Picasso (dont *Portrait de Gertrude Stein*, 1906).

25 juin

Consécration de la chapelle du Rosaire à Vence. Matisse se fait représenter par son fils Pierre. À cette occasion est édité un petit ouvrage pour lequel Matisse rédige une introduction considérant la chapelle comme l'apogée de l'œuvre commencée avec le fauvisme.
Dans son *Journal*, le père Couturier note, le 23 juin : « Il [Matisse] me raconte que Picasso est venu le voir, la semaine passée, avec Françoise. Il lui apportait dix grands paysages qu'il voulait lui montrer, lui demandant son jugement. Dix paysages ! Il fallait vraiment qu'il soit dans la plus grande inquiétude. [...] Il les a montrés parmi les grands cartons en couleurs pour les chasubles qu'il trouvait très belles » (Matisse, Couturier, Rayssiguier, 1993, p. 398).
Françoise Gilot raconte : « Lorsque nous pénétrâmes dans l'appartement de Matisse avec nos tableaux et nos cartons à dessins [dessins de Françoise Gilot] [...] Pablo posa *Paysage d'hiver* sur le manteau de la cheminée, en veillant à ce que Matisse puisse le voir depuis son lit. Matisse fut comme foudroyé. Il tomba amoureux de ce tableau. Il regarda les autres choses que nous avions apportées, nous en discutâmes sans que personne ne parvienne toutefois à se concentrer sur le sujet de la conversation. Il essaya lui aussi de participer mais ne put détacher son regard de *Paysage d'hiver* [...]. Ensorcelé par cette œuvre, il demanda à Pablo de la lui laisser quelques semaines afin qu'il puisse la contempler tout à loisir. Très honoré de l'enthousiasme de Matisse, Pablo accepta de laisser la dernière-née de ses créations entre les mains de son ami » (Gilot, 1991, p. 237). Lors de la visite suivante de Picasso à Cimiez, Matisse propose d'échanger *Paysage d'hiver* – peinture à l'huile sur panneau de bois réalisée en décembre 1950 – toujours posé sur la cheminée, contre l'un de ses tableaux. Picasso souhaite cependant récupérer son œuvre qui, pour lui, ouvre une voie. Puis Matisse installe autour de la cheminée ses maquettes de chasubles qui viennent encadrer le *Paysage d'hiver*. La peinture ne reviendra chez Picasso

qu'à la fin de l'été pour une photographie destinée au numéro de *Verve* consacré à l'artiste espagnol devant paraître à l'automne.

27 juin

De Saint-Jean-Cap-Ferrat, Jean Cocteau écrit à Matisse : « Je suis bien triste d'apprendre que la fête de la Chapelle a eu lieu. Est-il possible de la voir sans déranger personne ? Picasso m'a dit qu'il vous avait apporté ses paysages. Sont-ils encore chez vous ? Que de beautés se marieraient dans votre chambre » (A.M.).
Le photographe Henri Cartier-Bresson prend une série de clichés de Matisse et Tériade dans sa villa « Natacha », à Saint-Jean-Cap-Ferrat. L'artiste propose d'« agrandir » sa salle à manger en la décorant. Ainsi, il conçoit un vitrail, *Poissons chinois*, et une céramique monumentale, *L'Arbre*, qui sera installée l'année suivante dans l'angle de la pièce. Un vase de Picasso orne le salon de la villa.

20 juillet

Marc Chagall annonce son intention de modifier la chapelle des Pénitents blancs à Vence, où il s'est retiré depuis quelques mois. « Matisse et Chagall, qui semblent avoir pris la tête de la réforme de l'art sacré, sont suivis, mais dans une tout autre mystique, par Pablo Picasso, qui voudrait décorer une chapelle désaffectée de Vallauris (elle date du XIIᵉ siècle) pour en faire un "temple de la paix". [...] Picasso veut montrer la paix en diptyque : les horreurs de la guerre et les bienfaits de la paix représentés par des scènes familiales, des danses, etc. Une grande colombe peinte ou sculptée serait à la place du tabernacle » (*Le Monde*, 20 juillet).

14 août

Lors d'un déjeuner chez Marie Cuttoli, Picasso déclare au père Couturier que ce qu'il y a de plus beau dans la chapelle de Matisse ce sont les chasubles et le Chemin de croix (Matisse, Couturier, Rayssiguier, 1993, p. 402).

18 août

Le père Couturier annonce à Matisse la visite prochaine de Picasso : « Oui, répond Matisse, mais il ne vient jamais. Un jour il m'a dit : "Il faut que nous nous voyions souvent parce que, quand l'un de nous sera mort, il y a des choses que l'autre ne pourra plus dire à personne", mais il ne vient pas » (Matisse, Couturier, Rayssiguier, 1993, p. 404).
Lors d'une rencontre avec Picasso, André Verdet, qui s'était entretenu avec Matisse la veille, lui dit : « Matisse m'a confié hier que ta sincérité était totale, même lorsque tu t'amuses à des diableries [...]. Picasso est dans les lois. Il est révolutionnaire parce qu'il pressent, découvre et exploite les nouvelles lois artistiques que les sociétés, au cours de leurs évolutions historiques, font jaillir, indépendamment des artistes eux-mêmes. C'est à partir de ces lois nouvelles pressenties que se situe le génie des inventions de Picasso, comme le génie de tout créateur [...]. Lui seul peut tout se permettre. Il peut tout mettre à mal. Défigurer, mutiler, dépecer. Il est toujours, il demeure toujours dans les lois. » Picasso répond à Verdet : « Je ne vois pas souvent Matisse. Je le sais malade, j'ai peur de le déranger, il travaille toujours beaucoup. Mais Matisse sait bien que je ne peux pas ne pas penser à lui. Entre lui et moi, il y a notre œuvre commune pour la peinture : quoi qu'on veuille, ça nous lie. »

Automne
Livraison du numéro 25-26 de *Verve* consacré à *Picasso à Vallauris 1949-1951*.

13 novembre
Inauguration de la rétrospective Henri Matisse au Museum of Modern Art, New York, comprenant cent quarante-quatre œuvres (dont 73 peintures, 31 sculptures, dessins, gravures). Une section consacrée à la chapelle de Vence est installée un mois après l'ouverture de l'exposition. Matisse réalise les maquettes pour la couverture du catalogue et pour la jaquette de la grande monographie d'Alfred H. Barr, *Matisse, his Art and his Public*, publiée simultanément. L'artiste prête trente-deux œuvres. Le *Bonheur de vivre* (Merion, Fondation Barnes) et l'*Esquisse pour « La Danse »* (New York, The Museum of Modern Art), de même que des éléments pour la chapelle de Vence (études pour vitraux, chasubles, crucifix présentés dans deux salles ouvertes à la mi-décembre) sont particulièrement remarqués. L'exposition, abondamment commentée dans la presse américaine, connaît un grand succès (125 000 visiteurs jusqu'à sa fermeture, le 13 janvier). Les rapprochements avec Picasso ne manquent pas et une série de quatre conférences – les 12, 19, 26 novembre au Steinway Hall et le 3 décembre au Museum of Modern Art –, données par le critique d'art A. L. Chanin, conférencier au Museum of Modern Art, présente « Deux maîtres de l'art moderne : Matisse et Picasso ». Chanin reprend l'expression célèbre de Picasso à propos de Matisse et lui-même, « Pôle Nord, Pôle Sud », caractérisant respectivement son art et celui de Matisse. « Or, poursuit Chanin, près d'un demi-siècle plus tard, ils sont toujours les deux grands maîtres contraires et les deux éminences de l'art moderne. Et, alors que Picasso a été beaucoup montré à New York, Matisse dans toute sa dimension reste un peu étranger à nombre de personnes. » (A. L. Chanin, « Henri Matisse "casts a Spell of Splendor" in current Show », 23 novembre 1951, Archives MoMA, New York).

Décembre
Très grand succès de l'exposition Matisse (124 000 entrées payantes), comme en témoigne Pierre Matisse : « L'exposition du musée est naturellement un grand succès. Le nombre des visiteurs est déjà supérieur à toutes les expositions les plus courues comme celles de Van Gogh, de Picasso, etc. à l'exception des grands maîtres italiens » (A.P.M.).
Dans son analyse de la rétrospective Matisse à New York, parue le 5 janvier dans le *Saturday Review of Literature*, James Thrall Soby écrit : « Il [Matisse] menace d'éclipser Picasso — éloge extravagant [...]. À la différence de Picasso, Matisse a mûri avec lenteur et, pendant quelque temps, avec hésitation. » Dans le *New York Herald Tribune* du 6 janvier, on peut lire : « Les femmes de Matisse ne sont pas des femmes, mais des formes [...]. Picasso est un styliste, coupable, comme tant de modernes, de se forcer à la recherche d'un style au lieu de le laisser venir, naturellement, de l'intérieur de soi. »

1952

Début février
Ouverture de la rétrospective Matisse (dessins, gravures, peintures et sculptures) au musée de Cleveland.
Conférence du Dr Thomas Munro intitulée « Matisse and Picasso in Recent Years »

29 février
Conférence du critique d'art britannique Clive Bell sur « Picasso et Matisse, et leurs contemporains ».

Mars
Une proposition d'acquisition de la part du collectionneur Samuel A. Marx pour *Les Marocains* ayant été formulée auprès de Matisse, par l'intermédiaire d'Alfred H. Barr, au cours du mois de janvier, ce dernier écrit de nouveau le 26 mars à Matisse : « Je vous supplie de me faire savoir votre décision d'urgence surtout en ce qui concerne *Les Marocains*. Nous venons d'acquérir une grande et importante toile de Picasso, *Pêche de nuit à Antibes*, donc par conséquent nous souhaitons plus que jamais d'ajouter à notre collection un chef-d'œuvre de Matisse » (A.M.). Un accord sera conclu le mois suivant.

9 avril
Matisse donne des nouvelles de ses contemporains à son fils Pierre, en ces termes : « Paris est rempli de drames pour le moment. Picasso a eu une double pneumonie et a failli y rester. Mais il va bien à présent. À présent c'est Olga Picasso qui est couchée, à moitié paralysée par une hémorragie au cerveau [...] » (Russell, 1999, p. 363). La semaine suivante, il lui confirme la vente des Marocains : « J'accepte de vendre *Les Marocains* pour le musée de Barr. »

16 avril-septembre
Exposition « La Nature morte, de l'Antiquité à nos jours » organisée à l'Orangerie des Tuileries par Charles Sterling, pour laquelle il sollicite Picasso en vue du prêt de sa *Nature morte* de Matisse. Picasso demande à voir l'exposition avant de se décider. Sterling raconte : « Picasso s'est précipité immédiatement vers les tableaux espagnols qui étaient dans la première salle et qu'il reconnut tout de suite. Il y avait un Zurbaran, un Van der Hamen. Il a regardé ces tableaux, il a couru à la fin de l'exposition, il est revenu, il a dit : "D'accord", et c'est comme ça que j'ai pu avoir cette magnifique nature morte [*Nature morte à la corbeille d'oranges*, 1912 ; cat. 40] » (« Entretien avec Michel Laclotte », dans *Hommage à Charles Sterling : des primitifs à Matisse*, catalogue d'exposition, Paris, musée du Louvre, 1992, p. 93-95). Au catalogue figurent trois peintures de Matisse et quatre de Picasso. Après avoir renoncé à la céramique utilisée par Matisse à Vence, Picasso se décide à couvrir de fresques la chapelle désaffectée de Vallauris et commence les premiers croquis de *La Guerre et la Paix*. Un premier carnet comprend soixante-huit dessins, exécutés entre le 28 avril et le 1er mai ; un deuxième, daté « 5-11 mai », exécuté à Paris, développe les thèmes du premier carnet consacré à la danse des petites filles, à la tête de l'homme-hibou. Un troisième carnet sera réalisé à Vallauris, daté « 19 juillet-14 septembre » : esquisses de chevaux harnachés, homme-hibou plus agressif, personnages de la mythologie.

Avril-mai
André Verdet se rend à Cimiez auprès de Matisse à plusieurs reprises, en vue de préparer son ouvrage *Prestiges de Matisse*, qui sera publié à Paris, à la fin de l'année, en même temps que paraîtra son étude *Faunes et nymphes de Pablo Picasso*, aux Éditions Pierre Cailler à Genève.

9-29 mai
Salon de mai. Matisse est représenté par la gouache découpée *La Tristesse du roi* (Paris, MNAM) et deux dessins à l'encre d'Arbres, tandis

que Picasso montre *La Chèvre* et quatre lithographies. Au catalogue, sur la même double page, figurent *La Tristesse du roi* et le bronze *La Chèvre*, uniques illustrations du catalogue.

1er juillet
À l'occasion de la parution du livre d'André Verdet intitulé *La Chèvre* (de Picasso), la galerie de Beaune présente une exposition des dessins de *La Chèvre*, l'eau-forte originale de Picasso, et des photographies d'Émile Savitry, de Robert Picault et Chevojon.

12 août-21 septembre
Exposition « Picasso between the Wars, 1919-1939 » au Museum of Modern Art, New York.

19 septembre
Jean Cocteau écrit à Matisse : « J'ai déjeuné hier avec Picasso. Il m'a dit : "Si j'étais à Nice, j'irais voir [Matisse] tous les matins. Je ne vais pas à Nice à cause de ces 100 mètres carrés de fresque. Explique-lui pourquoi je ne l'ai pas vu depuis un an." Il a ensuite longuement parlé de vous avec tendresse et respect [...]. Comme je lui disais que vous aimeriez sûrement le voir, il me dit : "Es-tu sûr qu'il aimerait me voir ?" » En post-scriptum, Cocteau précise : « Il [Picasso] a recouvert l'atelier [du Fournas] d'isorelle et peint au néon sur un échafaud à roulette qu'il pousse lui-même. Personne n'entre, même pas Françoise » (A.M.). Chacune des deux fresques de la chapelle de Vallauris doit couvrir un espace de 10 mètres de large sur 4,70 mètres de hauteur : surface qui relie sans aucun doute Picasso à Matisse, déjà confronté à ces dimensions. Ces deux panneaux réalisés à l'automne, dans le plus grand secret, évoquent le thème de la guerre et la paix : certains fragments paraissent reliés à des motifs matissiens, tel le joueur de flûte du panneau *La Paix*.

Fig. 103
La chambre de Matisse à l'hôtel Regina, Nice, vers 1952.
Sur le manteau de la cheminée se trouve le *Paysage d'hiver* (1950) de Picasso. On distingue également les deux derniers tableaux de Matisse : au-dessus de la porte de gauche, *Femme dans une robe gandoura bleue*, et sur le sol, à droite de la cheminée, *Katia* (1951). Photographie Hélène Adant.

Octobre
Exposition consacrée aux « Fauves » organisée par John Rewald, au Museum of Modern Art, New York, avec trente et une œuvres de Matisse.
Par l'intermédiaire de son fils Pierre, Matisse reçoit la commande d'un grand panneau de céramique destiné à orner la cour intérieure de la maison californienne du collectionneur Sidney Brody. Matisse se met au travail et écrit à son fils, le 12 octobre : « J'ai d'ailleurs une approbation exceptionnelle : Picasso qui est venu me voir avant-hier a dit spontanément, lui qui ne dit jamais rien, que c'est très beau » (Russell, 1999, p. 364).

28 octobre
Dans une lettre adressée à Matisse, André Rouveyre évoque une visite récente de Picasso et Tristan Tzara en ces termes : « [...] aux 2 Magots. Tzara est venu auprès de moi. Il m'a raconté avec gentillesse la visite à toi de Pablo & de lui, ta gronderie de ce qu'il travaillait trop ! et sa repartie ! J'ai dit : seulement des hommes comme eux deux peuvent échanger propos de telle délicieuse et particulière expression vive et gracieuse dans le frottement. Et c'est vrai. Je trouve que ce court échange c'était, d'une part, bien toi ; et de l'autre bien lui ! Et comme vous avez donc bien pu vous en amuser tous les deux de la petite étincelle entre silex si différents ! » (*Matisse Rouveyre, Correspondance*, 2001, *op. cit.*, p. 632).

8 novembre
Inauguration du musée Matisse au Cateau-Cambrésis, à laquelle Matisse ne peut assister. Aménagé dans la salle de réception, au second étage de la mairie, il est fondé sur un don important de l'artiste à sa ville natale : trente-huit dessins, dix livres illustrés, vingt-cinq photographies, cinq sculptures et deux peintures.

Mi-novembre
De nouveau à Paris depuis la fin octobre, Picasso assiste aux obsèques de Paul Éluard, décédé le 18 novembre.

Décembre
Picasso retourne à Vallauris pour achever les deux panneaux de *La Guerre et la Paix* que Matisse ne verra jamais ; ils ne seront installés qu'en 1954. Exposition « Potiers de Vallauris » à la Maison de la Pensée française : Picasso montre vingt-deux pièces inédites (plats tauromachiques ou décorés d'une chouette) ; Matisse, Édouard Pignon et Françoise Gilot y figurent aussi.

1953

5 mai-5 juillet
Grande rétrospective Picasso à la Galerie nationale d'art moderne de Rome, avec deux cents œuvres environ incluant peintures, sculptures, dessins et céramiques de 1920 à 1953, dont les deux panneaux *La Guerre et la Paix* destinés à la chapelle de Vallauris.
Jean Cocteau est invité à s'exprimer à Rome sur l'exposition et ne manque pas d'évoquer la relation entre les deux artistes.
Cette manifestation se poursuivra, à partir de septembre, à Milan.

19 mai-13 juin
La galerie Leiris présente les œuvres récentes de Picasso, de 1950 à 1953 : peintures, dessins, bronzes, céramiques. Le critique Claude Roger-Marx, admiratif de la diversité d'inspiration de l'artiste, écrit : « On voit cet homme aux cent yeux, aux cent mains, courir de la Préhistoire à Ingres, de la Renaissance italienne à l'Afrique ou rejoindre Braque et Matisse » (*Figaro littéraire*, 13 juin).

Juin-septembre
Pour la rétrospective Picasso au musée de Lyon qui comprend cent quatre-vingts œuvres, Matisse prête sa toile *Tête d'expression (Portrait de Dora Maar)* de 1942.
Matisse ne revient pas boulevard du Montparnasse, comme il en avait l'habitude à cette saison ; il passe l'été dans une villa louée à Vence.

Septembre
À l'exposition du 75e anniversaire de la galerie Sidney Janis, New York, six peintures de Matisse de 1904 à 1906 sont présentées et cinq de Picasso de 1909 à 1914.
À la fin du mois, Françoise Gilot, la compagne de Picasso, le quitte et s'installe à Paris avec ses enfants, Claude et Paloma.

Novembre
Une demande officielle de « Monument à Apollinaire » est adressée à Matisse, à prévoir pour un emplacement à l'angle de la rue de l'Abbaye et de la place Saint-Germain-des-Prés. Picasso avait été sollicité pour un monument au poète, dès 1927, mais ses projets avaient été refusés. Jacqueline Apollinaire lui avait renouvelé sa demande pour le square Saint-Germain, dans une lettre du 2 novembre 1948.
À la suite d'une visite chez Matisse, M. Goudal, chef du Bureau des travaux d'art, écrit le 16 décembre 1953 à André Billy : « Matisse a deux projets en vue. Il envisagerait, soit un grand panneau de céramique qui prendrait place dans le petit square qui longe le boulevard Saint-Germain, au lieu du grand panneau de Sèvres qui s'y trouve déjà et que tout le monde est d'accord pour enlever. D'autre part, il étudie également le projet d'une fontaine en céramique pour le square de la place Saint-Germain-des-Prés » (P. Read, *Picasso et Apollinaire*, Paris, Jean-Michel Place, 1995, p. 264). André Salmon, membre du Comité pour le monument à Apollinaire, n'approuve pas le choix de Matisse. Le *Figaro littéraire* du 14 novembre, peut-être sous la plume d'André Billy, fait ce commentaire : « On a parlé aussi du monument du poète. Picasso ayant déclaré forfait, Henri Matisse avait fait espérer une maquette. La maquette n'est pas venue. » Le conservateur du musée de Nice, Mme Guynet, précise à M. Goudal : « J'ai vu Matisse de retour à Nice. [...] J'ai vu son panneau de céramique qui irait très bien à l'emplacement dont je vous ai parlé. Il est facile de l'adapter en monument commémoratif, il y a un médaillon allégorique que l'on peut remplacer par un profil d'Apollinaire et un motif en dessous qui peut être très joliment transformé en fontaine. Toutefois [...] le Maître veut faire prendre une vue de l'emplacement [...] car il n'a pas abandonné complètement l'idée d'une fontaine circulaire » (P. Read, 1995, *op. cit.*, p. 265). S'agissait-il du grand panneau *Apollon* ? Matisse meurt avant qu'un accord soit définitivement conclu.

Fig. 104
L'atelier de Matisse à l'hôtel Regina, Nice, vers 1953. Au premier plan, à droite, une coiffe des Nouvelles-Hébrides que Matisse donna par la suite à Picasso.

Décembre
Picasso commence une série de dessins du *Peintre et son modèle*, qui sera achevée le 3 février 1954. Cette série comprend cent quatre-vingts feuilles environ, connues sous le titre « La Comédie humaine » ; l'artiste y apparaît le plus souvent barbu, proche de son modèle, en compagnie d'une troisième personne : un collectionneur ou un marchand. On pense volontiers à la série de dessins exécutés par Matisse en 1936 illustrant le même thème, l'artiste se laissant deviner en partie sur la feuille de dessin en compagnie du modèle nu.

1954

Février
Matisse, finalement, récuse la proposition du monument à Apollinaire prétextant que « son état de santé ne lui permettait guère d'entreprendre la composition en céramique qui aurait orné un socle de pierre » (cité dans *L'Écho du Figaro littéraire*). Après leur périple italien, les deux panneaux de Picasso *La Guerre et la Paix* sont installés dans le vestibule de la chapelle de Vallauris. À cette occasion, Picasso déclare : « Il ne fait pas très clair dans cette chapelle, et je voudrais qu'on ne l'éclaire pas, que les visiteurs aient des bougies à la main, qu'ils se promènent le long des murs comme dans des grottes préhistoriques, découvrant les figures, que la lumière bouge sur ce que j'ai peint, une petite lumière de chandelle » (Claude Roy, *La Guerre et la Paix*, Paris, Cercle d'art, 1954, p. 21). Picasso expose ainsi une conception qui va à l'opposé de celle de la chapelle de Vence de Matisse, dans laquelle la lumière solaire tient un rôle essentiel. Le panneau du fond de la chapelle sera exécuté par Picasso en 1958 et l'inauguration officielle n'aura lieu qu'en septembre 1959.

27 février
De Nice, Matisse le confirme à son ami André Rouveyre : « Il y a du vrai et du faux dans l'Écho en question. Vrai : que j'avais accepté de m'occuper du monument Apollinaire, faux : que j'y travaillais déjà et que ma santé actuelle m'a obligé de m'arrêter. Simplement à la réflexion, j'ai compris que j'allais m'engager dans une tâche un peu trop lourde pour mes forces de 84 ans et j'ai préféré me récuser, avant d'avoir commencé » (*Matisse Rouveyre, Correspondance*, 2001, *op. cit.*, p. 646).

Mai
Salon de mai. Picasso envoie trois peintures récentes et sa sculpture *Femme enceinte* qui fait beaucoup parler d'elle, tandis que Matisse est représenté par la gouache découpée *La Gerbe*, composition aux feuilles multicolores tel un feu d'artifice.

Juillet
Exposition « Picasso deux périodes : 1900-1914, 1950-1954 », à la Maison de la Pensée française. Y sont présentées des peintures des collections Chtchoukine et Morosov, qui quittent la Russie pour la première fois. Revendiquées par les héritiers, trente-sept œuvres sont décrochées une semaine après l'ouverture de l'exposition. Picasso envoie des œuvres en remplacement, dont un *Portrait de madame Z...* (la nouvelle compagne de Picasso, Jacqueline Roque). Ces modifications donnent lieu à la publication de deux catalogues d'exposition différents. Premières tôles découpées de Picasso. Au festival d'Édimbourg, une exposition consacrée

à Serge Diaghilev montre six dessins de Picasso sur le thème de la danse et sept dessins de Matisse pour *Le Chant du rossignol*, de même qu'un autoportrait dessiné de l'un et de l'autre.

8 septembre
Mort d'un artiste qui leur fut proche : André Derain, renversé à Chambourcy.

18 septembre
En séjour à Perpignan avec Picasso chez Paule et Jacques de Lazerme, Roland Penrose note dans son journal : « [...] Il [Picasso] nous a montré un dessin en vue d'un temple de la paix qui devrait être construit au sommet d'une montagne surplombant l'Espagne et la mer. Les esquisses étaient assez sommaires, mais l'idée générale se dégageait : lourdes colonnes irrégulières supportant un lourd toit en terrasse sur lequel était posé un être en forme de colombe [...]. Idée encore brumeuse, mais le projet lui tenait à cœur. Il n'a encore jamais rien fait de sérieux en architecture, il aimerait faire un temple non chrétien, et il parle sans cesse du mystère de la chapelle de Matisse, des vitraux de Braque à Varengeville, etc., l'*art religieux* est pour lui une absurdité, il se demande comment on peut faire de l'art religieux un jour et un art autre le lendemain. [...] » (Archives Roland Penrose, Édimbourg)

Automne
Publication du numéro 29-30 de *Verve*, entièrement consacré à la « Suite de cent quatre-vingts dessins » de Picasso, avec une présentation de Tériade et un texte de Michel Leiris « Picasso et la Comédie humaine ». La livraison 35-36 de la revue présentera, à l'été 1958, les « Dernières œuvres de Matisse 1950-1954 », accompagnées d'un texte de Pierre Reverdy.

3 novembre
Mort de Henri Matisse à Nice. Il est enterré au cimetière de Cimiez cinq jours plus tard. Jean Cocteau, Édouard Pignon, Jean Cassou, représentent le gouvernement, assistent aux obsèques et rendent hommage à l'artiste. Marguerite Duthuit, fille de Matisse, raconte à Brassaï en 1960 : « Quand Matisse est mort, nous l'[Picasso] avons prévenu. Leurs rapports étaient amicaux, intimes. On aurait pu penser qu'il viendrait au téléphone nous dire combien cette triste nouvelle le frappait [...]. Après une longue attente on nous a dit : "M. Picasso est en train de déjeuner, on ne peut pas le déranger [...]." Nous attendons un télégramme, un coup de téléphone. Rien [...] Nous avons retéléphoné. C'était la même chose. Et quand une troisième fois, nous avons essayé de lui parler, on nous a répondu : "Picasso n'a rien à dire au sujet de Matisse puisqu'il est mort." [...] Aurait-il vraiment dit ça ? Ou aurait-on répondu à son insu pour lui épargner une vive émotion ? » (Brassaï, 1964).
« Picasso se plaisait à répéter : il y a un certain nombre de choses dont je ne pourrais plus parler avec qui que ce soit après la mort de Matisse [...]. Tout bien considéré il n'y a que Matisse [...]. La mort de Matisse, sans être vraiment inattendue, fut un véritable choc pour son vieil ami et rival » (Gilot, 1991, p. 330).
À Londres, le *Times* consacre une longue étude critique de la peinture de Matisse : « Matisse peignait les plaisirs de la vie au lieu de ses douleurs. Il était français et modéré, non Espagnol et extrême comme Picasso » (cité dans *Le Monde*, 6 novembre).

Le *New York Herald Tribune* estime que l'art de Matisse « plus que celui de tout autre de ses contemporains – sauf Picasso – a changé toute la peinture de son temps. Il était dans la tradition de maîtres tels que Rembrandt, Titien et Renoir » (cité dans *Le Monde*, 6 novembre).

7 novembre
L'Humanité dimanche écrit : « Matisse avait une douzaine d'années de plus que Picasso. Une longue amitié unissait leurs deux génies. Ils échangeaient des toiles. Souvent Picasso descendait de Vallauris vers Nice, pour passer une heure au pied du lit de Matisse. Le musée vivant de Picasso à Antibes et la chapelle de Matisse à Vence se faisaient concurrence [...]. Il arriva à Matisse d'aller dessiner des Picasso du musée d'Antibes. Une grande nature morte de Matisse trône dans l'atelier de Picasso. Depuis un demi-siècle, la presse cherchait en vain à opposer ces deux maîtres de l'art de notre temps. »

21 novembre
À cette date, Roland Penrose évoque dans ses notes la visite qu'il fit à Picasso, qu'il trouva couché encore plus triste, plus ridé et plus pâle que la semaine précédente : « Il [Picasso] était triste, il avait l'air plus rabougri, plus ridé, et plus pâle que la semaine dernière. Pas causant [...]. A parlé de Matisse, dont la mort lui pèse certainement, selon lui il n'était pas profondément catholique ; et la presse essaie d'exploiter [...]. Matisse voyait dans ce projet le moyen de faire plus de peintures, etc. Picasso a dit qu'il avait souvent reproché à Matisse ses tendances religieuses [*sic*], mais à part ça, "il a fait des Matisses et ça c'est important". À l'évidence, Picasso a peur de la mort depuis que, cette année, tant de gens de sa génération sont morts. Derain, Matisse, Maurice Raynal, la femme de Sabartès » (Archives Penrose, Édimbourg).

1er décembre
« Plus tard dans la journée, je suis passé voir Picasso. Il jouait avec deux petits enfants [...]. On en est venus naturellement à parler de Matisse. Picasso a regardé par la fenêtre et dit : "Il est mort, il est mort [...]." Matisse, du point de vue de Picasso, était l'artiste le plus accompli de son temps [...]. Le jour où il est mort, un jeudi, certains des cafés où sont accrochés ses dessins en compagnie d'artistes locaux mineurs ont fermé pour la journée [...]. Matisse était le pur héritier de la lignée française, celle d'Ingres, de Manet et de Renoir... » (Joseph Kissel Foster, « Matisse : An Informal Note, Reflections of Picasso and others », *Art Digest*).

Décembre
À partir du 13 décembre, Picasso inaugure une série de variations sur *Les Femmes d'Alger* de Delacroix, « un des chefs-d'œuvre de ce maître que tous deux aimaient particulièrement », dit Françoise Gilot.
« Entre le 13 décembre 1954 et le 14 février 1955, Picasso acheva quinze peintures à l'huile et deux lithographies, toutes de libres interprétations des *Femmes d'Alger*. C'est ainsi que Picasso participa au cortège funèbre de Matisse. Si irrationnel que cela puisse paraître, il considérait la mort de son ami comme une sorte de trahison. Se sentant abandonné, il lui fallait, d'une façon ou d'une autre se venger de sa propre tristesse en prenant Delacroix comme bouc émissaire » (Gilot, 1991, p. 331). Celle-ci précise aussi : « Picasso voulait tenter un dernier hommage pictural avant que trop de temps ne s'écoule et que l'élan qu'il avait acquis au cours de leurs dialogues des dix dernières

années, ne se perde. Il entreprit indirectement cet hommage en choisissant Delacroix comme le point de référence le plus adéquat à leurs discussions passionnées, car beaucoup de leurs conversations sur l'art avaient tourné autour de ce maître » (Gilot, 1991, p. 330).
Roland Penrose ajoute à propos des *Femmes d'Alger* : « Ce que je vis des intérieurs mauresques et des poses provocantes des femmes nues me fit tout de suite penser aux odalisques de Matisse. "Tu as raison", dit Picasso en riant, "Matisse en mourant m'a légué ses odalisques, et voilà mon idée de l'Orient, bien que je n'y sois jamais allé" [...]. »

Crédits photographiques

Antibes, musée Picasso, fig. 14
The Baltimore Museum of Art, cat. 15, 107 ; fig. 25, 33, 57 et frontispice
Barcelone, museu Picasso, cat. 139
Belfort, donation Maurice Jardot, cat. 120
Berlin, Staatliche Museen zu Berlin, Nationalgalerie, Sammlung Berggruen, cat. 87, 119
Cambridge/Katya Kallsen, The Fogg Art Museum, Harvard University Museums, fig. 56
Henri Cartier-Bresson/Magnum Photos, fig. 15
The Art Institute of Chicago, cat. 74 ; fig. 13
The Colombus Museum of Art, cat. 65
Copenhague, Statens Museum for Kunst, photos Dowic, cat. 2, 68 ; photos Hans Petersen, cat. 16, 140
David Douglas Duncan, fig. 1
Düsseldorf, Kunstsammlung Nordrhein-Westfalen, photo Walter Klein, cat. 136
Genève, galerie Jan Krugier, cat. 110 ; photo Patrick Goetelen, cat. 112
Collection Marina Picasso, courtesy galerie Jan Krugier, Genève, photos Patrick Goetelen, cat. 86, 146
Hambourg, Hamburger Kunsthalle, photo Elke Walford, cat. 88
Hartford, Connecticut, Wadsworth Atheneum Museum of Art, cat. 105
Houston, The Menil Museum, photo Paul Hester, fig. 40
Le Cateau-Cambrésis, musée Matisse, fig. 72
Londres, The Bridgeman Art Library, fig. 32, 42, 65
Londres, The British Museum, fig. 7, 23
Londres 93, Courtauld Institute Gallery, Somerset House, fig. 48
Londres, Public Record Office, fig. 96
Londres, Tate, cat. 18, 57, 73
Madrid, Museu nacional Centro de Arte Reina Sofia, archives photographiques, cat. 141
Merion Station, Pennsylvanie, The Barnes Foundation, fig. 2, 12
Gjon Mili/Timepix, fig. 102
Moscou, musée d'État des Beaux-Arts Pouchkine, cat. 49, 72
Nice, ville de, cat. 142
New York, Acquavella Galleries, cat. 143
New York, Buffalo, Albright-Know Art Gallery, cat. 131
New York, The Metropolitan Museum of Art, cat. 50 ; fig. 45 ; photos Malcom Varon, cat. 41, 90
New York, The Museum of Modern Art, cat. 5, 19, 20, 31, 52, 56, 58, 59, 61, 62, 63, 64, 67, 71, 80, 91, 94, 101, 116, 121, 125, 134 ; fig. 3, 27, 37, 43, 44, 60, 79, 91, 101
New York, The Museum of Modern Art/Courtesy Museum of Modern Art Archives, Alfred H. Barr, Jr. Papers, 12. X111 (Addendum), fig. 90
New York, Rochester, George Eastman House, fig. 31, 81
New York, The Solomon R. Guggenheim Museum, photos David Heald, cat. 44, 66
Norwich, University of East Anglia, Sainsbury Centre for Visual Arts, photo James Austin, fig. 22
Paris, photos Archives Gaumont, fig. 73
Paris, photos Archives Matisse, cat. 24, 43, 95, 147 ; fig. 74, 77, 85, 88, 89, 93 ; (D. R.) fig. 17
Paris, photos Archives Picasso, fig. 75, 76, 80, 82, 83, 84, 94 ; photos Béatrice Hatala, fig. 97, 98, 102
Paris, Bibliothèque nationale de France, cat. 83
Paris, Bibliothèque d'Art et d'Archéologie Jacques Doucet, cat. 21-23

Paris, Centre Georges Pompidou, MNAM/CCI/Documentation générale du Centre Georges Pompidou, fig. 51 ; photo Hélène Adant, fig. 100, 103 ; photo André Viller, fig. 104
Paris, CNAC/MNAM Dist. RMN, service de documentation, cat. 6, 46, 54, 92, 93, 137, 148 ; photo Christian Bahière, cat. 51 ; photo Jacqueline Hyde, cat. 132 ; photos Adam Kzepka, cat. 104, 108, 158 ; fig. 47 ; photo Georges Megerditchian, cat. 109 ; photos Philippe Migeat, cat. 11, 14, 53, 84, 98, 114, 123, 128, 135, 145 ; photos J. C. Planch, cat. 55, 138
Paris, Réunion des musées nationaux, cat. 29, 96, 111, 113 ; fig. 4, 5, 10, 11, 21, 35, 38, 67, 78 ; photos J. G. Berizzi, cat. 37, 89, 102, 118, 159 ; fig. 53 ; photo Gérard Blot, cat. 34 ; photo Coursaget, fig. 30 ; photos Béatrice Hatala, cat. 28, 30, 69, 81, 100, 103, 122, 124, 126, 129, 152 ; fig. 61, 62 ; photo Franck Raux, fig. 16
Prague, National Gallery, fig. 19
Riehen/Bâle, Beyeler Foundation, cat. 4, 153
The Philadelphia Museum of Art, cat. 48 ; photo Graydon Wood, cat. 1
Saint-Pétersbourg, musée national de l'Ermitage, cat. 8, 39, 45, 47, 60 ; fig. 8, 20, 52
The Saint Louis Art Museum, cat. 7
Saint Louis, Washington University Gallery of Art, fig. 69
Santa Barbara Museum of Art, photo Scott Mac Laine, fig. 46
Michel et André Vaglio-Cavaglione, fig. 99
Windsor, The Royal Collection, 2002, Her Majesty Queen Elizabeth II, fig. 69
Washington, The Hirshhorn Museum and Sculpture Garden, Smithsonian Institution, photos Lee Stalsworth, cat. 10, 130
Washington, National Gallery of Art, cat. 154
Washington D. C., The Phillips Collection, cat. 36, 70
Zurich, Bürhle Foundation, fig. 18

Tous droits réservés pour les œuvres provenant de collections particulières (Images modernes, Paris, E. Baudouin, cat. 133, 155 ; photo Al Jung, fig. 29 ; photo Robert Lorenzson, fig. 24 ; Orlando Photographies, cat. 82, 150, 156 ; photos Quesada/Burke Studios, New York, cat. 35, 85, 151 ; photos Dorothy Zeidman, cat. 32, 75) et pour les œuvres non citées dans cette liste.

Publication du département de l'Édition
dirigé par **Béatrice Foulon**

Coordination éditoriale
Bernadette Caille
Sophie Laporte

Traduction des textes anglais et américains
Brice Matthieussent
Didier Pemerle

Préparation et relecture des textes
Sylvie Bellu

Iconographie
Évelyne David

Fabrication
Jacques Venelli
Hugues Charreyron

Conception graphique
Steven Schoenfelder

Adaptation de la maquette
Jean-Yves Cousseau

Conception graphique de la couverture
Bernard Lagacé

Cet ouvrage a été achevé d'imprimer
sur les presses de l'imprimerie
Conti Tipocolor à Florence,
qui a également réalisé
la photogravure et le façonnage.

Dépôt légal : septembre 2002
ISBN : 2-7118-4551-6
FK 19 4551